ANNA KARÉNINE
Tome I

« A moi la vengeance et la rétribution (1) »

D1459027

(1) *Deutéronome*, XXXII, 35. Cf. aussi *Epître aux Romains*, XII, 19 et *Epître aux Hébreux*, X, 30. J'emprunte à la traduction du chanoine Crampon tous les passages de la Bible cités par Tolstoï (N. d. T.).

ŒUVRES DE LÉON TOLSTOÏ

nrf

Paru dans Le Livre de Poche :

LA SONATE A KREUTZER
suivi de LA MORT D'IVAN ILITCH.

LÉON TOLSTOÏ

Anna Karénine

TRADUCTION ET NOTES
DE HENRI MONGAULT

PRÉFACE DE FRANÇOISE MALLET-JORIS

Tome I

LE LIVRE DE POCHE

© *Librairie Générale Française, 1960.*
Tous droits de traduction, de reproduction et d'adaptation
réservés pour tous pays.

PREFACE

ANNA KARÉNINE *est un roman d'amour. L'amour y est peint sous toutes ses formes, à travers toutes les circonstances qui le façonnent. S'il n'était aussi vivant, aussi passionné, on pourrait même s'étonner de trouver dans ce livre comme une sorte de catalogue des situations de l'amour. Conjugal, avec le ménage Oblonski; juvénile, avec l'amour naissant de Kitty pour Vronski; mûri, lorsqu'elle s'aperçoit qu'elle n'a jamais aimé que Levine. Le ménage aimant et fidèle que formeront Kitty et Levine s'oppose au ménage orageux de Dolly et Stiva. L'adultère passionné de Vronski et d'Anna a pour pendant le tiède et, pourrait-on dire, social adultère de Stiva. L'amour léger, frivole, règne dans la société de la princesse Betsy. L'amour filial est brièvement mais puissamment évoqué lorsque nous voyons le petit Serge, enfant, se jeter au cou de sa mère, puis, adolescent, écarter la seule pensée d'Anna avec ce douloureux repliement, si naturel, et d'une admirable psychologie. Même l'austère et bizarre figure d'Alexandre Karénine n'est pas sans nous toucher de cette façon : car enfin, tout ironique, tout sujet aux plus étranges revirements qu'il soit, Karénine n'est-il pas, lui aussi, de ces âmes à la sensibilité exacerbée qu'un geste, une inflexion de voix, une nuance émeuvent? Et son horreur maladive des larmes de femmes (connue même de son huissier) est-elle autre chose que la marque d'une extrême émotivité qui tente de se protéger contre sa faiblesse?*

Mais l'amour le plus curieux qui soit dépeint dans ce roman d'amour, c'est bien celui, ombrageux, orageux, intermittent, d'Anna et de Léon Tolstoï.

« Madame Karénine était admirablement belle dans sa simple robe noire. »

Jusqu'au bout, pour Léon Tolstoï, Anna sera belle. Il ne put même se résoudre à la défigurer après sa mort, comme l'avait été celle qui lui servit de modèle, la malheureuse Anna Stepanovna Pirogof, qui se jeta sous les roues d'un train après une querelle avec son amant Bibikov. Anna Stepanovna n'était, nous rapporte D Gillès dans son beau livre sur Tolstoï, pas belle. C'était « une grande femme bien en chair ». Aussi, mis à part son tragique destin, n'a-t-elle rien de commun avec la fascinante Anna.

Fascinante. Pourtant Tolstoï la détestera par moments, cette « femme adultère » dont il a voulu raconter l'histoire pour exciter « plutôt que l'opprobre, la pitié ». Comme souvent, l'auteur d'Anna Karénine conçoit son sujet sous une forme abstraite; il y voit un moyen de diffuser ses théories un peu simplistes sur l'amour, les femmes et le mariage. Mais il a compté sans son propre talent. Anna naît et prend vie, et cette passion « digne de pitié », cet amour fou, nous apparaît, à nous et peut-être à son créateur, comme plus admirable, plus enviable que tristement édifiant. Est-ce pour cette raison qu'après deux mois de travail acharné, Tolstoï abandonna momentanément son roman pour se consacrer à une refonte de son abécédaire, œuvre morale s'il en fut? En août de l'année suivante seulement il se remet au travail, et c'est sans enthousiasme, peut-être avec une sorte de peur secrète, qu'il se replonge dans « l'ennuyeuse et vulgaire Anna Karénine ». Ennuyeuse et vulgaire? Peut-être la voit-il ainsi, lorsqu'il s'en est momentanément détaché. Mais tout à coup, alors qu'il corrige les nouveaux chapitres qui viennent de paraître dans le Messager Russe, le charme d'Anna le reprend, et c'est dans une véritable fièvre qu'il écrira la fin tragique de son roman.

Anna est morte. « La tête, qui n'avait pas souffert, avec ses lourdes tresses et les cheveux frisés sur les tempes... » Jusqu'au bout, et à travers ses diverses apparitions (en amazone, lorsqu'elle descend de che-

*val d'un souple mouvement qu'on croit voir; à l'Opéra,
lorsque, insultée, elle reste « altière, souverainement
belle, et souriant dans son cadre de dentelles ».) Anna
reste la fascinante Anna. Et si son créateur l'a abandonnée quelquefois, insultée même, n'est-ce pas que
comme Vronski, il s'est senti, dans son exigence morale
« outragé » par l'exigeante beauté de cet amour?*

*Outragé, au point de lui montrer la mort comme
l'inévitable issue de cette insolente passion. Et en
condamnant Anna, c'est aussi une part de lui-même
que l'ardent Tolstoï condamne, cette part qui s'exprime
dans son Journal en termes excessifs : « Je suis épris
comme je ne croyais pas qu'on pût l'être. Je suis un
fou et je me tirerai une balle dans la tête si cela conti-
nue... » Cette folie-là le conduira, certes, au mariage.
Mais auparavant, combien de fois n'a-t-il pas aimé?
Cette petite chanteuse tzigane, ces belles bohémiennes
des faubourgs de Moscou, et Marenka la Caucasienne
(qui sera la Marianna des Cosaques), et sa cousine
Alexandra, les a-t-il tout à fait oubliées? Et cette petite
Valeria qui tour à tour l'attira vivement et lui inspira
la plus violente répulsion? Dans cette succession
d'élans et de dégoûts gît toute la dualité de Tolstoï. Il
condamne Anna et Vronski, certes, mais que trouve-t-il
à leur opposer? Le mariage? Il le décrit sous des couleurs peu attirantes. Voici Dolly, épouse fidèle, mère
aimante, mais « prématurément vieillie et fanée » par
les soucis, et par cette maternité même que Tolstoï
(qui n'en est pas encore à prêcher la chasteté) préco-
nise. Son mari la trompe, elle en souffre, elle pardonne.
Il est évident qu'il la trompera à nouveau, qu'elle souf-
frira, qu'elle pardonnera encore. Comment pourrait-il
en être autrement, puisqu'elle n'est plus désirable, avec
« ses tresses clairsemées, son visage amaigri ». Mauvais ménage, dira-t-on. Mais celui de la charmante
Kitty, du bon Levine? Dolly elle-même remarque que
Kitty a épaissi, enlaidi. Les querelles sont fréquentes.
Et si Vronski, dans les premiers temps même de sa
passion pour Anna, n'est « pas complètement heureux »
ne peut-on en dire autant de Levine, de Tolstoï?*

Aussi ce roman d'amour est-il un roman profondé-

*ment triste. Si la passion s'y trouve condamnée à mort,
l'amour juvénile et charmant périt aussi, et de façon
peut-être encore plus triste. Ce n'est pas cette « loi du
bien » que découvre Levine en un épilogue un peu
forcé qui nous convaincra du contraire. La paix que
trouve Levine, un beau soir plein d'étoiles, est malgré
tout un renoncement.*

*Nous nous résignons malaisément à tant de sagesse,
et avec nous, sans doute, Tolstoï. Eût-il sans cela, lui
qui, marié depuis huit ans, méditait comme Levine
pendant les longues soirées d'Iasnaia-Poliana, eût-il
sans cela su évoquer avec autant de séduction, de vie,
d'inexplicable charme, la vive démarche, les cheveux
grisés, les bras ronds de Madame Karénine, « admirablement belle dans sa simple robe noire? »*

F. MALLET-JORIS.

PREMIÈRE PARTIE

I

LES familles heureuses se ressemblent toutes; les familles malheureuses sont malheureuses chacune à leur façon. Tout était sens dessus dessous dans la maison Oblonski. Prévenue que son mari entretenait une liaison avec l'ancienne institutrice française de leurs enfants, la princesse s'était refusée net à vivre sous le même toit que lui. Le tragique de cette situation, qui se prolongeait depuis tantôt trois jours, apparaissait dans toute son horreur tant aux époux eux-mêmes qu'aux autres habitants du logis. Tous, depuis les membres de la famille jusqu'aux domestiques, comprenaient que leur vie en commun n'avait plus de raison d'être; tous se sentaient dorénavant plus étrangers l'un à l'autre que les hôtes fortuits d'une auberge.

La femme ne quittait plus ses appartements, le mari ne rentrait pas de la journée, les enfants couraient abandonnés de chambre en chambre; après une prise de bec avec la femme de charge, la gouvernante anglaise avait écrit à une amie de lui chercher une autre place; dès la veille à l'heure du dîner le chef s'était octroyé un congé; le cocher et la fille de cuisine avaient demandé leur compte.

Le surlendemain de la brouille le prince Stépane Arcadiévitch Oblonski — Stiva pour ses amis — se réveilla à huit heures, comme de coutume, mais dans son cabinet de travail, sur un divan de cuir et non plus dans la chambre à coucher conjugale. Désireux sans doute de prolonger son sommeil, il retourna molle-

ment sur les ressorts du canapé son corps gras, bien
soigné et, l'entourant de ses bras, il appuya sa joue sur
l'oreiller; mais il se redressa d'un geste brusque et
ouvrit définitivement les yeux.

« Voyons, voyons, comment était-ce? songeait-il,
cherchant à se remémorer les détails d'un songe. Oui,
comment était-ce? Ah! j'y suis! Alabine donnait un
dîner à Darmstadt, mais Darmstadt était en Amérique...
Alabine donnait un dîner sur des tables de verre, et les
tables chantaient *Il mio tesoro*... non, pas cet air-là, un
autre bien plus joli... Et il y avait sur les tables je ne
sais quelles petites carafes qui étaient des femmes. »

Un éclat de joie brilla dans les yeux de Stépane Arcadiévitch. « Oui, se dit-il en souriant, c'était charmant, tout à fait charmant, mais une fois éveillé, ces
choses-là, on ne sait plus les raconter, on n'en a même
plus la notion bien exacte. »

Remarquant un rai de lumière qui s'infiltrait dans
la pièce par l'entrebâillement des rideaux, il laissa
d'un geste allègre pendre hors du lit ses pieds en quête
des pantoufles de maroquin mordoré, cadeau de sa
femme pour son dernier anniversaire, tandis que, cédant à une habitude de neuf années, il tendait sa main
vers sa robe de chambre, suspendue d'ordinaire au
chevet de son lit. Mais, se rappelant soudain l'endroit
où il se trouvait et la raison qui l'y avait amené, il
cessa de sourire et fronça le sourcil.

« Ah! ah! ah! » gémit-il sous l'assaut des souvenirs.
Une fois de plus son imagination lui représentait tous
les détails de la scène fatale, tout l'odieux d'une situation sans issue; une fois de plus il dut — et rien n'était
plus pénible — se reconnaître l'auteur de son infortune.

« Non, elle ne pardonnera pas et elle ne peut pas
pardonner! Et le plus terrible, c'est que je suis cause de
tout sans être pourtant coupable. Voilà le drame. Ah!
ah! ah! » répétait-il dans son désespoir en évoquant les
minutes les plus atroces de la scène, la première surtout, alors que rentrant tout guilleret du théâtre, d'où
il rapportait une énorme poire à l'intention de sa
femme, il n'avait pas trouvé celle-ci dans le salon, ni
même, à sa grande surprise, dans son cabinet, et qu'il
l'avait enfin découverte dans la chambre à coucher,

tenant entre les mains le malencontreux billet qui lui
avait tout appris.

Elle, cette Dolly qu'il tenait pour une bonne ménagère perpétuellement affairée et quelque peu bornée,
était assise immobile, le billet à la main, le regardant
avec une expression de terreur, de désespoir et d'indignation.

« Qu'est-ce que cela? » répétait-elle en désignant le
billet.

Et, comme il arrive souvent, ce qui laissait à Stépane
Arcadiévitch le plus fâcheux souvenir, c'était moins la
scène en elle-même que la réponse qu'il avait faite à sa
femme.

Il s'était alors trouvé dans la situation d'une personne
subitement convaincue d'une action par trop honteuse,
et, comme il advient toujours en pareil cas, il n'avait
point su se composer un visage de circonstance. Au
lieu de s'offenser, de nier, de se justifier, de demander
pardon, d'affecter même l'indifférence, — tout aurait
mieux valu! — il se prit soudain à sourire, oh! fort
involontairement (action réflexe, pensa Stépane Arcadiévitch, qui aimait la physiologie), et ce sourire sté-
réotypé et bonasse ne pouvait forcément qu'être niais.

Ce sourire niais, il ne pouvait maintenant se le pardonner, car il avait provoqué chez Dolly un frisson de
douleur; avec son emportement habituel, elle avait
accablé son mari d'un flot de paroles amères, et, lui
cédant aussitôt la place, s'était depuis lors refusée à le
voir.

« C'est ce bête de sourire qui a tout gâté! » songeait
Oblonski. « Mais que faire, que faire? » se répétait-il
désespérément sans trouver de réponse.

II

SINCÈRE envers lui-même, Stépane Arcadiévitch ne se
faisait point illusion : il n'éprouvait aucun remords
et s'en rendait fort bien compte. Cet homme de trente-
quatre ans, bien fait de sa personne et de complexion
amoureuse, ne pouvait vraiment se repentir de négli-

ger sa femme, à peine plus jeune que lui d'une année
et mère de sept enfants, dont cinq vivants; il regrettait
seulement de ne pas avoir mieux caché son jeu. Mais il
comprenait toute la gravité de la situation et plaignait
sa femme, ses enfants et lui-même. Peut-être aurait-il
mieux pris ses précautions s'il avait pu prévoir l'effet
que la découverte de ses fredaines produirait sur sa
femme. Sans jamais avoir bien sérieusement réfléchi à
la chose, il s'imaginait vaguement qu'elle s'en doutait
depuis longtemps et fermait volontairement les yeux.
Il trouvait même que Dolly, fanée, vieillie, fatiguée,
excellente mère de famille certes, mais sans aucune
qualité qui la mît hors de pair, aurait dû en bonne justice faire preuve d'indulgence. L'erreur avait été
grande.

« Ah! c'est affreux, affreux, affreux! » répétait Stépane Arcadiévitch, sans pouvoir trouver d'issue à son
malheur. « Et tout allait si bien, nous étions si heureux! Je ne la gênais en rien, je lui laissais élever les
enfants, tenir la maison à sa guise... Evidemment il est
fâcheux que cette personne ait été institutrice chez
nous. Oui, c'est fâcheux. Il y a quelque chose de trivial, de vulgaire à faire la cour à l'institutrice de ses
enfants. Mais aussi quelle institutrice! (Il revit les yeux
noirs, le sourire fripon de Mlle Roland.) Et puis enfin,
tant qu'elle demeurait chez nous, je ne me suis rien
permis... Le pire, c'est qu'elle est déjà... Et tout cela
comme un fait exprès. Ah! mon Dieu, mon Dieu, que
faire? »

De réponse il n'en trouvait point, sinon cette réponse
générale que la vie donne à toutes les questions les
plus compliquées, les plus insolubles : se plonger dans
le trantran quotidien, c'est-à-dire oublier. Il ne pouvait
plus, du moins jusqu'à la nuit suivante, retrouver
l'oubli dans le sommeil, dans la berceuse des petites
femmes-carafes; il lui fallait donc s'étourdir dans le
songe de la vie.

« Nous verrons plus tard », conclut en se levant
Stépane Arcadiévitch. Il endossa sa robe de chambre
grise doublée de soie bleue, en noua la cordelière,
aspira l'air à pleins poumons dans sa large cage thora-
cique, puis, de cette démarche balancée qui enlevait
à son corps vigoureux toute apparence de lourdeur,

il s'avança vers la fenêtre, en écarta les rideaux et donna un énergique coup de sonnette. Le valet de chambre Mathieu, un vieil ami, entra aussitôt, portant les habits et les bottines de son maître ainsi qu'un télégramme; derrière lui venait le barbier avec son attirail!

« A-t-on apporté des papiers du bureau? s'enquit Stépane Arcadiévitch, qui prit la dépêche et s'assit devant le miroir.

— Ils sont sur la table », répondit Mathieu, en jetant à son maître un coup d'œil complice; au bout d'un moment, il ajouta avec un sourire rusé : « On est venu de chez le loueur de voitures. »

Pour toute réponse Stépane Arcadiévitch croisa dans le miroir son regard avec celui de Mathieu; le geste prouvait à quel point ces deux hommes se comprenaient. « Pourquoi cette question? ne sais-tu pas à quoi t'en tenir? » avait l'air de demander Stépane Arcadiévitch.

Les mains dans les poches de sa veste, une jambe à l'écart, un sourire imperceptible aux lèvres, Mathieu contemplait son maître en silence. Il laissa enfin tomber cette phrase évidemment préparée d'avance :

« Je leur ai dit de revenir l'autre dimanche, et d'ici là de ne déranger inutilement ni monsieur ni eux-mêmes. »

Stépane Arcadiévitch comprit que Mathieu avait voulu se signaler par une plaisanterie de sa façon. Il ouvrit le télégramme, le parcourut, rétablissant au petit bonheur les mots défigurés, et son visage s'éclaircit.

« Mathieu, ma sœur Anna Arcadiévna arrive demain », dit-il en arrêtant pour un instant la main grassouillette du barbier en train de tracer à l'aide du peigne une raie rose entre ses longs favoris bouclés, frisés.

« Dieu soit loué! » s'écria Mathieu d'un ton qui prouvait qu'il comprenait lui aussi l'importance de cette nouvelle : Anna Arcadiévna, la sœur bien-aimée de son maître, pourrait contribuer à la réconciliation des époux!

« Seule ou avec son mari? » demanda-t-il. En guise de réponse, Stépane Arcadiévitch, qui abandonnait au

barbier sa lèvre supérieure, leva un doigt. Mathieu fit
un signe de tête dans le miroir.

« Seule. Faudra-t-il préparer sa chambre en haut?

— Où Darie Alexandrovna l'ordonnera.

— Darie Alexandrovna? répéta Mathieu d'un air de
doute.

— Oui. Porte-lui ce télégramme et fais-moi connaître
sa décision. »

« Ah! ah! vous voulez faire une tentative! » songea
Mathieu, mais il répondit simplement : « Bien, monsieur. »

Stépane Arcadiévitch, sa toilette achevée et le barbier congédié, allait passer ses vêtements quand Mathieu, le télégramme à la main, fit à pas feutrés sa
rentrée dans la pièce.

« Darie Alexandrovna fait dire qu'elle part, et que
monsieur agisse comme bon lui semblera », déclara-
t-il, ne souriant que des yeux, les mains plongées dans
ses poches, la tête penchée de côté, le regard fixé sur
son maître.

Stépane Arcadiévitch se tut quelques instants; puis
un sourire plutôt piteux passa sur son beau visage.

« Qu'en penses-tu, Mathieu? dit-il en hochant la
tête.

— Cela se tassera, monsieur.

— Cela « se tassera »?

— Certainement, monsieur.

— Tu crois?... Mais qui va là? demanda Stépane
Arcadiévitch en percevant du côté de la porte le frôlement d'une robe.

— C'est moi, monsieur », répondit une voix féminine
ferme, mais agréable; et la figure grêlée et sévère de
Matrone Filimonovna, la bonne des enfants, apparut
dans l'encadrement de la porte.

« Qu'y a-t-il, Matrone? » demanda Stépane Arcadiévitch en s'avançant vers elle.

Bien qu'il eût, de son propre aveu, tous les torts
envers sa femme, la maison entière était pour lui, y
compris Matrone, laquelle était pourtant la grande amie
de Darie Alexandrovna.

« Qu'y a-t-il? répéta-t-il d'un ton abattu.

— Vous devriez, monsieur, aller trouver madame et
lui demander encore une fois pardon. Peut-être que le

bon Dieu vous sera miséricordieux. Madame se désole,
c'est pitié de la voir, et tout va de travers dans la
maison. Il faut avoir pitié des enfants, monsieur. Demandez pardon, monsieur. Que voulez-vous, quand le
vin est tiré...

— Mais elle ne me recevra pas...

— Allez-y toujours. Dieu est miséricordieux; priez-
le, monsieur, priez-le.

— Eh bien, c'est bon, va, dit Stépane Arcadiévitch,
devenu soudain cramoisi. Allons, donne-moi vite mes
affaires », ordonna-t-il à Mathieu, en rejetant d'un
geste sa robe de chambre.

Soufflant sur d'invisibles grains de poussière, Mathieu
tendait déjà comme un collier la chemise empesée qu'il
laissa retomber avec un plaisir évident sur le corps
délicat de son maître.

III

UNE fois habillé, Stépane Arcadiévitch se parfuma à
l'aide d'un vaporisateur, arrangea ses manchettes,
fourra machinalement dans ses poches ses cigarettes,
son portefeuille, ses allumettes, sa montre dont la
double chaîne s'ornait de breloques, chiffonna son
mouchoir, et se sentit frais, dispos, parfumé et d'une
incontestable bonne humeur physique en dépit de son
malaise moral. Il se dirigea, d'un pas quelque peu sautillant, vers la salle à manger, où l'attendaient déjà
son café et son courrier.

Il parcourut les lettres. L'une d'elles, celle d'un négociant avec lequel il était en pourparlers pour une vente
de bois dans la propriété de sa femme, le contraria
fort. Cette vente était nécessaire; mais tant que la réconciliation n'aurait pas eu lieu, il n'y voulait point
songer, répugnant à mêler à cette grave affaire une
question d'intérêt. La pensée que sa démarche pourrait
être influencée par la nécessité de cette vente lui parut
particulièrement odieuse.

Après la lecture du courrier, Stépane Arcadiévitch
attira vers lui ses dossiers, en parcourut deux à la

hâte, y fit quelques annotations avec un gros crayon, et, repoussant ces paperasses, se mit enfin à déjeuner : tout en prenant son café, il déplia son journal, encore humide, et se plongea dans la lecture.

Stépane Arcadiévitch recevait un de ces journaux de couleur libérale, mais point trop prononcée, qui conviennent à la majorité du public. Bien qu'il ne s'intéressât guère ni à la science, ni à l'art, ni à la politique, il partageait pleinement sur toutes ces questions la manière de voir de son journal et de la majorité; il ne changeait d'opinions que lorsque la majorité en changeait — ou plutôt il n'en changeait point, elles se modifiaient en lui imperceptiblement.

Stépane Arcadiévitch ne choisissait pas plus ses façons de penser que les formes de ses chapeaux ou de ses redingotes : il les adoptait parce que c'étaient celles de tout le monde. Comme il vivait dans une société, où une certaine activité intellectuelle est considérée comme l'apanage de l'âge mûr, les opinions lui étaient aussi nécessaires que les chapeaux. Au conservatisme que professaient bien des gens de son bord il préférait, à vrai dire, le libéralisme, non point qu'il trouvât cette tendance plus sensée, mais tout simplement parce qu'elle cadrait mieux avec son genre de vie. Le parti libéral prétendait que tout allait mal en Russie; et c'était en effet le cas pour Stépane Arcadiévitch qui avait beaucoup de dettes et peu de ressources. Le parti libéral proclamait que le mariage, institution caduque, réclame une réforme urgente; et pour Stépane Arcadiévitch la vie conjugale présentait effectivement peu d'agréments, elle le contraignait à mentir, à dissimuler, ce qui répugnait à sa nature. Le parti libéral soutenait ou plutôt laissait entendre que la religion était un simple frein aux instincts barbares du populaire; et Stépane Arcadiévitch, qui ne pouvait supporter l'office le plus court sans souffrir des jambes, ne comprenait pas que l'on pût se livrer à des tirades pathétiques sur l'autre monde, alors qu'il faisait si bon vivre dans celui-ci. Joignez à cela que Stépane Arcadiévitch, d'humeur fort plaisante, s'amusait volontiers à scandaliser les gens tranquilles : tant qu'à faire parade de ses aïeux, affirmait-il, pourquoi s'en tenir à Rurik et renier le premier ancêtre, le singe? Le libéra-

lisme lui devint donc une habitude : il aimait son journal comme son cigare après dîner, pour le plaisir de
sentir un léger brouillard flotter autour de son cerveau.

Il parcourut l'article de fond, lequel démontrait que
de notre temps on avait grand tort de voir dans le
radicalisme une menace à tous les éléments conserva-
teurs, et plus encore d'inciter le gouvernement à
prendre des mesures pour écraser l'hydre révolutionnaire. « A notre avis, au contraire, le danger ne vient
point de cette hydre prétendue mais de l'entêtement
traditionnel qui met obstacle à tout progrès, etc. » Il
parcourut également un autre article, dont l'auteur traitait de finances, citait Bentham et Mill et lançait des
pointes au ministère. Son esprit prompt et subtil lui
permettait de saisir chacune de ces allusions, de deviner d'où elle partait et à qui elle s'adressait, ce qui lui
causait un certain plaisir. Mais aujourd'hui ce plaisir
était gâté par le souvenir des conseils de Matrone
Filimonovna, par le sentiment que tout n'allait pas
pour le mieux dans la maison. Il apprit encore qu'on
croyait le comte de Beust parti pour Wiesbaden, qu'il
n'existait plus de cheveux gris, qu'on vendait un coupé,
qu'une jeune personne cherchait une place, mais ces
nouvelles ne lui procurèrent pas la douce satisfaction
quelque peu ironique qu'elles lui procuraient d'ordinaire.

Quand il eut terminé sa lecture et absorbé une seconde tasse de café avec une brioche beurrée (1), il se
leva, secoua les miettes qui s'étaient attachées à son
gilet, redressa sa large poitrine et sourit de plaisir. Ce
sourire béat, signe d'une excellente digestion plutôt
que d'un état particulièrement joyeux, lui remit toutes
choses en mémoire, et il se prit à réfléchir.

Deux jeunes voix se firent entendre derrière la porte;
Stépane Arcadiévitch reconnut celles de Gricha, son
fils cadet, et de Tania, sa fille aînée. Les enfants
avaient renversé un objet qu'ils s'amusaient à traîner.

« J'avais bien dit qu'il ne fallait pas mettre de voya-

(1) « Si les critiques à courte vue croient que j'ai voulu me
borner à décrire ce qui me plaisait, la façon dont Oblonski prenait ses repas... ils se trompent ». (Lettre à Strakhov, 26 avril
1876.)

geurs sur l'impériale, criait la petite fille en anglais;
ramasse-les maintenant. »

« Tout va de travers, se dit Stépane Arcadiévitch; les
enfants sont abandonnés à eux-mêmes. » Il s'approcha
de la porte pour les appeler. Abandonnant la boîte qui
leur représentait un train, les petits accoururent.

Tania entra hardiment, et se précipita au cou de son
père dont elle était la favorite, s'amusant à respirer le
parfum bien connu qu'exhalaient ses favoris. Quand
elle eut enfin baisé à son aise ce visage empourpré par
la pose inclinée et rayonnant de tendresse, l'enfant détacha ses bras et voulut s'enfuir; mais le père la retint.

« Que fait maman? » demanda-t-il en caressant le
cou blanc et délicat de sa fille... « Bonjour », ajouta-t-il
à l'adresse du petit garçon qui le saluait à son tour.

Il s'avouait qu'il aimait moins son fils et tâchait de
tenir la balance égale; mais Gricha sentait la différence, aussi ne répondit-il point au sourire contraint
de son père.

« Maman? Elle est levée », répondit la petite.

Stépane Arcadiévitch soupira.

« Elle a de nouveau passé une nuit blanche », songea-t-il.

« Est-elle gaie? »

La petite fille savait que son père et sa mère étaient
en froid : sa maman ne pouvait donc être gaie, son
père ne l'ignorait point et dissimulait en lui faisant
cette question d'un ton léger. Elle rougit pour son
père. Celui-ci la comprit et rougit à son tour.

« Je ne sais pas, dit-elle. Elle ne veut pas que nous
prenions nos leçons ce matin et nous envoie avec Miss
Hull chez grand-maman.

— Eh bien, vas-y, ma Tania. Un moment », ajouta-
t-il en la retenant et en caressant sa petite main potelée.

Il chercha sur la cheminée une boîte de bonbons
qu'il y avait placé la veille, et lui donna deux bonbons,
en ayant soin de choisir ceux qu'elle préférait, un au
chocolat et un autre à la crème.

« Celui-là est pour Gricha? fit-elle en désignant le
bonbon au chocolat.

— Oui, oui. »

Après une dernière caresse à ses petites épaules, un baiser sur ses cheveux et son cou, il la laissa partir.

« La voiture est avancée, vint annoncer Mathieu. Et il y a une solliciteuse, ajouta-t-il.

— Depuis longtemps? s'informa Stépane Arcadié-vitch.

— Une petite demi-heure.

— Combien de fois ne t'ai-je pas ordonné de me prévenir immédiatement!

— Il faut pourtant vous donner le temps de déjeuner, rétorqua Mathieu. d'un ton si amicalement bourru qu'il eût été vain de se fâcher.

— Eh bien, fais-la vite entrer », se contenta de dire Oblonski en fronçant le sourcil.

La solliciteuse, épouse d'un certain capitaine Kalinine, demandait une chose impossible et qui n'avait pas le sens commun; mais, fidèle à ses habitudes aimables, Stépane Arcadiévitch la fit asseoir, l'écouta sans l'interrompre, lui indiqua longuement la marche à suivre et lui écrivit même de sa belle écriture large et bien nette un billet fort alerte pour la personne qui pouvait lui venir en aide. Après avoir congédié l'épouse du capitaine, Stépane Arcadiévitch prit son chapeau et s'arrêta en se demandant s'il n'oubliait pas quelque chose. Il n'avait oublié que ce qu'il souhaitait d'oublier : sa femme.

« Ah! oui. » Il baissa la tête, en proie à l'anxiété « Faut-il ou ne faut-il pas y aller? » se demandait-il. Une voix intérieure lui disait qu'il valait mieux s'abstenir, qu'il allait se mettre dans une situation fausse, qu'un raccommodement était impossible : pouvait-il la rendre attrayante comme autrefois, pouvait-il se faire vieux et incapable d'aimer? Non, à l'heure actuelle, il n'y avait à attendre de pareille démarche que fausseté et mensonge; et la fausseté comme le mensonge répugnaient à sa nature.

« Cependant il faudra bien en venir là, les choses ne peuvent rester ainsi », conclut-il en essayant de se donner du courage. Il se redressa, prit une cigarette dans son étui, l'alluma, en tira deux bouffées, la rejeta dans un cendrier de nacre, traversa le salon à grands pas et ouvrit la porte qui donnait dans la chambre de sa femme.

IV

DANS un pêle-mêle d'objets jetés à terre, Darie Alexandrovna, en négligé, vidait les tiroirs d'un chiffonnier; des tresses hâtives retenaient sur la nuque sa
chevelure qui avait été belle mais devenait de plus en
plus rare, et la maigreur de son visage dévasté par le
chagrin faisait étrangement ressortir ses grands yeux
effarouchés. Quand elle entendit le pas de son mari,
elle s'arrêta un instant, le regard tourné vers la porte,
et s'efforça de prendre un air sévère et méprisant. Elle
se rendait compte qu'elle redoutait et son mari et cette
entrevue. Pour la dixième fois depuis trois jours elle
se reconnaissait impuissante à réunir ses effets et ceux
de ses enfants pour se réfugier chez sa mère; pour la
dixième fois cependant elle se disait qu'elle devait
entreprendre quelque chose, punir l'infidèle, l'humilier,
lui rendre une faible partie du mal qu'il lui avait
causé. Mais tout en se répétant qu'elle le quitterait, elle
sentait qu'elle n'en ferait rien, car elle ne pouvait se
désaccoutumer de l'aimer, de le considérer comme son
mari. D'ailleurs elle s'avouait que, si dans sa propre
maison elle avait grand-peine à venir à bout de ses cinq
enfants, ce serait bien pis là où elle comptait les mener.
Un bouillon tourné avait rendu le petit malade, et les
autres avaient failli ne pas dîner la veille... Elle comprenait donc qu'elle n'aurait jamais le courage de partir, mais elle cherchait à se donner le change en rassemblant ses affaires.

En apercevant son mari, elle se reprit à fouiller ses
tiroirs et ne leva la tête que lorsqu'il fut tout près
d'elle. Alors, au lieu de l'air sévère et résolu qu'elle
comptait lui opposer, elle lui montra un visage ravagé
par la souffrance et l'indécision.

« Dolly! » dit-il d'une voix sourde.

La tête rentrée dans les épaules, il affectait des
façons pitoyables et soumises, qui ne cadraient guère
avec son extérieur brillant de santé. D'un rapide coup
d'œil elle l'enveloppa des pieds à la tête et put cons-

tater la fraîcheur parfaite, rayonnante, qui émanait de tout son être. « Mais il est heureux et content, songea-t-elle, tandis que moi!... Et cette affreuse bonhomie qui le fait chérir de tout le monde, comme je la déteste! » Sa bouche se contracta, et sur son visage pâle et nerveux un muscle de la joue droite frissonna.

« Que me voulez-vous? demanda-t-elle sèchement d'une voix de poitrine qu'elle ne se connaissait pas.

— Dolly! répéta-t-il avec un tremblement dans la voix, Anna arrive aujourd'hui.

— Que m'importe! s'écria-t-elle. Je ne puis la recevoir.

— Mais, Dolly, il faudrait pourtant...

— Allez-vous-en, allez-vous-en, allez-vous-en! » cria-t-elle sans le regarder comme si ce cri lui était arraché par une douleur physique.

Loin de sa femme, Stépane Arcadiévitch avait pu garder son calme, espérer que tout « se tasserait », selon le mot de Mathieu, lire tranquillement son journal et prendre non moins tranquillement son café; mais quand il vit ce visage bouleversé, quand il perçut ce son de voix résigné, désespéré, sa respiration s'arrêta, quelque chose lui monta au gosier, des larmes perlèrent à ses yeux.

« Mon Dieu, qu'ai-je fait! Dolly, au nom du Ciel! Vois-tu, je... »

Il ne put continuer : un sanglot le prit à la gorge.

Elle ferma violemment le chiffonnier et se tourna vers lui.

« Dolly, que puis-je te dire? un seul mot : pardonne-moi. Rappelle tes souvenirs : neuf années de ma vie ne peuvent-elles racheter une minute... une minute... »

Les yeux baissés, elle l'écoutait avidement et semblait le conjurer de la convaincre.

« Une minute d'entraînement... », prononça-t-il enfin, et il voulut continuer. Mais le mot l'avait blessée : de nouveau ses lèvres se contractèrent, de nouveau les muscles de sa joue droite tressaillirent.

« Allez-vous-en, allez-vous-en! cria-t-elle de plus en plus excitée. Ne me parlez point de vos entraînements, de vos vilenies. »

Elle voulut sortir, mais faillit choir et dut s'appuyer au dossier d'une chaise. Le visage d'Oblonski se dilata, ses lèvres se gonflèrent, ses yeux se remplirent de larmes.

« Dolly, supplia-t-il déjà sanglotant, au nom du Ciel, songe aux enfants, ils ne sont pas coupables! Il n'y a que moi de coupable, punis-moi, dis-moi comment je puis expier. Je suis prêt à tout. Oui, je suis coupable, très coupable. Je ne trouve pas de mots pour exprimer mon repentir. Pardonne-moi, Dolly, je t'en conjure! »

Elle s'assit. Il écoutait avec un sentiment de pitié infinie cette respiration courte et oppressée. Plusieurs fois elle essaya de parler, sans y parvenir. Il attendait.

« Tu songes aux enfants quand il te prend envie de jouer avec eux, put-elle enfin proférer; mais moi, j'y songe sans cesse et je sais que les voilà perdus sans retour. »

C'était là sans doute une des phrases qu'elle s'était mainte et mainte fois répétées au cours de ces trois jours.

Elle lui avait dit « tu »; il la regarda avec reconnaissance et fit un mouvement pour prendre sa main, mais elle le repoussa d'un geste de dégoût.

« Je songe aux enfants et ferais tout au monde pour les sauver, mais je ne sais encore ce qui vaut mieux pour eux : les emmener loin de leur père ou les laisser auprès d'un débauché... Voyons, après... ce qui s'est passé, dites-moi s'il est possible que nous vivions ensemble? Est-ce possible? Répondez donc, voyons, est-ce possible? répéta-t-elle en haussant la voix. Lorsque mon mari, le père de mes enfants, entretient une liaison avec leur institutrice...

— Mais que faire? que faire? demanda-t-il d'une voix dolente, ne sachant trop ce qu'il disait et baissant de plus en plus la tête.

— Vous me répugnez, vous me révoltez, s'écria-t-elle au comble de l'irritation. Vos larmes ne sont que de l'eau! Vous me dégoûtez, vous me faites horreur, vous ne m'êtes plus qu'un étranger, oui, un ÉTRANGER », répéta-t-elle en appuyant avec un emportement douloureux sur ce mot fatal qu'elle jugeait effroyable.

Il leva les yeux sur elle : sa physionomie courroucée le surprit et l'effraya. La commisération qu'il lui témoignait exaspérait Dolly : qu'avait-elle besoin de pitié

quand elle attendait de l'amour. Mais il ne le comprit
pas. « Non, se dit-il, elle me hait, elle ne me pardonnera jamais. »

« C'est terrible, terrible! » murmura-t-il.

En ce moment, un des enfants, qui avait sans doute
fait une chute, se mit à pleurer dans la chambre voisine; Darie Alexandrovna tendit l'oreille, et son visage
s'adoucit. Elle parut revenir à elle, hésita quelques instants, puis, brusquement dressée, se dirigea vers la
porte.

« Elle aime pourtant « mon enfant », songea-t-il;
comment alors peut-elle me haïr? »

« Dolly, encore un mot! insista-t-il en la suivant.

— Si vous me suivez, j'appelle les domestiques, les
enfants. Qu'ils soient tous témoins de votre infamie.
Je pars aujourd'hui, je vous laisse la place libre :
installez ici votre maîtresse. »

Elle sortit en fermant violemment la porte.

Stépane Arcadiévitch soupira, s'essuya la figure et
se dirigea à pas lents vers la porte. « Mathieu prétend
que cela « se tassera », mais je ne vois vraiment pas
comment. Ah! quelle horreur! Et quelles façons vulgaires elle a vraiment, se disait-il en se rappelant son
cri ainsi que les mots « infamie » et « maîtresse ».
Pourvu que les petits n'aient rien entendu! Oui, tout
cela est trop trivial. » Il s'arrêta un moment, s'essuya
les yeux, soupira, se redressa et sortit.

C'était un vendredi; dans la salle à manger l'horlo-
ger — un Allemand — remontait la pendule. Stépane
Arcadiévitch se rappela que, frappé par la régularité
de cet homme chauve, il s'était écrié un jour que l'Allemand avait été créé et mis au monde pour remonter « les pendules sa vie durant ». Le souvenir de
cette plaisanterie le fit sourire. Une bonne plaisanterie
ne le laissait jamais indifférent. « Après tout, peut-être
que cela se tassera. » Le mot est joli d'ailleurs, il faudra le placer.

« Mathieu, cria-t-il, et quand celui-ci eut fait son
apparition : Matrone et toi, ordonna-t-il, vous aurez
soin de préparer le petit salon pour l'arrivée d'Anna
Arcadiévna.

— Bien, monsieur. »

Stépane Arcadiévitch endossa sa fourrure et gagna
la sortie, suivi de Mathieu.

« Monsieur ne dînera pas à la maison? s'enquit le
fidèle serviteur.

— Cela dépend. Tiens, voici pour la dépense, dit
Oblonski en tirant de son portefeuille un billet de
dix roubles. Est-ce assez?

— Assez ou pas assez, faudra bien qu'on s'arrange », répliqua Mathieu en fermant la portière.

Cependant Darie Alexandrovna avait consolé l'enfant; avertie du départ de son mari par le bruit que
fit la voiture en s'éloignant, elle s'empressa de regagner sa chambre, son seul refuge contre les tracas
domestiques. Pendant cette courte échappée, l'Anglaise et Matrone Filimonovna ne l'avaient-elles point
accablée de questions pressantes et qu'elle seule pouvait résoudre : « Quels vêtements fallait-il mettre aux
enfants pour la promenade? devait-on leur donner du
lait? fallait-il se mettre en quête d'un autre cuisinier? »

« Ah! laissez-moi tranquille », leur avait-elle dit. Et,
revenue à la place où s'était déroulé l'entretien avec
son mari, elle en repassait maintenant les détails dans
sa mémoire, serrant l'une contre l'autre ses mains
décharnées dont les doigts ne retenaient plus les
bagues. « Il est parti? Mais a-t-il rompu avec « elle »?
Se peut-il qu'il « la » voie encore? Pourquoi ne le lui
ai-je pas demandé? Non, non, impossible de reprendre
la vie commune. Si même nous restons sous le même
toit, nous n'en serons pas moins des étrangers, oui,
des étrangers pour toujours! » répéta-t-elle en insistant avec une énergie particulière sur ce mot fatal.
« Et pourtant comme je l'aimais, mon Dieu, comme
je l'aimais!... Comme je l'aimais? Mais est-ce qu'à
l'heure actuelle je ne l'aime pas encore et peut-être
même davantage?... Ce qu'il y a de plus dur, c'est... »

L'entrée de Matrone Filimonovna interrompit ses
réflexions.

« Ordonnez au moins qu'on aille chercher mon
frère, dit celle-ci. Il fera le dîner. Sinon, ce sera
comme hier et les enfants n'auront pas mangé à six
heures.

— C'est bon, je vais venir et donner des ordres. A-t-on fait chercher du lait frais?... »

Darie Alexandrovna se plongea dans le trantran quotidien et y noya pour un moment sa douleur.

V

GRACE à d'heureux dons naturels, Stépane Arcadiévitch avait fait de bonnes études, mais paresseux et dissipé, il était sorti du collège dans un mauvais rang. Néanmoins, malgré son genre de vie dissolu, son grade médiocre, son âge peu avancé, il occupait un poste important et bien rémunéré, celui de président de section dans un établissement public de Moscou. Il devait cet emploi à la protection du mari de sa sœur Anna, Alexis Alexandrovitch Karénine, un des pivots du ministère dont dépendait l'établissement en question; mais, à défaut de son beau-frère, une bonne centaine d'autres personnes : frères et sœurs, oncles et tantes, cousins et cousines, auraient procuré à Stiva Oblonski cette place ou quelque autre du même genre, ainsi que les six mille roubles d'appointements dont il avait besoin pour joindre les deux bouts, en dépit de la fortune assez considérable de sa femme.

Stépane Arcadiévitch comptait la moitié de Moscou et de Pétersbourg dans sa parenté ou dans ses relations. Il était né parmi les puissants de ce monde — ceux d'aujourd'hui comme ceux de demain. Un tiers des personnages influents, gens âgés, anciens camarades de son père, l'avait connu en brassière; le second tiers le tutoyait; les autres étaient gens de connaissance; par conséquent les dispensateurs des biens de la terre sous forme d'emplois, de fermes, de concessions, etc. étant tous de ses amis, ils n'auraient eu garde de négliger un des leurs. Il ne se donna donc pas grand-peine pour obtenir une situation avantageuse : on lui demandait seulement de ne se montrer ni cassant, ni jaloux, ni emporté, ni susceptible, défauts d'ailleurs bien incompatibles avec sa bonté

naturelle... Il eût trouvé plaisant qu'on lui refusât la
place et le traitement dont il avait besoin. Qu'exigeait-
il de si extraordinaire? Un emploi comme en obte-
naient autour de lui les gens de son âge et de son
monde et qu'il se sentait capable de remplir aussi
bien que quiconque.

On n'aimait pas seulement Stépane Arcadiévitch à
cause de son aimable caractère et de son incontestable
loyauté. Son extérieur séduisant, ses yeux vifs, ses
sourcils et ses cheveux noirs, son teint d'un rose lai-
teux, bref toute sa personne exhalait je ne sais quel
charme physique qui mettait les cœurs en joie et les
emportait vers lui irrésistiblement. « Ah! bah, Stiva!
Oblonski! le voilà donc! » s'écriait-on presque toujours avec un sourire joyeux quand on le rencontrait;
la rencontre avait beau ne laisser que des souvenirs
plutôt vagues, on se réjouissait tout autant de le revoir
le lendemain ou le surlendemain.

Depuis tantôt trois ans qu'il occupait à Moscou sa
haute fonction, Stépane Arcadiévitch s'était acquis
non seulement l'amitié mais encore la considération
de ses collègues et de toutes les personnes qui avaient
affaire à lui. Les qualités qui lui valaient cette estime
générale étaient, tout d'abord, une extrême indulgence
envers ses semblables fondée sur le sentiment de ses
propres défauts; en second lieu, un libéralisme
absolu, non pas celui dont ses journaux exposaient les
principes, mais un libéralisme inné qui lui faisait
traiter tout le monde sur un pied d'égalité, sans aucun
égard pour le rang ou la fortune; enfin — et surtout
— une parfaite indifférence pour les affaires dont il
s'occupait, ce qui lui permettait de ne point se pas-
sionner et par conséquent de ne point commettre
d'erreurs.

Dès son arrivée au bureau, Stépane Arcadiévitch,
accompagné à distance respectueuse par le suisse,
qui s'était emparé de sa serviette, se rendit dans son
cabinet pour y revêtir l'uniforme et passa dans la
salle du conseil. Les employés se levèrent et le
saluèrent avec une affabilité déférente. Stépane Arcadiévitch se hâta, comme toujours, de gagner sa place
et s'assit après avoir serré la main aux autres
membres du conseil. Il causa et plaisanta avec eux

autant que l'exigeaient les convenances, puis il ouvrit la séance. Personne ne savait comme lui tempérer le ton officiel par cette bonhomie, cette simplicité qui rendent si agréable l'expédition des affaires. D'un air dégagé, mais respectueux, commun à tous ceux qui avaient le bonheur de servir sous ses ordres, le secrétaire s'approcha de Stépane Arcadiévitch, lui présenta des papiers et lui adressa la parole sur le ton familier et libéral qu'il avait mis en usage.

« Nous sommes enfin parvenus à obtenir les renseignements demandés au conseil provincial de Penza; si vous le permettez, les voici...

— Enfin, vous les avez! proféra Stépane Arcadiévitch en posant un doigt dessus... Eh bien, messieurs... »

Et la séance commença.

« S'ils pouvaient se douter, pensait-il, les yeux rieurs, tout en penchant la tête d'un air important pour écouter le rapport, quelle mine de gamin pris en faute avait tout à l'heure leur président! »

La séance ne devait être interrompue qu'à deux heures pour le déjeuner. Deux heures n'avaient pas encore sonné lorsque la grande porte vitrée de la salle s'ouvrit et quelqu'un entra. Heureux de la diversion, tous les membres du conseil — ceux qui siégeaient sous le portrait de l'empereur comme ceux que cachait à demi le miroir de justice (1) — tournèrent la tête de ce côté, mais l'huissier de garde fit aussitôt sortir l'intrus et ferma la porte derrière lui.

Quand la lecture du rapport fut terminée, Stépane Arcadiévitch s'étira, se leva, et, sacrifiant au libéralisme de l'époque, osa prendre une cigarette en pleine salle du conseil; puis il passa dans son cabinet, suivi de deux collègues, un vieux routier, Nikitine, et un jeune gentilhomme de la chambre, Grinévitch.

« Nous aurons le temps de terminer après déjeuner, déclara Stépane Arcadiévitch.

(1) C'étaient alors les attributs obligés de toute salle de conseil dans les administrations publiques russes; le miroir de justice (*zertsalo*) consistait en un prisme de verre triangulaire, surmonté d'une aigle et sur les trois faces duquel étaient collés trois oukazes de Pierre le Grand relatifs à la procédure et aux droits des citoyens. (N. d. T.)

— Certainement! confirma Nikitine.

— Ce doit être un joli coquin que ce Fomine », dit Grinévitch faisant allusion à l'un des personnages de l'affaire.

Par son silence et une moue significative, Stépane Arcadiévitch fit entendre à Grinévitch l'inconvenance des jugements anticipés.

« Qui donc est entré dans la salle? demanda-t-il à l'huissier.

— Quelqu'un qui vous demandait, et qui m'a glissé dans les mains pendant que j'avais le dos tourné. Mais je lui ai dit : « Veuillez attendre que ces messieurs sortent... »

— Où est-il?

— Probablement dans le vestibule, car il était là tout à l'heure. Tenez, le voilà », ajouta l'huissier en désignant un beau gaillard aux larges épaules et à la barbe frisée, qui, sans se donner la peine d'ôter son bonnet de fourrure, prenait d'assaut l'escalier de pierre, dont les collègues de Stépane Arcadiévitch, serviette sous le bras, descendaient en ce moment les marches usées. L'un d'eux, personnage d'une maigreur extrême, s'arrêta, considéra sans la moindre aménité les jambes du grimpeur et se retourna pour interroger du regard Oblonski, debout, au haut de l'escalier, et dont la face rayonnante, rehaussée par le collet brodé de l'uniforme, s'épanouit encore davantage quand il eut reconnu l'arrivant.

« C'est bien lui! Levine, enfin! » s'écria-t-il en le gratifiant d'un sourire affectueux, bien que narquois. « Comment, tu ne fais pas le dégoûté et tu viens me chercher dans ce « mauvais lieu », continua Stépane Arcadiévitch, qui, non content de serrer la main de son ami, lui donna encore l'accolade. « Depuis quand es-tu ici?

— J'arrive et j'avais hâte de te voir, répondit Levine en promenant autour de lui des regards méfiants et effarouchés.

— Eh bien, viens dans mon cabinet », dit Stépane Arcadiévitch, qui connaissait la sauvagerie renforcée de son ami; et, le prenant par le bras, il l'entraîna à sa suite, comme pour lui faire franchir un passage difficile.

Stépane Arcadiévitch tutoyait presque toutes ses
connaissances : des vieillards de soixante ans, des
jeunes gens de vingt, des acteurs, des ministres, des
négociants, des aides de camp de l'empereur, et bien
des personnes ainsi tutoyées aux deux bouts de
l'échelle sociale eussent été fort surprises d'apprendre
qu'il y avait, grâce à Oblonski, un point de contact
entre elles. Il tutoyait tous ceux avec qui il sablait le
champagne, autrement dit tout le monde : mais
quand il rencontrait un de ses tutoyés peu flatteurs
en présence de ses subordonnés, il avait le tact de
soustraire ceux-ci à une impression désagréable. Bien
que Levine n'appartînt certes pas à cette catégorie, il
croyait peut-être que son ami ne tenait point à le
traiter devant ses inférieurs sur un pied d'intimité :
avec son savoir-vivre habituel, Oblonski s'en était aussitôt rendu compte; voilà pourquoi il l'avait entraîné
dans son cabinet.

Levine et Oblonski avaient à peu près le même âge,
et leur tutoiement marquait autre chose qu'un compa-
gnonnage de table. Camarades d'adolescence, ils s'aimaient, malgré la différence de leurs caractères et
de leurs goûts, comme s'aiment des amis, qui se sont
liés dès la prime jeunesse. Néanmoins, ainsi qu'il
arrive souvent à des gens qui ont embrassé des pro-
fessions différentes, chacun d'eux, tout en approuvant
par le raisonnement la carrière de son ami, la méprisait au fond de l'âme; chacun d'eux tenait la vie qu'il
menait pour la seule vie réelle, et celle que menait
son ami pour un pur mirage. A la vue de Levine,
Oblonski ne pouvait jamais retenir un léger sourire
ironique. Combien de fois ne l'avait-il pas vu arriver
de la campagne, où il s'adonnait à des travaux dont
Stépane Arcadiévitch ignorait au juste la nature et
qui d'ailleurs ne l'intéressaient guère! Toujours Levine
apparaissait en proie à une hâte fébrile, un peu pataud
et gêné de l'être; et presque toujours il apportait des
vues nouvelles et imprévues sur la vie et les choses.
Ces façons amusaient fort Stépane Arcadiévitch. De
son côté Levine méprisait le genre de vie, par trop
citadin, de son ami, et ne prenait pas au sérieux ses
occupations officielles. Chacun riait donc de l'autre;
mais comme Oblonski suivait la loi commune, son

rire était allègre et bon enfant, celui de Levine hési-
tant et quelque peu jaune.

« Il y a longtemps que nous t'attendons », dit Stépane Arcadiévitch en pénétrant dans son cabinet et
en lâchant le bras de Levine comme pour lui prouver qu'ici tout danger cessait.

« Je suis très heureux de te voir, continua-t-il. Eh
bien, comment vas-tu? que fais-tu? quand es-tu
arrivé? »

Levine considérait en silence les deux collègues
d'Oblonski, qui n'étaient point de ses connaissances;
les mains de l'élégant Grinévitch, ses doigts blancs et
effilés, ses ongles longs, jaunes et recourbés du bout,
ses énormes boutons de manchettes absorbaient
notamment son attention et l'empêchaient de rassembler ses idées. Oblonski s'en aperçut et sourit.

« Ah! oui, c'est vrai. Permettez-moi, messieurs, de
vous faire faire connaissance. Mes collègues Philippe
Ivanovitch Nikitine, Michel Stanislavitch Grinévitch »
et se tournant vers Levine : « Un homme nouveau, un
homme de la terre, un des piliers du « zemstvo (1) »,
un gymnaste qui enlève cent cinquante livres d'une
main, un grand éleveur, un grand chasseur, et qui
plus est, mon ami, Constantin Dmitriévitch Levine,
le frère de Serge Ivanovitch Koznychev.

— Enchanté, dit le petit vieux.

— J'ai l'honneur de connaître votre frère », dit
Grinévitch, en lui tendant une de ses belles mains.

Le visage de Levine se rembrunit; il serra froidement la main qu'on lui tendait et se tourna vers
Oblonski. Bien qu'il respectât fort son demi-frère,
écrivain connu de toute la Russie, il n'aimait guère
qu'on s'adressât à lui, non comme à Constantin Levine,
mais comme au frère du célèbre Koznychev.

« Non, je ne m'occupe plus du tout du zemstvo;
je me suis brouillé avec tous mes collègues et n'assiste
plus aux sessions, dit-il en s'adressant à Oblonski.

— Cela s'est fait bien vite! dit celui-ci en souriant.
Mais comment? pourquoi?

— C'est une longue histoire. Je te la raconterai

(1) Les « zemstvos », institués par la loi de 1864, correspon-
daient à peu près à nos *conseils généraux* et à nos *conseils d'ar-
rondissement*. (N. d. T.)

quelque jour, répondit Levine, ce qui ne l'empêcha pas de la raconter aussitôt. Pour être bref, commença-t-il du ton d'un homme offensé, je me suis convaincu que cette institution ne rimait à rien et qu'il n'en pouvait être autrement. D'une part c'est un joujou : on joue au parlement; or je ne suis ni assez jeune ni assez vieux pour me divertir de la sorte. D'autre part c'est... (il hésita) c'est un moyen pour la *coterie* (1) du district de gagner quelques sous. Autrefois il y avait les tutelles, les tribunaux, maintenant il y a le zemstvo; autrefois on prenait des pots-de-vin, aujourd'hui on touche des appointements sans les gagner. »

Il proféra cette tirade d'un ton véhément, comme s'il redoutait la contradiction.

« Hé, hé! Te voilà, il me semble, dans une nouvelle phase, tu deviens conservateur! dit Stépane Arcadiévitch. Mais nous en reparlerons plus tard.

— Oui, c'est cela, plus tard. J'avais grand besoin de te voir », dit Levine, dont le regard chargé de haine ne pouvait se détacher de la main de Grinévitch.

Stépane Arcadiévitch sourit imperceptiblement.

« Et toi qui ne voulais plus t'habiller à l'européenne! s'exclama-t-il en examinant le costume neuf de son ami, œuvre évidente d'un tailleur français. Décidément c'est une nouvelle phase. »

Levine rougit subitement, non comme un homme mûr qui ne s'en aperçoit pas, mais comme un jeune garçon que sa timidité rend ridicule, qui le sent et n'en rougit que davantage, jusqu'à verser des larmes. Cette pourpre enfantine donnait à son visage intelligent et mâle un air si étrange qu'Oblonski détourna le regard.

« Mais où donc nous verrons-nous? J'ai grand, grand besoin de te parler », dit enfin Levine.

Oblonski réfléchit un instant.

« Veux-tu que nous déjeunions chez Gourine? Nous y causerons tranquillement. Je suis libre jusqu'à trois heures.

— Non, répondit Levine après un moment de réflexion, j'ai encore une course à faire.

(1) Les mots étrangers (français, anglais, allemands) auxquels a recours l'auteur sont imprimés ici en italique. (N. d. T.)

— Alors, dînons ensemble.

— Dîner? mais je n'ai rien de spécial à te dire, deux mots seulement, une question à te poser; nous causerons plus tard à loisir.

— Dans ce cas, dis-les tout de suite tes deux mots, et nous bavarderons pendant le dîner.

— Eh bien, les voici; ils n'ont d'ailleurs rien de particulier... »

Son visage prit soudain une expression méchante, résultat de l'effort qu'il faisait pour vaincre sa timidité.

« Que font les Stcherbatski? Tout va-t-il comme par le passé? »

Stépane Arcadiévitch savait depuis longtemps que Levine était amoureux de sa belle-sœur Kitty; il esquissa un sourire et ses yeux brillèrent gaiement.

« Tu as dit : deux mots, mais je ne puis te répondre de même, parce que... Excuse-moi un instant... »

Le secrétaire entra en ce moment, toujours respectueusement familier, mais convaincu, comme tous les secrétaires, de sa supériorité en affaires sur son chef. Il présenta des papiers à Oblonski et, sous forme d'une question, lui soumit une difficulté quelconque. Sans le laisser achever, Stépane Arcadiévitch lui posa amicalement la main sur le bras.

« Non, faites comme je vous l'ai demandé », dit-il en adoucissant son observation d'un sourire, et après avoir brièvement expliqué comment il comprenait l'affaire, il conclut en repoussant les papiers : « C'est entendu, n'est-ce pas, Zacharie Nikitytch? »

Le secrétaire s'éloigna, confus. Pendant cette petite conférence, qu'il écouta avec une attention ironique, les deux mains appuyées au dossier d'une chaise, Levine avait eu le temps de se remettre.

« Je ne comprends pas, non, je ne comprends pas, dit-il.

— Qu'est-ce que tu ne comprends pas? » demanda Oblonski, toujours souriant, en cherchant une cigarette; il s'attendait à une sortie quelconque de Levine.

« Je ne comprends pas ce que vous faites ici, répondit celui-ci, en haussant les épaules. Comment peux-tu prendre tout cela au sérieux?

— Pourquoi?

— Parce que ça ne rime à rien.

— Tu crois? Nous sommes pourtant surchargés de besogne.

— Belle besogne, des griffonnages! Mais, c'est vrai, tu as toujours eu un don spécial pour ces choses-là.

— Tu veux dire qu'il me manque quelque chose?

— Peut-être bien. Cependant je ne puis me défendre d'admirer ta belle prestance, et suis fier d'avoir pour ami un homme aussi important... En attendant, tu n'as pas répondu à ma question, ajouta-t-il en faisant un effort désespéré pour regarder Oblonski en face.

— Allons, allons, tu y viendras aussi, tôt ou tard. Tu as beau posséder trois mille hectares dans le district de Karazine, des muscles de fer et la fraîcheur d'une gamine de douze ans, tu finiras par y venir. Quant à ce que tu me demandes, il n'y a pas de changement, mais tu as eu tort de tarder si longtemps.

— Pourquoi? demanda Levine effrayé.

— Parce que..., répondit Oblonski. Nous en reparlerons. Mais, au fait, quel bon vent t'amène?

— De cela aussi nous reparlerons plus tard, dit Levine en rougissant de nouveau jusqu'aux oreilles.

— C'est bien, je comprends, dit Stépane Arcadiévitch. Je t'aurais bien prié de venir dîner à la maison, mais ma femme est souffrante. Si tu veux les voir, tu les trouveras de quatre à cinq au Jardin zoologique : Kitty patine. Vas-y; je t'y rejoindrai et nous dînerons quelque part ensemble.

— Parfait; alors au revoir!

— Fais attention, je te connais, tu es bien capable d'oublier ou de repartir subitement pour la campagne! s'écria en riant Stépane Arcadiévitch.

— Non, non, je viendrai sans faute. »

Levine passait déjà la porte du cabinet quand il s'aperçut qu'il avait oublié de prendre congé des collègues d'Oblonski.

« Ce doit être un gaillard énergique, dit Grinévitch, quand Levine fut sorti.

— Oui, mon cher, ce garçon-là est né coiffé, répondit Oblonski en hochant la tête. Trois mille hectares dans le district de Karazine! Quel avenir, quelle fraîcheur! Il a plus de chance que nous.

— Vous n'avez guère à vous plaindre pour votre part.

— Si, tout va mal, très mal », rétorqua Stépane Arcadiévitch en poussant un profond soupir.

VI

QUAND Oblonski lui avait demandé pourquoi au juste il était venu à Moscou, Levine avait rougi et s'en voulait d'avoir rougi, car vraiment, bien que son voyage n'eût pas d'autre motif, pouvait-il répondre : « Je suis venu demander ta belle-sœur en mariage? »

Les familles Levine et Stcherbatski, deux vieilles maisons nobles de Moscou, avaient toujours entretenu d'excellents rapports, qui se firent encore plus étroits à l'époque où Levine et le jeune prince Stcherbatski, frère de Dolly et de Kitty, suivirent ensemble les cours préparatoires à l'université, puis ceux de cette docte institution. Dans ce temps-là Levine, qui fréquentait assidûment la maison Stcherbatski, s'éprit de ladite maison. Oui, si étrange que cela puisse paraître, Constantin Levine était amoureux de la maison (1), de la famille et spécialement de l'élément féminin de la famille Stcherbatski. Comme il avait perdu sa mère trop tôt pour se la rappeler et que son unique sœur était plus âgée que lui (2), ce fut dans cette maison qu'il s'initia aux mœurs honnêtes et cultivées de notre vieille noblesse et retrouva le milieu dont l'avait privé la mort de ses parents. Il voyait

(1) Pour les Stcherbatski d'*Anna Karénine* comme pour les Rostov de *La Guerre et la Paix*, Tolstoï s'est inspiré de la famille du docteur Bers, son beau-père. « Il (Tolstoï) n'était pas comme les autres et ne ressemblait pas aux visiteurs habituels. Nous n'étions pas obligés de le recevoir au salon. Il était en quelque sorte partout à la fois. Il témoignait intérêt et sympathie aux jeunes comme aux vieux, et même à nos domestiques. » (Tatiana Kouzminski, née Bers : *Ma vie chez moi et à Iasnaïa Poliana.*)
« Un moyen puissant d'atteindre au véritable bonheur, c'est, sans aucune loi, de tisser autour de soi dans toutes les directions, comme une araignée, une toile faite d'amour et d'attraper tout ce qui vient se prendre dedans : une vieille, un enfant, une femme, un commissaire de police. » *(Journal de Jeunesse.)*
(2) Tolstoï perdit sa mère lorsqu'il avait deux ans.

tous les membres de cette famille à travers une gaze
poétique et mystérieuse : non seulement il ne leur
découvrait aucun défaut, mais il leur supposait encore
les sentiments les plus élevés, les perfections les plus
idéales. Pourquoi ces trois jeunes personnes devaient-
elles parler de deux jours l'un français et anglais?
pourquoi leur fallait-il à heure fixe et à tour de rôle
taquiner un piano dont les sons montaient jusqu'à
la chambre de leur frère où travaillaient les étudiants?
pourquoi, des professeurs de littérature française, de
musique, de dessin, de danse, se succédaient-ils auprès
d'elles? pourquoi, à certaines heures de la journée,
les trois jeunes filles, accompagnées de Mlle Linon, se
rendaient-elles en calèche au boulevard de Tver, puis,
sous la garde d'un valet de pied, cocarde d'or au chapeau, se promener le long de ce boulevard dans leurs
pelisses de satin, dont l'une, celle de Dolly, était
longue, l'autre, celle de Natalie, demi-longue, la troisième, celle de Kitty, si courte qu'elle faisait ressortir ses petites jambes bien faites, moulées dans des
bas rouges? Toutes ces choses et beaucoup d'autres
lui demeuraient incompréhensibles. Néanmoins ce qui
se passait dans ce monde mystérieux ne pouvait
qu'être parfait; cela, il le « savait », et c'est justement cette atmosphère de mystère qui l'avait captivé.

Pendant ses années d'étude, il faillit s'éprendre de
Dolly, l'aînée; quand on l'eut mariée à Oblonski, il
rejeta son affection sur la cadette. Il éprouvait l'obli-
gation confuse d'aimer l'une des trois sans savoir au
juste laquelle (1). Mais Natalie eut à peine fait son entrée dans le monde qu'elle épousa un diplomate, nommé
Lvov. Kitty n'était qu'une enfant quand Levine quitta
l'université. Peu après son admission dans la marine,
le jeune Stchérbatski se noya dans la mer Baltique,
et les relations de Levine avec sa famille se firent
plus rares, en dépit de l'amitié qui le liait à Oblonski.
Mais quand, au commencement du présent hiver, il
avait revu à Moscou les Stcherbatski après toute une
année passée à la campagne, il avait compris laquelle
des trois sœurs lui était destinée.

Rien de plus simple en apparence que de demander

(1) Après avoir songé quelque temps à Lise, l'aînée des filles
Bers, Tolstoï épousa la seconde, Sophie.

la main de la jeune princesse Stcherbatski; un homme
de trente-deux ans, de bonne famille, de fortune
convenable, avait toute chance d'être accueilli comme
un beau parti. Mais Levine était amoureux : il voyait
en Kitty un être supraterrestre, souverainement parfait, et lui-même au contraire un individu fort bas et
fort terre à terre; il n'admettait donc pas qu'on pût
— elle encore moins que les autres — le juger digne
de cette perfection.

Après avoir passé à Moscou deux mois qui lui
parurent un rêve, rencontrant tous les jours Kitty
dans le monde, qu'il s'était mis à fréquenter pour
la voir, il avait soudain jugé ce mariage impossible
et repris sur-le-champ le chemin de ses terres.

Levine s'était convaincu qu'aux yeux des parents il
n'était pas un parti digne de leur fille et que l'exquise
Kitty elle-même ne pourrait jamais l'aimer.

Aux yeux des parents il n'avait aucune occupation
bien définie, aucune position dans le monde. Tel de
ses camarades était déjà colonel et aide de camp de
Sa Majesté; tel autre, professeur; celui-ci directeur de
banque ou de chemin de fer; celui-là occupait, comme
Oblonski, un poste élevé dans l'administration. Quant
à lui, on devait certainement le tenir pour un hobereau féru d'élevage, de bâtisses, de chasse à la
bécasse, c'est-à-dire pour un raté s'adonnant aux occupations ordinaires des ratés.

L'exquise, la mystérieuse Kitty n'aimerait jamais un
homme aussi laid, aussi simple, aussi peu brillant que
celui qu'il croyait être. Ses relations de vieille date
avec la jeune fille, qui, en raison de son ancienne
camaraderie avec le frère aîné, étaient celles d'un
homme mûr pour une enfant, lui semblaient un obstacle de plus. On pouvait bien, pensait-il, avoir
quelque amitié pour un brave garçon comme lui, en
dépit de sa laideur, mais seul un être beau et doué de
qualités supérieures était capable de se faire aimer
d'un amour semblable à celui qu'il éprouvait pour
Kitty. Il avait bien entendu dire que les femmes
s'éprennent souvent d'hommes laids et médiocres,
mais il n'en croyait rien, car il jugeait les autres
d'après lui-même, qui ne s'enflammait que pour de
belles, de poétiques, de sublimes créatures.

Cependant, après deux mois passés dans la solitude, il se convainquit que le sentiment qui l'absorbait tout entier ne ressemblait en rien aux engouements de sa prime jeunesse; qu'il ne pourrait vivre sans résoudre cette grave question : serait-elle, oui ou non, sa femme; enfin qu'il s'était fait des idées noires, rien ne prouvant après tout qu'il serait refusé. Il partit donc pour Moscou avec la ferme intention de faire sa demande et de se marier, si elle était agréée. Sinon... il ne pouvait se représenter les conséquences d'un refus.

VII

ARRIVÉ à Moscou par le train du matin, Levine s'était fait conduire chez son demi-frère utérin, dans l'intention de lui exposer tout de go le motif de son voyage et de lui demander conseil comme à son aîné. Sa toilette faite, il pénétra dans le bureau de Koznychev, mais ne le trouva pas seul. Un célèbre professeur de philosophie était venu tout exprès de Kharkov pour éclaircir un malentendu qui s'était élevé entre eux au sujet d'un très grave problème. Le professeur faisait une guerre acharnée aux matérialistes; Serge Koznychev, qui suivait avec intérêt sa polémique, lui avait, à propos de son dernier article, adressé quelques objections : il lui reprochait de se montrer trop conciliant. Il s'agissait d'une question à la mode : existe-t-il, dans l'activité humaine, une limite entre les phénomènes psychiques et les phénomènes physiologiques, et où se trouve cette limite?

Serge Ivanovitch accueillit son frère avec le sourire froidement aimable qu'il accordait à tout le monde, et après l'avoir présenté à son interlocuteur, il continua l'entretien. Le philosophe, un petit homme à lunettes, au front étroit, s'arrêta un moment pour répondre au salut de Levine, puis sans plus lui accorder d'attention, reprit le fil de son discours. Levine s'assit, attendant le départ du bonhomme, mais bientôt le sujet de la discussion l'intéressa.

Il avait lu dans des revues les articles dont on parlait; il y avait pris l'intérêt général qu'un ancien étudiant ès sciences naturelles peut prendre au développement de ces sciences, mais jamais il n'avait fait de rapprochements entre les conclusions de la science sur les origines de l'homme, sur les réflexes, la biologie, la sociologie, et les questions qui depuis quelque temps le préoccupaient de plus en plus, à savoir le sens de la vie et celui de la mort.

Il remarqua, en suivant la conversation, que les deux interlocuteurs établissaient un certain lien entre les questions scientifiques et les questions psychiques, maintes fois même il lui sembla qu'ils allaient aborder ce sujet, selon lui capital; mais aussitôt qu'ils en approchaient, ils s'en éloignaient brusquement pour s'enfoncer dans toutes sortes de divisions, subdivisions, restrictions, citations, allusions, renvois aux autorités, et c'est à peine s'il les comprenait.

« Je ne puis, disait Serge Ivanovitch dans son langage clair, précis, élégant, je ne puis en aucun cas admettre avec Keiss que toute ma représentation du monde extérieur provienne de mes impressions. La conception fondamentale de l'être ne m'est pas venue par la sensation, car il n'existe pas d'organe spécial pour la transmission de cette conception.

— Oui, mais Wurst, Knaust et Pripassov vous répondront que la conscience que vous avez de l'être découle de l'ensemble des sensations. Wurst affirme même que sans la sensation la conscience de l'être n'existe pas.

— Je prétends au contraire... », voulut répliquer Serge Ivanovitch.

Mais à ce moment Levine, croyant une fois de plus qu'ils allaient s'éloigner du point capital, se décida à poser au professeur la question suivante :

« Dans ce cas, si mes sens n'existent pas, si mon corps est mort, il n'y a pas d'existence possible? »

Le professeur, plein de dépit et comme blessé de cette interruption, dévisagea ce questionneur plus semblable à un rustre qu'à un philosophe et reporta sur Serge Ivanovitch un regard qui semblait dire : pareille question vaut-elle une réponse? Mais Serge Ivanovitch n'était pas à beaucoup près aussi exclusif,

aussi passionné que le professeur; il avait l'esprit
assez large pour pouvoir, tout en discutant avec lui,
comprendre le point de vue simple et naturel qui
avait suggéré la question; il répondit donc en souriant :

« Nous n'avons pas encore le droit de résoudre
ce problème.

— Nous manquons de données, confirma le professeur, qui renfourcha aussitôt son dada. Non, je dé-
montre que si le fondement de la sensation est l'impression, comme le dit nettement Pripassov, nous de-
vons cependant les distinguer rigoureusement. »

Levine ne l'écoutait déjà plus et n'attendait que son
départ.

VIII

Le professeur enfin parti, Serge Ivanovitch se tourna
vers son frère.

« Je suis content de te voir. Vas-tu nous rester
longtemps? Comment vont nos affaires? »

Koznychev s'intéressait fort peu aux travaux des
champs et n'avait posé cette question que par condescendance. Levine, qui ne l'ignorait point, se borna
donc à quelques indications sur les rentrées et la
vente du blé. Il était venu à Moscou dans l'intention
formelle de consulter son frère sur ses projets de mariage; mais, après l'avoir entendu discuter tout
d'abord avec le professeur et lui poser ensuite, sur un
ton volontairement protecteur, cette banale question
d'intérêt (ils possédaient indivis le domaine de leur
mère et Levine gérait les deux parts), il ne se sentit
plus la force de parler, comprenant vaguement que
son frère ne verrait pas les choses comme il aurait
souhaité qu'il les vît.

« Et que devient votre zemstvo? demanda Serge
qui prenait grand intérêt à ces assemblées et leur
attribuait une énorme importance.

— Je n'en sais, ma foi, rien.

— Comment? N'es-tu pas membre de la commission exécutive?

— Non, j'ai donné ma démission, et n'assiste même plus aux sessions.

— C'est dommage! » déclara Serge en fronçant le sourcil.

Pour se disculper, Levine voulut raconter ce qui se passait durant ces assemblées, mais son frère eut tôt fait de l'interrompre.

« Il en va toujours de même avec nous autres, Russes. Peut-être est-ce un bon trait de notre nature que cette faculté de constater nos défauts, mais nous l'exagérons, nous nous complaisons dans l'ironie, qui jamais ne fait défaut à notre langue. Laisse-moi te dire que, si l'on accordait nos privilèges, j'entends notre self-government local, à quelque autre nation de l'Europe, l'Allemagne ou l'Angleterre par exemple, elle saurait en extraire la liberté; mais nous, nous en faisons un objet de plaisanterie.

— Que veux-tu que j'y fasse? répondit Levine d'un ton contrit. C'était ma dernière expérience. J'y ai mis en vain toute mon âme. Je suis décidément incapable.

— Mais non! rétorqua Serge. Seulement tu n'envisages pas les choses comme il le faudrait.

— C'est possible. concéda Levine accablé.

— A propos, sais-tu que Nicolas est de nouveau ici? »

Nicolas Levine, frère aîné de Constantin, et frère utérin de Serge Ivanovitch, était un dévoyé; il avait mangé la plus grande partie de sa fortune et, brouillé avec sa famille, vivait maintenant en fort mauvaise et fort étrange compagnie.

« Que dis-tu là? s'écria Levine effrayé. Comment le sais-tu?

— Procope l'a rencontré dans la rue.

— Ici, à Moscou? Tu sais où il habite? »

Et Levine se leva précipitamment, prêt à se mettre sur-le-champ à la recherche de son frère.

« Je regrette de t'avoir dit cela, reprit Serge à qui l'émoi de son cadet fit hocher la tête. Je l'ai fait rechercher et, quand son adresse m'a été connue, je lui ai envoyé sa lettre de change qu'il avait signée à Troubine et dont j'ai bien voulu faire les frais. Voici ce qu'il m'a répondu. »

Et Serge tendit à son frère un billet qu'il prit sous un presse-papiers. Levine déchiffra sans peine ce griffonnage qui lui était familier : « Je prie humblement mes chers frères de me laisser en paix. C'est tout ce que je leur demande. Nicolas Levine. »

Planté devant Serge, Levine n'osait ni lever la tête ni lâcher le billet : au désir d'oublier son malheureux frère s'opposait en lui le sentiment de la mauvaise action qu'il commettait.

« Il veut évidemment m'offenser, reprit Serge, mais il n'y réussira pas. Je voudrais de tout cœur lui venir en aide, mais je sais, hélas, que cela n'est pas possible.

— Oui, oui, dit Levine, je comprends et j'apprécie ta conduite envers lui; mais il faut pourtant que j'aille le voir.

— Si cela te fait plaisir, vas-y, mais je ne saurais te le conseiller. Je ne crains certes pas qu'il te brouille avec moi; néanmoins mieux vaudrait pour toi n'y point aller. Il n'y a rien à faire. Au reste, agis comme bon te semble.

— Peut-être n'y a-t-il vraiment rien à faire; mais, que veux-tu, je sens que je n'aurais pas la conscience tranquille, en ce moment surtout... Mais cela, c'est une autre histoire...

— Je ne te comprends pas, répliqua Serge. Mais à coup sûr il y a là pour nous une leçon d'humilité. Depuis que Nicolas est devenu ce qu'il est, je considère avec d'autres yeux et plus d'indulgence ce qu'on est convenu d'appeler une vilenie. Tu sais ce qu'il a fait?

— Ah! c'est affreux, affreux! » répondit Levine.

Après avoir demandé au domestique de Serge l'adresse de leur frère, Levine se mit en route pour aller le voir, mais il changea soudain d'idée et résolut d'ajourner sa visite jusqu'au soir. Il comprit que pour retrouver son calme il lui fallait avant tout terminer l'affaire qui l'avait amené à Moscou. Il se fit donc conduire d'abord au bureau d'Oblonski pour s'informer des Stcherbatski, puis à l'endroit où, selon son ami, il avait quelque chance de rencontrer Kitty.

IX

A QUATRE heures précises, Levine, le cœur battant, descendit de fiacre à la porte du jardin zoologique et suivit l'allée qui menait à la patinoire (1); il était sûr de « la » trouver en ce lieu, car il avait aperçu près de l'entrée la voiture des Stcherbatski.

Il faisait un beau temps de gel. A la porte du jardin s'alignaient des voitures de maître, des traîneaux, des fiacres, des sergents de ville. Un public de choix, dont les chapeaux étincelaient au soleil, encombrait l'entrée et les sentiers frayés entre les pavillons de style russe à ornements découpés. Les vieux bouleaux du jardin, aux branches chargées de neige, semblaient revêtus de chasubles neuves et solennelles.

Tout en suivant le chemin de la patinoire, Levine se disait à lui-même : « Du calme, mon ami, du calme!... Qu'as-tu à t'agiter ainsi? Tais-toi donc, voyons! » Ces derniers mots s'adressaient à son cœur. Mais plus il tâchait de se calmer, plus l'émoi le gagnait et lui coupait la respiration. Une personne de connaissance l'appela au passage, il ne la reconnut même pas. Il arriva près des montagnes de glace, d'où les traîneaux se précipitaient avec fracas pour remonter à l'aide de chaînes, dans un cliquetis de ferraille; des voix joyeuses s'élevaient parmi ce tumulte. Au bout de quelques pas, il se trouva devant la patinoire et, parmi tant d'admirateurs, il « la » reconnut bien vite...

La joie et la terreur qui envahirent son cœur lui révélèrent immédiatement « sa » présence. Elle conversait avec une dame à l'autre bout de la patinoire. Rien, ni dans sa toilette ni dans sa pose, ne la distinguait de son entourage; pour Levine cependant, elle ressortait de la foule comme une rose d'un bouquet d'orties, elle était le sourire qui illumine tout autour de soi. « Oserai-je vraiment descendre sur la glace et m'approcher

---

(1) Tolstoï qui fit toujours beaucoup d'exercices physiques, pratiquait entre autres le patinage. Une photographie datée de 1898 le montre en train de patiner (il avait alors 70 ans).

d'elle? » se dit-il. L'endroit où elle se tenait lui parut
un sanctuaire inaccessible; un moment même, il eut si
peur qu'il faillit rebrousser chemin. Faisant un effort
sur lui-même, il finit pourtant par se convaincre qu'elle
était entourée de gens de toute espèce, et qu'il avait
bien le droit de prendre part, lui aussi, au patinage. Il
descendit donc sur la glace, évitant de la regarder en
face, comme le soleil; mais, de même que le soleil, il
n'avait pas besoin de la regarder pour la voir.

C'était le jour et l'heure où les gens d'un certain
monde se donnaient rendez-vous à la patinoire. Il y
avait là des virtuoses, qui faisaient parade de leurs
talents, et des débutants, qui abritaient derrière des
chaises leurs premiers pas gauches et mal assurés; de
très jeunes gens et de vieux messieurs, s'adonnant par
hygiène à cet exercice. Comme ils tournaient autour
d'elle, tous parurent à Levine des privilégiés du sort;
ils la poursuivaient, la dépassaient, l'interpellaient
même avec une complète indifférence; il suffisait à
leur bonheur que la glace fût bonne et le temps splendide.

Nicolas Stcherbatski, un cousin de Kitty, veston
court, culotte collante et patins aux pieds, se reposait
sur un banc, quand il aperçut Levine.

« Ah! bah, s'écria-t-il, le voilà donc, le premier pati-
neur de la Russie! Quand êtes-vous arrivé? La glace
est excellente, mettez vite vos patins.

— Mes patins! mais je ne les ai même pas », répondit Levine, étonné que l'on pût parler avec cette audace
et cette liberté d'esprit en présence de Kitty, qu'il ne
perdait point de vue tout en se gardant bien de lever
les yeux de son côté. Il sentait l'approche du soleil. Du
coin où elle se tenait, elle se lança dans sa direction,
les pieds mal assurés dans de hautes bottines et ne pa-
raissant pas très à son aise. Un gamin en costume russe,
qui s'en donnait à cœur joie, jouant des bras et courbant la taille, cherchait à la dépasser; sa course manquait d'assurance, ses mains avaient quitté le petit
manchon suspendu à son cou par un cordon et se
tenaient prêtes à parer une chute possible; elle souriait, et ce sourire était autant un défi à sa peur qu'un
salut à Levine qu'elle venait de reconnaître. Quand
elle fut hors d'un tournant périlleux, elle se donna

de l'élan d'un coup de talon nerveux et glissa tout droit jusqu'à Stcherbatski, au bras duquel elle se retint, tout en adressant à Levine un signe de tête amical. Jamais, dans son imagination, il ne l'avait vue si belle.

Il lui suffisait de songer à elle pour se la représenter tout entière, et plus particulièrement sa jolie tête blonde, à l'expression enfantine de candeur et de bonté, élégamment posée sur des épaules déjà magnifiques. Le contraste entre la grâce juvénile de son visage et la beauté féminine de son buste constituait son charme propre. Levine y était fort sensible; mais ce qui, par son caractère d'imprévu, le frappait toujours le plus en elle, c'était le sourire exquis, qui, joint à la douce sérénité du regard, le transportait dans un monde enchanté, où il éprouvait le même apaisement languide qu'à certains jours trop rares de sa petite enfance.

« Depuis quand êtes-vous ici? » dit-elle en lui tendant la main. « Merci, ajouta-t-elle en lui voyant ramasser le mouchoir tombé de son manchon.

— Moi? Mais depuis peu... hier... c'est-à-dire aujourd'hui », répondit Levine, si ému qu'il n'avait pas tout d'abord compris la question. « Je me proposais d'aller vous voir, reprit-il, mais se rappelant dans quelle intention, il rougit et se troubla. Je ne savais pas que vous patiniez, et si bien. »

Elle le considéra avec attention, comme pour deviner la cause de son embarras.

« Votre éloge est précieux. Si j'en crois la tradition qui s'est conservée ici, vous n'aviez point de rival dans ce sport, dit-elle en secouant de sa petite main gantée de noir les aiguilles de givre tombées sur son manchon.

— Oui, je m'y suis adonné autrefois avec passion, jª voulais atteindre la perfection.

— Il me semble que vous faites tout avec passion, dit-elle en souriant. Je voudrais bien vous voir patiner. Mettez donc des patins, nous patinerons ensemble. »

« Patiner ensemble! Est-ce possible? » pensa-t-il en la regardant.

« Je vais en mettre tout de suite, dit-il, et il s'en fut trouver le loueur de patins.

— Il y a longtemps qu'on ne vous a vu, monsieur, dit le brave homme en lui tenant le pied pour lui visser le talon. Depuis vous, aucun de ces messieurs ne s'y entend. Est-ce bien comme ça? demanda-t-il en serrant la courroie.

— Ça va, ça va, mais dépêchons-nous », répondit Levine impuissant à dissimuler la joie qui, malgré lui, illuminait son visage. « Voilà donc la vie! voilà donc le bonheur! « Ensemble, a-t-elle dit, nous patinerons « ensemble. » Dois-je lui avouer mon amour? Non, j'ai peur... Je suis trop heureux en ce moment, au moins en espérance, pour risquer... Il le faut pourtant, il le faut! Arrière la faiblesse! »

Levine se leva, ôta son pardessus, et, après s'être essayé près du pavillon, il s'élança sur la glace unie et glissa sans effort, dirigeant comme à son gré sa course, tantôt rapide, tantôt ralentie. Il s'approcha, non sans anxiété, de Kitty, mais de nouveau son sourire le rassura.

Elle lui donna la main et ils patinèrent côte à côte, augmentant peu à peu la vitesse de leur course; et plus celle-ci se faisait rapide, plus elle lui serrait la main.

« Avec vous, j'apprendrais plus vite, lui dit-elle; je ne sais pourquoi, j'ai confiance en vous.

— J'ai aussi confiance en moi, quand vous vous appuyez sur mon bras », répondit-il; mais aussitôt il rougit, effrayé de son audace. Effectivement, à peine eut-il prononcé ces paroles qu'un nuage couvrit le soleil : le visage de Kitty se rembrunit, tandis qu'une ride se dessinait sur son front. Levine n'ignorait pas que ce jeu de physionomie marquait chez elle un effort de la pensée.

« Il ne vous arrive rien de désagréable? s'informat-il. Du reste je n'ai pas le droit de vous poser de questions, se hâta-t-il d'ajouter.

— Pourquoi cela?... Non, il ne m'est rien arrivé, répondit-elle d'un ton froid. Vous n'avez pas vu Mlle Linon? demanda-t-elle sans transition.

— Pas encore.

— Allez donc la saluer. Elle vous aime tant. »

« Qu'y a-t-il? En quoi l'ai-je blessée? Seigneur, mon Dieu, venez à mon aide! » se dit Levine, tout en courant vers la vieille Française à boucles grises qui l'attendait sur son banc. Elle l'accueillit avec un sourire amical qui découvrit tout son râtelier.

« Nous grandissons, n'est-ce pas? dit-elle en désignant Kitty des yeux, et nous prenons de l'âge. *Tiny bear* est devenu grand », continua-t-elle en riant; et elle le fit se souvenir de sa plaisanterie sur les trois jeunes filles qu'il appelait les trois oursons du conte anglais. « Vous rappelez-vous que vous les nommiez ainsi? »

Il l'avait complètement oublié, mais depuis tantôt dix ans la vieille demoiselle ressassait cette plaisanterie, qui lui tenait au cœur.

« Eh bien, allez, je ne vous retiens point. N'est-ce pas que notre Kitty commence à bien patiner? »

Quand Levine eut rejoint Kitty, le visage de la jeune fille avait repris sa sérénité, et ses yeux, leur expression franche et caressante; mais il crut percevoir dans son ton affable une note de tranquillité voulue, ce qui le rendit triste. Après quelques phrases sur la vieille institutrice et ses bizarreries, elle l'interrogea sur sa vie à lui.

« Est-il possible que vous ne vous ennuyiez point l'hiver à la campagne?

— Je n'ai pas le temps de m'ennuyer. J'ai trop à faire », répondit-il, sentant que, tout comme au début de l'hiver, elle avait résolu de lui faire adopter un ton calme, en harmonie avec le sien, et dont désormais il ne saurait plus se départir.

« Pensez-vous rester longtemps à Moscou? reprit-elle.

— Je ne sais pas, répondit-il sans penser à ce qu'il disait. L'idée de retomber dans un ton froidement amical et de retourner chez lui sans avoir rien décidé le poussa à la révolte.

— Comment, vous ne le savez pas?

— Non, cela dépendra de vous », dit-il, aussitôt effrayé de ses propres paroles.

Les entendit-elle ou ne voulut-elle pas les entendre? Toujours est-il qu'elle sembla faire un faux pas, tapa deux fois du pied et s'éloigna de lui. Arrivée près de

Mlle Linon, elle lui dit quelques mots et gagna la maisonnette où les dames ôtaient leurs patins.

« Mon Dieu, qu'ai-je fait? Seigneur, inspirez-moi, guidez-moi », priait mentalement Levine, tout en décrivant toutes sortes de huit, car il éprouvait le besoin de se donner beaucoup de mouvement.

En ce moment un jeune homme, le plus fort des patineurs de la nouvelle école, sortit du café, ses patins aux pieds et la cigarette aux lèvres, et, prenant son élan, il dégringola avec fracas l'escalier en sautillant de marche en marche, puis continua sa course sur la glace, sans même rectifier la position de ses bras.

« Ah! c'est un nouveau truc! dit Levine, qui escalada aussitôt la hauteur pour l'exécuter à son tour.

— N'allez pas vous faire de mal, il faut de l'habitude! » lui cria Nicolas Stcherbatski.

Levine grimpa l'escalier, se donna le plus de champ possible et se laissa aller, en maintenant son équilibre à l'aide de ses mains. A la dernière marche il s'accrocha, mais se rétablit d'un mouvement brusque et gagna le large en riant.

« Quel charmant garçon! » songeait au même moment Kitty, qui sortait du pavillon en compagnie de Mlle Linon, et le regardait avec le sourire caressant que l'on a pour un frère bien-aimé. « Ai-je vraiment mal agi? On prétend que c'est de la coquetterie! Je sais que ce n'est pas lui que j'aime, mais je n'en ai pas moins beaucoup de plaisir en sa compagnie. C'est un si brave cœur... seulement pourquoi m'a-t-il dit cela? »

Voyant Kitty partir avec sa mère qui était venue la chercher, Levine, tout rouge après l'exercice violent qu'il venait de se donner, s'arrêta et réfléchit. Il ôta ses patins et rejoignit ces dames à la sortie.

« Très heureuse de vous voir, dit la princesse. Nous recevons, comme toujours, le jeudi.

— Aujourd'hui par conséquent?

— Nous serons enchantés de vous voir », répondit-elle d'un ton sec qui affligea Kitty. Désireuse d'adoucir l'effet produit par la froideur de sa mère, elle se retourna vers Levine et lui dit en souriant : « Au revoir! »

En ce moment Stépane Arcadiévitch, le chapeau

planté de guingois, les pommettes luisantes et le regard émoustillé, pénétrait en vainqueur dans le jardin. Mais, à la vue de sa belle-mère, il se donna un air
triste et contrit pour répondre aux questions qu'elle
lui posa sur la santé de Dolly. Après cet entretien à
voix basse et affligée, il se redressa et prit le bras de
Levine.

« Eh bien, partons-nous? Je n'ai fait que songer
à toi et je suis très, très content de ta venue, dit-il en
le regardant dans les yeux d'un air significatif.

— Partons, partons », répondit l'heureux Levine,
qui ne cessait d'entendre le son de cette voix lui
disant « au revoir », et de se représenter le sourire
qui accompagnait ces mots.

« Où allons-nous? A l'hôtel d'Angleterre ou à l'Ermitage?

— Peu m'importe.

— A l'hôtel d'Angleterre alors, dit Stépane Arcadiévitch qui se décida pour ce restaurant parce que, y
devant plus d'argent qu'à l'Ermitage, il trouvait indé-
cent de l'éviter. Tu as un fiacre? Tant mieux, car j'ai
renvoyé ma voiture.

Pendant tout le trajet les deux amis gardèrent le
silence. Levine cherchait à interpréter le changement
survenu dans la physionomie de Kitty : il flottait
entre l'espérance et le découragement, mais se sentait
malgré tout un autre homme, bien différent de celui
qui avait existé avant le sourire et le fatidique « au
revoir ».

Cependant Stépane Arcadiévitch composait le
menu.

« Tu aimes le turbot, n'est-ce pas? demanda-t-il à
Levine au moment où ils arrivaient.

— Tu dis...? Le turbot? Oui, « j'adore » le turbot. »

X

Lorsqu'ils pénétrèrent dans l'hôtel, le rayonnement
contenu qui émanait de toute la personne de Stépane
Arcadiévitch frappa Levine lui-même en dépit de ses

préoccupations. Oblonski quitta son pardessus et, le
chapeau de guingois, se dirigea vers la salle de restaurant, tout en donnant des ordres à la bande de Tatars
en habit noir qui s'empressait autour de lui, la serviette sous le bras. Saluant à droite et à gauche les
personnes de connaissance qui là comme partout
l'accueillaient avec empressement, il s'approcha du
comptoir, avala un verre d'eau-de-vie accompagné
d'un hors-d'œuvre de poisson, et dit à la préposée —
une Française fardée, frisée, toute en dentelles et en
rubans — quelques paroles aimables qui la firent rire
de bon cœur. En revanche la seule vue de cette personne, qui lui parut un amalgame de faux cheveux, de
poudre de riz et de *vinaigre de toilette,* et dont il se
détourna comme d'une flaque de boue, empêcha Levine de prendre un apéritif. Son âme était toute au
souvenir de Kitty; ses yeux étincelaient de bonheur.

« Par ici, s'il vous plaît, Excellence; ici votre
Excellence ne sera pas dérangée », disait un vieux
Tatar particulièrement tenace, à poil blanchâtre et
tournure si vaste que les pans de son habit s'écar-
taient par-derrière. « S'il vous plaît, Excellence », dit-
il aussi à Levine qu'il jugeait bon de flatter par égard
pour Stépane Arcadiévitch dont il était l'invité.

Il étendit en un clin d'œil une serviette immaculée
sur un guéridon déjà couvert d'une nappe et dominé
par une applique de bronze, puis il approcha deux
chaises de velours, et, la serviette d'une main, la
carte de l'autre, il se tint aux ordres de Stépane Arcadiévitch.

« Si Votre Excellence le désire, un cabinet particulier sera à sa disposition dans quelques instants; le
prince Galitsyne avec une dame va le laisser libre.
Nous avons reçu des huîtres fraîches.

— Ah! ah! des huîtres! »

Stépane Arcadiévitch réfléchit.

« Si nous revisions notre plan de campagne, hein,
Levine? demanda-t-il, un doigt posé sur la carte, tan-
dis que son visage exprimait une hésitation sérieuse.
Sont-elles bonnes au moins, tes huîtres! Prends garde.

— Elles viennent tout droit de Flensbourg, Excellence; il n'y a pas eu d'arrivage d'Ostende.

— Passe pour des Flensbourg, mais sont-elles fraîches?

— Elles sont arrivées d'hier.

— Eh bien, qu'en dis-tu? Si nous commencions par des huitres et si nous faisions subir à notre plan un changement radical.

— Comme tu voudras. Pour moi rien ne vaut la soupe aux choux et la « kacha »; mais évidemment on ne trouve pas ça ici.

— Une *kacha à la russe* pour Son Excellence? demanda le Tatar, en se penchant vers Levine, comme une bonne vers l'enfant commis à ses soins.

— Sans plaisanterie, tout ce que tu choisiras sera bien. J'ai patiné et je me sens en appétit. Le patinage m'a donné faim. Et crois-moi, ajouta-t-il en voyant une ombre de mécontentement passer sur le visage d'Oblonski, je ferai honneur à ton menu; un bon diner ne m'effraie pas.

— Je le pense bien! On a beau dire, c'est un des plaisirs de l'existence... Alors, mon bon ami, tu vas nous donner deux... non, c'est trop peu... trois douzaines d'huitres; ensuite une soupe aux légumes...

— *Printanière* », corrigea le Tatar; mais Stépane Arcadiévitch, ne voulant sans doute point lui laisser le plaisir d'énumérer les plats en français, insista :

« Aux légumes, te dis-je! Puis du turbot avec une sauce un peu épaisse; un rosbif... bien à point, fais attention; ensuite... eh bien, ma fois, un chapon; et pour finir, des conserves... »

Le Tatar, se rappelant que Stépane Arcadiévitch avait la manie de donner aux mets des noms russes, n'osa plus l'interrompre; mais, la commande prise, il se donna le malin plaisir de la répéter d'après la carte : « *Soupe printanière, turbot sauce Beaumarchais, poularde à l'estragon, macédoine de fruits.* » Et aussitôt, comme mû par un ressort, il posa sur la table le porte-cartes de cuir pour en saisir un autre qu'il tendit à Stépane Arcadiévitch.

« Qu'allons-nous boire?

— Ce que tu voudras, mais pas beaucoup, du champagne.

— Comment, dès le commencement? Au fait, pourquoi pas? Tu aimes la marque blanche?

— *Cachet blanc,* corrigea le Tatar.

— Eh bien, donne-nous une bouteille de cette
« marque » avec les huîtres; ensuite nous verrons.

— A vos ordres. Et comme vin de table?

— Du nuits; non, plutôt le classique chablis.

— A vos ordres. Servirai-je « votre » fromage?

— Oui, du parmesan. Mais peut-être en préfères-tu
un autre?

— Non, cela m'est égal », répondit Levine, souriant malgré lui.

Le Tatar opéra une retraite précipitée, les basques
de son habit flottant derrière lui; au bout de cinq minutes il réapparut non moins précipitamment, portant une bouteille entre les doigts et sur la paume de
la main un plat d'huîtres écaillées se prélassant dans
leur coquille nacrée.

Stépane Arcadiévitch chiffonna sa serviette empesée, en fourra un bout dans son gilet, posa tranquillement ses mains sur la table et s'attaqua aux huîtres.

« Pas mauvaises, ma foi, déclara-t-il en les déta-
chant dans un léger clapotis de leur écaille à l'aide
d'une petite fourchette d'argent, pour les gober ensuite
les unes après les autres. Pas mauvaises du tout », répéta-t-il en lorgnant tantôt Levine, tantôt le Tatar
d'un œil luisant et béat.

Levine goûta aussi les huîtres, mais ses préférences
allèrent au fromage. Il ne pouvait d'ailleurs se défendre d'admirer Oblonski. Le Tatar lui-même, après
avoir débouché la bouteille et versé le vin mousseux
dans de fines coupes de cristal, considérait Stépane
Arcadiévitch avec une visible satisfaction, tout en redressant sa cravate blanche.

« Tu ne m'as pas l'air d'aimer beaucoup les
huîtres? constata Stépane Arcadiévitch en vidant sa
coupe. A moins que tu ne sois préoccupé? Hein? »

Il aurait voulu voir son ami de belle humeur. Mais
Levine se sentait mal à l'aise dans ce cabaret, au milieu de ce brouhaha, de ce va-et-vient, dans le voisinage de cabinets où l'on soupait en joyeuse compagnie; tout l'offusquait, les bronzes, les glaces, le gaz,
les Tatars; il craignait de salir les beaux sentiments
qui se pressaient dans son âme.

« Oui, je suis préoccupé, et qui pis est, gêné, répondit Levine. Tu ne saurais croire à quel point votre train de vie indispose le campagnard que je suis. C'est comme les ongles de ce monsieur que j'ai aperçu tantôt dans ton cabinet...

— Oui, j'ai remarqué que les ongles de ce pauvre Grinévitch captivaient ton attention, dit en riant Stépane Arcadiévitch.

— Que veux-tu, mon cher, tâche de me comprendre et d'envisager les choses de mon point de vue d'homme des champs. Nous autres, nous tâchons d'avoir des mains avec lesquelles nous puissions travailler; pour cela nous nous coupons les ongles, parfois même nous retroussons nos manches. Ici au contraire, pour être bien sûr de ne rien pouvoir faire de ses mains, on se laisse pousser les ongles tant que bon leur semble et on accroche à ses manchettes des soucoupes en guise de boutons. »

Stépane Arcadiévitch souriait.

« Cela prouve tout simplement qu'il n'a pas besoin de travailler de ses mains; la tête suffit à la besogne...

— Peut-être. N'empêche que cela me choque, tout comme de nous voir ici, toi et moi, avaler des huîtres pour nous exciter l'appétit et rester à table le plus longtemps possible, alors qu'à la campagne nous nous dépêchons de nous rassasier pour retourner au plus tôt à nos occupations.

— Evidemment, approuva Stépane Arcadiévitch; mais n'est-ce pas le but de la civilisation que de tout convertir en jouissance?

— Si c'est là son but, j'aimerais mieux être un barbare.

— Mais tu en es un, mon cher. Tous les Levine sont des sauvages. »

Cette allusion à son frère ulcéra le cœur de Levine. Son front se rembrunit, un soupir lui échappa. Mais Oblonski entama un sujet qui eut tôt fait de le distraire.

« Eh bien, iras-tu ce soir chez les Stcherbatski, demanda-t-il avec un clignement d'œil complice, tandis qu'il repoussait les rugueuses écailles pour s'en prendre au fromage.

— Certainement, répondit Levine, bien qu'il m'ait

paru que la princesse ne m'invitait pas de bonne grâce.

— Quelle idée! C'est sa manière... Eh bien, mon brave, apporte-nous le potage... Oui, c'est sa manière *grande dame*. Je viendrai aussi, mais après une répétition de chant chez la comtesse Bonine... Voyons, comment ne pas t'accuser de sauvagerie! Explique-moi, par exemple, ta fuite soudaine de Moscou. Vingt fois les Stcherbatski m'ont accablé de questions sur ton compte, comme si j'étais au courant. A dire vrai, je ne sais qu'une chose, c'est que tu fais toujours ce que personne ne songerait à faire.

— Oui, répondit Levine lentement et avec émotion. Tu as raison, je suis un sauvage; cependant c'est dans mon retour, et non dans mon départ, que je vois une preuve de cette sauvagerie. Me voici revenu...

— Comme tu es heureux! fit Stépane Arcadiévitch en le couvant du regard.

— Pourquoi?

— « On reconnaît à la marque les chevaux impé-« tueux, à leurs beaux yeux les amoureux », déclama Stépane Arcadiévitch. L'avenir est à toi.

— A toi aussi, j'imagine.

— Non, il ne me reste plus que... disons le présent, et un présent où tout n'est pas rose.

— Qu'y a-t-il?

— Cela va mal. Mais je ne veux pas te parler de moi d'autant plus que je ne puis entrer dans tous les détails... Voyons, qu'est-ce qui t'amène à Moscou? répondit Stépane Arcadiévitch. La suite, mon brave, cria-t-il au Tatar.

— Ne le devines-tu pas? demanda Levine, ses yeux à la prunelle étincelante fixés sur ceux d'Oblonski.

— Je le devine, mais je ne puis aborder ce sujet le premier. Tu peux à ce détail reconnaître si je devine juste ou non, dit Stépane Arcadiévitch en répondant par un sourire au regard de son ami.

— Eh bien, alors, qu'en penses-tu? » dit Levine dont la voix tremblait et qui sentait tressaillir tous les muscles de son visage.

Sans quitter Levine des yeux, Stépane Arcadiévitch dégusta lentement un verre de chablis.

« Ce que j'en pense? dit-il enfin. Eh bien, je n'ai

pas de plus ardent désir. Ce serait incontestablement
la meilleure solution.

— Tu ne te trompes pas au moins? Tu saisis bien
de qui il s'agit? insista Levine en dévorant des yeux
son interlocuteur. Tu crois l'affaire possible?

— Je le crois. Pourquoi ne le serait-elle pas?

— Bien sincèrement? Dis-moi tout ce que tu penses.
Songe donc, si j'allais au-devant d'un refus!... Et j'en
suis presque certain...

— Pourquoi donc? s'enquit Stépane Arcadiévitch,
que cette émotion fit sourire.

— J'en ai parfois l'impression. Ce serait terrible
pour elle comme pour moi.

— Oh! je ne vois là rien de terrible pour elle; une
jeune fille est toujours flattée d'être demandée en
mariage.

— Oui, mais elle n'est pas comme les autres. »

Stépane Arcadiévitch sourit. Il connaissait parfaitement le sentiment de Levine à ce propos : les jeunes
filles de l'univers se divisaient en deux catégories :
l'une, qui les comprenait toutes sauf « elle », partici-
pait à toutes les faiblesses humaines; l'autre, qu'elle
composait à elle seule, ignorait toute imperfection et
planait au-dessus de l'humanité.

« Une minute, prends donc de la sauce », dit-il en
arrêtant la main de Levine qui repoussait la saucière.

Levine obéit, mais n'en laissa pas pour autant Stépane Arcadiévitch manger en paix.

« Comprends-moi bien, c'est pour moi une question
de vie ou de mort. Je n'en ai jamais parlé à personne
et il n'y a que toi à qui je puisse en parler. Nous
avons beau être différents l'un de l'autre, avoir
d'autres goûts, d'autres points de vue, je n'en suis pas
moins persuadé que tu m'aimes et que tu me comprends; voilà pourquoi je t'aime tant, moi aussi. Mais,
au nom du Ciel, dis-moi toute la vérité.

— Je ne te dis que ce que je pense, répliqua Stépane Arcadiévitch toujours souriant; je te dirai même
davantage : Dolly, une femme étonnante... »

Stépane Arcadiévitch se rappela soudain que ses
relations avec sa femme laissaient plutôt à désirer; il
poussa un soupir mais reprit au bout d'un moment :

« ... Ma femme a le don de seconde vue; non seulement elle lit dans le cœur des gens, mais encore elle prévoit l'avenir, surtout en matière de mariages. C'est ainsi qu'elle a prédit celui de Brenteln avec Mlle Chakhovskoï; personne ne voulait y croire, et cependant il s'est fait! Eh bien, ma femme est pour toi.

— Comment l'entends-tu?

— J'entends que, non contente de t'aimer, elle affirme que Kitty ne peut manquer d'être ta femme... »

Levine, soudain rayonnant, se sentit prêt à verser des larmes d'attendrissement.

« Elle a dit cela! s'écria-t-il. J'ai toujours pensé que ta femme était un ange. Mais assez sur ce sujet, ajouta-t-il en se levant.

— Soit, mais reste donc assis! »

Levine ne pouvait demeurer en place; il lui fallut arpenter deux ou trois fois d'un pas ferme le coin retiré où ils se trouvaient, en clignant des yeux pour dissimuler ses larmes.

« Comprends-moi bien, reprit-il en se rasseyant, c'est plus que de l'amour. J'ai été amoureux, mais ce n'était pas cela. C'est plus qu'un sentiment, c'est une force intérieure qui me possède. Si j'ai pris la fuite, c'est que je ne croyais pas que pareil bonheur fût possible ici-bas. Mais j'ai eu beau lutter contre moi-même, je sens que je ne puis vivre sans cela. L'heure est venue de prendre une décision.

— Mais pourquoi t'es-tu sauvé?

— Un instant... Si tu savais que de pensées se pressent dans ma tête, que de choses je voudrais te demander! Ecoute. Tu ne peux t'imaginer le service que tu viens de me rendre. Je suis si heureux que j'en deviens mauvais : j'oublie tout. J'ai appris tantôt que mon frère Nicolas... tu sais... est ici, et je l'ai oublié. Il me semble que lui aussi est heureux. C'est une sorte de folie. Mais il y a quelque chose qui me paraît abominable. Quand tu t'es marié, tu as dû connaître ce sentiment... Comment nous autres, qui ne sommes plus de première jeunesse et avons derrière nous un passé, non pas d'amour, mais de péché, comment osons-nous approcher sans crier gare d'un être pur et innocent? C'est abominable, te dis-je, et n'ai-je pas raison de me trouver indigne?

— Tu ne dois pas avoir grand-chose sur la
conscience?

— Malgré tout, quand je repasse ma vie avec dégoût,
je tremble, je maudis, je me plains amèrement... oui...

— Que veux-tu, le monde est ainsi fait.

— Je ne vois qu'une consolation, celle de cette
prière que j'ai toujours aimée : « Pardonnez-nous,
« Seigneur, non point selon nos mérites, mais bien
« selon la grandeur de votre miséricorde. » Ce n'est
qu'ainsi qu'elle peut me pardonner. »

XI

LEVINE vida son verre. Un silence suivit.

« J'ai encore quelque chose à te dire, reprit enfin
Stépane Arcadiévitch. Tu connais Vronski?

— Non; pourquoi cette question?

— Encore une bouteille », commanda Stépane Arcadiévitch au Tatar qui remplissait les verres et tournait autour d'eux juste au moment où l'on n'avait que
faire de lui. « Parce que Vronski est un de tes rivaux.

— Qui est donc ce Vronski? » demanda Levine. Et
sa physionomie, dont Oblonski admirait tout à l'heure
l'enthousiasme juvénile, n'exprima plus qu'un maussade dépit.

« C'est un des fils du comte Cyrille Ivanovitch
Vronski, et l'un des plus beaux échantillons de la jeunesse dorée de Pétersbourg. J'ai fait sa connaissance
à Tver, où il venait pour le recrutement, quand j'y
occupais un poste... Beau garçon, belle fortune, belles
relations, aide de camp de l'empereur et, malgré tout
cela, un charmant homme ou même quelque chose de
mieux. J'ai pu me convaincre ici qu'il avait de l'instruction et beaucoup d'esprit. Ce garçon-là ira loin. »

Levine fronçait le sourcil et ne soufflait plus mot.

« Eh bien, ledit Vronski a fait son apparition ici
quelque temps après ton départ; il me semble amoureux fou de Kitty, et tu comprends que la mère...

— Excuse-moi, mais je n'y comprends goutte », dit

Levine de plus en plus renfrogné. Son frère Nicolas lui revint subitement en mémoire et il se reprocha comme une vilenie de l'avoir oublié.

« Attends donc, dit Stépane Arcadiévitch en souriant et en lui tendant le bras. Je t'ai dit ce que je savais, mais, je te le répète, s'il est permis de faire des conjectures dans une affaire aussi délicate, il me semble que les chances sont de ton côté. »

Levine, tout pâle, s'appuya au dossier de sa chaise.

« Seulement, un bon conseil : termine cette affaire au plus tôt, continuait Oblonski tout en lui remplissant son verre.

— Non, merci, dit Levine en repoussant le verre, je ne peux plus boire, je serais ivre... Et toi, comment vas-tu? reprit-il pour rompre les chiens.

— Laisse-moi te le répéter : termine l'affaire au plus tôt. Ne te déclare pas encore ce soir, mais demain matin va faire la classique demande, et que le bon Dieu te bénisse!...

— Pourquoi ne viens-tu jamais chasser chez moi? dit Levine. Tu me l'avais pourtant promis. N'oublie pas de venir au printemps. »

Il se repentait vraiment du fond du cœur d'avoir engagé cet entretien avec Stépane Arcadiévitch. Son sentiment « unique » se trouvait froissé de devoir compter avec les prétentions d'un quelconque. officier, subir les conseils et les suppositions de Stépane Arcadiévitch. Celui-ci, qui comprit parfaitement ce qui se passait dans l'âme de Levine, se contenta de sourire.

« Je viendrai un jour ou l'autre, dit-il... Vois-tu, mon ami, les femmes sont le ressort qui fait tout mouvoir en ce monde... Tu me demandes où en sont mes affaires? En fort mauvais point, mon cher... Et tout cela à cause des femmes... Donne-moi franchement ton avis, continua-t-il en tenant un cigare d'une main et son verre de l'autre.

— Sur quoi?

— Voici, supposons que tu sois marié, que tu aimes ta femme, et que tu te sois laissé entraîner par une autre femme.

— Excuse-moi, mais je ne comprends rien à pareille affaire; c'est pour moi, comme si tout à l'heure en sor-

tant de dîner j'allais voler une brioche dans une
boulangerie. »

Les yeux de Stépane Arcadiévitch pétillèrent.

« Pourquoi pas? Certaines brioches sentent si bon
qu'on ne saurait résister à la tentation.

> *Himmlisch ist's, wenn ich bezwungen*
> *Meine irdische Begier;*
> *Aber doch wenn's nicht gelungen,*
> *Hatt' ich auch recht hübsch Plaisir* (1)!

Ce disant, Oblonski sourit malicieusement; Levine ne
put se retenir de l'imiter.

« Trêve de plaisanteries, continua Oblonski. Il s'agit
d'une femme charmante, modeste, aimante, sans fortune et qui vous a tout sacrifié : faut-il l'abandonner,
maintenant que le mal est fait? Mettons qu'il soit nécessaire de rompre, pour ne pas troubler la vie de
famille, mais ne doit-on pas avoir pitié d'elle, lui
adoucir la séparation, assurer son avenir?

— Pardon, mais tu sais que pour moi les femmes
se divisent en deux classes... ou pour mieux dire, il y
a les femmes et les... Je n'ai jamais vu et ne verrai
jamais de belles repenties; mais des créatures comme
cette Française du comptoir avec son fard et ses frisons ne m'inspirent que du dégoût, comme d'ailleurs
toutes les femmes tombées.

— Même celle de l'Evangile?

— Ah! je t'en prie... Le Christ n'aurait jamais prononcé ces paroles, s'il avait su le mauvais usage qu'on
en ferait : c'est tout ce qu'on a retenu de l'Evangile.
Au reste c'est plutôt chez moi affaire de sentiment que
de raisonnement. J'ai une répulsion pour les femmes
tombées, comme tu en as une pour les araignées. Nous
n'avons pas eu besoin pour cela d'étudier les mœurs
ni des unes ni des autres.

— Tu me rappelles ce personnage de Dickens qui
rejetait de la main gauche par-dessus l'épaule droite
toutes les questions embarrassantes. Mais nier un fait
n'est pas répondre. Que faire, voyons, que faire? Ta
femme vieillit tandis que la vie bouillonne encore en

(1) « *Je suis ravi quand j'ai pu vaincre le désir de ma chair;
mais si je n'y réussis pas, j'ai au moins le plaisir pour moi.* »

toi. Tu te sens tout d'un coup incapable de l'aimer
d'amour, quelque respect que tu professes d'ailleurs
pour elle. Sur ces entrefaites l'amour surgit à l'improviste et te voilà perdu! » s'exclama pathétiquement
Stépane Arcadiévitch.

Levine eut un sourire sarcastique.

« Oui, oui, perdu! répétait Oblonski. Eh bien,
voyons, que faire?

— Ne pas voler de brioche. »

Stépane Arcadiévitch se dérida.

« Ô moraliste!... Mais comprends donc la situation.
Deux femmes s'affrontent. L'une se prévaut de ses
droits, c'est-à-dire d'un amour que tu ne peux lui donner; l'autre sacrifie tout et ne te demande rien. Que
doit-on faire? Comment se conduire? Il y a là un drame
effrayant.

— Si tu veux que je te confesse ce que j'en pense,
je ne vois pas là de drame. Voici pourquoi. Selon moi
l'amour... les deux amours tels que, tu dois t'en souvenir, Platon les caractérise dans son *Banquet*, servent
de pierre de touche aux hommes, qui ne comprennent
que l'un ou l'autre. Ceux qui comprennent uniquement
l'amour non platonique n'ont aucune raison de parler
de drame, car ce genre d'amour n'en comporte point.
« Bien obligé pour l'agrément que j'ai eu » : voilà tout
le drame. L'amour platonique ne peut en connaître
davantage, parce que là tout est clair et pur, parce
que... »

A ce moment Levine se rappela ses propres péchés et
la lutte intérieure qu'il avait subie. Il termina donc sa
tirade d'une manière imprévue :

« Au fait, peut-être as-tu raison. C'est bien possible...
Mais je ne sais pas, non, je ne sais pas.

— Vois-tu, dit Stépane Arcadiévitch, tu es un homme
tout d'une pièce. C'est ta grande qualité et c'est aussi
ton défaut. Parce que ton caractère est ainsi fait, tu
voudrais que la vie fût constituée de même façon. Ainsi
tu méprises le service de l'Etat, parce que tu voudrais
que toute occupation humaine correspondît à un but
précis — et cela ne saurait être. Tu voudrais également
un but dans chacun de nos actes, tu voudrais que
l'amour et la vie conjugale ne fissent qu'un — cela ne
saurait être. Le charme, la variété, la beauté de la vie

tiennent précisément à des oppositions de lumière et
d'ombre. »

Levine soupira et ne répondit rien. Repris par ses
préoccupations, il n'écoutait plus Oblonski.

Et soudain ils sentirent tous deux que, loin de les
rapprocher, ce bon dîner, ces vins généreux les
avaient laissés presque étrangers l'un à l'autre : chacun ne songeait plus qu'à ses affaires et n'avait cure du
voisin. Oblonski, à qui cette sensation était familière,
savait aussi comment y remédier.

« L'addition! » cria-t-il; et il passa dans la salle voisine, où il rencontra un aide de camp de sa connaissance. Une conversation qu'il engagea avec lui au sujet
d'une actrice et de son protecteur reposa Oblonski de
celle qu'il venait d'avoir avec Levine : ce diable
d'homme le contraignait toujours à une tension d'esprit
par trop fatigante.

Quand le Tatar eut apporté un compte de vingt-six
roubles et des kopeks, plus un supplément pour la
vodka prise au comptoir, Levine qui d'ordinaire se fût,
en bon campagnard, épouvanté d'avoir à payer quatorze roubles pour sa part, n'y fit cette fois aucune
attention. Le compte réglé, il rentra chez lui pour changer de costume et se rendre chez les Stcherbatski, où
son sort devait de décider.

XII

KITTY STCHERBATSKI avait dix-huit ans. C'était le premier hiver qu'on la menait dans le monde; elle y rem-
portait de plus grands succès que naguère ses aînées,
plus grands même que sa mère ne s'y était attendue.
Elle avait plus ou moins tourné la tête à toute la jeunesse dansante de Moscou; en outre il s'était dès ce
premier hiver présenté deux partis sérieux : Levine
et, aussitôt après son départ, le comte Vronski.

L'apparition de Levine au début de l'hiver, ses visites
fréquentes, son amour évident pour Kitty avaient été
le sujet des premières conversations sérieuses entre le
prince et la princesse sur l'avenir de leur fille : et ces

conversations révélèrent entre eux un profond dissentiment. Le prince tenait pour Levine et avouait qu'il ne souhaitait pas de meilleur parti pour Kitty. La princesse, cédant à l'habitude féminine de tourner la question, prétextait que Kitty encore fort jeune ne montrait pas grande inclination pour Levine, que d'ailleurs celui-ci ne semblait pas avoir d'intentions bien arrêtées. Elle invoquait encore d'autres raisons, mais non la principale, à savoir qu'elle n'aimait ni ne comprenait Levine et qu'elle espérait pour sa fille un parti plus brillant; aussi fut-elle ravie de son brusque départ.

« Tu vois que j'avais raison », déclara-t-elle à son mari d'un air de triomphe. Elle fut encore plus enchantée quand Vronski se mit sur les rangs : ses prévisions se réalisaient : Kitty ferait un parti magnifique.

Pour la princesse il n'y avait pas de comparaison possible entre les deux prétendants. Ce qui lui déplaisait en Levine, c'étaient ses jugements tranchés et par trop bizarres, sa gaucherie dans le monde qu'elle attribuait à de l'orgueil, la vie de « sauvage » qu'il menait à la campagne entre ses bestiaux et ses manants. Ce qui lui déplaisait plus encore, c'était que Levine, amoureux de Kitty, eût fréquenté leur maison pendant six semaines sans s'expliquer franchement sur ses intentions : ignorait-il à ce point les convenances? ou craignait-il peut-être de leur faire un trop grand honneur? Et soudain ce brusque départ... « C'est fort heureux, se dit la mère, qu'il soit si peu attrayant; il n'aura certes pas tourné la tête de Kitty! » Vronski au contraire comblait tous ses vœux : il avait pour lui la fortune, le talent, la naissance, la perspective d'une brillante carrière à l'armée comme à la cour; c'était de plus un enchanteur. Que pouvait-on rêver de mieux?

Vronski faisait ouvertement la cour à Kitty : il dansait avec elle dans tous les bals, il était devenu un familier du logis, pouvait-on mettre en doute ses intentions? Et cependant la pauvre mère avait passé tout cet hiver dans l'inquiétude et l'émoi.

Son mariage à elle avait été, trente ans plus tôt, l'œuvre d'une de ses tantes. Le fiancé, sur lequel on avait pris d'avance tous les renseignements désirables, était venu la voir et se faire voir; la tante avait de part et d'autre rendu compte de la bonne impression pro-

duite; puis, au jour convenu d'avance, on était venu
faire aux parents une demande officielle qui avait été
agréée. Tout s'était passé le plus simplement du monde.
C'est ainsi du moins que la princesse voyait les choses
à distance. Mais quand il s'était agi de marier ses filles,
elle avait appris à son dam combien cette affaire, si
simple en apparence, était en réalité difficile et compliquée. Que d'anxiétés, que de soucis, que d'argent
dépensé, que de luttes avec son mari lorsqu'il avait
fallu marier Darie et Natalie. Maintenant que le tour
de la cadette était venu, elle connaissait les mêmes
inquiétudes, les mêmes perplexités et des querelles plus
pénibles encore. Comme tous les pères, le vieux prince
était pointilleux à l'excès en ce qui touchait l'honneur
de ses filles; il avait la faiblesse de les jalouser, surtout
Kitty qui était sa préférée et qu'il reprochait sans cesse
à sa femme de compromettre. Pour habituée qu'elle fût
à ces scènes — elle en avait subi de semblables du
temps des aînées — la princesse reconnaissait à part
soi que la susceptibilité de son mari avait cette fois
plus de raison d'être. Elle remarquait depuis quelque
temps dans les usages de la société des changements
notables, qui venaient encore compliquer la tâche déjà
si ingrate dévolue aux mères. Les contemporaines de
Kitty organisaient Dieu sait quelles réunions, suivaient
Dieu sait quels cours, prenaient des manières dégagées
avec les hommes, se promenaient seules en voiture;
beaucoup d'entre elles ne faisaient plus de révérences,
et ce qu'il y avait de plus grave, elles étaient toutes
bien convaincues que le choix d'un mari leur incom-
bait à elles seules et non point à leurs parents. « On
ne marie plus les filles comme autrefois », pensaient et
disaient toutes ces jeunes personnes, et même bien des
gens âgés. Mais comment les marie-t-on alors? c'est ce
que la princesse ne pouvait apprendre de personne. On
réprouvait l'usage français, qui laisse la décision aux
parents; on repoussait comme incompatible avec les
mœurs russes, l'usage anglais, qui laisse toute liberté à
la jeune fille; on criait haro — et la princesse toute
la première — sur l'usage russe du mariage par inter-
médiaire. Mais tout le monde ignorait la vraie marche
à suivre. Tous ceux que la princesse interrogeait lui
faisaient même réponse : « Croyez-moi, il est grand

temps de renoncer aux idées d'autrefois. Ce sont les jeunes gens qui se marient et non les parents; laissons-les donc s'arranger comme ils l'entendent. » Si le raisonnement était commode pour qui n'avait point de filles, la princesse comprenait fort bien qu'en donnant trop de liberté à la sienne, elle courait le risque de la voir s'amouracher de quelqu'un qui ne songerait guère à l'épouser ou qui ne ferait point un bon mari. On avait beau lui répéter qu'il fallait désormais laisser les jeunes gens maîtres de leur sort, cela lui paraissait aussi peu sage que de donner à des enfants de cinq ans des pistolets chargés en guise de joujoux. Voilà pourquoi Kitty la préoccupait plus encore que ses sœurs.

Pour le moment elle craignait que Vronski, dont sa fille était évidemment éprise, ne se bornât point à une simple cour; c'était à coup sûr un galant homme, ce qui la rassurait quelque peu. Mais avec la liberté de relations nouvellement admise dans la société, les séducteurs avaient beau jeu; ces hommes ne considéraient-ils pas la chose comme une peccadille? La semaine précédente, Kitty avait raconté à sa mère un entretien qu'elle avait eu avec Vronski au cours d'une mazurka et qui rassura la princesse, sans toutefois la tranquilliser complètement. Vronski avait dit à Kitty : « En fils soumis, mon frère et moi n'entreprenons jamais rien d'important sans consulter notre mère. En ce moment, j'attends son arrivée comme un bonheur tout particulier. »

Kitty rapporta cette conversation sans y attacher d'importance, mais la mère l'interpréta autrement. Elle savait qu'on attendait la comtesse d'un jour à l'autre et qu'elle approuverait le choix de son fils; pourquoi donc celui-ci différait-il sa demande? Cette déférence exagérée n'était-elle point un prétexte? Néanmoins la princesse désirait tant ce mariage, elle avait tant besoin de sortir d'inquiétude qu'elle donna aux paroles de Vronski un sens conforme à ses propres intentions. Pour amer que lui fût le malheur de sa fille aînée Dolly, qui songeait à quitter son mari, elle se laissait tout entière absorber par ses préoccupations au sujet du sort de sa fille cadette, qu'elle voyait prêt à se décider. Et voici que l'arrivée de Levine augmentait son émoi. Kitty, croyait-elle, avait naguère éprouvé pour lui un

certain sentiment; par excès de délicatesse elle pourrait bien maintenant refuser Vronski. Ce retour lui
semblait devoir embrouiller une affaire si proche du
dénouement.

« Est-il arrivé depuis longtemps? » demanda-t-elle
à sa fille lorsqu'elles furent rentrées. Elle songeait à
Levine.

« Aujourd'hui, maman.

— Il y a une chose que je veux te dire... », commença la princesse, mais à son air soucieux Kitty
devina de quoi il s'agissait. Elle rougit et se tournant
brusquement vers sa mère :

« Ne me dites rien, maman, je vous en prie, je vous
en supplie, je sais, je sais tout. »

Leurs désirs étaient les mêmes, mais la fille trouvait
blessants les motifs auxquels la mère obéissait.

« Je veux dire seulement qu'ayant encouragé l'un...

— Maman chérie, au nom du Ciel, ne dites rien. Parler de ces choses porte malheur...

— Un mot seulement, mon ange, dit la princesse en
lui voyant des larmes dans les yeux. Tu m'as promis
de ne jamais avoir de secrets pour moi. Il est bien
entendu que tu n'en auras pas?

— Jamais, maman, jamais aucun! s'écria Kitty, cra-
moisie, mais en regardant sa mère bien en face. Mais
pour le moment je n'ai rien à dire... Non vraiment...
Si même je le voulais je ne saurais que dire... non... »

« Avec ces yeux-là elle ne peut pas mentir », se dit
la princesse, souriant de cette émotion, de ce bonheur
contenu : elle devinait l'énorme importance que la pau-
vrette accordait à tout ce qui se passait dans son cœur.

XIII

Après le dîner et jusqu'au début de la soirée Kitty
éprouva une impression analogue à celle que ressent
un jeune homme la veille d'une bataille... Son cœur
battait violemment, elle n'arrivait point à rassembler
ses idées.

Cette soirée, où « ils » se rencontreraient pour la

première fois, déciderait de son sort. Elle le pressentait et ne cessait de se les figurer tantôt ensemble, tantôt séparément. Songeait-elle au passé, c'est avec plaisir, avec tendresse qu'elle évoquait les souvenirs qui se rattachaient à Levine : ses impressions d'enfance, l'amitié du jeune homme pour ce frère qu'elle avait perdu, tout leur donnait un charme poétique. A coup sûr Levine l'aimait, cet amour la flattait, il lui était doux d'y songer. Elle éprouvait au contraire une certaine gêne en pensant à Vronski : c'était un homme du monde accompli, toujours maître de lui et d'une simplicité charmante; et cependant elle sentait dans leurs rapports quelque chose de faux, qui devait résider en elle-même, alors qu'avec Levine tout était si franc, si aisé, si naturel. Par contre avec Vronski l'avenir lui apparaissait étincelant; avec Levine, un brouillard l'enveloppait.

Quand elle remonta dans sa chambre pour faire toilette, un coup d'œil à son miroir lui révéla qu'elle était dans un de ses bons jours; ni la grâce, ni le sang-froid ne lui feraient défaut tout à l'heure; elle se vit avec joie en possession de tous ses moyens.

Comme elle entrait au salon, vers sept heures et demie, un domestique annonça : Constantin Dmitriévitch Levine. La princesse n'était pas encore descendue, le prince s'était retiré dans son appartement. « Je m'y attendais », se dit Kitty, et tout son sang afflua à son cœur. En se regardant dans une glace, sa pâleur l'effraya.

Elle savait maintenant, à n'en plus douter, qu'il était venu de bonne heure pour la trouver seule et demander sa main. Aussitôt la situation lui apparut sous un jour nouveau. Pour la première fois elle comprit qu'elle n'était pas seule en jeu, et qu'il lui faudrait tout à l'heure blesser un homme qu'elle aimait et le blesser cruellement. Pourquoi? parce que le brave garçon était amoureux d'elle. Mais elle n'y pouvait rien, il en devait être ainsi.

« Mon Dieu, pensa-t-elle, est-il possible que je doive lui parler moi-même, lui dire que je ne l'aime pas? Mais cela n'est pas vrai, que lui dire alors? Que j'en aime un autre? Impossible. Non, mieux vaut me sauver. »

Elle s'approchait déjà de la porte, lorsqu'elle entendit
« son » pas. « Non, ce n'est pas loyal. De quoi ai-je
peur? Je n'ai rien fait de mal. Advienne que pourra,
je dirai la vérité. D'ailleurs avec lui rien ne peut me
mettre mal à l'aise. Le voilà », se dit-elle en le voyant
paraître, timide dans sa puissance, et fixant sur elle
un regard ardent.

« J'arrive trop tôt, il me semble », dit-il en voyant
le salon vide. Et quand il comprit que son attente
n'était pas trompée, que rien ne l'empêcherait de parler, son visage s'assombrit.

« Pas du tout, répondit Kitty en s'asseyant près de
la table.

— Mais je désirais précisément vous trouver seule,
continua-t-il sans s'asseoir et sans lever les yeux, pour
ne pas perdre courage.

— Maman va venir tout de suite. Elle s'est beaucoup fatiguée hier. Hier... »

Elle parlait sans savoir au juste ce qu'elle disait. Ses
regards chargés d'imploration tendre ne pouvaient se
détacher de Levine, et comme il risquait un coup d'œil
de son côté, elle rougit et se tut.

« Je vous ai dit tantôt que je ne savais pas si j'étais
ici pour longtemps... que cela dépendait de vous... »

Elle baissait de plus en plus la tête, ne sachant trop
ce qu'elle allait répondre à l'inévitable.

« Que cela dépendait de vous, répéta-t-il. Je voulais vous dire... vous dire que... C'est pour cela que je
suis venu... Voulez-vous être ma femme? » laissa-t-il
enfin tomber sans se rendre compte de ses paroles.
Mais, quand il eut le sentiment que le mot fatal était
prononcé, il s'arrêta et la regarda.

Kitty ne relevait pas la tête; elle respirait avec peine.
Une immense allégresse emplissait son cœur. Elle n'aurait jamais cru que l'aveu de cet amour lui causerait
une impression aussi vive. Mais au bout d'un moment
elle se souvint de Vronski. Elle leva sur Levine ses
yeux francs et limpides, et voyant son air désespéré,
elle se hâta de répondre :

« C'est impossible... Pardonnez-moi. »

Une minute auparavant, il la croyait si proche de
lui, si nécessaire à sa vie! Et voici qu'elle s'éloignait
et lui devenait étrangère.

« Il n'en pouvait être autrement », dit-il en baissant
les yeux.

Il la salua et voulut se retirer.

XIV

Mais au même instant la princesse fit son entrée. L'effroi glaça ses traits lorsqu'elle le vit seuls, avec des
visages bouleversés. Levine s'inclina devant elle, mais
ne dit mot. Kitty se taisait, n'osant lever les yeux.
« Dieu merci, elle a refusé », pensa la mère, et le sourire avec lequel elle accueillait ses invités du jeudi
reparut sur ses lèvres. Elle s'assit et questionna Levine
sur sa vie à la campagne; il prit un siège, lui aussi,
attendant pour s'esquiver l'arrivée d'autres personnes.

Cinq minutes plus tard, on annonça une amie de
Kitty mariée depuis l'hiver précédent, la comtesse
Nordston.

C'était une femme sèche, jaune, nerveuse et maladive,
avec des yeux noirs brillants. Elle aimait Kitty, et son
affection pour elle, comme celle de toute femme mariée
pour une jeune fille, se traduisait par un vif désir de la
marier selon son idéal. Vronski était son candidat.
Levine qu'elle avait souvent rencontré chez les Stcherbatski au début de l'hiver, lui déplaisait souverainement, et elle ne perdait jamais l'occasion de le nar-
guer. « J'aime le voir me toiser du haut de sa
grandeur, interrompre, parce qu'il me croit trop bête,
ses beaux discours, à moins qu'il ne condescende à
m'adresser la parole. Condescendre! le mot me plaît.
Je suis enchantée qu'il me déteste! »

Effectivement Levine la détestait et méprisait en elle
ce dont elle se faisait un mérite : sa nervosité, son
dédain raffiné, son indifférence pour tout ce qu'elle
jugeait matériel et grossier. Il s'était donc établi entre
eux un genre de relations, assez fréquent dans le
monde : sous des dehors amicaux ils se méprisaient
au point de ne pouvoir ni se prendre au sérieux ni
même se froisser mutuellement; chacun d'eux demeu-

rait indifférent aux méchancetés que l'autre lui décochait.

Se souvenant que Levine avait au début de l'hiver comparé Moscou à Babylone, la comtesse l'entreprit aussitôt sur ce sujet :

« Ah! Constantin Dmitriévitch, vous voilà donc revenu dans notre abominable Babylone! dit-elle en lui tendant sa petite main jaunâtre. Est-ce Babylone qui s'est convertie ou vous qui vous êtes corrompu? ajouta-t-elle en coulant à Kitty un regard complice.

— Je suis très flatté, comtesse, que vous teniez un compte aussi exact de mes paroles, répondit Levine qui, ayant eu le temps de se remettre, entra aussitôt dans le ton aigre-doux dont il usait d'ordinaire avec la comtesse. Il faut croire qu'elles vous impressionnent vivement.

— Comment donc! J'en prends toujours note... Eh bien, Kitty, tu as encore patiné tantôt... »

Et elle engagea conversation avec Kitty. Levine ne pouvait plus guère s'en aller. Il délibérait pourtant de le faire, aimant mieux commettre une inconvenance que subir, toute la soirée, le supplice de voir Kitty l'observer à la dérobée, tout en évitant son regard. Il allait donc se lever quand la princesse, surprise de son mutisme, jugea bon de lui adresser la parole.

« Comptez-vous rester longtemps à Moscou? N'êtes-vous pas juge de paix dans votre canton? Cela ne doit pas vous permettre de longues absences.

— Non, princesse, j'ai résilié mes fonctions; je suis venu pour quelques jours. »

« Il y a quelque chose de particulier aujourd'hui, songea la comtesse Nordston, en scrutant le visage sévère de Levine; il ne se lance pas dans ses discours habituels. Mais je saurai bien le faire parler : rien ne m'amuse comme de le rendre ridicule devant Kitty. »

« Constantin Dmitriévitch, lui dit-elle, vous qui êtes au courant de tout cela, expliquez-moi, de grâce, comment il se fait que dans notre terre de Kalouga les paysans et leurs femmes boivent tout ce qu'ils possèdent et refusent de nous payer leurs redevances? Vous qui faites toujours l'éloge des paysans, expliquez-moi ce que cela veut dire. »

En ce moment une dame entra au salon et Levine se leva.

« Excusez-moi, comtesse, je ne suis pas au courant et ne puis rien vous dire », répondit-il en remarquant un officier qui entrait à la suite de la dame.

« Ce doit être Vronski », songea-t-il et pour s'en assurer il se tourna vers Kitty qui précisément reportait son regard sur lui après avoir reconnu Vronski. A la vue de ces yeux brillant d'une joie instinctive Levine comprit, et cela aussi clairement que si elle le lui eût avoué, qu'elle aimait cet homme. Mais qui était-il au juste? Voilà ce qu'il importait à Levine de savoir et ce qui le décida à rester, bon gré mal gré.

Il y a des gens qui, mis en présence d'un rival heureux, sont disposés à nier ses qualités pour ne voir que ses défauts; d'autres au contraire ne désirent rien tant que de découvrir les mérites qui lui ont valu le succès, et, le cœur ulcéré, ne voient en lui que des qualités. Levine était de ce nombre. Il n'eut pas la peine de chercher ce que Vronski avait d'attrayant, cela sautait aux yeux. Brun, de taille moyenne et bien proportionnée, un beau visage aux traits étonnamment calmes, tout dans sa personne, depuis ses cheveux noirs coupés très court et son menton rasé de frais jusqu'à son ample tunique neuve, décelait une élégante simplicité. Après avoir cédé le pas à la dame qui entrait en même temps que lui, Vronski alla saluer la princesse, puis Kitty. En approchant de celle-ci, il sembla à Levine qu'un éclair de tendresse brillait dans ses yeux tandis qu'un imperceptible sourire de bonheur triomphant plissait ses lèvres. Il s'inclina respectueusement devant la jeune fille et lui tendit une main un peu large, quoique petite.

Après avoir salué toutes les personnes présentes et échangé quelques mots avec chacune d'elles, il s'assit sans jeter un regard sur Levine qui ne le quittait pas des yeux.

« Permettez-moi, messieurs, de vous présenter l'un à l'autre, dit la princesse en indiquant du geste Levine : Constantin Dmitriévitch Levine; le comte Alexis Kirillovitch Vronski. »

Vronski se leva, plongea dans les yeux de Levine un regard très franc, et lui tendit la main.

« Je devais, il me semble, dîner avec vous cet hiver,

lui dit-il avec un sourire affable; mais vous êtes parti inopinément pour la campagne.

— Constantin Dmitriévitch déteste les villes et méprise les pauvres citadins que nous sommes, dit la comtesse Nordston.

— Il faut croire que mes paroles vous impressionnent vivement, puisque vous vous en souvenez si bien », rétorqua Levine; mais, s'apercevant qu'il se répétait, il se tut.

Vronski sourit après avoir jeté un regard à Levine puis à la comtesse.

« Vous habitez toujours la campagne? demanda-t-il. Ce doit être triste en hiver?

— Pas quand on a de l'occupation; d'ailleurs on ne s'ennuie jamais en compagnie de soi-même, rétorqua Levine d'un ton acerbe.

— J'aime la campagne, dit Vronski, qui remarqua le ton de Levine mais n'en laissa rien paraître.

— Sans vouloir pour cela vous y enterrer, j'espère? demanda la comtesse Nordston.

— Je n'en sais rien, je n'y ai jamais fait de séjour prolongé. Mais j'ai éprouvé un sentiment singulier, ajouta-t-il; je n'ai jamais tant regretté la campagne, la vraie campagne russe avec ses moujiks et leurs brodequins d'écorce, que durant l'hiver où j'ai accompagné ma mère à Nice. C'est, comme vous le savez, une ville plutôt triste. Au reste, Naples et Sorrente fatiguent aussi bien vite. Nulle part au monde on ne se sent ainsi obsédé par le souvenir de la Russie, de la campagne russe surtout. On dirait que ces villes... »

Il s'adressait tantôt à Kitty tantôt à Levine, reportant de l'une à l'autre son regard débonnaire, et disant sans doute ce qui lui passait par la tête. S'apercevant que la comtesse Nordston voulait placer son mot, il s'interrompit pour l'écouter avec attention.

La conversation ne languit pas un instant. La princesse n'eut donc pas à faire avancer les deux grosses pièces qu'elle tenait toujours en réserve en cas de silence prolongé, à savoir le service militaire obligatoire et les mérites respectifs de l'enseignement classique et de l'enseignement moderne. De son côté la comtesse Nordston ne trouva pas l'occasion de taquiner Levine. Quelque désir qu'il en eût, celui-ci ne pouvait se décider à prendre part à l'entretien; à chaque instant il se disait : « Voilà le moment de partir »; et cependant il ne bougeait pas, comme s'il eût attendu quelque chose.

Comme on en vint à parler des tables tournantes et des esprits frappeurs, la comtesse, qui croyait au spiritisme, raconta les prodiges dont elle avait été témoin.

« Ah! comtesse, faites-moi voir cela, je vous en supplie; j'ai beau chercher partout l'extraordinaire, je ne l'ai jamais encore rencontré, dit en souriant Vronski.

— Soit, ce sera pour samedi prochain, acquiesça la comtesse. Et vous, Constantin Dmitriévitch, y croyez-vous? demanda-t-elle à Levine.

— Pourquoi cette question? Vous connaissez ma réponse d'avance.

— J'aimerais pourtant vous entendre exposer votre opinion.

— Mon opinion? Eh bien, la voici : vos tables tournantes prouvent tout simplement que notre prétendue bonne société ne le cède en rien à nos paysans. Ceux-ci croient au mauvais œil, aux sorts, aux charmes, et nous...

— Alors vous n'y croyez pas?

— Je ne puis y croire, comtesse.

— Puisque je vous dis que j'ai « vu » de mes propres yeux.

— Nos paysannes vous diront aussi qu'elles ont vu le « domovoï (1) ».

— Alors, d'après vous, je ne dis pas la vérité, se rebiffa la comtesse en riant d'un rire jaune.

— Mais non, Macha, Constantin Dmitriévitch veut simplement dire qu'il ne croit pas au spiritisme », expliqua Kitty, rougissant pour Levine. Celui-ci, qui s'en rendit compte, allait faire une réplique encore plus bourrue quand Vronski, toujours souriant, empêcha l'entretien de s'envenimer.

« Vous n'en admettez pas du tout la possibilité? demanda-t-il. Pourquoi donc? Nous admettons bien l'existence de l'électricité, dont pourtant nous ignorons

(1) Dans les traditions populaires, le « domovoï » désigne l'esprit du logis; c'est une sorte de dieu lare, d'ordinaire favorable. (N. d. T.)

la nature. Pourquoi n'existerait-il pas une force encore inconnue qui...

— Quand on a découvert l'électricité, objecta Levine avec vivacité, on n'a vu qu'un phénomène sans en connaître ni l'origine ni les résultats, et des siècles se sont écoulés avant qu'on songeât à en faire l'application. Les spirites au contraire ont commencé par faire écrire les tables et par évoquer les esprits, et n'ont affirmé que bien plus tard l'existence d'une force inconnue. »

Vronski écoutait avec son attention coutumière et semblait prendre grand intérêt aux propos de Levine.

« Oui, mais les spirites disent : nous ignorons encore ce qu'est cette force, tout en constatant qu'elle existe, qu'elle agit dans telles et telles conditions; aux savants maintenant à découvrir en quoi elle consiste. Et pourquoi vraiment n'existe-t-il pas une force nouvelle, puisque...

— Parce que, objecta de nouveau Levine, toutes les fois que vous frotterez un morceau de résine avec un chiffon de laine, vous obtiendrez un phénomène prévu d'avance; les phénomènes spirites au contraire ne se produisent pas à coup sûr et ne sauraient par conséquent être attribués à une force de la nature. »

La conversation prenait un tour trop sérieux pour un salon; Vronski s'en aperçut sans doute, car il ne fit plus d'objection, et, s'adressant aux dames avec un sourire enchanteur :

« Eh bien, comtesse, dit-il, pourquoi ne ferions-nous pas un essai tout de suite? »

Mais Levine tenait à expliquer sa pensée.

« Selon moi, reprit-il, les spirites ont grand tort de vouloir expliquer leurs prestiges par je ne sais quelle force inconnue. Comment, parlant d'une force spirituelle, prétendent-ils la soumettre à une épreuve matérielle? »

Tout le monde attendait qu'il ait fini de parler; il le comprit.

« Et moi, je crois que vous feriez un excellent médium, dit la comtesse Nordston; il y a en vous tant d'enthousiasme! »

Levine ouvrit la bouche pour répondre, mais rougit soudain et ne souffla mot.

« Eh bien, voyons, mettons les tables à l'épreuve, dit Vronski. Vous permettez, princesse. »

Sur quoi il se leva, cherchant des yeux une table. Kitty se leva, elle aussi. Comme elle passait devant Levine, leurs regards se rencontrèrent. Elle le plaignait d'autant plus qu'elle se sentait la cause de sa douleur. « Pardonnez-moi, si vous le pouvez, disait son regard; je suis si heureuse! » — « Je hais le monde entier, et moi tout comme vous », répondit celui de Levine.

Il avait déjà pris son chapeau, comptant bien s'esquiver tandis qu'on s'installerait autour de la table, mais encore une fois le sort en décida autrement. Le vieux prince fit son apparition et, après avoir rendu ses devoirs aux dames, fonça droit sur lui.

« Comment, s'écria-t-il joyeusement, tu es ici? Mais je n'en savais rien. Très heureux de vous voir. »

Le prince disait à Levine tantôt « toi » tantôt « vous ». Il lui donna l'accolade et continua l'entretien sans prêter aucune attention à Vronski; celui-ci attendait tranquillement que le prince voulût bien lui adresser la parole.

Kitty devinait combien, après ce qui s'était passé, les amabilités de son père devaient peser à Levine. Elle remarqua aussi avec quelle froideur celui-ci finit par répondre au salut de Vronski, qui en demeura interdit, ne comprenant pas qu'on pût être mal disposé en sa faveur. Elle se sentit rougir.

« Prince, rendez-nous Constantin Dmitriévitch, dit la comtesse Nordston. Nous voulons faire une expérience.

— Quelle expérience? Faire tourner les tables? Et bien, vous m'excuserez, mesdames et messieurs, mais selon moi le furet est plus intéressant, dit le prince en regardant Vronski qu'il devina être l'inspirateur de cet amusement. Du moins dans le furet y a-t-il une pointe de bon sens. »

Vronski leva vers le prince un regard interdit, puis aussitôt, esquissant un sourire, il entretint la comtesse Nordston d'un grand bal qui se donnait la semaine suivante.

« J'espère que vous y serez », dit-il en s'adressant à Kitty.

Dès que le prince l'eut quitté, Levine s'esquiva, et la dernière impression qu'il emporta de cette soirée fut le visage heureux et souriant de Kitty répondant à Vronski au sujet du bal.

XV

Les visiteurs partis, Kitty raconta à sa mère ce qui s'était passé entre elle et Levine. Malgré la pitié qu'il lui inspirait, elle se sentait flattée de cette demande en mariage et ne doutait pas un instant d'avoir sagement agi. Mais une fois couchée, elle fut longtemps sans trouver le sommeil. Elle n'arrivait pas à chasser une vision obsédante, celle de Levine écoutant, le sourcil froncé, les propos du prince, tandis que ses bons yeux laissaient tomber sur elle et sur Vronski des regards sombres, désolés. En songeant au chagrin qu'elle lui avait causé elle se sentait triste à pleurer. Mais le souvenir de celui à qui étaient allées ses préférences prit bientôt le dessus. Elle se représenta le visage mâle et ferme, le calme plein de distinction, la bonté rayonnante de Vronski. Et la certitude que son amour était partagé lui rendit pour un temps la paix de l'âme. Elle laissa retomber la tête sur l'oreiller en souriant de joie. « C'est triste, évidemment, mais qu'y puis-je? ce n'est pas ma faute », se dit-elle en manière de conclusion. Mais elle avait beau se répéter cette phrase, une voix intérieure l'assurait du contraire, sans d'ailleurs préciser si elle avait eu tort d'attirer Levine ou raison de l'éconduire. Quoi qu'il en fût, un remords empoisonnait son bonheur. « Seigneur, ayez pitié de moi! Seigneur, ayez pitié de moi! » murmura-t-elle jusqu'à ce qu'elle s'endormît.

Pendant ce temps il se passait en bas dans le cabinet du prince une de ces scènes qui se renouvelaient fréquemment entre les époux au sujet de leur fille préférée.

« Ce qu'il y a! Vous me le demandez? s'exclamait le prince, qui ne put se défendre de lever les bras en l'air, mais les laissa retomber aussitôt pour arranger

sa robe de chambre de petit-gris. Vous me le demandez?
Eh bien, voici. Vous n'avez ni fierté ni dignité.
Vous compromettez, vous perdez votre fille avec
cette façon basse et stupide de la jeter à la tête des
gens.

— Mais au nom du Ciel, qu'ai-je donc fait? » disait
la princesse, prête à pleurer.

Enchantée de la confidence de sa fille, elle était
venue, comme de coutume, souhaiter le bonsoir à son
mari. Tout en se gardant de lui révéler la demande de
Levine et le refus de Kitty, elle s'était permis une allusion à Vronski qui, lui semblait-il, n'attendait que l'arrivée de sa mère pour se déclarer. Et juste à ce
moment le prince, soudain furieux, l'avait accablé de
reproches ignominieux.

« Ce que vous avez fait? D'abord vous avez attiré un
épouseur, ce dont tout Moscou se gaussera, et à juste
titre. Si vous voulez donner des soirées, invitez tout le
monde et non pas des prétendants de votre choix.
Invitez tous ces « chiots » (c'est ainsi que le prince
appelait les jeunes gens de Moscou), faites venir un
tapeur, et qu'ils s'en donnent à cœur joie. Mais, pour
Dieu, n'arrangez pas des entrevues comme celle de ce
soir, cela me fait mal au cœur! Vous en êtes venue à
vos fins, vous avez tourné la tête à la gamine. Levine
vaut mille fois mieux que ce petit fat de Pétersbourg;
on les fait là-bas à la machine, ils sont tous sur le
même patron, et ce sont tous des pas grand-chose. Et
quand ce serait un prince du sang, ma fille n'a besoin
d'aller chercher personne.

— Mais en quoi suis-je coupable?

— En quoi!... s'emporta le prince.

— Je sais bien qu'à t'écouter, interrompit la princesse, nous ne marierons jamais notre fille. Dans ce
cas, autant nous fixer à la campagne.

— Cela vaudrait mieux en effet.

— Mais enfin je t'assure que je n'ai fait aucune
avance. Ce jeune homme, fort bien, ma foi, ne t'en
déplaise, est tombé amoureux de Kitty, qui, de son
côté, je crois...

— Vous croyez!... Et s'il arrive qu'elle s'éprenne de
lui pour de bon et que lui songe à se marier autant

que moi! Je voudrais n'avoir pas d'yeux pour voir
tout cela!... « Ah! le spiritisme! ah! Nice! ah! le
bal... » Ici, le prince, s'imaginant imiter sa femme,
accompagnait chaque mot d'une révérence. « Nous
serons fiers quand nous aurons fait le malheur de
Katia, si vraiment elle s'est fourré dans la tête...

— Mais pourquoi penses-tu cela?

— Je ne pense pas, je sais; c'est nous, les pères, qui
avons des yeux pour cela, tandis que les femmes!... Je
vois d'une part un homme qui a des intentions
sérieuses, c'est Levine; de l'autre un mirliflore qui
veut seulement s'amuser.

— Voilà bien de tes idées!

— Tu te les rappelleras, mais trop tard, comme avec
Dacha.

— Allons, c'est bon, n'en parlons plus, concéda la
princesse, en songeant aux malheurs de Dolly.

— Tant mieux, et bonsoir! »

Après avoir échangé le baiser et le signe de croix
coutumiers, les deux époux se séparèrent, bien
convaincus l'un et l'autre que chacun d'eux gardait
son opinion. Cependant la princesse, tout à l'heure
fermement persuadée que cette soirée avait résolu le
sort de Kitty, sentit son assurance ébranlée par les
paroles de son mari. Rentrée dans sa chambre, l'avenir lui parut incertain, et, tout comme Kitty, elle
répéta plus d'une fois, avec angoisse : « Seigneur,
ayez pitié de nous! Seigneur, ayez pitié de nous! »

XVI

Vronski avait toujours ignoré la vie de famille.

Sa mère, femme du monde, très brillante dans sa jeunesse, avait eu pendant son mariage, et surtout après,
beaucoup d'aventures, et qui firent jaser. Il avait à
peine connu son père, et son éducation s'était faite au
Corps des pages; sorti fort jeune de cette école, il mena
bientôt le train de vie habituel aux riches officiers
pétersbourgeois. Il allait bien de temps en temps dans

le monde, mais ses intérêts de cœur ne l'y appelaient pas.

C'est à Moscou que pour la première fois, rompant avec ce luxe cynique, il goûta le charme d'une liaison familière avec une jeune fille bien élevée, exquise en sa candeur et qui bientôt s'éprit de lui. L'idée ne lui vint même pas que leurs relations pussent prêter à redire. Au bal, il l'invitait de préférence; il allait chez ses parents; quand il causait avec elle, il ne lui disait guère, suivant l'usage du monde, que des bagatelles, mais des bagatelles auxquelles il donnait d'instinct un sens qu'elle seule pouvait saisir. Tout ce qu'il lui disait aurait pu être entendu de chacun, et cependant il sentait qu'elle subissait de plus en plus son influence, ce qui renforçait d'autant le sentiment qu'il éprouvait pour elle. Il ignorait qu'en agissant de la sorte il commettait une des mauvaises actions coutumières à la jeunesse dorée, bien et dûment cataloguée sous le nom de tentative de séduction, sans intention de mariage. Il s'imaginait avoir découvert un nouveau plaisir et jouissait de cette découverte.

Quel eût été l'étonnement de Vronski, s'il avait pu considérer les choses sous l'angle familial, assister à l'entretien des parents de Kitty, apprendre qu'il la rendrait malheureuse en ne l'épousant pas! Comment admettre que ces rapports, qui leur causaient à tous deux — à elle encore plus qu'à lui — un plaisir si délicat, fussent le moins du monde répréhensibles, et surtout qu'ils l'obligeassent à l'épouser! Jamais encore il n'avait envisagé la possibilité du mariage. Non seulement il n'aimait pas la vie de famille, mais comme tous les célibataires, il trouvait aux mots « famille » et « mari » — à ce dernier particulièrement — un air hostile et qui pis est ridicule. Et cependant, bien qu'il n'eût aucun soupçon de la conversation qui le mettait sur la sellette, il acquit ce soir-là la conviction d'avoir rendu le lien mystérieux qui l'unissait à Kitty plus intime encore, si intime qu'une décision s'imposait; mais laquelle?

A la sensation de fraîcheur et de pureté qu'il emportait toujours de chez les Stcherbatski — et qui tenait sans doute en partie à ce qu'il s'abstenait d'y fumer — se mêlait un sentiment nouveau d'attendrissement

devant l'amour qu'elle lui témoignait. « Ce qu'il y a de
charmant, se disait-il, c'est que sans prononcer un mot
ni l'un ni l'autre, nous nous comprenons si bien dans
ce langage muet des regards et des intonations, qu'aujourd'hui plus clairement que jamais elle m'a dit qu'elle
m'aimait. Quelle gentillesse, quelle simplicité et surtout
quelle confiance! J'en deviens moi-même meilleur; je
sens qu'il y a en moi un cœur et quelque chose de bon.
Ces jolis yeux amoureux!... Et après? Rien; cela me
fait plaisir, et à elle aussi. »

Là-dessus il réfléchit à la manière dont il pourrait
achever sa soirée. « Où pourrai-je bien aller? Au club,
faire un bésigue et prendre du champagne avec Igna-
tov? Non. Au *Château des fleurs,* pour y trouver
Oblonski, des chansonnettes et le *cancan?* Non, cela
m'ennuie. Ce qui me plaît précisément chez les Stcherbatski, c'est que j'en sors meilleur. Rentrons. »

De retour à l'hôtel Dussaux, il monta tout droit dans
son appartement, s'y fit servir à souper, se déshabilla
et eut à peine la tête sur l'oreiller qu'il s'endormit d'un
profond sommeil.

XVII

Le lendemain à onze heures du matin, Vronski se fit
conduire à la gare de Pétersbourg pour y chercher sa
mère. La première personne qu'il rencontra sur le
grand escalier fut Oblonski, dont la sœur arrivait par
le même train.

« Salut à son Altesse! lui cria sur un ton badin Stépane Arcadiévitch. Qui viens-tu chercher?

— Ma mère, qui doit arriver aujourd'hui », répondit
Vronski avec le sourire habituel à tous ceux qui rencontraient Oblonski. Les deux hommes se serrèrent la
main et montèrent ensemble l'escalier.

« Sais-tu que je t'ai attendu jusqu'à deux heures du
matin! Qu'as-tu donc fait après ta visite aux Stcherbatski?

— Je suis rentré chez moi, répondit Vronski. A parler franc, j'ai passé là-bas de si bons moments que je n'avais plus envie d'aller nulle part.

> — Je reconnais à la marque les chevaux impétueux.
> A leurs beaux yeux les amoureux. »

déclama Stépane Arcadiévitch, appliquant à Vronski le même dicton qu'il avait appliqué la veille à Levine.

Vronski sourit et ne se défendit pas, mais il changea aussitôt de conversation.

« Et toi, demanda-t-il, au-devant de qui viens-tu?

— Moi? Au-devant d'une jolie femme.

— Ah! bah.

— *Honni soit qui mal y pense!* Cette jolie femme est ma sœur Anna.

— Ah! Mme Karénine!

— Tu la connais sans doute?

— Il me semble que oui... Ou plutôt non, je ne crois pas, répondit d'un air distrait Vronski, en qui le nom de Karénine évoqua le souvenir confus d'une personne ennuyeuse et affectée.

— Mais tu connais au moins mon célèbre beau-frère, Alexis Alexandrovitch? Il est connu comme le loup blanc.

— C'est-à-dire que je le connais de réputation et de vue. On le tient pour un puits de science et de sagesse. Un homme supérieur, quoi. Seulement, tu sais, ce n'est pas précisément mon genre, *not in my line.*

— Oui, c'est un homme supérieur, un peu conservateur peut-être, mais de tout premier ordre.

— Allons, tant mieux pour lui! dit en souriant Vronski. Ah! te voilà! s'écria-t-il en reconnaissant, près de la porte d'entrée, le vieux domestique de confiance de sa mère. Eh bien, suis-nous. »

Comme tout le monde Vronski subissait le charme d'Oblonski, mais depuis quelque temps il trouvait dans sa société un agrément tout particulier : n'était-ce pas se rapprocher de Kitty?

« Alors, c'est entendu, dit-il gaiement en lui prenant le bras, nous donnons dimanche un souper à la *diva*?

— Certainement, je vais ouvrir une souscription. A propos, as-tu fait hier soir la connaissance de mon ami Levine?

— Mais oui, seulement il est parti bien vite.

— Un brave garçon, n'est-ce pas?

— Je ne sais pourquoi, dit Vronski, tous les Moscovites, excepté naturellement ceux à qui je parle, ajouta-t-il plaisamment, ont quelque chose de tranchant; ils sont tous sur leurs ergots et on les sent toujours prêts à vous faire la leçon.

— Il y a du vrai dans ton observation, approuva en riant Stépane Arcadiévitch.

— Le train arrive-t-il? demanda Vronski à un employé.

— Il est signalé », répondit celui-ci.

Le mouvement croissant dans la gare, les allées et venues des porteurs, l'apparition des gendarmes et des employés, l'arrivée des personnes venues à la rencontre des voyageurs, tout indiquait l'approche du train. Il faisait froid et l'on devinait à travers la brume des ouvriers en pelisses courtes et bottes de feutre qui traversaient les voies de réserve. Un sifflet de locomotive retentit au loin et l'on perçut bientôt le bruit d'une masse lourde en mouvement.

« Cependant, reprit Stépane Arcadiévitch qui tenait à prévenir Vronski des intentions de son rival, tu fais erreur en ce qui concerne Levine. C'est un garçon nerveux qui est parfois désagréable, mais qui peut aussi se montrer charmant quand il veut. C'est un cœur d'or, une nature droite et honnête... Mais il avait hier des raisons particulières d'être au comble du bonheur... ou de l'infortune », ajouta-t-il avec un sourire significatif, oubliant complètement, parce que Vronski lui inspirait en ce moment une sympathie très sincère, le sentiment du même ordre qu'il avait éprouvé la veille pour Levine.

Vronski s'arrêta et demanda sans détour :

« Veux-tu dire qu'il a demandé ta belle-sœur en mariage?

— Ce serait fort possible, répondit Stépane Arcadiévitch. J'ai eu cette impression-là hier soir, et s'il est parti de bonne heure et de mauvaise humeur, il n'y a pas à en douter. Il est amoureux depuis si longtemps qu'il me fait pitié.

— Ah! vraiment... Je crois d'ailleurs qu'elle peut prétendre à un meilleur parti, dit Vronski en se redressant et en reprenant sa marche. Au reste, je ne le connais pas... Ce doit être en effet une situation pénible. C'est pourquoi la plupart d'entre nous préfèrent s'en tenir aux demoiselles. Avec elles au moins, si l'on échoue, on n'accuse que sa bourse, la dignité n'est pas en jeu... Mais voici le train. »

Effectivement un sifflet se fit entendre. Au bout de quelques instants le quai d'arrivée parut s'ébranler, et la locomotive, éructant des flots de vapeur que le froid rabattait sur le sol, passa bruyamment devant le public, à qui le mécanicien emmitouflé et couvert de givre adressait des saluts, tandis que la bielle de la grande roue se pliait et se dépliait avec un rythme lent. Soudain le quai parut secoué plus violemment, et derrière le tender apparut, ralentissant peu à peu sa marche, le fourgon d'où montaient des aboiements. Enfin défilèrent les wagons, qu'une légère secousse ébranlait avant l'arrêt définitif.

Un conducteur à la mine dégourdie sauta lestement d'un wagon en donnant son coup de sifflet, et à sa suite descendirent un à un les voyageurs les plus impatients : un officier de la garde, raide comme un pieu et le regard sévère, un petit négociant déluré et souriant, la sacoche en bandoulière, un paysan enfin, besace sur l'épaule.

Debout près de son ami, Vronski considérait wagons et voyageurs, sans plus se soucier de sa mère. Ce qu'il venait d'apprendre au sujet de Kitty avait provoqué en lui une excitation joyeuse : il se redressait involontairement, ses yeux brillaient, il éprouvait le sentiment d'une victoire.

Le conducteur s'approcha de lui.

« La comtesse Vronski est dans cette voiture », dit-il.

Ces mots le réveillèrent et l'obligèrent à penser à sa mère et à leur prochaine entrevue. Sans qu'il s'en rendît bien compte, il n'avait pour elle ni respect, ni affection véritables; mais son éducation et son usage du monde ne lui permettaient pas d'admettre qu'il pût lui témoigner d'autres sentiments que ceux d'un fils respectueux et soumis.

XVIII

Vronski suivit le conducteur; à l'entrée du wagon réservé il s'arrêta pour laisser sortir une dame, que son tact d'homme du monde lui permit de classer d'un coup d'œil parmi les femmes de la meilleure société. Après un mot d'excuse, il allait continuer son chemin quand soudain il se retourna, ne pouvant résister au désir de la regarder encore; il se sentait attiré, non point par la beauté pourtant très grande de cette dame ni par l'élégance discrète qui émanait de sa personne, mais bien par l'expression toute de douceur de son charmant visage. Et précisément elle aussi se détourna. Un court instant ses yeux gris et brillants, que des cils épais faisaient paraître foncés, s'arrêtèrent sur lui avec bienveillance, comme s'ils le reconnaissaient; puis aussitôt elle sembla chercher quelqu'un parmi la foule. Cette rapide vision suffit à Vronski pour remarquer la vivacité contenue qui voltigeait sur cette physionomie, animant le regard, courbant les lèvres en un sourire à peine perceptible. Regard et sourire décelaient une abondance de force refoulée; l'éclair des yeux avait beau se voiler, le demi-sourire des lèvres n'en trahissait pas moins le feu intérieur.

Vronski pénétra dans le wagon. Sa mère, une petite vieille sèche, des boucles sur le front, leva sur lui des yeux noirs clignotants et l'accueillit avec un léger sourire de ses lèvres minces. Puis elle se leva, remit à sa femme de chambre le sac qu'elle tenait, tendit à son fils sa petite main sèche qu'il baisa, et enfin l'embrassa.

« Tu as reçu ma dépêche? Tu vas bien, n'est-ce pas?

— Avez-vous fait bon voyage? » dit le fils en prenant place auprès d'elle. Cependant il prêtait involontairement l'oreille à une voix de femme qui s'élevait dans le couloir, et qu'il savait être celle de la dame de tout à l'heure.

« Je ne saurais partager votre opinion, disait la voix.

— Point de vue pétersbourgeois, madame.

— Point de vue féminin tout simplement.

— Eh bien, madame, permettez-moi de vous baiser la main.

— Au revoir, Ivan Petrovitch. Si vous rencontrez mon frère, ayez donc l'obligeance de me l'envoyer. »

La voix se rapprochait; au bout d'un moment la dame rentrait dans le compartiment.

« Avez-vous trouvé votre frère? » lui demanda la comtesse.

Vronski comprit alors que c'était Mme Karénine.

« Votre frère est ici, madame, dit-il en se levant. Excusez-moi de ne pas vous avoir reconnue, ajouta-t-il en s'inclinant; au reste j'ai si rarement eu l'honneur de vous rencontrer que vous ne vous souvenez sans doute plus de moi.

— Je vous aurais quand même reconnu, car, à ce qu'il me semble, madame votre mère et moi n'avons guère parlé que de vous durant tout le trajet, répondit-elle en se permettant enfin un sourire. Mais mon frère ne vient toujours pas.

— Appelle-le donc, Alexis », dit la comtesse.

Vronski descendit sur le quai et cria :

« Oblonski, par ici! »

Mme Karénine n'eut pas la patience d'attendre : apercevant de loin son frère, elle sortit du wagon et marcha au-devant de lui d'une démarche légère et décidée. Dès qu'elle l'eut rejoint, elle lui passa, d'un geste dont la grâce et l'énergie frappèrent Vronski, le bras gauche autour du cou, l'attira à elle et l'embrassa de tout son cœur. Vronski ne la quittait pas des yeux et souriait sans savoir pourquoi. Il se souvint enfin que sa mère l'attendait et remonta dans le wagon.

« N'est-ce pas qu'elle est charmante? lui dit la comtesse en désignant Mme Karénine. Son mari l'a placée auprès de moi, et j'en ai été ravie. Nous avons bavardé tout le temps... Eh bien, et toi? On dit que... *vous filez le parfait amour. Tant mieux, mon cher, tant mieux.*

— Je ne sais à quoi vous faites allusion, maman, répondit le fils d'un ton froid. Sortons-nous? »

Mais à ce moment Mme Karénine réapparut pour prendre congé de la vieille dame.

« Eh bien, comtesse, nous voici au port : vous avez trouvé votre fils, et moi j'ai enfin mis la main sur mon

frère, dit-elle gaiement. D'ailleurs j'avais épuisé toutes
mes histoires, je n'aurais plus rien eu à vous raconter.

— Qu'importe! dit la comtesse en lui prenant la
main. Avec vous je ferais le tour du monde sans m'ennuyer un seul instant. Vous êtes une de ces aimables
femmes en compagnie desquelles on goûte autant de
plaisir à se taire qu'à parler. Quant à votre fils, ne songez pas trop à lui, n'est-ce pas; il faut bien se séparer
de temps à autre. »

Immobile et dressée de toute sa taille, Mme Karénine
souriait des yeux.

« Anna Arcadiévna a un petit garçon d'une huitaine
d'années, expliqua la comtesse à son fils; elle ne l'a
jamais quitté et se tourmente beaucoup à son sujet.

— Oui, votre mère et moi, nous avons tout le temps
parlé de nos fils, dit Mme Karénine dont le visage s'illumina d'un nouveau sourire, un sourire de coquetterie qui, cette fois, s'adressait à Vronski.

— Cela a dû vous ennuyer », insinua celui-ci en lui
renvoyant aussitôt la balle. Mais sans relever le propos, elle se tourna vers la comtesse :

« Merci mille fois, la journée d'hier a passé sans
que je m'en aperçoive. Au revoir, comtesse.

— Adieu, ma chère, répondit la comtesse. Laissez-
moi embrasser votre joli minois et vous dire tout franc,
avec le privilège de l'âge, que vous avez fait ma
conquête. »

C'étaient là propos mondains. Cependant Mme Karénine en parut touchée : elle rougit, s'inclina légèrement
et offrit son front au baiser de la comtesse. Aussitôt
redressée, elle tendit sa main à Vronski, en lui souriant de ce sourire qui semblait flotter entre ses yeux
et ses lèvres. Il serra cette petite main, heureux, comme
d'une chose extraordinaire, d'en sentir la pression
ferme et énergique. Elle sortit de ce pas rapide qui
contrastait avec l'ampleur assez marquée de ses formes.

« Charmante », dit la comtesse.

Son fils était du même avis. Il suivit tout souriant la
jeune femme des yeux. Il la vit par la fenêtre s'approcher de son frère, le prendre par le bras et lui parler
avec animation de choses qui n'avaient évidemment
aucun rapport avec lui, Vronski; il en fut presque
contrarié.

« Eh bien, maman, vous allez tout à fait bien?
demanda-t-il à sa mère en se tournant vers elle.
— Tout à fait bien. Alexandre a été charmant, Marie
beaucoup embelli. »
Elle aborda aussitôt les sujets qui lui tenaient le plus
au cœur : le baptême de son petit-fils, but de son
voyage à Pétersbourg, et la bienveillance particulière
que l'empereur témoignait à son fils aîné.
« Voilà Laurent, dit Vronski qui regardait par la
fenêtre; nous pouvons descendre si vous le voulez
bien. »
Le vieux majordome, qui avait accompagné la
comtesse à Pétersbourg, vint annoncer que « tout était
prêt ».
« Allons, dit Vronski, il n'y a plus beaucoup de
monde. »
La comtesse se mit en devoir de descendre, son fils
lui offrit le bras, et, tandis que la femme de chambre
se chargeait du caniche et du petit sac, le majordome
et un porteur emportèrent les valises. Mais comme ils
quittaient le wagon, ils virent courir, le visage défait,
plusieurs hommes, parmi lesquels on reconnaissait le
chef de gare à sa casquette d'une couleur fantaisiste.
Il avait dû se passer quelque chose d'extraordinaire.
Les voyageurs refluaient vers la queue du train.
« Qu'y a-t-il?... Qu'y a-t-il?... Où cela?... Il s'est jeté
sous le train!... Ecrasé », disaient des voix.
Stépane Arcadiévitch et sa sœur, qui lui donnait le
bras, rebroussaient chemin également; pour éviter la
foule, ils s'arrêtèrent, tout émus, près de la portière.
Les dames remontèrent dans la voiture, tandis
qu'Oblonski et Vronski allaient s'enquérir de ce qui
s'était passé.
Le train avait, en reculant, écrasé un homme
d'équipe ivre ou trop emmitouflé pour entendre la
manœuvre. Ces dames apprirent l'accident par le
majordome dès avant le retour des deux amis; ceux-ci
avaient vu le cadavre défiguré; Oblonski, bouleversé,
retenait ses larmes avec peine.
« Quelle chose affreuse! Si tu l'avais vu, Anna! Ah!
quelle horreur! »
Vronski se taisait; son beau visage était sérieux,
mais absolument calme.

« Ah! si vous l'aviez vu, comtesse! continuait Stépane Arcadiévitch. Et sa malheureuse femme qui est
là... Elle fait peine à voir. Elle s'est jetée sur le corps
de son mari. On dit qu'il était seul à nourrir une nombreuse famille. Quelle horreur!

— Ne pourrait-on faire quelque chose pour elle? »
murmura Mme Karénine très émue.

Vronski lui jeta un regard et sortit.

« Je reviens tout de suite, maman », dit-il en se
retournant dans le couloir.

Quand il revint au bout de quelques minutes, Stépane Arcadiévitch parlait déjà à la comtesse de la nouvelle cantatrice, et celle-ci regardait avec impatience
du côté de la porte.

« Nous pouvons partir », dit Vronski.

Ils sortirent tous ensemble. Vronski prit les devants
avec sa mère; Mme Karénine et son frère suivaient.
Près de la sortie ils furent rejoints par le chef de gare
qui courait après Vronski.

« Vous avez remis, monsieur, deux cents roubles
à mon sous-chef. Voudriez-vous me dire à qui vous les
destinez?

— A la veuve, bien entendu, répondit Vronski en
haussant les épaules. A quoi bon cette question?

— Tu as donné tant que cela? » s'écria derrière lui
Oblonski; et serrant le bras de sa sœur, il ajouta:
« Très bien, très bien! N'est-ce pas que c'est un charmant garçon? Mes hommages, comtesse. »

Il dut s'arrêter pour aider Mme Karénine à chercher
sa femme de chambre. Quand ils sortirent de la gare,
la voiture des Vronski était déjà partie. On ne parlait
autour d'eux que de l'accident.

« Quelle mort affreuse! disait un monsieur. On prétend qu'il a été coupé en deux.

— Mais non, objectait un autre, il n'a pas dû souffrir, la mort a été instantanée.

— Pourquoi ne prend-on pas plus de précautions? »
insinuait un troisième.

Mme Karénine monta en voiture; et son frère remarqua avec surprise que ses lèvres tremblaient et qu'elle
avait peine à retenir ses larmes.

« Qu'as-tu donc, Anna? lui demanda-t-il, quand ils
se furent un peu éloignés.

— C'est un présage funeste, répondit-elle.
— Quel enfantillage! s'exclama Stépane Arcadié-
vitch. Te voilà arrivée, c'est l'essentiel, car j'ai mis tout
mon espoir en toi.
— Il y a longtemps que tu connais Vronski? demanda-t-elle.
— Oh! oui... Il pourrait bien épouser Kitty, sais-tu?
— Vraiment?... Eh bien, maintenant, parlons de toi,
reprit-elle en secouant la tête, comme si elle voulait
chasser une pensée importune. J'ai reçu ta lettre et
me voici.
— Oui, tout mon espoir est en toi, répéta Oblonski.
— Eh bien, raconte-moi tout. »
Stépane Arcadiévitch commença son récit.
En arrivant à la maison, il aida sa sœur à descendre
de voiture, lui serra la main, poussa un soupir et se
fit conduire à son bureau.

XIX

QUAND Anna pénétra dans le petit salon, Dolly donnait
une leçon de français à un gros garçon à tête blonde,
déjà tout le portrait de son père. L'enfant lisait, tout
en cherchant à arracher à son veston un bouton qui
tenait à peine; la maman avait beau rabattre la petite
main potelée, celle-ci revenait toujours au malheureux
bouton. Dolly l'arracha et le mit dans sa poche.
« Laisse donc tes mains tranquilles, Gricha », dit-elle
en reprenant sa couverture au tricot, travail depuis
longtemps sur le métier et qu'elle retrouvait toujours
aux moments difficiles. Elle travaillait avec nervosité,
pliant et dépliant les doigts, comptant et recomptant
ses mailles. Bien qu'elle eût dit la veille à son mari
que l'arrivée de sa belle-sœur lui importait peu, elle
n'en avait pas moins tout préparé pour la recevoir et
l'attendait maintenant avec quelque émotion.
Si absorbée, si écrasée qu'elle fût par son chagrin,
Dolly s'était pourtant rappelée que sa belle-sœur était
une *grande dame* et son mari un des personnages les
plus en vue de Pétersbourg. Elle n'aurait donc eu garde

de lui faire un affront. « Et d'ailleurs, s'était-elle dit,
en quoi Anna est-elle coupable? Je ne sais rien d'elle
qui ne soit en sa faveur, et elle a toujours fait preuve
envers moi d'une cordialité charmante. » L'intérieur
des Karénine n'avait pourtant pas laissé à Dolly une
impression réconfortante; elle avait cru démêler
quelque chose de faux dans leur genre de vie. « Pourquoi donc ne la recevrais-je pas? Pourvu toutefois
qu'elle ne se mêle pas de me consoler? Je les connais,
ces exhortations, ces admonitions, ces appels au pardon chrétien! J'ai assez ruminé toutes ces belles choses
pour savoir ce qu'elles valent! »

Dolly avait passé ces fatales journées seule avec ses
enfants : elle ne voulait confier son chagrin à personne
et se sentait impuissante à parler d'autre chose. Elle
comprenait qu'avec Anna il lui faudrait rompre le
silence, et tantôt la perspective de cette confidence lui
souriait, tantôt au contraire la nécessité de révéler son
humiliation à sa belle-sœur et de subir ses banales
consolations lui paraissait intolérable.

Les yeux sur la pendule elle comptait les minutes et
s'attendait à chaque instant à voir paraître sa belle-
sœur, mais comme il arrive souvent en pareil cas, elle
s'absorba si bien qu'elle n'entendit pas le coup de sonnette. Lorsque des pas légers et le frôlement d'une robe
près de la porte lui firent lever la tête, son visage
ravagé exprima à son insu la surprise et non la joie.
Elle se leva et embrassa sa belle-sœur.

« Comment, c'est déjà toi? lui dit-elle.

— Dolly, que je suis heureuse de te revoir!

— Moi aussi, j'en suis heureuse », répondit Dolly
avec un faible sourire, tout en étudiant le visage
d'Anna, où elle crut lire de la compassion. « Elle doit
être au courant », pensa-t-elle. « Viens que je te conduise à ta chambre », continua-t-elle, désireuse de
différer le plus possible l'inévitable explication. Mais
Anna de s'écrier :

« Est-ce là Gricha? Mon Dieu, qu'il a grandi! » Et
seulement quand elle l'eut embrassé, elle répondit, rougissante, et les yeux dans les yeux de Dolly : « Non,
restons plutôt ici, si tu le veux bien. »

Elle ôta son fichu et, comme son chapeau s'accro-
chait à une boucle de ses cheveux noirs frisottants,

elle s'en débarrassa en secouant la tête d'un geste mutin.

« Mais tu rayonnes de bonheur et de santé! s'exclama Dolly avec une pointe d'envie dans la voix.

— Moi?... Oui, acquiesça Anna. Mon Dieu! Tania! s'écria-t-elle en voyant accourir la petite fille, qu'elle prit dans ses bras et couvrit de baisers. Quelle charmante enfant! Elle a l'âge de mon petit Serge. Montre-les-moi, veux-tu? »

Elle se rappelait non seulement le nom et l'âge exact des enfants, mais encore leur caractère et jusqu'aux maladies qu'ils avaient eues; cette attention alla droit au cœur de Dolly.

« Eh bien, viens les voir, dit celle-ci; mais Vassia dort, c'est dommage. »

Après avoir vu les enfants, elles se retrouvèrent seules au salon, où le café était servi. Anna étendit la main vers le plateau, mais le repoussant soudain :

« Dolly, fit-elle, il m'a tout dit. »

Dolly la regarda froidement : elle s'attendait à des phrases de fausse sympathie; il n'en fut rien.

« Dolly, ma chérie, dit simplement Anna, je ne veux pas te parler en sa faveur ni te consoler; c'est impossible. Laisse-moi seulement te dire que je te plains de tout mon cœur. »

Ses yeux brillaient, des larmes mouillèrent ses beaux cils. Elle se rapprocha et de sa petite main nerveuse saisit la main de Dolly qui, le visage toujours muré, se laissa pourtant faire.

« Personne ne peut me consoler; après ce qui s'est passé tout est perdu pour moi. »

Mais, dès qu'elle eut prononcé ces paroles, l'expression de son visage s'adoucit subitement. Anna porta à ses lèvres la pauvre main émaciée de sa belle-sœur et la baisa.

« Mais enfin, Dolly, que comptes-tu faire? Cette fausse situation ne saurait se prolonger; veux-tu que nous envisagions quelque moyen d'en sortir?

— Non, tout est fini, bien fini. Le plus terrible, vois-tu, c'est que je ne puis pas le quitter : je suis liée par les enfants. Et cependant vivre avec lui est au dessus de mes forces; le voir m'est une torture.

— Dolly, ma chérie, il m'a parlé; j'aimerais bien

maintenant entendre ce que tu as à dire. Voyons,
raconte-moi tout. »

Dolly scruta du regard le visage d'Anna; et comme
elle n'y lut que la sympathie et l'affection sincère :

« Soit! dit-elle brusquement. Mais je dois prendre
les choses de loin. Tu sais comment je me suis mariée.
L'éducation de maman m'avait laissée bien innocente,
ou pour mieux dire fort sotte... Je ne savais rien. On
dit que les maris racontent leur passé à leurs femmes,
mais Stiva... (elle se reprit) Stépane Arcadiévitch ne
m'a jamais rien dit. Tu ne le croiras sans doute pas,
mais jusqu'à présent je me figurais qu'il n'avait jamais
connu d'autre femme que moi. J'ai vécu huit ans de la
sorte. Non seulement je ne le soupçonnais pas d'infidélité, mais je croyais une chose pareille impossible.
Avec des idées semblables, tu peux t'imaginer ce que
j'ai éprouvé en apprenant tout à coup cette horreur...
cette abomination!... Comprends-moi bien, continua-
t-elle prête à sangloter : croire à son bonheur sans
arrière-pensée et tout à coup recevoir une lettre... une
lettre de lui à sa maîtresse, l'institutrice de mes enfants!
Non, c'est par trop affreux!... »

Elle se cacha le visage dans son mouchoir.

« J'aurais pu encore admettre un moment d'entraînement, reprit-elle au bout d'une minute; mais cette
félonie, cette vilaine intrigue avec une... Et quand je
pense qu'il a continué d'être mon mari tout en... C'est
affreux, affreux! Tu ne peux te rendre compte.

— Mais si, je m'en rends très bien compte, ma chère
Dolly, dit Anna en lui serrant la main.

— Si encore il comprenait toute l'horreur de ma
position! Mais non, il est heureux et content.

— Non pas! interrompit Anna. Il fait peine à voir :
le remords le ronge...

— Est-il capable de remords? interrompit à son tour
Dolly, en scrutant avidement le visage de sa belle-
sœur.

— Oui, je le connais. Je t'assure qu'il m'a fait pitié.
Nous le connaissons toutes deux. Il est bon, mais fier,
cette humiliation lui sera salutaire. Ce qui m'a le plus
touché... (Anna devina d'instinct la corde sensible de
sa belle-sœur), c'est qu'il souffre à cause des enfants,
et qu'il regrette amèrement de t'avoir blessée, toi qu'il

aime... oui, oui, qu'il aime plus que tout au monde »,
insista-t-elle en voyant Dolly prête à protester. « Non,
« non, jamais elle ne me pardonnera », répète-t-il sans
cesse. »

Dolly avait détourné son regard; elle réfléchissait.

« Oui, dit-elle enfin, je comprends qu'il souffre. Le
coupable doit plus souffrir que l'innocent, quand il
se sent la cause de tout le mal. Mais comment puis-je
pardonner, comment puis-je être sa femme après
« elle »? La vie commune me sera désormais un supplice, précisément parce que j'aime encore l'amour
que j'ai si longtemps eu pour lui... »

Des sanglots lui coupèrent la parole. Mais, comme
un fait exprès, à peine attendrie, elle revenait toujours au sujet qui l'irritait le plus.

« Car enfin, reprit-elle, elle est jeune, elle est jolie.
Comprends-moi bien, Anna; par qui ma beauté, ma
jeunesse ont-elles été prises? Par lui et par ses enfants.
J'ai tout sacrifié à son service, et maintenant que j'ai
fait mon temps, il me préfère une vulgaire créature et
cela bien entendu parce qu'elle est plus fraîche. Ils se
sont certainement gaussés de moi ensemble, pis que
cela, ils ont oublié mon existence. »

Une lueur de haine passa de nouveau dans son
regard.

« Que viendra-t-il me dire après cela?... Pourrai-je
d'ailleurs le croire? jamais. Non, tout est fini pour moi,
tout ce qui constituait ma consolation, la récompense
de mes peines et de mes souffrances. Le croiras-tu?
je faisais tout à l'heure travailler Gricha: eh bien, cette
leçon qui naguère était pour moi une joie, m'est devenue un tourment... A quoi bon me donner tant de soucis? Pourquoi ai-je des enfants? Ce qu'il y a d'affreux,
vois-tu, c'est le revirement soudain qui s'est fait en
moi : mon amour, ma tendresse se sont mués en haine,
oui en haine. Je pourrais le tuer et... »

— Dolly, ma chérie, je conçois tout cela, mais, je
t'en supplie, ne te torture pas ainsi. Ton chagrin, ton
courroux t'empêchent de voir beaucoup de choses sous
leur vrai jour... »

Dolly se calma et pendant quelques instants toutes
deux gardèrent le silence.

« Que faire, Anna? Réfléchis, conseille-moi. J'ai tout
examiné et je ne trouve rien. »

Anna non plus ne trouvait rien, mais chaque parole,
chaque regard de sa belle-sœur éveillait en son cœur
un écho.

« Je ne puis te dire qu'une seule chose, je suis sa
sœur, je connais son caractère, cette faculté de tout
oublier (elle fit le geste de se toucher le front) propice
aux entraînements sans merci comme aux plus pro-
fonds repentirs. Actuellement il ne croit pas, il ne
comprends pas qu'il ait pu faire ce qu'il fait.

— Non, interrompit Dolly, il le comprend et l'a toujours bien compris. D'ailleurs tu m'oublies, moi, car,
quand cela serait, je n'en souffrirais pas moins pour
cela.

— Attends. Quand il m'a parlé, ce n'est pas, je te
l'avoue, l'horreur de ta position qui m'a le plus frappée. Je ne voyais que lui, qui me faisait pitié, et le dé-
sarroi de votre ménage. Après cet entretien, je vois,
comme femme, autre chose encore : je vois tes souffrances et j'éprouve pour toi une pitié indicible. Mais,
Dolly, ma chérie, si je conçois bien ta douleur, il est
par contre un côté de la question que j'ignore. Je ne
sais pas... je ne sais pas jusqu'à quel point tu l'aimes
encore au fond du cœur. Toi seule peux savoir si tu
l'aimes assez pour pardonner. Si tu le peux, pardonne! »

« Non », voulait dire Dolly, mais Anna l'arrêta en
lui baisant encore une fois la main.

« Je connais le monde plus que toi, dit-elle. Je sais
comment se conduisent en pareil cas les hommes
comme Stiva. Tu t'imagines qu'ils ont parlé de toi
ensemble. Sois persuadée qu'il n'en est rien. Ces
hommes-là peuvent commettre des infidélités, leur
femme et leur foyer ne leur en sont pas moins sacrés.
Au fond ils méprisent ces créatures et établissent entre
leur famille et elles une ligne de démarcation qui n'est
jamais franchie. Je ne conçois pas bien comment cela
peut se faire, mais cela est.

— Cela ne l'empêcherait pas de l'embrasser...

— Attends, Dolly, ma chérie. J'ai vu Stiva quand il
est tombé amoureux de toi, je me souviens du temps
où il venait me parler de toi en pleurant, je sais à quelle

hauteur poétique il te plaçait, je sais que plus il a vécu
avec toi, plus tu as grandi dans son admiration. C'était
devenu pour nous un sujet de plaisanteries que son
habitude de répéter à tout propos : « Dolly est une
« femme étonnante. » Tu as toujours été et tu resteras
toujours pour lui une divinité, tandis que dans le caprice actuel son cœur n'est pas en jeu.

— Mais si ce caprice se renouvelle?
— Cela me semble impossible...
— Et toi, pardonnerais-tu?
— Je n'en sais rien, je ne puis pas juger... Si, reprit-
elle après avoir réfléchi et pesé la situation dans son
for intérieur, je le puis, je le puis certainement. Oui,
je pardonnerais. Je ne serais plus la même, mais je
pardonnerais... je pardonnerais sans retour, de telle
sorte que le passé fût aboli...

— Cela va sans dire, sinon ce ne serait plus le pardon, interrompit brusquement Dolly qui parut formuler un arrêt depuis longtemps rendu dans son cœur. Le
pardon ne connaît pas de retour... Viens maintenant
que je te conduise à ta chambre », dit-elle en se levant.

Chemin faisant Dolly enlaça sa belle-sœur dans ses
bras.

« Ma chérie, comme tu as bien fait de venir! Je
souffre moins, beaucoup moins. »

XX

ANNA ne sortit pas de la journée et ne reçut aucune
des personnes qui, prévenues de son arrivée, vinrent
lui faire visite. Elle se consacra tout entière à Dolly et
aux enfants, mais elle eut soin d'envoyer à son frère un
billet l'engageant à dîner ce soir-là chez lui. « Viens,
lui disait-elle; la miséricorde de Dieu est infinie. »

Oblonski dîna chez lui; la conversation fut générale,
et sa femme le tutoya, ce qu'elle n'avait pas fait depuis
l'événement. Leurs rapports restaient distants, mais il
n'était plus question de séparation, et Stépane Arcadiévitch entrevoyait la possibilité d'une explication et
d'un raccommodement.

Kitty arriva à la fin du dîner. Elle connaissait à peine

Anna Arcadiévna et ne savait trop quel visage lui ferait cette grande dame pétersbourgeoise que chacun portait aux nues. Mais elle fut vite rassurée, comprenant que sa jeunesse et sa beauté trouvaient grâce devant Anna, dont elle subit à son tour le charme au point de s'éprendre d'elle comme les jeunes filles s'éprennent bien souvent de femmes mariées plus âgées qu'elles. Rien dans Anna ne rappelait ni la grande dame ni la mère de famille; à voir la souplesse de ses mouvements, la fraîcheur de son visage, l'animation du regard et du sourire, on eût dit une jeune fille de vingt ans, n'était l'expression sérieuse, voire mélancolique de ses beaux yeux. Ce fut justement cette particularité qui séduisit Kitty : par-delà la franchise et la simplicité d'Anna elle devinait tout un monde poétique, mystérieux, complexe, dont l'élévation lui paraissait inaccessible.

Après le dîner, profitant d'un moment où Dolly était passée dans sa chambre, Anna se leva vivement du canapé où elle avait pris place entourée des enfants et s'approcha de son frère qui allumait un cigare.

« Stiva, lui dit-elle, en faisant sur lui le signe de la croix et en lui indiquant la porte d'un coup d'œil encourageant, va et que Dieu te vienne en aide! »

Il comprit, jeta son cigare et disparut, cependant qu'elle revenait aux enfants. Par suite de l'affection qu'ils voyaient leur mère lui témoigner ou simplement parce qu'elle avait fait d'emblée leur conquête, les deux aînés, puis les autres par imitation, s'étaient bien avant le dîner accrochés à cette nouvelle tante et ne voulaient plus la lâcher. Ils jouaient à qui se rapprocherait le plus d'elle, à qui tiendrait sa main, l'embrasserait, toucherait ses bagues ou tout au moins la frange de sa robe.

« Voyons, reprenons nos places », dit Anna en se rasseyant. Et de nouveau Gricha, rayonnant de fierté joyeuse, coula sa tête sous la main de sa tante et appuya sa joue sur la robe soyeuse.

« À quand le prochain bal? demande Anna à Kitty.

— La semaine prochaine; ce sera un bal superbe, un de ceux où l'on s'amuse toujours.

— Il y en a donc? demanda Anna sur un ton de douce ironie.

— Mais oui, si bizarre que cela paraisse. Chez les Bobristchev par exemple ou chez les Nikitine on s'amuse toujours, tandis que chez les Mejkov on s'ennuie invariablement. Vous n'avez jamais remarqué cela?

— Non, ma chère enfant, il n'y a plus pour moi de bal amusant — et Kitty entrevit dans les yeux d'Anna ce monde inconnu qui lui était fermé —, il n'y en a que de plus ou moins ennuyeux.

— Comment pouvez-vous vous ennuyer au bal?

— Pourquoi donc ne puis-je m'y ennuyer, « moi »?

Kitty remarqua qu'Anna savait d'avance la réponse qu'elle allait lui faire :

« Parce que vous y êtes toujours la plus belle. »

Anna rougissait facilement et cette réponse la fit rougir.

« D'abord, protesta-t-elle, cela n'est pas; et quand cela serait, peu m'importerait.

— Vous irez à ce bal? demanda Kitty.

— Je ne pourrai sans doute m'en dispenser... Prends celle-ci, dit-elle à Tania qui s'amusait à retirer les bagues de ses doigts blancs et effilés.

— J'en serai très heureuse, j'aimerais tant vous voir au bal.

— Eh bien, si je dois y aller, je m'en consolerai en songeant que je vous fais plaisir... Assez, Gricha, je suis déjà toute décoiffée, dit-elle en rajustant une mèche avec laquelle l'enfant jouait.

— Je vous vois au bal en toilette mauve.

— Pourquoi précisément en mauve? demanda Anna en souriant. Allez, mes enfants, vous entendez que Miss Hull vous appelle pour le thé », dit-elle en renvoyant les enfants, et quand ils furent dans la salle à manger : « Je sais, reprit-elle, pourquoi vous voulez me voir à ce bal; vous en attendez un heureux résultat, et vous voudriez que tout le monde assistât à votre triomphe.

— Mon Dieu, oui, c'est vrai, mais comment le savez-vous?

— Oh! le bel âge que le vôtre! Je me rappelle encore ce brouillard bleuâtre, comme il en traine sur les montagnes de la Suisse, qui recouvre toutes choses à cet âge heureux où finit l'enfance; mais bientôt à la vaste esplanade où nous prenions nos ébats succède un chemin étroit qui va se resserrant de plus en plus et dans lequel nous nous engageons avec une joie mêlée d'angoisse, quelque lumineux qu'il nous paraisse... Qui n'a point passé par là? »

Kitty écoutait en souriant. « Comment diantre a-t-elle « passé par là » »? Que je voudrais connaître son roman! » se disait-elle en songeant à l'extérieur fort peu poétique d'Alexis Alexandrovitch, le mari d'Anna.

« Je suis au courant, continuait celle-ci. Stiva m'a parlé. Tous mes compliments. J'ai rencontré Vronski ce matin à la gare, il me plaît beaucoup.

— Ah! il était là? demanda Kitty en rougissant. Qu'est-ce que Stiva vous a dit?

— Il m'a tout raconté. Et je serais pour ma part très contente... J'ai voyagé hier avec la mère de Vronski, et elle n'a cessé de me parler de lui; c'est son fils préféré. Je sais combien les mères sont partiales, cependant...

— Et que vous a-t-elle dit?

— Bien des choses. Il a beau être son favori, on sent qu'il doit avoir des sentiments chevaleresques... Elle m'a raconté par exemple qu'il avait voulu abandonner toute sa fortune à son frère, que dans son enfance il avait sauvé une femme qui se noyait. Bref, c'est un héros », ajouta Anna en souriant et en se souvenant des deux cents roubles donnés à la gare.

Et cependant elle passa ce dernier trait sous silence. Elle se le rappelait avec un certain malaise, car elle y sentait une intention qui la touchait de trop près.

« Elle a beaucoup insisté pour que je lui fasse visite, et de mon côté je serai heureuse de la revoir. J'irai demain... Il me semble que Stiva reste bien longtemps avec Dolly, reprit-elle en détournant la conversation et en se levant d'un air quelque peu contrarié, à ce qu'il parut à Kitty.

— Moi d'abord! Non, moi, moi! criaient les enfants qui, leur thé à peine fini, accouraient vers leur tante Anna.

— Tous ensemble! » dit-elle en s'empressant à leur rencontre. Elle les prit dans ses bras et les jeta transportés de joie sur le canapé.

XXI

Après le thé des petits on servit celui des grandes personnes. Dolly sortit seule de la chambre à coucher, que Stépane Arcadiévitch avait dû quitter par une porte dérobée.

« Je crains que tu n'aies froid en haut, dit Dolly à sa belle-sœur; je vais t'installer ici, nous serons plus près l'une de l'autre.

— Ne t'inquiète pas de moi, je t'en prie, répondit Anna en cherchant à deviner sur le visage de Dolly si la réconciliation avait eu lieu.

— Il fera plus clair ici.

— Je t'assure que je dors partout comme une marmotte.

— De quoi s'agit-il? » demanda Stépane Arcadiévitch en sortant de son cabinet.

Il s'adressait à sa femme, et rien qu'au son de sa voix Kitty et Anna comprirent que le raccommodement était chose faite.

« Je voudrais installer Anna ici, mais il faudrait changer les rideaux. Personne ne saura le faire, il faut que ce soit moi », répondit Dolly.

« Dieu sait s'ils se sont remis pour de bon », se dit Anna en remarquant le ton réservé de sa belle-sœur.

« Ne te tourmente donc pas, Dolly, dit Stépane Arcadiévitch. Laisse-moi faire, j'arrangerai cela. »

« Il me semble que oui », se dit Anna.

« Je sais comment tu arrangeras cela! répondit Dolly, dont les lèvres se plissèrent en une moue ironique qui lui était habituelle. Tu donneras à Mathieu un ordre impossible à exécuter, puis tu t'en iras et il embrouillera tout. »

« Réconciliation complète. Dieu merci! » conclut Anna. Et toute joyeuse d'avoir été l'instrument elle s'approcha de Dolly et l'embrassa.

« Jamais de la vie! répondit Stépane Arcadiévitch en esquissant un sourire. Tu nous tiens vraiment, Mathieu et moi, en bien piètre estime. »

Toute la soirée Dolly se montra, comme par le passé, légèrement ironique envers son mari, tandis que celui-ci refrénait sa bonne humeur, comme pour souligner que le pardon ne lui faisait point oublier ses torts.

Une intimité charmante s'était donc établie autour de la table de thé familiale, quand vers neuf heures et demie survint un incident futile en apparence, mais qui parut bizarre à tout le monde. Ces dames étant venues à parler d'une de leurs amies de Pétersbourg, Anna se leva vivement :

« J'ai son portrait dans mon album, je vais le chercher, dit-elle. Par la même occasion, je vous montrerai mon petit Serge », ajouta-t-elle avec un sourire de fierté maternelle.

C'était ordinairement vers dix heures qu'elle disait au revoir à son fils; bien souvent même, avant d'aller au bal, elle le mettait au lit de ses propres mains; aussi plus cette heure approchait, plus elle se sentait triste d'être si loin de lui. Quelque sujet que l'on abordât, sa pensée revenait toujours à son petit Serge aux cheveux bouclés, et un désir la prit d'amener la conversation sur son compte et de le contempler en effigie. Elle mit donc en avant le premier prétexte venu et sortit de son pas léger et décidé. Le petit escalier qui menait à sa chambre partait de l'antichambre chauffée où prenait fin le grand escalier.

Comme elle quittait le salon, un coup de sonnette retentit dans l'antichambre.

« Qui cela peut-il être? demanda Dolly.

— C'est trop tôt pour qu'on vienne me chercher, fit observer Kitty, et trop tard pour une visite.

— Ce sont probablement des papiers qu'on m'apporte », décida Stépane Arcadiévitch.

Au moment où Anna passait devant le grand escalier, un domestique le montait rapidement pour annoncer un visiteur qui attendait en bas, arrêté sous la lampe du vestibule, et cherchant quelque chose dans sa poche. Anna reconnut aussitôt Vronski et soudain sentit naître en son cœur une étrange sensation de joie et de frayeur. Au même instant le jeune homme leva les yeux, l'aperçut, et son visage prit une expression inquiète et confuse. Elle le salua en passant d'un léger signe de tête et entendit Stépane Arcadiévitch appeler bruyamment Vronski tandis que celui-ci, d'une voix douce et posée, se défendait résolument d'entrer.

Quand elle descendit avec son album, Vronski n'était déjà plus là, et Stépane Arcadiévitch racontait qu'il était venu tout bonnement s'entendre avec lui au sujet d'un dîner qu'ils donnaient le lendemain à une célébrité de passage.

« Figurez-vous qu'il n'a jamais voulu entrer! Quel original! »

Kitty rougit. Elle croyait être seule à comprendre la raison de sa venue et de son brusque départ... « Il aura été chez nous, se disait-elle, et ne m'ayant pas trouvée, il aura supposé que j'étais ici; mais, après réflexion, il n'a pas voulu se montrer à cause d'Anna et de l'heure un peu indue. »

On se regarda sans parler et l'on se mit à examiner l'album d'Anna.

Il n'y avait rien d'extraordinaire à venir vers neuf heures et demie du soir demander un renseignement à un ami, sans vouloir entrer au salon. Cependant cette démarche surprit tout le monde, et personne plus qu'Anna n'en sentit l'impertinence.

XXII

LE bal commençait à peine lorsque Kitty et sa mère montèrent le grand escalier paré de fleurs et brillamment illuminé sur lequel se tenaient des valets en livrées rouges et perruques poudrées. Du palier décoré d'arbustes, où devant un miroir elles arrangeaient leurs robes et leurs coiffures, on percevait un bruissement continu semblable à celui d'une ruche et le son des violons de l'orchestre attaquant avec circonspection la première valse. Un petit vieillard qui rajustait de rares mèches blanches devant un autre miroir

et répandait autour de lui les parfums les plus péné-
trants, leur céda le pas pour franchir les dernières
marches et demeura en admiration devant la beauté
de Kitty. Un jeune homme imberbe, au gilet largement échancré, un de ceux que le vieux prince Stcherbatski appelait des « chiots », les salua au passage
tout en rectifiant dans sa course sa cravate blanche;
mais il revint sur ses pas pour prier Kitty de lui
accorder une contredanse. La première était promise
à Vronski, il fallut promettre la seconde au petit
jeune homme. Un militaire qui boutonnait ses gants
près de la porte du grand salon, s'écarta devant Kitty,
et, caressant sa moustache, parut fasciné par cette
apparition tout de rose vêtue.

La toilette, la coiffure, tous les préparatifs nécessaires à ce bal avaient certes causé bien des préoccupations à Kitty, mais qui s'en serait douté en lui
voyant porter sa robe de tulle rose avec une aisance
aussi souveraine? On eût dit que ces ruches, ces dentelles, ces falbalas, n'avaient coûté ni à elle ni à personne une seule minute d'attention et qu'elle était née
dans cette robe de bal, avec cette rose et ses deux
feuilles posées tout au sommet de sa haute coiffure (1).

Avant d'entrer dans le salon, la princesse voulut
rajuster la ceinture de sa fille dont un ruban lui semblait entortillé; mais Kitty se refusa à toute retouche,
devinant d'instinct que sa toilette lui allait à merveille.

De fait elle était dans un de ses bons jours : sa
robe ne la gênait nulle part, sa berthe de dentelles
restait bien en place, aucune ruche ne s'était ni froissée ni décousue, ses souliers roses à hauts talons cam-
brés semblaient donner de l'allégresse à ses jambes,
les bandeaux postiches entremêlés à ses cheveux
blonds n'alourdissaient pas trop sa tête gracile, ses
longs gants lui moulaient l'avant-bras sans un pli, et
leurs trois boutons s'étaient laissé boutonner sans
anicroche. Le ruban de velours noir qui retenait son

(1) « J'ai connu Léon Tolstoï homme du monde, je l'ai rencontré dans des bals et je me souviens de la réflexion qu'il me
fit un jour : « Voyez combien de poésie il y a dans une toilette
« de bal, que d'élégance, que d'idée, que de charme, ne fût-ce que
« dans ces fleurs piquées sur la robe. » (Prince D. Obolenski,
Souvenirs.)

médaillon lui ceignait le cou avec une grâce particulière. Vraiment ce ruban était exquis; Kitty, qui
devant le miroir de sa chambre l'avait déjà trouvé
parlant, lui sourit encore en le revoyant dans une
des glaces de la salle de bal. Elle pouvait nourrir
quelque anxiété sur le reste de la parure, mais sur ce
velours, non, décidément, il n'y avait rien à redire.
Elle sentait sur ses épaules et ses bras nus cette fraîcheur marmoréenne qu'elle aimait tant. Ses yeux brillaient, et la certitude qu'elle avait d'être charmante
mettait à ses lèvres roses un sourire involontaire.

Un essaim de jeunes femmes, masse de tulle, de
rubans, de dentelles, de fleurs attendait les danseurs;
mais, pas plus ce soir-là que les autres, Kitty n'eut
besoin de s'y joindre : à peine entrée dans la salle
elle se vit invitée à valser, et par le meilleur cavalier,
le roi des bals, le beau, l'élégant Georges Korsounski.
Il venait de quitter la comtesse Banine avec laquelle
il avait ouvert le bal, lorsque jetant sur son domaine,
c'est-à-dire sur quelques couples de valseurs, le coup
d'œil du maître, il aperçut Kitty qui faisait son
entrée; aussitôt il se dirigea vers elle de ce pas
d'amble spécial aux princes de la danse et, sans même
lui en demander l'autorisation, il entoura de son bras
la taille souple de la jeune fille. Kitty chercha des
yeux à qui confier son éventail : la maîtresse de la
maison le lui prit en souriant.

« Vous avez bien fait de venir de bonne heure,
dit Korsounski au moment où il l'enlaçait; je ne comprends pas le genre de venir tard. »

Elle posa son bras gauche sur l'épaule de son danseur, et, légers et rapides, ses petits pieds chaussés
de rose glissèrent en mesure sur le parquet.

« On se repose en dansant avec vous, lui dit-il pendant les premiers pas encore peu rapides de la valse.
Quelle légèreté, quelle *précision!* »

Il tenait le même langage à presque toutes ses dan-
seuses. Mais Kitty sourit de l'éloge et continua à examiner la salle par-dessus l'épaule de son cavalier.
Elle n'était ni une débutante, qui confond tous les
assistants, dans l'ivresse des premières impressions, ni
une jeune blasée, à qui tous ces visages trop connus
n'inspirent que de l'ennui. Il est un milieu entre

ces deux extrêmes : pour excitée qu'elle fût, Kitty n'en conservait pas moins la maîtrise de soi-même et sa faculté d'observation. Elle remarqua donc que l'élite de la société s'était groupée dans l'angle gauche de la salle. C'était là que se tenaient la maîtresse de la maison et la femme de Korsounski, la belle Lydie, outrageusement décolletée; c'était là que Krivine, qui frayait toujours avec le beau monde, étalait sa calvitie; c'était ce coin privilégié que reluquaient de loin les jeunes gens. Et ce fut aussi là qu'elle aperçut Stiva, puis la charmante tête d'Anna et sa taille élégante moulée dans une robe de velours noir. « Lui » aussi était là. Kitty ne l'avait pas revu depuis le soir où elle avait refusé Levine; ses yeux perçants le reconnurent de loin; elle remarqua même qu'il la regardait.

« Faisons-nous encore un tour? Vous n'êtes pas fatiguée? lui demanda Korsounski légèrement essoufflé.

— Non, merci.

— Où voulez-vous que je vous conduise?

— Mme Karénine est là, je crois... menez-moi de son côté.

— Entièrement à vos ordres. »

Et Korsounski, ralentissant le pas, mais valsant toujours, la dirigea vers le groupe de gauche. Il répétait sans cesse « *Pardon, mesdames; pardon, pardon, mesdames* » et louvoya si bien parmi ce flot de dentelles, de tulle et de rubans qu'il n'accrocha pas la moindre plume. Arrivé au but, il fit brusquement pirouetter sa danseuse, dont la traîne, se déployant en éventail, recouvrit les genoux de Krivine tout en laissant voir des jambes bien prises dans des bas à jour. Korsounski salua, se redressa d'un air dégagé et offrit le bras à sa danseuse pour la mener auprès d'Anna Arcadiévna. Kitty, rougissante et quelque peu étourdie, débarrassa Krivine de sa traîne et se mit en quête d'Anna. Celle-ci n'était point en mauve, comme l'aurait voulu Kitty. Une robe de velours noir très décolletée découvrait ses épaules sculpturales aux teintes de vieil ivoire et ses beaux bras ronds terminés par des mains d'une finesse exquise. Une guipure de Venise garnissait sa robe; une légère guirlande de pensées était posée sur ses cheveux noirs sans postiches; une autre, toute pareille, fixait un nœud de dentelles blanches au ruban noir de la ceinture. De sa coiffure, fort simple, on ne remarquait guère que les courtes boucles frisées qui s'échappaient capricieusement sur la nuque et les tempes. Un rang de perles fines courait autour de son cou ferme comme de l'ivoire.

Kitty, engouée d'Anna, la voyait tous les jours et ne se l'imaginait pas autrement qu'en mauve. Mais quand elle l'aperçut en noir le charme de son amie lui apparut brusquement sous son vrai jour — et ce fut une révélation. Le grand attrait d'Anna consistait dans l'effacement complet de sa toilette; une robe mauve l'eût parée, celle-ci au contraire, en dépit des dentelles somptueuses, n'était qu'un cadre discret qui faisait ressortir son élégance innée, son enjouement, son parfait naturel.

Elle se tenait, comme toujours, extrêmement droite et causait avec le maître de la maison, la tête tournée vers lui. Kitty l'entendit lui répondre avec un léger haussement d'épaules :

« Non, je ne lui jetterai pas la pierre, bien qu'à vrai dire je ne conçoive guère... »

Elle n'acheva pas et accueillit sa jeune amie avec un sourire affectueux et protecteur. D'un rapide coup d'œil féminin elle jugea sa toilette et lui adressa un petit signe de tête approbateur dont le sens n'échappa point à Kitty.

« Vous faites même votre entrée en dansant, lui dit-elle.

— Mademoiselle est pour moi une précieuse auxiliaire, elle m'aide toujours à donner de la gaieté à nos bals, répondit Korsounski. Un tour de valse, Anna Arcadiévna, ajouta-t-il en s'inclinant.

— Ah! vous vous connaissez? dit le maître de la maison.

— Qui ne nous connaît pas, ma femme et moi? Nous sommes comme le loup blanc. Un tour de valse, Anna Arcadiévna?

— Je ne danse pas quand je puis m'en dispenser.

— Vous ne le pouvez pas aujourd'hui. »

A ce moment Vronski s'approcha.

« Dans ce cas-là, dansons », répondit-elle en posant

précipitamment sa main sur l'épaule de Korsounski,
sans prêter la moindre attention au salut de Vronski.

« Pourquoi lui en veut-elle? » songea Kitty qui ne
fut point dupe de cette inadvertance voulue.

Vronski s'approcha de la jeune fille, lui rappela
qu'elle lui avait promis la première contredanse, et
exprima le regret de ne l'avoir point vue de quelque
temps. Tout en suivant d'un œil admiratif Anna qui
valsait, Kitty prêtait l'oreille aux propos de Vronski,
s'attendant à être invitée par lui; et, comme il n'en
faisait rien, elle le regarda d'un air surpris. Il rougit
et l'invita avec une certaine hâte, mais à peine l'eût-il
enlacée que la musique cessa. Kitty scruta ce visage si
proche du sien, et pendant bien des années elle ne
put se rappeler, sans avoir le cœur déchiré de honte,
le regard passionné qu'elle lui accorda et qui ne fut
point payé de retour.

« *Pardon, pardon! Valse, valse!* » criait Korsounski
à l'autre bout de la salle, et, s'emparant de la première
jeune fille venue, il se remit à tourbillonner.

XXIII

KITTY fit quelques tours de valse avec Vronski puis
retourna près de sa mère. A peine eut-elle échangé
quelques mots avec la comtesse Nordston que Vronski
vint la chercher pour la contredanse, pendant laquelle
il ne lui tint guère que des propos insignifiants. Un
spectacle d'amateurs en voie d'organisation, Korsounski et sa femme, qu'il traita plaisamment de
bambins de quarante ans, firent les frais de cette
conversation à bâtons rompus. A un moment donné
pourtant, il la piqua au vif en lui demandant si l'on
verrait au bal Levine qui, à l'en croire, lui avait
beaucoup plu. Au reste Kitty ne comptait pas sur la
contredanse. Ce qu'elle attendait avec un battement de
cœur, c'était la mazurka, pendant laquelle, lui semblait-il, tout se déciderait. Bien que Vronski ne l'eût
pas invitée, elle était si sûre de la danser avec lui,
comme à tous les bals précédents, qu'elle refusa cinq

invitations, se disant engagée. Tout ce bal, jusqu'à la dernière contredanse, fut pour elle comme un rêve enchanteur, peuplé de fleurs, de sons et de mouvements harmonieux; elle ne cessait de danser que lorsque les forces lui manquaient. Mais pendant le dernier quadrille, qu'elle fut obligée d'accorder à un des jeunes gens importuns, elle se trouva faire *vis-à-vis* à Vronski et à Anna. Et pour la seconde fois au cours de cette soirée où elle ne l'avait presque point quittée, Kitty découvrit soudain en son amie une femme nouvelle. A n'en point douter Anna cédait à l'enivrement du succès; et Kitty, qui n'ignorait pas cette griserie, en reconnut tous les symptômes, le regard enflammé, le sourire de triomphe, les lèvres entrouvertes, la grâce, l'harmonie suprême des mouvements.

« Qui en est cause, se demanda-t-elle, tous ou un seul? » Elle laissa son malheureux danseur s'épuiser en vains efforts pour renouer une conversation dont il avait perdu le fil, et tout en se soumettant en apparence aux ordres bruyants et joyeux de Korsounski décrétant le *grand rond* puis la *chaîne,* elle observait et son cœur se serrait de plus en plus; « Non, ce n'est pas l'admiration de la foule qui l'enivre ainsi, mais l'enthousiasme d'un seul : serait-ce « lui »? » Chaque fois que Vronski lui adressait la parole, un éclair passait dans les yeux d'Anna, un sourire entrouvrait ses lèvres : et, si désireuse qu'elle parût de la refouler, son allégresse éclatait en signes manifestes. « Et lui? » pensa Kitty. Elle le regarda et fut épouvantée, car le visage de Vronski reflétait comme un miroir l'exaltation qu'elle venait de lire sur celui d'Anna. Qu'étaient devenus ce maintien résolu et cette physionomie toujours en repos? Il ne s'adressait à elle qu'en baissant la tête, comme prêt à se prosterner, et l'on ne pouvait lire dans son regard que l'angoisse et la soumission. « Je ne veux point vous offenser, semblait dire ce regard, je ne veux que me sauver, mais comment m'y prendre? » Jamais Kitty ne l'avait vu ainsi.

Ils avaient beau n'échanger que des phrases banales sur des amis communs, il semblait à Kitty que chacune de leurs paroles décidait de leur sort et du sien.

Et, chose étrange, ces menus propos sur le mauvais
français d'Ivan Ivanovitch ou le fâcheux mariage de
Mlle Iéletski prenaient en effet une valeur particulière dont ils sentaient la portée tout autant que
Kitty. Dans l'âme de la pauvre enfant, le bal, l'assistance, tout se confondit dans une sorte de brume.
Seule la force de l'éducation lui permit de faire son
devoir, c'est-à-dire de danser, converser et même
sourire. Cependant, comme on plaçait les chaises pour
la mazurka et que plus d'un couple quittait les petits
salons pour y prendre part, un grand accès de désespoir l'envahit. Ayant refusé cinq danseurs, elle n'avait
plus aucune chance d'être invitée : on connaissait
trop ses succès dans le monde pour supposer un instant qu'elle n'eût point de cavalier. Il lui aurait fallu
prétexter un malaise et demander à sa mère de partir.
Elle n'en eut pas la force, elle se sentait anéantie.

Réfugiée au fond d'un boudoir, elle se laissa tomber dans un fauteuil. Les flots vaporeux de sa robe
enveloppaient comme d'un nuage sa taille frêle. Un
de ses bras nus, maigre et délicat, retombait sans
force, noyé dans les plis de sa robe rose, l'autre bras
agitait à petits coups un éventail devant son visage
brûlant. Mais, bien qu'elle ressemblât ainsi à un beau
papillon au repos sur quelque brin d'herbe et prêt
à déployer ses ailes irisées, une horrible angoisse
l'étreignait.

« Je me trompe peut-être, je m'imagine ce qui n'est
point », songea-t-elle. Mais il lui fallut bien se rappeler ce qu'elle avait vu.

« Kitty, que se passe-t-il, je n'y comprends rien »,
dit la comtesse Nordston qui s'était approchée d'elle
à pas feutrés.

Les lèvres de Kitty tressaillirent, elle se leva précipitamment.

« Kitty, tu ne danses pas la mazurka?

— Non, non, répondit-elle d'une voix mouillée de
larmes.

— Il l'a invitée devant moi, dit la comtesse, sachant
bien que Kitty comprenait de qui il s'agissait. Elle lui
a objecté : « Vous ne dansez donc pas avec
« Mlle Stcherbatski? »

— Peu m'importe! » répondit Kitty.

Elle seule pouvait comprendre l'horreur de sa situation : n'avait-elle pas la veille, parce qu'elle se croyait
aimée d'un ingrat, refusé la main d'un homme que
peut-être elle aimait !

La comtesse Nordston alla trouver Korsounski avec
lequel elle devait danser .la mazurka et l'engagea à
inviter Kitty à sa place : celle-ci ouvrit donc la
mazurka sans avoir heureusement besoin de parler :
son cavalier passait son temps à organiser des figures,
Vronski et Anna ayant pris place presque vis-à-vis
d'elle, elle les observait de ses yeux perçants ; elle
les surveillait de plus près encore quand revenait leur
tour de danse, et plus elle les regardait, plus elle
jugeait son malheur à jamais consommé. Elle devina
qu'ils se sentaient absolument seuls parmi cette foule,
et sur les traits d'ordinaire impassibles de Vronski
elle revit passer cette expression soumise et craintive,
cette expression de chien battu qui l'avait déjà tant
frappée.

Qu'Anna sourît, il répondait à son sourire ; sem-
blait-elle réfléchir, il devenait soucieux. Une force
presque surnaturelle attirait les regards de Kitty sur
Anna. Et vraiment il émanait de cette femme un
charme irrésistible : séduisante était sa robe en sa
simplicité ; séduisants, ses beaux bras chargés de bra-
celets ; séduisant, son cou ferme entouré de perles ;
séduisantes, les boucles mutines de sa chevelure
quelque peu en désordre ; séduisants, les gestes de
ses mains fines, les mouvements de ses jambes nerveuses ; séduisant, son beau visage animé ; mais il y
avait dans cette séduction quelque chose de terrible
et de cruel.

Kitty l'admirait plus encore qu'auparavant, tout en
sentant croître sa souffrance. Elle était écrasée et son
visage le disait : en passant près d'elle dans une
figure, Vronski ne la reconnut pas tout d'abord, tant
ses traits étaient altérés.

« Quel beau bal ! lui dit-il par acquit de conscience.
— Oui », répondit-elle.

Vers le milieu de la mazurka, au cours d'une figure
récemment inventée par Korsounski, Anna dut se placer au centre du cercle et appeler à elle deux cavaliers puis deux dames ; l'une de celles-ci fut Kitty, qui

s'approcha toute troublée. Anna, fermant à demi les
yeux, lui serra la main en souriant, mais remarquant
aussitôt l'expression de surprise désolée avec laquelle
Kitty répondit à ce sourire, elle se tourna vers l'autre
danseuse et engagea avec elle un colloque animé.

« Oui, se dit Kitty, il y a en elle une séduction
étrange, démoniaque! »

Comme Anna se disposait à partir avant le souper,
l'amphitryon voulut la retenir.

« Restez donc, Anna Arcadiévna, dit Korsounski
en lui prenant familièrement le bras. Vous verrez
quelle idée j'ai eue pour le cotillon : *un bijou!* »

Et il cherchait à l'entraîner, encouragé par le sourire de l'amphitryon.

« Non, je ne puis pas rester, répondit Anna en
souriant également; mais à son ton déterminé les deux
hommes comprirent qu'elle ne resterait pas. Non,
reprit-elle en glissant un coup d'œil à Vronski qui se
tenait auprès d'elle, car j'ai plus dansé en une fois
ce soir que dans tout mon hiver à Pétersbourg et j'ai
besoin de prendre quelque repos avant le voyage.

— Vous partez décidément demain? demanda
Vronski.

— Oui, je crois », répondit Anna que la hardiesse
de cette question parut surprendre; cependant elle
n'imposait de contrainte ni à son regard ni à son
sourire, et la flamme qui les animait brûlait le cœur
de Vronski.

Anna Arcadiévna n'assista point au souper.

XXIV

« Décidément, il doit y avoir en moi quelque chose de
rebutant, pensait Levine en rentrant à pied chez son
frère, après avoir quitté les Stcherbatski. De l'orgueil, à ce qu'on prétend. Mais non, je n'ai même pas
d'orgueil. Si j'en avais, me serais-je mis dans une
situation aussi ridicule? » Et il se figurait Vronski,
l'heureux, l'affable, le sagace, le pondéré Vronski :
en voilà un qui n'aurait jamais commis pareil pas de

clerc! « Elle devait le choisir, c'est naturel, et je n'ai
à me plaindre ni de rien ni de personne. Il n'y a de
coupable que moi. Comment ai-je pu supposer qu'elle
consentirait à unir sa vie à la mienne? Qui suis-je?
Et que suis-je? Un homme de rien, un être inutile à
lui-même et aux autres. » Et le souvenir de son frère
Nicolas lui revenant à l'esprit, il s'y attarda avec
complaisance. « N'a-t-il pas raison de dire que tout
est mauvais et détestable en ce monde? Il me semble
que nous avons toujours mal jugé Nicolas. Evidemment aux yeux de Procope, qui l'a rencontré ivre et
en pelisse déchirée, c'est une être méprisable. Mais
moi qui le connais sous un autre jour, moi qui ai
pénétré son âme, je sais que nous nous ressemblons.
Pourquoi faut-il qu'au lieu de me mettre à sa
recherche, j'ai préféré assister à ce dîner et à cette
soirée! »

Levine tira de son portefeuille l'adresse de Nicolas, la déchiffra à la lueur d'un réverbère et héla un
fiacre. Pendant le trajet, qui fut long, il repassa dans
sa mémoire ce qu'il savait de la vie de son frère.
Durant ses études à l'université et plus d'un an encore
après les avoir terminées, Nicolas, en dépit des sarcasmes de ses camarades, avait mené une existence
de moine, rigoureusement fidèle aux prescriptions de
la religion, assistant à tous les offices, observant tous
les jeûnes, fuyant tous les plaisirs et surtout les
femmes. Puis tout d'un coup lâchant la bonde à ses
mauvais instincts, il s'était lié avec des gens de la
pire espèce, adonné à la plus basse débauche. Levine
se rappela certaines de ses fâcheuses aventures : le
petit garçon qu'il avait fait venir à la campagne
pour l'élever et battu de telle sorte dans un accès
de colère qu'il faillit être condamné pour coups et
blessures; le Grec auquel il avait donné en paiement
d'une dette de jeu une lettre de change (dont Serge
venait justement de faire les frais) et traîné ensuite
en justice sous l'inculpation d'escroquerie; la nuit
qu'il avait passée au poste pour tapage nocturne;
l'odieux procès intenté à leur frère Serge qu'il accusait de ne lui avoir point payé sa part de la succession de leur mère; enfin sa dernière histoire en
Pologne où, envoyé comme fonctionnaire, il avait été

traduit en jugement pour sévices graves envers un
magistrat. Certes tout cela était odieux, moins odieux
cependant aux yeux de Levine qu'à ceux des personnes qui ne connaissaient ni toute la vie ni tout
le cœur de Nicolas.

Levine se souvint qu'au temps où celui-ci cherchait
dans la religion et ses pratiques les plus austères un
frein, une digue à sa nature passionnée, personne ne
l'avait soutenu; chacun au contraire, et lui le premier,
l'avait tourné en ridicule, traité d'ermite et de cagot;
mais, la digue une fois rompue, tous, au lieu de le
relever, s'étaient détournés de lui avec horreur et
dégoût.

Levine sentait qu'en dépit de sa vie scandaleuse
Nicolas n'était pas à tout prendre plus coupable que
ceux qui le méprisaient. Devait-on lui imputer à crime
son caractère indomptable, son intelligence bornée?
N'avait-il pas toujours voulu se dompter? « Je lui
parlerai à cœur ouvert, je l'obligerai à en faire autant,
je lui prouverai que je l'aime, partant que je le comprends », décida à part soi Levine en arrivant vers
onze heures devant l'hôtel indiqué sur l'adresse.

« En haut, n° 12 et 13, répondit le portier ques-
tionné par Levine.

— Est-il chez lui?

— Probablement. »

La porte du numéro 12 était entrouverte, et il sortait de la chambre une épaisse fumée de gros tabac.
Levine perçut d'abord le son d'une voix inconnue,
puis le toussotement habituel de son frère.

Quand il entra dans une sorte d'antichambre, la
voix inconnue disait :

« Reste à savoir si l'affaire sera menée avec la
conscience et la compréhension voulues... »

Constantin Levine jeta un coup d'œil dans l'entrebâillement de la porte et vit que celui qui parlait
était un jeune homme à caftan court et tignasse hir-
sute; sur le divan était assise une femme jeune, légèrement grêlée, en simple robe de laine sans colle-
rette et sans poignets. Le cœur de Constantin se serra
à l'idée du milieu étrange dans lequel vivait son
frère. Il n'aperçut point celui-ci, et, tout en ôtant ses
caoutchoucs, il prêta l'oreille aux propos du per-

sonnage au caftan; il s'agissait d'une entreprise à
l'étude.

« Eh, que le diable les emporte, les classes privi-
légiées! chevrota la voix toussotante de Nicolas.
Macha, tâche de nous avoir à souper, et donne-nous
du vin, s'il en reste; sinon fais-en chercher. »

La femme se leva et en sortant aperçut Constantin.

« Il y a un monsieur qui vous demande, Nicolas
Dmitrich.

— Que vous faut-il? grogna la voix de Nicolas.

— C'est moi, répondit Constantin en se montrant.

— Qui « moi »? répéta la voix de Nicolas, de plus
en plus hargneuse.

Levine l'entendit se lever vivement en s'accrochant
à quelque chose et vit se dresser devant lui la haute
silhouette décharnée et quelque peu voûtée de son
frère : pour familière qu'elle lui fût, cette apparition
maladive et hagarde ne laissa pas de l'effrayer.

Nicolas avait encore maigri depuis leur dernière
rencontre, trois ans auparavant ll portait une redingote courte. Ses larges mains osseuses paraissaient
encore plus énormes; ses cheveux étaient devenus
plus rares, mais de grosses moustaches pendantes
masquaient toujours ses lèvres, et la même na.veté
surprenante se lisait dans le regard qu'il fixa sur son
visiteur.

« Ah! Kostia! » s'écria-t-il en reconnaissant son
frère, tandis qu'une lueur de joie passait dans ses
yeux. Mais, toisant aussitôt le jeune homme, il fit de
la tête et du cou un mouvement nerveux, bien connu
de Levine, comme si sa cravate l'eût étranglé, et une
expression toute différente, où la souffrance se mêlait
curieusement à la cruauté, se peignit sur son visage
émacié.

« Je vous ai écrit à Serge Ivanovitch et à vous que
je ne vous connaissais plus et ne voulais pas vous
connaître. Que veux-tu... que voulez-vous de moi? »

Ce n'était point là l'homme que Constantin s'était
figuré rencontrer. En songeant tout à l'heure à Nicolas, il avait perdu de vue ce caractère âpre et fielleux qui rendait tout rapport avec lui particulière-

ment difficile. Il ne s'en souvint qu'en revoyant les
traits de son frère et surtout ce mouvement de tête
convulsif.

« Mais je ne veux rien de toi, répondit-il avec une
certaine timidité. Je suis simplement venu te voir. »

L'air craintif de son frère adoucit Nicolas.

« Ah! c'est pour ça que tu viens, dit-il en faisant
la moue. Eh bien, entre, assieds-toi. Veux-tu souper?
Macha, apporte trois portions. Non, attends... Sais-tu
qui c'est? demanda-t-il à son frère, en désignant l'individu au caftan. C'est M. Kritski, mon ami, un
homme très remarquable que j'ai connu à Kiev. Et
comme ce n'est pas une canaille, il va de soi que la
police le persécute. »

Sur ce, cédant à un tic, qui lui était familier, il
embrassa les assistants du regard, et apercevant la
femme prête à sortir :

« Ne t'ai-je pas dit d'attendre! » lui cria-t-il.

Puis, après un nouveau regard circulaire, il se mit
à raconter, avec la difficulté de parole que connaissait
trop bien Constantin, toute l'histoire de Kritski : comment il avait été exclu de l'université pour avoir
fondé une société de secours mutuels et des écoles
du dimanche; comment il s'était fait instituteur pri-
maire pour perdre aussitôt sa place; comment il
avait été mis en jugement sans trop savoir pourquoi.

« Vous appartenez à l'université de Kiev? demanda
Constantin à Kritski pour rompre un silence gênant.

— J'en ai fait partie, grommela celui-ci en se renfrognant.

— Et cette femme, interrompit Nicolas en la montrant du doigt, c'est Marie Nicolaïevna, la compagne de
ma vie. Je l'ai prise dans une maison, déclara-t-il dans
un spasme du cou, mais je l'aime et je l'estime, et quiconque désire me connaître doit aussi l'aimer et l'honorer, ajouta-t-il en haussant la voix et en fronçant le
sourcil. Je la considère comme ma femme, tout à fait
comme ma femme. Ainsi tu sais à qui tu as affaire,
et maintenant si tu crois t'abaisser, tu es libre de sortir. »

Et de nouveau, Nicolas promena son regard scrutateur tout autour de la pièce.

« Je ne comprends pas en quoi je m'abaisserais.

— Dans ce cas-là, Macha, fais-nous monter trois portions, de l'eau-de-vie et du vin... Non, attends... Si, ça va bien... File! »

XXV

« Vois-tu, continua Nicolas Levine en grimaçant et en plissant le front avec effort, car il ne savait trop ni que dire ni que faire, — vois-tu... »

Il montra dans un coin de la chambre quelques barres de fer attachées avec des cordes.

« Vois-tu cela? put-il enfin proférer. Ce sont les prémices d'une œuvre nouvelle à laquelle nous allons nous consacrer. Il s'agit d'une association professionnelle. »

Constantin n'écoutait guère. Il observait ce visage maladif et phtisique, et sa pitié croissante ne lui permettait pas de prêter grande attention aux discours de son frère. Il voyait bien d'ailleurs que cette œuvre n'était pour Nicolas qu'une ancre de salut : elle l'empêchait de se mépriser complètement. Il le laissa donc pérorer.

« Tu sais que le capital écrase l'ouvrier. Chez nous l'ouvrier, le moujik, porte tout le poids du travail et, quoi qu'il fasse, il ne peut sortir de son état et demeure toute sa vie une bête de somme. Tout le bénéfice, tout ce qui permettrait aux travailleurs d'améliorer leur sort, de se donner du loisir et de l'instruction, tout cela leur est dérobé par les capitalistes. Et la société est ainsi faite que plus les pauvres bougres se donneront de mal, plus les proprios et les mercantis s'engraisseront à leurs dépens. Voilà ce qu'il faut changer radicalement, conclut-il, scrutant son frère du regard.

— Oui, bien sûr, dit Constantin en voyant deux taches rouges se former sur les pommettes saillantes de Nicolas.

— Nous organiserons donc une association de serruriers, où tout sera en commun : travail, bénéfices et jusqu'aux principaux instruments de travail.

— Où l'établirez-vous?

— Au village de Vozdrémo, dans la province de Kazan.

— Pourquoi dans un village? Il me semble qu'à la campagne l'ouvrage ne manque pas?

— Parce que le paysan reste serf tout comme par le passé, et qu'il vous est désagréable, à Serge et à toi, qu'on cherche à les tirer de cet esclavage », rétorqua Nicolas, contrarié de cette observation.

Cependant Constantin examinait la chambre, malpropre et lugubre; il lui échappa un soupir, et ce soupir porta au comble l'irritation de Nicolas.

« Je connais vos préjugés aristocratiques, à Serge Ivanovitch et à toi. Je sais qu'il déploie la vigueur de son intelligence pour justifier l'existence du mal.

— Mais non. Et d'ailleurs que vient faire ici Serge? demanda Constantin en souriant.

— Serge Ivanovitch? Je vais te le dire! s'écria Nicolas exaspéré. Ou plutôt non, inutile! Dis-moi seulement pourquoi tu es venu? Tu fais fi de notre entreprise, n'est-ce pas? soit, mais alors va-t'en, va-t'en, va-t'en! hurla-t-il en se levant.

— Je n'en fais nullement fi, je ne discute même pas », objecta doucement Constantin.

Marie Nicolaievna rentra en ce moment. Nicolas Levine la foudroya du regard, mais elle s'approcha vivement de lui et lui dit quelques mots à l'oreille.

« Je suis malade, je deviens irritable, reprit Nicolas plus calme et respirant avec peine, et tu viens me parler de Serge et de son article! Quel amas de bourdes, de sottises, d'insanités! Comment un homme qui ignore tout de la justice peut-il en parler! Vous avez lu son article? » demanda-t-il à Kritski.

Et, se rasseyant près de la table, il repoussa, pour faire de la place, un tas de cigarettes à moitié faites.

« Non je ne l'ai pas lu, répondit d'un ton sombre Kritski, se refusant à prendre part à la conversation.

— Pourquoi? s'enquit Nicolas, de nouveau vexé.

— Je n'ai pas de temps à perdre.

— Permettez : comment savez-vous que ce serait du temps perdu? Pour bien des gens cet article est évidemment inabordable; pour moi, c'est différent : je vois le fond de sa pensée, j'en connais les points faibles. »

Un silence suivit. Kritski se leva lentement et prit sa toque.

« Vous ne voulez pas souper? Dans ce cas, bonsoir. Revenez demain avec le serrurier. »

A peine Kritski fut-il parti que Nicolas cligna de l'œil en souriant.

« Pas fort non plus celui-là, dit-il. Je vois bien... »

Mais à ce moment Kritski l'appela du seuil.

« Qu'y a-t-il encore? » demanda Nicolas en allant le rejoindre dans le corridor.

Resté seul avec Marie Nicolaievna, Levine se tourna vers elle.

« Etes-vous depuis longtemps avec mon frère? lui demanda-t-il.

— Ça fait plus d'un an. Sa santé est devenue bien mauvaise. Il boit beaucoup.

— Comment l'entendez-vous?

— Il boit de l'eau-de-vie et ça lui fait mal.

— En boit-il avec excès? demanda Levine à voix basse.

— Oui, dit-elle en regardant avec crainte du côté de la porte, où se montra Nicolas Levine.

— De quoi parliez-vous? demanda-t-il, le sourcil froncé, en promenant de l'un à l'autre son regard apeuré.

— De rien, répondit Constantin confus.

— Vous ne voulez pas me le dire? soit! Seulement tu n'as que faire de causer avec elle : c'est une fille, et tu es un gentilhomme, déclara-t-il avec un nouveau soubresaut du cou... Je vois bien que tu as tout compris et jugé et que tu considères mes erreurs avec condescendance, ajouta-t-il au bout d'un moment en haussant la voix.

— Nicolas Dmitrich, Nicolas Dmitrich, murmura de nouveau Marie Nicolaievna en s'approchant de lui.

— C'est bon, c'est bon!... Eh bien, et ce souper? Ah! le voilà! s'exclama-t-il en voyant entrer un garçon porteur d'un plateau. Ici, ici! » continua-t-il d'un ton irrité, et, sans plus attendre, il se versa un verre d'eau-de-vie, l'avala d'un trait, et aussitôt émoustillé : « En veux-tu? demanda-t-il à son frère. Allons, ne parlons plus de Serge Ivanovitch. Je suis tout de même content de te revoir. On a beau dire, nous ne sommes pas des étrangers l'un pour l'autre. Bois donc, voyons... Et raconte-moi ce que tu deviens, reprit-il en mâchant avidement un morceau de pain et en se versant un second verre. Quel genre de vie mènes-tu?

— Toujours le même : j'habite la campagne, je fais valoir nos terres, répondit Constantin qu'épouvantait la gloutonnerie de son frère mais qui tâchait de n'en rien faire voir.

— Pourquoi ne te maries-tu pas?

— Cela ne s'est pas trouvé, répondit Constantin en rougissant.

— Pourquoi cela? Quant à moi, c'est fini. J'ai gâché mon existence. J'ai dit et je dirai toujours que si l'on m'avait donné ma part de succession quand j'en avais besoin, ma vie aurait pris un autre cours. »

Constantin se hâta de détourner l'entretien.

« Sais-tu que j'ai pris ton Vania à Pokrovskoié (1) comme employé de bureau? »

Une fois de plus le cou de Nicolas fut secoué d'un soubresaut; il parut réfléchir.

« C'est cela, parle-moi de Pokrovskoié. La maison est-elle toujours debout, et nos bouleaux, et notre salle d'étude? Et Philippe, le jardinier, se peut-il qu'il vive encore? Je vois d'ici le pavillon et son divan!... Surtout ne change rien à la maison, marie-toi vite, fais renaître la bonne vie d'autrefois. Je viendrai te voir alors, si ta femme est une brave fille.

— Pourquoi ne pas venir maintenant? Nous nous arrangerons si bien ensemble.

— Je viendrais bien si j'étais sûr de ne pas rencontrer Serge Ivanovitch.

— Tu ne le rencontreras pas. Je suis absolument indépendant de lui.

— Oui, mais tu as beau dire, il te faut choisir entre lui et moi », dit Nicolas en levant sur son frère un regard craintif.

Cette timidité toucha Constantin.

« Si tu veux connaître le fond de ma pensée au

_____

(1) Tolstoï emprunte ici le nom de la propriété de sa sœur, dans la province de Toula. Mais les descriptions du domaine de Levine sont inspirées par Iasnaïa Poliana, où il s'installa après son mariage.

sujet de votre querelle, je te dirai que je ne prends
parti ni pour l'un ni pour l'autre. Vous avez selon moi
tort tous les deux; seulement chez toi le tort est plus
extérieur, et chez Serge, plus intérieur.

— Ha, ha, tu as compris, tu as compris! s'écria Nicolas dans une explosion de joie.

— Et, si tu veux aussi le savoir, c'est à ton amitié
que je tiens le plus, parce que...

— Pourquoi? pourquoi? »

Nicolas était malheureux, il avait donc plus besoin
d'affection; voilà ce que pensait Constantin, sans oser
le dire; mais Nicolas le devina et se remit à boire d'un
air sombre.

« Assez, Nicolas Dmitrich, dit Marie Nicolaievna en
tendant sa main grassouillette vers le carafon d'eau-
de-vie.

— Ne m'embête pas, sinon gare! » cria-t-il.

Marie Nicolaievna eut un bon sourire soumis qui
désarma Nicolas, et elle retira l'eau-de-vie.

« Tu crois peut-être qu'elle ne comprend rien de
rien? fit Nicolas. Tu te trompes. Elle comprend tout
mieux qu'aucun de nous. N'est-ce pas qu'elle a l'air
d'une brave fille?

— Vous n'étiez jamais venue à Moscou? demanda
Constantin pour dire quelque chose.

— Ne lui dis donc pas « vous ». Ça lui fait peur.
Sauf le juge de paix qui l'a jugée quand elle a voulu
sortir de la maison de débauche, personne ne lui a
jamais dit « vous »... Mon Dieu, ce qu'on voit de niaiseries en ce monde! s'emporta-t-il soudain. A quoi bon
toutes ces nouvelles institutions, ces juges de paix, ces
zemstvos? »

Et il entreprit de raconter ses démêlés avec les nouvelles institutions.

Constantin l'écoutait en silence; cette critique impi-
toyable de tout l'ordre social, à laquelle il était lui-
même fort enclin, lui semblait déplacée dans la bouche
de son frère.

« Nous comprendrons tout cela dans l'autre monde,
dit-il enfin par manière de plaisanterie.

— Dans l'autre monde? Oh! je ne l'aime pas cet
autre monde!... Non, je ne l'aime pas, répéta Nicolas en

fixant sur son frère des yeux hagards. Il semblerait
bon de sortir de cette fange, de dire adieu à nos vilenies et à celles du prochain; mais non, j'ai peur de la
mort, j'en ai terriblement peur. » Il frissonna. « Mais
bois donc quelque chose. Veux-tu du champagne? Préfères-tu que nous sortions? Allons voir les Bohémiennes, tiens. Sais-tu que je raffole maintenant des
Bohémiennes et des chansons russes? »

La langue s'embrouillait, il sautait d'un sujet à
l'autre. Constantin, avec l'aide de Macha, lui persuada
de ne pas sortir et ils le couchèrent complètement ivre.

Macha promit à Constantin de lui écrire en cas de
besoin et d'engager Nicolas à aller vivre chez son frère.

XXVI

Le lendemain matin Constantin Levine quitta Moscou
pour arriver chez lui vers le soir. En cours de route
il lia conversation avec ses voisins, causa politique,
chemins de fer, et, tout comme à Moscou, se sentit
bientôt noyé dans le chaos des opinions, mécontent de
lui-même et honteux sans trop savoir de quoi. Mais
quand, à la lueur indécise qui tombait des fenêtres de
la gare, il reconnut Ignace, son cocher borgne, le col
du caftan relevé par-dessus les oreilles, puis son traîneau bien capitonné, ses chevaux, la queue bien ficelée,
les harnais agrémentés d'anneaux et de floches; quand
dès l'abord et tout en installant les bagages dans le
traîneau Ignace lui raconta les nouvelles de la maison, à savoir que l'entrepreneur était arrivé et que la
Paonne avait vêlé, — il lui sembla sortir peu à peu
du chaos, il sentit faiblir sa honte et son mécontentement. Ce n'était encore qu'une première impression
réconfortante. Cependant il s'enveloppa dans la peau
de mouton que le cocher avait pris soin de lui apporter, s'installa dans le traîneau et donna le signal du
départ. Alors, tout en songeant aux ordres à donner
dès son retour et en examinant le cheval de volée, son
ancien cheval de selle — une belle bête du Don usée
mais encore rapide — il envisagea son aventure sous

un tout autre jour. Il cessa de vouloir être un autre que lui-même et souhaita seulement devenir meilleur qu'il n'avait été jusque-là. Et d'abord, au lieu de chercher dans le mariage un bonheur chimérique, il se contenterait de la réalité présente. Puis il ne céderait plus à ces vulgaires entraînements dont le souvenir l'obsédait la veille, avant de faire sa demande. Enfin il ne perdrait point de vue son frère Nicolas et lui viendrait en aide, dès que le malheureux se sentirait plus mal, ce qui certainement ne saurait tarder. Leur entretien sur le communisme lui revenant en mémoire, il se prit à réfléchir sur ce sujet auquel il n'avait alors prêté qu'une attention distraite. S'il considérait comme absurde un changement radical des conditions économiques, le contraste injuste entre la misère du peuple et le superflu dont il jouissait l'avait depuis longtemps frappé. Aussi, bien qu'il eût toujours beaucoup travaillé et vécu très simplement, se promit-il de travailler encore davantage et de mener une vie encore plus simple. Ces bonnes résolutions, auxquelles il se complut tout le long du chemin, lui parurent faciles à tenir, et, lorsque vers les neuf heures du soir il arriva chez lui, de grands espoirs l'animaient : une vie nouvelle, une vie plus belle allait commencer.

Un rai de lumière tombait des fenêtres d'Agathe (1) Mikhaïlovna, la vieille bonne de Levine promue économe. Elle ne dormait pas encore et réveilla en sursaut Kouzma, le galopin, qui accourut au perron pieds nus et à moitié endormi. Il faillit être renversé par Mignonne, la chienne couchante qui se précipitait avec

(1) C'est le nom de la vieille bonne de la famille Tolstoï. Voici ce que dit d'elle Tatiana Kouzminski, *op. cit.* :

« Tandis que nous longions un grand pavillon blanc où se trouvaient les logements des domestiques et la buanderie, une vieille femme sèche, de haute taille et qui se tenait droite vint à notre rencontre. C'était Agathe Mikhaïlovna, ou Gacha, la femme de chambre de la vieille comtesse Tolstoï, grand-mère de Léon Nicolaïevitch.

« ... Cette Gacha est décrite dans *Enfance et Adolescence.* J'appris à connaître par la suite cette originale vieille... Elle aimait beaucoup les animaux, surtout les chiens; elle englobait même dans cette affection les souris et les insectes. Elle défendait que l'on chassât les cafards de son réduit et nourrissait des souris. Elle recueillait tous les petits des chiens de chasse de Léon Nicolaïevitch et les élevait avec une sollicitude inlassable. J'aurai souvent encore l'occasion de parler d'elle. »

de joyeux aboiements à la rencontre du maître : dressée
sur les pattes de derrière, elle se frottait aux genoux de
Levine et se retenait avec peine de lui planter celles
de devant sur la poitrine.

« Vous voilà revenu bien vite, notre monsieur, dit
Agathe Mikhaïlovna.

— Le mal du pays, Agathe Mikhaïlovna! On est bien
chez les autres, mais on est encore mieux chez soi »,
répondit-il en passant dans son cabinet.

La flamme d'une bougie apportée en hâte éclaira
lentement la pièce, et Levine vit peu à peu sortir de
l'ombre les objets familiers : les bois de cerfs, les
rayons chargés de livres, le miroir, le poêle dont la
bouche de chaleur attendait depuis si longtemps une
réparation, le vieux divan de son père, le grand bureau
où reposaient un livre ouvert, un cendrier cassé, un
cahier couvert de son écriture. En se retrouvant là, le
changement d'existence dont il avait rêvé chemin faisant lui apparut moins facile à réaliser. Il se sentait
comme enveloppé par tous ces vestiges de sa vie passée. « Non, semblaient-ils lui dire, tu ne nous quitteras
pas, tu ne deviendras pas un autre, tu resteras ce que
tu as toujours été, avec tes doutes, ton perpétuel mécontentement de toi-même, tes vaines tentatives de réforme, tes rechutes, ton éternelle attente d'un bonheur
qui se dérobe et n'est point fait pour toi. »

A cet appel des choses une voix intérieure répliquait
qu'il ne fallait pas être esclave de son passé, qu'on
faisait de soi ce qu'on voulait. Obéissant à cette voix,
Levine s'approcha d'un coin de la pièce où se trouvaient deux poids de trente livres; il les souleva dans
l'intention de se donner du montant par un peu de gymnastique; mais comme des pas se faisaient entendre
près de la porte, il les déposa précipitamment.

C'était le régisseur. Il déclara que, Dieu merci, tout
allait bien, sauf que le sarrasin avait échauffé dans le
nouveau séchoir. La nouvelle irrita Levine. Ce séchoir,
construit et en partie inventé par lui, n'avait jamais
été approuvé par le régisseur, qui annonçait maintenant l'accident sur un petit ton de triomphe. Convaincu
qu'il avait négligé certaines précautions cent fois
recommandées, Levine semonça vertement le personnage, mais sa mauvaise humeur tomba à l'annonce d'un

heureux événement : la Paonne, la meilleure des vaches achetée au concours agricole, avait vêlé.

« Kouzma, vite ma peau de mouton! Et vous, dit-il au régisseur, faites allumer une lanterne; je vais aller la voir. »

L'étable des vaches de prix se trouvait tout près de la maison. Levine longea le tas de neige accumulée sous les buissons de lilas, s'approcha de l'étable et en ouvrit la porte à moitié gelée sur ses gonds. Une chaude odeur de fumier s'en exhalait; les vaches surprises par la lumière de la lanterne se retournèrent sur leur litière de paille fraîche. La large croupe noire tachetée de blanc de la Hollandaise brilla dans la pénombre; l'Aigle — le taureau — qui reposait, un anneau passé dans les narines, fit mine de se lever, puis changea d'idée et se contenta de souffler bruyamment chaque fois qu'on passait près de lui. La Paonne, une belle vache rousse, immense comme un hippopotame, était couchée devant sa génisse qu'elle flairait tout en la dérobant aux regards des arrivants.

Levine entra dans sa stalle, l'examina et souleva la génisse tachetée de blanc et de rouge sur ses longues pattes chancelantes. La vache beugla d'émotion, mais se rassura quand Levine lui rendit son petit, qu'elle se mit à lécher de sa langue rêche après avoir exhalé un profond soupir. Le nouveau-né frétillait de la queue et fouillait du mufle sous les flancs de sa mère en quête de tétines.

« Eclaire donc par ici, Fiodor, passe-moi la lanterne, dit Levine en examinant la génisse. Elle tient de sa mère, bien que la robe soit du père. Une belle bête, ma foi, longue et bien membrée. N'est-ce pas qu'elle est belle, Vassili Fiodorovitch? dit-il d'un ton très aimable au régisseur, oubliant dans sa joie l'ennui du sarrasin échauffé.

— Elle a de qui tenir, comment serait-elle laide?... A propos, Simon, l'entrepreneur, est arrivé le lendemain de votre départ, Constantin Dmitriévitch. Il faudra, je crois, s'entendre avec lui, au sujet de la machine. Je vous en ai déjà parlé, si vous vous souvenez. »

Cette seule phrase fit rentrer Levine dans tous les détails de son exploitation, qui était grande et compli-

quée. De l'étable il alla donc tout droit au bureau du
régisseur, où il eut une conférence avec l'entrepreneur.
Il rentra enfin chez lui et monta au salon.

XXVII

C'ÉTAIT une grande maison à l'ancienne mode et, bien
qu'il l'habitât seul, Levine l'occupait et la chauffait en
entier. Pareil genre de vie pouvait passer pour absurde
et cadrait mal avec ses nouveaux projets; Levine le
sentait bien, mais cette maison était pour lui tout un
monde où avaient vécu et trépassé son père et sa mère.
Ils y avaient mené une existence qui lui semblait l'idéal
de la perfection et qu'il rêvait de recommencer avec
une famille à lui.

Bien qu'il se la rappelât à peine, Levine avait pour
la mémoire de sa mère un véritable culte; il lui semblait impossible d'épouser une femme qui ne fût point
la réincarnation de cet idéal adoré. Il ne concevait
point l'amour en dehors du mariage; bien plus, c'est
à la famille qu'il pensait tout d'abord et ensuite à la
femme qui la lui donnerait. Différant sur ce point
d'opinion avec presque tous ses amis, qui ne voyaient
dans le mariage qu'un des nombreux actes de la vie
sociale, il le considérait comme l'acte principal de
l'existence, celui dont dépendait tout notre bonheur.
Et voici qu'il fallait y renoncer!...

Il entra dans le petit salon où l'on avait coutume de
servir le thé, prit un livre et s'installa dans son fauteuil; et, tandis qu'Agathe Mikhaïlovna lui apportait sa
tasse et se retirait près de la fenêtre en déclarant
comme d'habitude : « Je m'assieds, notre monsieur »
— il sentit à sa grande surprise qu'il n'avait point
renoncé à ses rêveries et qu'il ne pouvait vivre sans
elle. « Elle ou une autre, peu importe, se dit-il, mais
cela sera. » Il avait beau se contraindre à lire ou prêter
l'oreille aux bavardages d'Agathe Mikhaïlovna, diverses
scènes de sa future vie de famille se présentaient en
désordre à son imagination. Il comprit qu'une idée

fixe s'était installée pour toujours au tréfonds de son
être.

Agathe Mikhaïlovna racontait que, succombant à la
tentation, Prochor, à qui Levine avait donné une certaine somme pour s'acheter un cheval, s'était mis à
boire et à rouer de coups sa femme qui avait bien failli
rester sur place. Tout en l'écoutant, Levine lisait son
livre et retrouvait peu à peu le fil des idées que cet
ouvrage avait naguère éveillées en lui. C'était le traité
de Tyndall sur la chaleur. Il se souvenait d'avoir été
offusqué par la suffisance de l'auteur, trop enclin à
prôner ses expériences, et par son manque de vues phi-
losophiques. Tout à coup une pensée joyeuse lui traversa l'esprit : « Dans deux ans, j'aurai deux hollandaises, la Paonne sera peut-être encore de ce monde,
ces trois-là mêlées dans le troupeau aux douze filles
de l'Aigle, ça fera un beau coup d'œil. » Et il se reprit
à lire. « Soit, mettons que l'électricité et la chaleur ne
soient qu'un seul et même phénomène; mais dans
l'équation qui sert à résoudre le problème peut-on
employer les mêmes unités? Non. Eh bien, alors? Le
lien qui existe entre toutes les forces de la nature se
sent de reste, instinctivement... Quel beau troupeau ce
sera quand la fille de la Paonne sera devenue une
belle vache rouge et blanche et qu'on y aura mêlé les
trois hollandaises!... Ma femme et moi nous emmène-
rons nos invités le voir rentrer. Ma femme dira :
« Kostia et moi, nous avons élevé cette génisse comme
« notre enfant. — Comment pouvez-vous vous intéres-
« ser à pareilles choses? demandera quelqu'un. — Tout
« ce qui intéresse mon mari m'intéresse. » Mais qui
sera-t-elle? » Et il se rappela ce qui s'était passé à
Moscou. « Qu'y faire? Je n'y puis rien. C'est une sottise
de se laisser dominer par le passé, par la vie ambiante.
Il faut lutter pour vivre mieux, beaucoup mieux. » Il
abandonna son bouquin et se perdit dans ses pensées.
Cependant la vieille chienne, qui n'avait pas encore
bien digéré sa joie et s'en était allée la crier à tous
les échos, rapporta dans la pièce l'air frais du dehors,
s'approcha en frétillant de la queue, fourra sa tête sous
la main de son maître et réclama ses caresses par de
petits cris plaintifs.

« Il ne lui manque que la parole, dit Agathe Mikhaï-

lovna. Ce n'est pourtant qu'un chien, mais il comprend
que son maître est de retour et qu'il a du chagrin.

— Du chagrin?

— Croyez-vous donc que je ne le vois pas? Depuis
mon jeune âge que je vis avec les maîtres, il est grand
temps que je les connaisse. Ne vous tourmentez donc
pas, notre monsieur : pourvu que la santé soit bonne
et la conscience pure, qu'importe le reste! »

Fort surpris de la voir deviner ses pensées, Levine
la considérait attentivement.

« Encore un peu de thé, n'est-ce pas? »

Elle sortit en emportant la tasse.

Mignonne continuait à fourrer sa tête sous la main
de son maître; il la caressa et aussitôt elle se coucha
en rond à ses pieds, avança ses pattes et posa
sa tête dessus. Et pour prouver que tout allait maintenant selon son gré, elle entrouvrit la gueule, fit
entendre un claquement de lèvres, ramena autour de
ses vieilles dents ses babines visqueuses et se figea dans
une béate immobilité.

« Faisons de même, se dit Levine qui avait observé
son manège. Inutile de se tourmenter. Tout s'arrangera. »

XXVIII

LE lendemain du bal, Anna Arcadiévna envoya de bon
matin une dépêche à son mari pour lui annoncer
qu'elle quittait Moscou le jour même. Il lui fallut moti-
ver sa décision aux yeux de sa belle-sœur.

« J'ai absolument besoin de partir, lui déclara-t-elle
d'un ton péremptoire, comme si elle se rappelait à
temps les nombreuses affaires qui l'attendaient; mieux
vaut donc que ce soit aujourd'hui. »

Stépane Arcadiévitch dînait en ville, mais il promit de rentrer à sept heures pour reconduire sa sœur.
Kitty ne vint pas non plus et s'excusa par un petit
mot : elle avait la migraine. Dolly et Anna dînèrent
donc seules avec l'Anglaise et les enfants. Cédant peut-

être à l'inconstance de leur âge, ou devinant d'instinct qu'Anna n'était plus la même que le jour où ils l'avaient prise en affection, qu'elle se souciait fort peu d'eux, les enfants perdirent soudain toute amitié pour leur tante, tout désir de jouer avec elle, tout regret de la voir partir. Anna employa toute la journée à préparer son départ : elle écrivit quelques billets d'adieu, termina ses comptes et fit ses malles. Elle parut à sa belle-sœur en proie à cette agitation inquiète qui masque le plus souvent — Dolly ne le savait que trop bien — un grand mécontentement de soi. Après le dîner, comme elle montait s'habiller, Dolly l'accompagna.

« Tu es toute drôle aujourd'hui, lui dit-elle.

— Moi! Tu trouves? Je ne suis pas drôle, je suis mauvaise. Cela m'arrive. J'ai tout le temps envie de pleurer. C'est absurde, cela passera, répondit vivement Anna en cachant son visage empourpré contre le sachet où elle serrait ses mouchoirs et sa coiffure de nuit; ses yeux brillaient de larmes qu'elle avait peine à contenir. — Je n'ai quitté Pétersbourg qu'à contrecœur et maintenant il me coûte de m'en aller d'ici.

— Tu as été bien inspirée de venir, tu as fait une bonne action », dit Dolly en l'observant attentivement.

Anna la regarda les yeux mouillés de larmes.

« Ne dis pas cela, Dolly. Je n'ai rien fait et ne pouvais rien faire. Je me demande souvent pourquoi on semble ainsi s'entendre pour me gâter. Qu'ai-je fait et que pouvais-je faire? Tu as trouvé dans ton cœur assez d'amour pour pardonner...

— Dieu sait ce qui serait arrivé sans toi! Que tu es heureuse, Anna : tout est clair et pur dans ton âme!

— Chacun a dans l'âme des *skeletons,* comme disent les Anglais.

— Quels *skeletons* peux-tu bien avoir? En toi tout est clair.

— J'en ai pourtant! dit Anna, tandis qu'un sourire, bien inattendu après ses larmes, un sourire de ruse et de raillerie, plissait ses lèvres.

— Ils m'ont l'air plus amusants que lugubres, insinua Dolly souriant à son tour.

— Tu te trompes. Sais-tu pourquoi je pars aujourd'hui au lieu de demain? L'aveu me coûte, mais je veux te le faire », dit Anna en s'installant d'un air décidé dans un fauteuil et en regardant Dolly bien en face.

A sa grande surprise, Dolly vit qu'Anna avait rougi jusqu'au blanc des yeux, jusqu'aux petits frisons noirs de sa nuque.

« Sais-tu, continuait Anna, pourquoi Kitty n'est pas venue dîner? Elle est jalouse de moi. J'ai abîmé sa joie. J'ai été cause que ce bal, dont elle se promettait tant, a été pour elle un supplice. Mais vraiment, vraiment, je ne suis pas coupable ou du moins je ne le suis qu'un tout, tout petit peu. »

Elle avait prononcé ces derniers mots d'une voix de fausset.

« Oh! tu viens d'avoir tout à fait le ton de Stiva! » dit Dolly en riant.

Anna s'offusqua.

« Oh! non, non, je ne suis pas Stiva! dit-elle, soudain renfrognée... Je te raconte cela parce que je ne me permets pas un instant de douter de moi-même. »

Mais, au moment où elle proférait ces paroles, elle en sentit toute la fragilité : non seulement elle doutait d'elle-même, mais le souvenir de Vronski lui causait tant d'émoi qu'elle partait plus tôt qu'elle n'en avait eu l'intention, uniquement pour ne plus le rencontrer.

« Oui, Stiva, m'a dit que tu avais dansé la mazurka avec lui, et qu'il...

— Tu ne saurais croire quelle sotte tournure ont pris les choses. Je pensais aider au mariage et voilà que... Peut-être contre mon gré ai-je... »

Elle rougit et se tut.

« Oh! les hommes sentent cela tout de suite! dit Dolly.

— Je serais navrée qu'il eût pris la chose au sérieux, interrompit Anna; mais je suis convaincue que tout sera vite oublié et que Kitty cessera de m'en vouloir.

— A parler franc, Anna, ce mariage ne me sourit guère. Et si vraiment Vronski a pu s'amouracher de toi en un jour, mieux vaudrait en rester là.

— Eh, bon Dieu, ce serait absurde! » s'écria Anna. Mais en entendant exprimer tout haut la pensée qui l'occupait, une vive rougeur de satisfaction lui couvrit de nouveau le visage. « Et voilà que je pars après m'être fait une ennemie de cette Kitty qui me plaisait tant! Elle est si charmante. Mais tu arrangeras cela, n'est-ce pas, Dolly? »

Dolly retint avec peine un sourire. Elle aimait Anna, mais n'était pas fâchée de lui trouver aussi des faiblesses.

« Une ennemie. C'est impossible.

— J'aurais tant voulu être aimée de vous tous comme je vous aime; et maintenant je vous aime encore bien plus que par le passé, dit Anna, les larmes aux yeux. Ah! comme je suis bête aujourd'hui! »

Elle passa son mouchoir sur ses yeux et commença sa toilette.

Juste au moment de partir arriva Stépane Arcadiévitch, haut en couleur, sentant le vin et le cigare.

L'attendrissement d'Anna avait gagné Dolly, et, quand pour la dernière fois elle embrassa sa belle-sœur, elle murmura :

« Songe, Anna, que je n'oublierai jamais ce que tu as fait pour moi. Songe aussi que je t'aime et t'aimerai toujours comme ma meilleure amie.

— Je ne comprends pas pourquoi, répondit Anna qui retenait ses larmes.

— Tu m'as comprise et me comprends encore. Adieu, ma chérie. »

XXIX

« ENFIN, tout est fini, Dieu merci! » Telle fut la première pensée d'Anna après avoir dit adieu à son frère qui jusqu'au troisième coup de cloche avait encombré de sa personne l'entrée du wagon. Elle s'assit sur la couchette, à côté d'Annouchka, sa femme de chambre. « Dieu merci, je reverrai demain mon petit Serge et Alexis Alexandrovitch; ma bonne vie habituelle va reprendre comme par le passé. »

Toujours en proie à l'agitation qui la possédait depuis le matin, Anna s'adonna à de minutieux préparatifs : de ses petites mains adroites elle tira de son sac rouge un coussin qu'elle posa sur ses genoux, s'enveloppa bien les jambes et s'installa commodément.

Une dame malade s'était déjà étendue. Deux autres dames adressèrent la parole à Anna, tandis qu'une grosse vieille, entourant ses jambes d'une couverture faisait des réflexions acerbes sur le chauffage. Anna répondit aux dames, mais, ne prévoyant aucun intérêt à leur conversation, elle demanda à Annouchka sa petite lanterne de voyage, l'accrocha au dossier de son fauteuil et sortit de son sac un coupe-papier et un roman anglais (1)! Tout d'abord il lui fut difficile de lire : les allées et venues autour d'elle, le bruit du train en marche, la neige qui battait la fenêtre à sa gauche et se collait à la vitre, le conducteur qui passait emmitouflé et couvert de flocons, les remarques de ses compagnes de voyage sur l'affreuse tempête qu'il faisait, tout lui donnait des distractions. Mais la monotonie s'en mêlant — toujours les mêmes secousses, toujours la même neige à la fenêtre, toujours les mêmes voix, les mêmes visages entrevus dans la pénombre — elle parvint enfin à lire et à comprendre ce qu'elle lisait. Annouchka sommeillait déjà, tenant de ses grosses mains gantées — un des gants était déchiré — le petit sac rouge sur ses genoux. Anna Arcadiévna lisait et comprenait ce qu'elle lisait, mais elle avait trop besoin de vivre par elle-même pour prendre plaisir au reflet de la vie d'autrui. L'héroïne de son roman soignait un malade : elle aurait voulu marcher à pas légers dans la chambre de ce malade; un membre du Parlement prononçait un discours : elle aurait voulu le prononcer à sa place; Lady Mary galopait derrière sa meute, taquinait sa belle-fille, stupéfiait les gens par son audace : elle aurait voulu en faire autant. Vain désir! il lui fallait se replonger dans sa lecture en tourmentant de ses mains menues le couteau à papier.

Le héros de son roman touchait à l'apogée de son bonheur anglais — un titre de baronnet et une terre,

_____

(1) « Sonia (femme de Tolstoï) vint avec moi à Moscou pour le mariage de Lise. Nos maris nous accompagnèrent à la gare de Toula. Me rappelant ce qu'avait dit un jour Léon Nicolaïevitch de la tenue de voyage d'une femme, je m'étais, pour m'amuser, conformée point par point à son programme et m'étais munie d'un roman de Thackeray. Il avait dit : « En voyage une « femme comme il faut doit porter un costume tailleur noir ou « de couleur sombre, un chapeau assorti, des gants et avoir un « roman français ou anglais. » (T. Kouzminski, *op. cit.*)

où elle aurait bien voulu l'accompagner — quand soudain il lui sembla que ledit héros devait éprouver une certaine honte et que cette honte rejaillissait sur elle. Mais de quoi avait-il à rougir? « Et moi, de quoi serais-je honteuse? » se demanda-t-elle avec une surprise indignée. Elle abandonna son livre et se renversa sur son fauteuil en serrant le coupe-papier dans ses mains nerveuses. Qu'avait-elle fait? Elle passa en revue ses souvenirs de Moscou : ils étaient tous excellents. Elle se rappela le bal, Vronski, son bon visage d'amoureux transi, l'attitude qu'elle avait observée envers le jeune homme : rien de tout cela ne pouvait provoquer sa confusion. Néanmoins le sentiment de honte augmentait précisément à cette réminiscence, tandis qu'une voix intérieure semblait lui dire : « Tu brûles, tu brûles! » « Ah! çà, qu'est-ce que cela signifie? se demanda-t-elle résolument en changeant de place sur son fauteuil. Aurais-je peur de regarder ce souvenir en face? Qu'y a-t-il au bout du compte? Existe-t-il, peut-il rien exister de commun entre ce petit officier et moi à part les habituelles relations mondaines? » Elle sourit de dédain et reprit son livre, mais décidément elle n'y comprenait plus rien. Elle frotta son coupe-papier sur la vitre gelée, en passa sur sa joue la surface froide et lisse, et, cédant à un accès subit de joie, elle se prit à rire presque bruyamment. Elle sentait ses nerfs se tendre de plus en plus, ses yeux s'ouvrir démesurément; ses mains, ses pieds se crispaient; quelque chose l'étouffait; et dans cette pénombre vacillante les sons et les images s'imposaient à elle avec une étrange intensité. Elle se demandait à chaque instant si le train avançait, reculait ou demeurait sur place. Etait-ce bien Annouchka, ou une étrangère, cette femme, là, près d'elle? « Qu'est-ce qui est suspendu à cette patère, une pelisse ou un animal? Et suis-je bien moi-même assise à cette place? Est-ce bien moi ou une autre femme? » Attirée par cet état d'inconscience, elle avait peur de s'y abandonner. Se sentant encore capable de résistance, elle se leva, rejeta son plaid, sa pèlerine, et crut un moment s'être reprise : Un homme maigre, vêtu d'un long paletot de nankin auquel il manquait un bouton, venait d'entrer; elle devina que c'était le préposé au chauffage, elle le vit consulter le thermo-

mètre, remarqua que le vent et la neige s'introduisaient
à sa suite dans le wagon... Puis tout se confondit de
nouveau : l'individu à grande taille se mit à grignoter
quelque chose sur la paroi; la vieille dame étendit ses
jambes et en remplit tout le wagon comme d'un nuage
noir; elle perçut un grincement, un martellement
affreux, à croire que l'on suppliciait quelqu'un; un feu
rouge l'aveugla, puis l'ombre envahit tout. Anna crut
tomber dans un précipice. Ces sensations étaient d'ailleurs plutôt amusantes. La voix d'un homme emmitouflé et couvert de neige lui cria quelque chose à
l'oreille. Elle reprit ses sens, comprit qu'on approchait
d'une station et que cet homme était le conducteur.
Aussitôt elle demanda à la femme de chambre son
châle et sa pèlerine, les mit et se dirigea vers la porte.

« Madame veut sortir? demanda Annouchka.

— Oui, j'ai besoin de respirer; on étouffe ici. »

La bourrasque fit mine de lui barrer le passage. Il lui
parut drôle de lutter pour ouvrir la porte. Le vent semblait l'attendre sur la plate-forme du wagon pour l'em-
porter dans un hurlement de joie; mais s'accrochant
d'une main à la rampe du marchepied et relevant sa
robe de l'autre, elle descendit sur le quai. Quelque peu
abritée par le wagon, elle respira avec une réelle jouissance l'air glacial de cette nuit de tempête. Debout
près de la voiture elle considérait le quai et les feux
de la gare.

XXX

Le chasse-neige accourait d'un coin de la gare, s'en-
gouffrait en sifflant entre les roues du convoi, s'atta-
quait à toutes choses, wagons, poteaux et gens, qu'il
menaçait d'ensevelir. Après une seconde accalmie, il
reprit avec une rage qui semblait irrésistible. Et pourtant la grande porte de la gare s'ouvrait et se refer-
mait sans cesse, livrant passage à des gens qui couraient çà et là ou s'entretenaient gaiement le long du
quai dont les planches grinçaient sous leurs pieds. Une
ombre d'homme courbé parut sortir de dessous terre

auprès d'Anna; elle perçut le bruit d'un marteau frappant le fer, puis, du côté opposé, le son d'une voix courroucée montant dans les ténèbres hurlantes. « Envoyez une dépêche! » disait cette voix, et d'autres aussitôt lui firent écho. « Par ici, s'il vous plaît! N° 28! » Anna vit passer en courant devant elle des silhouettes enneigées, suivies de deux messieurs qui fumaient tranquillement. Elle respira encore une fois à pleins poumons et, la main déjà hors du manchon, elle s'apprêtait à remonter en wagon quand un personnage en uniforme surgit à deux pas d'elle, interceptant la lueur vacillante du réverbère. Elle l'examina et reconnut Vronski. Il porta la main à la visière de sa casquette, s'inclina et lui offrit ses services. Elle le dévisagea quelques instants sans mot dire; bien qu'il se tînt dans l'ombre, elle crut remarquer dans ses yeux et sur ses traits l'expression d'enthousiasme déférent qui l'avait tant émue la veille. Elle venait encore de se dire, après se l'être mainte et mainte fois répété durant tous ces jours, que Vronski était tout bonnement pour elle un de ces jeunes gens comme elle en rencontrait par centaines dans le monde, et auquel elle ne se permettrait jamais de penser; et voici que, dès la première rencontre, une fierté joyeuse s'emparait d'elle? Anna jugea inutile de lui demander ce qu'il faisait là : il n'y était évidemment que pour se trouver auprès d'elle : cela, elle le savait avec autant de certitude que s'il le lui eût dit.

« Je ne savais pas que vous comptiez aller à Pétersbourg; qu'y venez-vous faire? » demanda-t-elle en laissant retomber sa main qui avait déjà saisi la rampe du marchepied.

Son visage brillait d'une indicible allégresse.

« Ce que j'y viens faire? répéta-t-il en plongeant son regard dans le sien. Vous savez bien que j'y vais pour être là où vous êtes; je ne puis faire autrement. »

En ce moment le vent, comme s'il eût vaincu tous les obstacles, rabattit la neige du toit des wagons, agita triomphalement une feuille de tôle qu'il avait arrachée; le sifflet de la locomotive exhala un hurlement lugubre. Anna goûta davantage encore la tragique beauté de la tempête : elle venait d'entendre les mots que redoutait sa raison, mais que souhaitait son cœur. Elle garda le silence, mais Vronski lut sur son visage la lutte qui se livrait en elle.

« Pardonnez-moi si ce que je viens de dire vous déplaît, reprit-il d'un ton soumis, mais avec une insistance si marquée qu'elle fut longtemps sans pouvoir lui répondre.

— Ce que vous dites est mal, proféra-t-elle enfin, et, si vous êtes un galant homme, vous l'oublierez comme je l'oublie moi-même.

— Je n'oublierai et ne puis oublier aucun de vos gestes, aucune de vos paroles.

— Assez, assez! » s'écria-t-elle, en cherchant vainement à donner à son visage, qu'il dévorait des yeux, une expression de sévérité. Et s'appuyant d'une main à la rampe glaciale, elle grimpa lentement les marches.

Eprouvant le besoin de se recueillir, elle s'arrêta quelques instants à l'entrée du wagon. Sans pouvoir retrouver les paroles exactes qu'ils avaient échangées, elle sentit avec une épouvante mêlée de joie que cet instant d'entretien les avait rapprochés l'un de l'autre. Au bout de quelques secondes elle regagna sa place. Sa nervosité augmentait sans cesse : elle en arriva à croire qu'une corde trop tendue allait se rompre en elle. Elle ne dormit point de la nuit. Au reste cette tension d'esprit, ce travail de l'imagination n'avaient rien de bien pénible : elle ressentait simplement un trouble, une ardeur, un émoi joyeux.

A l'aube cependant elle s'assoupit dans son fauteuil; il faisait grand jour quand elle se réveilla; on approchait de Pétersbourg. Elle songea aussitôt à son mari, à son fils, à ses devoirs de maîtresse de maison; et ces préoccupations l'absorbèrent tout entière.

A peine descendue de wagon, le premier visage qu'elle aperçut fut celui de son mari. « Bon Dieu, pourquoi ses oreilles sont-elles devenues si longues? » se dit-elle à la vue de cet être de belle mais froide prestance, dont le chapeau rond semblait reposer sur les cartilages saillants des oreilles. Les lèvres plissées en un sourire ironique qui lui était familier, il s'avançait à sa rencontre et la regardait fixement de ses grands yeux fatigués. Sous ce regard à brûle-pourpoint, Anna sentit son cœur se serrer. S'était-elle donc attendue à trouver son mari autre qu'il n'était? Et pourquoi sa conscience lui reprochait-elle soudain l'hypocrisie de leurs rapports? A vrai dire ce sentiment sommeillait depuis longtemps au plus profond de son être, mais c'était la première fois qu'il se faisait jour avec cette acuité douloureuse.

« Comme tu le vois, un tendre mari, tendre comme la première année de son mariage, brûlait du désir de te revoir, proféra-t-il de sa voix grêle et lente, sur ce ton de persiflage qu'il prenait d'ordinaire avec elle, et comme s'il eût voulu tourner en ridicule cette façon de parler.

— Comment va Serge? demanda-t-elle.

— Voilà comme tu récompenses ma flamme!... Il va très bien, très bien. »

XXXI

Vronski n'avait pas même essayé de dormir. Il passa toute cette nuit dans son fauteuil, les yeux grands ouverts. Son regard, le plus souvent fixe, s'abaissait parfois sur les allants et venants, sans trop faire de différence entre les choses et eux. Jamais encore son calme n'avait paru plus déconcertant, sa fierté plus inabordable. Cette attitude lui valut l'inimitié de son voisin, un jeune magistrat nerveux. Celui-ci tenta l'impossible pour lui faire entendre qu'il appartenait au monde des vivants; mais il eut beau lui demander du feu, lui adresser la parole, le pousser même du coude, Vronski ne lui accorda pas plus d'intérêt qu'à la lanterne du wagon, et le malheureux, outré d'un pareil flegme, se tenait à quatre pour ne pas éclater.

Si Vronski faisait preuve d'une aussi royale indifférence, ce n'est point qu'il crût avoir déjà touché le cœur d'Anna. Non, cela il n'osait encore le croire; mais le violent sentiment qu'il éprouvait pour elle le pénétrait de bonheur et d'orgueil. Qu'adviendrait-il de tout cela? il n'en savait rien et n'y songeait même pas; mais il sentait que toutes ses forces, relâchées et dispersées jusqu'alors, formaient faisceau et tendaient avec une dernière énergie vers un but unique et splen-

dide. La voir, l'entendre, vivre auprès d'elle, la vie
n'avait plus pour lui d'autre sens. Cette pensée le dominait si bien que l'aveu lui en échappa dès l'abord quand
il aperçut Anna dans la gare de Bologoïé, où il était
descendu pour prendre un verre de soda. Il fut heureux d'avoir parlé : Anna savait maintenant qu'il l'aimait, elle ne pourrait se défendre d'y songer. Rentré
dans son wagon, il reprit un à un les moindres souvenirs de leurs rencontres; il revit tous les gestes,
toutes les paroles, toutes les attitudes d'Anna; et son
cœur se pâmait aux visions d'avenir qui prenaient
corps dans son imagination.

Arrivé à Pétersbourg, il descendit du train aussi
frais et dispos, malgré cette nuit d'insomnie, que s'il
sortait d'un bain froid. Il s'arrêta près de son wagon
pour la regarder passer. « Je verrai encore une fois
son visage, sa démarche, se disait-il avec un sourire
involontaire; elle aura peut-être pour moi un regard,
un mot, un sourire, un geste. » Mais ce fut le mari
qu'il aperçut tout d'abord, escorté avec déférence par
le chef de gare. « Ah! oui, le mari! » Et quand il le
vit surgir devant lui avec sa tête, ses épaules et ses
jambes rigides dans le pantalon noir, quand il le vit
surtout prendre le bras d'Anna en homme sûr de son
droit, Vronski dut se convaincre que ce personnage,
dont l'existence lui avait jusqu'alors paru problémа-
tique, existait en chair et en os et que des liens étroits
l'unissaient à la femme que lui, Vronski, aimait.

Ce froid visage pétersbourgeois, cet air sévère et sûr
de lui-même, ce chapeau rond, ce dos légèrement voûté,
Vronski fut bien forcé d'admettre leur existence, mais
avec la sensation d'un homme mourant de soif qui
découvre une source d'eau pure et la trouve souillée
par la présence d'un chien, d'un mouton ou d'un
porc. La démarche d'Alexis Alexandrovitch, jambes
raides et bassin frétillant, l'offusqua particulièrement.
Il ne reconnaissait à personne qu'à lui-même le droit
d'aimer Anna. Par bonheur celle-ci était toujours la
même, et sa vue le ranima. Son domestique — un Allemand qui avait fait le voyage en seconde classe — étant
venu prendre ses ordres, il lui confia les bagages et
marcha résolument vers elle. Il assista donc à la rencontre des époux, et sa perspicacité d'amoureux lui

permit de saisir la nuance de contrainte avec laquelle Anna accueillit son mari. « Non, elle ne l'aime pas et ne peut pas l'aimer », décréta-t-il à part soi. Bien qu'elle lui tournât le dos, il remarqua avec joie qu'Anna devinait son approche; elle se retourna à demi, le reconnut et continua l'entretien commencé.

« Avez-vous bien passé la nuit, madame? lui demanda-t-il en saluant à la fois le mari et la femme pour permettre à Alexis Alexandrovitch de prendre sa part de salut et de le reconnaître, si bon lui semblait.

— Merci, très bien », répondit-elle.

Son visage fatigué n'avait point son animation ordinaire; cependant un rapide éclair passa dans son regard à la vue de Vronski, et cet instant suffit à le rendre heureux. Elle leva les yeux sur son mari pour voir s'il connaissait le comte : Alexis Alexandrovitch le considérait d'un air mécontent et semblait vaguement le remettre. Ce fut au tour de Vronski d'être interloqué : l'assurance juvénile se heurtait à la morgue glaciale.

« Le comte Vronski, dit Anna.

— Ah! il me semble que nous nous connaissons, laissa tomber de haut Alexis Alexandrovitch en tendant la main au jeune homme. Comme je vois, tu as voyagé avec la mère à l'aller, avec le fils au retour, ajouta-t-il en faisant un sort à tous ses mots. Vous rentrez de permission sans doute? » Et sans attendre de réponse, il se tourna vers sa femme et lui demanda, toujours avec ironie : « Eh bien, a-t-on beaucoup versé de larmes à Moscou en se quittant? »

Il entendait signifier ainsi son congé au jeune homme; il compléta la leçon en touchant son chapeau. Mais Vronski, s'adressant à Anna Arcadiévna, dit encore :

« J'espère avoir l'honneur de me présenter chez vous.

— Très heureux; nous recevons le lundi », répondit d'un ton froid Alexis Alexandrovitch en lui accordant un de ses regards lassés. Et sans plus se soucier de sa présence, il reprit sur le même ton badin : « Quelle chance d'avoir pu trouver une demi-heure de liberté pour venir te chercher et te prouver ainsi ma tendresse!

— Tu soulignes ta tendresse pour me la faire apprécier davantage », répondit-elle du tac au tac, prêtant involontairement l'oreille aux pas de Vronski qui les suivait. « Eh, que m'importe, voyons! » songea-t-elle. Et elle interrogea aussitôt son mari sur la manière dont son petit Serge avait passé le temps en son absence.

« Mais fort bien! *Mariette* assure qu'il a été très gentil et, je suis fâché de te dire qu'il ne t'a pas regrettée; ce n'est pas comme ton mari. Merci encore, ma bonne amie, d'être revenue un jour plus tôt. Notre cher « samovar » va être dans la joie. (Il donnait ce surnom à la célèbre comtesse Lydie Ivanovna, à cause de son état perpétuel d'émotion et d'agitation.) Elle a demandé sans cesse de tes nouvelles, et, si j'osais te donner un conseil, ce serait d'aller la voir dès aujourd'hui. Tu sais que son cœur souffre toujours à propos de tout; actuellement, outre ses soucis habituels, la réconciliation des Oblonski la préoccupe fort. »

La comtesse Lydie était l'amie de Karénine et le centre d'une certaine société qu'à cause de son mari Anna se devait de fréquenter avant toute autre.

« Mais je le lui ai écrit.

— Elle tient à avoir des détails. Vas-y, ma bonne amie, si tu ne te sens pas trop fatiguée. Allons, je te laisse; nous avons séance: Quadrat va t'avancer la voiture. Enfin, je ne dînerai plus seul, ajouta-t-il, sans plaisanter cette fois... Tu ne saurais croire combien je suis habitué... »

Sur ce, il lui serra longuement la main, lui fit son plus beau sourire et la mit en voiture.

XXXII

Le premier visage qu'aperçut Anna en rentrant chez elle fut celui de son fils; sourd aux appels de la gouvernante il dégringola l'escalier à sa rencontre, criant dans un transport de joie : « Maman, maman! » et se jeta aussitôt à son cou.

« Je vous disais bien que c'était maman! cria-t-il à la gouvernante. J'en étais sûr. »

Mais tout comme le père, le fils causa tout d'abord à Anna une sorte de désillusion. Elle se l'était représenté trop en beau; pour goûter pleinement sa présence, il lui fallut donc consentir à le voir tel qu'il était, c'est-à-dire un charmant enfant à boucles blondes, beaux yeux bleus, jambes bien faites dans des bas bien tirés. Alors elle éprouva une jouissance presque physique à le sentir près d'elle, à recevoir ses caresses, et un apaisement moral à écouter ses questions naïves, à scruter ses yeux d'une expression si tendre, si confiante, si candide. Elle déballa les cadeaux envoyés par Dolly et lui raconta qu'il y avait à Moscou une petite fille, nommée Tania, qui savait déjà lire et qui même apprenait à lire aux autres enfants.

« Alors, je suis moins gentil qu'elle? demanda Serge.

— Pour moi, mon amour, nul n'est plus gentil que toi.

— Je le savais bien », dit Serge en souriant.

A peine Anna eut-elle pris son café qu'on lui annonça la comtesse Lydie Ivanovna. C'était une grande et forte femme au teint jaune et maladif, aux yeux noirs et rêveurs. Anna, qui l'aimait bien, parut pour la première fois s'apercevoir qu'elle n'était point sans défauts.

« Eh bien, mon amie, avez-vous porté le rameau d'olivier? demanda la comtesse à peine entrée.

— Oui, tout est arrangé, répondit Anna. Ce n'était pas aussi grave que nous le pensions. En général, ma *belle-sœur* prend des décisions un peu trop hâtives. »

Mais la comtesse Lydie, tout en s'intéressant à ce qui ne la regardait pas, avait coutume de ne prêter aucune attention à ce qui, soi-disant, l'intéressait. Elle interrompit Anna.

« Oui, il y a bien des maux et des tristesses sur cette terre, et je me sens à bout de forces.

— Qu'y a-t-il? s'enquit Anna, en retenant avec peine un sourire.

— Je commence à me lasser de rompre en vain des lances pour la vérité, et je me détraque complètement. L'œuvre de nos petites sœurs (il s'agissait d'une institution philanthropique, religieuse et patriotique) prenait bonne tournure, mais il n'y a décidément rien à faire avec ces messieurs, déclara la comtesse sur un ton de résignation ironique. Ils se sont emparés de cette idée pour la défigurer, et la jugent maintenant d'une façon basse et misérable. Deux ou trois personnes, parmi lesquelles votre mari, comprennent seules l'importance de cette œuvre; les autres ne font que la discréditer. J'ai reçu hier une lettre de Pravdine... »

Pravdine, célèbre panslaviste, habitait l'étranger. La comtesse fit part à Anna du contenu de sa lettre. Elle lui raconta ensuite les nombreux pièges tendus à l'œuvre de l'union des Eglises et partit en toute hâte, car elle devait encore assister ce jour-là à deux réunions, dont une séance du Comité slave.

« Tout cela n'est pas nouveau, se dit Anna; pourquoi donc ne l'ai-je pas remarqué plus tôt? Etait-elle aujourd'hui plus nerveuse que d'habitude? Au fond, tout cela est drôle : cette femme, qui se dit chrétienne et n'a que la charité en vue, se fâche et lutte contre d'autres personnes qui poursuivent exactement le même but qu'elle. »

Après la comtesse Lydie, vint une amie, femme d'un haut fonctionnaire, qui lui raconta toutes les nouvelles du jour, et partit à trois heures en promettant de revenir dîner. Alexis Alexandrovitch était à son ministère. Demeurée seule, Anna assista d'abord au dîner de son fils — l'enfant mangeait à part — puis elle mit de l'ordre dans ses affaires et dans sa correspondance arriérée.

Du trouble, de la honte inexplicable dont elle avait tant souffert pendant le voyage, il ne restait plus trace. Rentrée dans le cadre habituel de son existence, elle se sentait de nouveau sans peur et sans reproche et ne comprenait plus rien à son état d'esprit de la veille. « Que s'est-il donc passé de si grave? songea-t-elle. Rien. Vronski a dit une folie, et je lui ai répondu comme il convenait. Inutile d'en parler à Alexis, ce serait paraître y attacher de l'importance. » Elle se souvint qu'un jeune subordonné de son mari lui ayant fait une quasi-déclaration, elle avait cru bon d'en prévenir Alexis Alexandrovitch; celui-ci lui dit alors que toute femme du monde devait s'attendre à des incidents de ce genre, qu'il se fiait à son tact et ne s'abaisserait jamais à une jalousie humiliante pour tous les deux. « Mieux vaut donc se taire, conclut-elle. Et d'ailleurs je n'ai, Dieu merci, rien à dire. »

XXXIII

ALEXIS ALEXANDROVITCH rentra du ministère à quatre
heures, mais le temps lui manqua, comme cela lui
arrivait souvent, pour entrer chez sa femme. Il passa
tout droit dans son cabinet pour donner audience
aux solliciteurs qui l'attendaient et signer quelques
papiers apportés par son chef de cabinet. Vers l'heure
du dîner (auquel étaient toujours priées trois ou
quatre personnes) arrivèrent les convives du jour :
une vieille cousine d'Alexis Alexandrovitch, un directeur de son ministère et sa femme, un jeune homme
qui lui avait été recommandé. Anna descendit au
salon pour les recevoir. La grande pendule de bronze
du temps de Pierre Ier sonnait à peine le dernier coup
de cinq heures qu'Alexis Alexandrovitch, en habit et
cravate blanche, deux plaques sur la poitrine, faisait
son apparition : il était obligé d'aller dans le monde
aussitôt après le dîner. Chaque instant de sa vie était
compté, et, pour faire tenir dans sa journée toutes
ses préoccupations, il devait observer une ponctua-
lité rigoureuse. « Sans hâte et sans repos », telle
était sa devise. Aussitôt entré, il se mit à table après
un salut à la ronde et un sourire à sa femme.

« Enfin ma solitude a pris fin! Tu ne saurais croire
combien il est gênant (il appuya sur le mot) de dîner
seul? »

Pendant le dîner il interrogea sa femme sur Moscou et, avec un sourire moqueur, sur Stépane Arcadiévitch; mais la conversation resta le plus souvent
générale et roula principalement sur des questions de
service et de politique. Le dîner fini, il passa une
demi-heure avec ses invités, puis, après un nouveau
sourire et une nouvelle poignée de main à sa femme,
il sortit pour assister à un nouveau conseil. Anna ne
voulut aller ni au théâtre, où elle avait sa loge ce
jour-là, ni chez la princesse Betsy Tverskoï, qui, infor-
mée de son retour, lui avait fait dire qu'elle l'attendait. Si elle resta chez elle, ce fut surtout parce que

la couturière lui avait manqué de parole. Avant son départ pour Moscou, elle avait donné trois robes à transformer, car elle savait à merveille s'habiller à bon compte. Or quànd, après le départ des convives, elle s'occupa de sa toilette, elle fut contrariée d'apprendre que sur ces trois robes, qui devaient être livrées trois jours avant son retour, deux manquaient à l'appel et la troisième n'avait point été refaite suivant ses prescriptions. La couturière, mandée en hâte, prétendit avoir raison; Anna s'emporta si fort qu'elle en fut ensuite toute honteuse. Pour se calmer, elle passa dans la chambre de son fils, le coucha elle-même, le borda bien soigneusement et ne le quitta qu'après l'avoir béni d'un signe de croix. Elle fut alors bien contente de n'être point sortie, un grand apaisement s'étant fait dans son cœur. Il lui apparut très nettement que la scène de la gare, à laquelle elle avait accordé tant d'importance, n'était en réalité qu'un banal épisode de la vie mondaine dont elle n'avait point à rougir. Elle s'installa au coin de la cheminée et attendit tranquillement son mari en lisant son roman anglais. A neuf heures et demie précises retentit le coup de sonnette autoritaire d'Alexis Alexandrovitch et celui-ci fit bientôt son entrée.

« Enfin, te voici! dit-elle en lui tendant une main, qu'il baisa avant de s'asseoir auprès d'elle.

— En somme, tout s'est bien passé, lui dit-il.

— Oui, très bien. »

Et elle lui raconta tous les détails de son voyage : le trajet avec la comtesse Vronski, l'arrivée, l'accident, la pitié que lui avaient inspirée son frère d'abord, Dolly ensuite.

« Cet homme a beau être ton frère, je n'admets pas qu'on puisse l'excuser », déclara d'un ton péremptoire Alexis Alexandrovitch.

Anna sourit. Il tenait à souligner que les relations de parenté n'avaient aucune influence sur l'équité de ses jugements; et c'était un trait de caractère qu'elle appréciait en lui.

« Je suis bien aise, reprit-il, que tout se soit heureusement terminé et que tu aies pu revenir. Et que dit-on là-bas du nouveau projet de loi que j'ai fait adopter par le conseil? »

Comme personne n'en avait touché mot à Anna, elle
se montra un peu confuse d'avoir oublié une chose à
laquelle son mari attachait tant d'importance.

« Ici au contraire cela a fait grand bruit », affirma-
t-il avec un sourire satisfait.

Elle comprit qu'Alexis Alexandrovitch avait à raconter des détails flatteurs pour son amour-propre. Elle
l'amena donc par des questions habiles à lui avouer
— toujours avec le même sourire — que l'adoption
de cette mesure lui avait valu une véritable ovation.

« J'en ai été très, très content. Cela prouve qu'on
commence à envisager la question sous un jour rai-
sonnable. »

Après avoir pris deux verres de thé à la crème,
Alexis Alexandrovitch se mit en devoir de regagner
son cabinet de travail.

« Tu n'as pas voulu sortir ce soir? dit-il. Tu as
dû bien t'ennuyer?

— Oh! pas du tout, répondit-elle en se levant. Que
lis-tu, maintenant?

— La *Poésie des enfers* du duc de Lille, un livre
très remarquable. »

Anna sourit comme on sourit aux faiblesses de ceux
qu'on aime et, passant sous son bras celui de son
mari, elle l'accompagna jusqu'à la porte de son cabinet. Elle savait que son habitude de lire le soir était
devenue un besoin. Elle savait que, malgré les devoirs
officiels qui absorbaient presque entièrement son
temps, il avait à cœur de se tenir au courant des
choses de l'esprit. Elle n'ignorait pas non plus que,
fort compétent en matière de politique, de philosophie
et de religion, Alexis Alexandrovitch n'entendait rien
aux lettres ni aux arts, ce qui ne l'empêchait point
de s'intéresser particulièrement aux ouvrages de ce
genre. Et si, en politique, en philosophie, en religion,
il lui arrivait d'avoir des doutes et de chercher à les
éclaircir, il émettait toujours dans les questions d'art,
de poésie, de musique surtout à laquelle il ne comprenait goutte, des opinions définitives et sans appel.
Il aimait à discourir sur Shakespeare, Raphaël ou Bee-
thoven, à déterminer la portée des nouvelles écoles
de musique et de poésie, à les classer dans un ordre
aussi logique que rigoureux.

« Eh bien, à tout à l'heure; je te quitte pour écrire à Moscou », dit Anna à la porte du cabinet où étaient déjà préparées, près du fauteuil de son mari, une carafe d'eau et une bougie avec son abat-jour.

Une fois de plus il lui serra la main et la lui baisa.

« C'est pourtant un homme bon, honnête, loyal et remarquable en son genre », se disait Anna en rentrant dans sa chambre. Pour qu'elle le défendît de la sorte, une voix secrète lui soufflait-elle donc qu'on ne pouvait aimer cet homme? « Mais pourquoi ses oreilles ressortent-elles tant? Il se sera fait couper les cheveux trop court. »

A minuit juste, Anna écrivait encore à Dolly devant son petit bureau, lorsque des pas feutrés approchèrent, et Alexis Alexandrovitch apparut, livre à la main, pantoufles aux pieds et toilette faite.

« Il est grand temps de dormir », lui dit-il avec un sourire malicieux avant de passer dans la chambre à coucher.

« De quel droit l'a-t-il regardé ainsi? » songea tout à coup Anna en se rappelant le coup d'œil que Vronski avait jeté à Alexis Alexandrovitch.

Elle rejoignit bientôt son mari; mais où était cette flamme qui, à Moscou, animait son visage, scintillait dans ses yeux, illuminait son sourire? Elle était éteinte ou tout au moins bien cachée.

XXXIV

En quittant Pétersbourg, Vronski avait cédé à son meilleur camarade, Pétritski, son grand appartement de la rue Morskaïa.

Pétritski, jeune lieutenant d'origine plutôt modeste, n'avait que des dettes pour toute fortune; il s'enivrait tous les soirs; des aventures, tantôt drôles et tantôt scandaleuses, lui valaient de fréquents arrêts; tout cela ne l'empêchait point d'être aimé de ses chefs et de ses camarades.

En arrivant chez lui un peu après onze heures,

Vronski aperçut, arrêtée devant la maison, une voiture de louage qui ne lui était pas inconnue. En son-
nant à la porte de son logis, il entendit du palier le
rire de plusieurs hommes, un gazouillis féminin et la
voix de Pétritski s'exclamant : « Si c'est un de ces
vautours, ferme-lui la porte au nez! » Sans se faire
annoncer, Vronski passa sans bruit dans la première
pièce. Fort pimpante dans sa robe de satin lilas,
l'amie de Pétritski, la baronne Chiltone, linotte au
plumage blond, au minois rose et au babil parisien,
faisait le café sur un guéridon. Pétritski, en pardessus,
et le capitaine Kamérovski, en uniforme, étaient assis
près d'elle.

« Ah bah! Vronski! bravo! s'écria Pétritski en sautant bruyamment de sa chaise. Le maître du logis
nous revient à l'improviste. Baronne, servez-lui du
café de la cafetière neuve. Quelle bonne surprise! Que
dis-tu de cette nouvelle parure de ton cabinet; elle est
à ton goût, j'espère? demanda-t-il en désignant la
baronne. Vous vous connaissez, je crois?

— Comment, si nous nous connaissons? répondit
Vronski en souriant et en serrant la main de la
baronne. Mais nous sommes de vieux amis!

— Vous rentrez de voyage, alors je me sauve, dit la
baronne. Je m'en vais tout de suite, si je gêne.

— Vous êtes chez vous partout où vous êtes,
baronne », répondit Vronski. « Bonjour, Kamérovski », reprit-il en serrant avec une certaine froideur la main du capitaine.

« Voilà une gentillesse comme vous n'en sauriez
jamais trouver, dit la baronne à l'adresse de Pétritski.

— Que si! Après dîner, s'entend.

— Après dîner il n'y a plus de mérite. Eh bien, je
vais vous préparer du café pendant que vous ferez
votre toilette, dit la baronne en se rasseyant et en
tournant avec précaution le robinet de la nouvelle
cafetière. Pierre, passez-moi le café, que j'en rajoute »,
dit-elle à Pétritski — qu'elle nommait Pierre à cause
de son nom de famille — sans dissimuler leur liaison.

« Vous le gâterez!

— Non, je ne le gâterai pas... Et votre femme?
demanda tout à coup la baronne en interrompant la
conversation de Vronski avec ses camarades. Nous

vous avons marié pendant votre absence. Avez-vous
amené votre femme?

— Non, baronne; je suis né et je mourrai dans la
bohème.

— Tant mieux, tant mieux! Donnez-moi la main. »

Et, sans le laisser partir, la baronne se mit à lui
développer, avec force plaisanteries, ses derniers
plans d'existence et à lui demander conseil.

« Il ne veut toujours pas consentir au divorce, que
dois-je faire? (« Il », c'était le mari.) Je compte lui
intenter un procès; qu'en pensez-vous?... Kamérovski,
surveillez donc le café, il déborde; vous voyez bien
que je parle affaires!... J'ai besoin de ma fortune,
n'est-ce pas? Comprenez-vous cette canaillerie, ajouta-
t-elle sur un ton de parfait mépris : sous prétexte que
je lui suis infidèle, ce monsieur fait main basse sur
mon bien! »

Vronski s'amusait du bavardage de la jolie caillette;
il l'approuvait, lui donnait des conseils mi-sérieux,
mi-badins, reprenait le ton qui lui était habituel avec
ce genre de femmes. Les gens de son monde divisent
l'humanité en deux catégories opposées. La première,
tourbe insipide, sotte et surtout ridicule, s'imagine
que les maris doivent être fidèles à leur femme, les
jeunes filles pures, les femmes chastes, les hommes
courageux, fermes et tempérants, qu'il faut élever ses
enfants, gagner sa vie, payer ses dettes, et autres
fariboles : c'est le vieux jeu. La seconde au contraire
— le « gratin » — à laquelle ils se vantent tous d'appartenir, prise l'élégance, la générosité, l'audace, la
bonne humeur, s'abandonne sans vergogne à toutes ses
passions et se moque du reste.

Encore sous l'impression des mœurs moscovites —
combien différentes! — Vronski fut un moment
étourdi en retrouvant ce monde joyeux et léger, mais
il rentra bien vite dans son ancienne vie, comme on
rentre dans ses vieilles pantoufles.

Le fameux café ne fut jamais prêt : il déborda de
la cafetière sur le tapis, salit la robe de la baronne,
éclaboussa tout le monde, mais atteignit son véritable but
qui était de provoquer les rires et les plaisanteries.

« Eh bien, maintenant, adieu. Si je restais encore,
vous ne feriez jamais votre toilette, et j'aurais sur la

conscience le pire des crimes que puisse commettre
un galant homme, celui de ne pas se laver. Alors vous
me conseillez de le prendre à la gorge?

— Certainement, mais de telle façon que votre
menotte approche de ses lèvres : il la baisera, et tout
se terminera à la satisfaction générale, répondit
Vronski.

— Alors, à ce soir, au Théâtre Français! »

Kamérovski se leva également, et Vronski, sans
attendre son départ, lui tendit la main et passa dans
le cabinet de toilette. Pendant qu'il procédait à ses
ablutions, Pétritski lui dépeignit à grands traits l'état
de sa situation. Pas d'argent; un père qui déclarait
n'en plus vouloir donner et ne plus payer aucune
dette; un tailleur déterminé à recourir à la contrainte
par corps et un autre tout aussi déterminé à y recourir; un colonel résolu, si ce scandale continuait, à lui
faire quitter le régiment; la baronne, assommante
comme la pluie, surtout à cause de ses offres d'argent
continuelles; par contre une nouvelle beauté à l'horizon, de style oriental soutenu, « genre Rébecca, mon
cher, et qu'il faudra que je te montre »; une affaire
avec Berkochev, lequel voulait envoyer des témoins
mais n'en ferait certainement rien; au demeurant tout
allait bien et le plus gaiement du monde. Là-dessus,
sans laisser à son ami le temps de rien approfondir,
Pétritski entama le récit des nouvelles du jour. En
l'écoutant lui tenir, dans le cadre familier de ce logis,
qu'il occupait depuis trois ans, des propos non moins
familiers, Vronski se sentait avec plaisir repris par
l'insouciance de la vie pétersbourgeoise.

« Pas possible! s'écria-t-il en lâchant la pédale de
son lavabo qui arrosait d'un jet d'eau son cou large
et vermeil. Pas possible! répéta-t-il, se refusant à
croire que Laure avait quitté Fertingov pour Miléiev.
Et il est toujours aussi bête et aussi content de lui?...
A propos, et Bouzoulkov?

— Bouzoulkov? Il lui en est arrivé une bien bonne!
Tu connais sa passion pour les bals? Il n'en manque
pas un à la cour. Dernièrement il y va avec un des
nouveaux casques... Les as-tu vus? ils sont très bien,
très légers... Il était donc là en grande tenue... Ecoute-
moi bien, hein?

— J'écoute, j'écoute, affirma Vronski en se frottant
avec une serviette éponge.

— Une grande-duchesse vient à passer au bras d'un
diplomate étranger et, pour son malheur, la conversation tombe sur les nouveaux casques. La grande-
duchesse veut en montrer un... Elle aperçoit le gaillard debout, casque en tête (ce disant, Pétritski mimait
l'attitude de Bouzoulkov) et le prie de bien vouloir
montrer son casque. Il ne bouge pas. Qu'est-ce que
cela signifie? On a beau lui faire des signes, des
mines, des clins d'œil, il ne bouge pas plus qu'un
mort! Tu vois d'ici le tableau. Alors machin... j'oublie
toujours son nom... veut lui prendre son casque; il se
débat; l'autre le lui arrache et le tend à la grande-
duchesse. « Voilà le nouveau modèle », dit-elle en
retournant le casque. Et qu'est-ce qui en sort? Tu ne
devineras jamais... Une poire, mon cher, une poire,
puis des bonbons, deux livres de bonbons!... Il avait
fait des provisions, l'animal! »

Vronski se tenait les côtes. Et longtemps après, en
parlant de tout autre chose, il lui arrivait de se rappeler l'histoire du casque et d'éclater de rire, d'un rire
franc et jeune qui découvrait ses belles dents régulières.

Une fois instruit des nouvelles du jour, Vronski
endossa son uniforme avec l'aide de son valet de
chambre et partit se présenter à la Place; il voulait
ensuite passer chez son frère, chez Betsy, et commencer une tournée de visites afin de se faire introduire dans le monde où il avait des chances de rencontrer Mme Karénine. Comme il est de règle à
Pétersbourg, il quitta son logis avec l'intention de n'y
rentrer que fort avant dans la nuit.

DEUXIÈME PARTIE

I

Vers la fin de l'hiver, les Stcherbatski eurent une consultation de médecins au sujet de Kitty : la jeune fille se sentait très faible et l'approche du printemps ne faisait qu'empirer le mal. Le médecin attitré lui avait prescrit de l'huile de foie de morue, puis du fer et enfin du nitrate d'argent; mais aucun de ses remèdes n'ayant été efficace, il avait conseillé un voyage à l'étranger. C'est alors qu'on résolut de consulter une célébrité médicale. Cette célébrité, un homme jeune encore et fort bien de sa personne, exigea un examen approfondi de la malade. Il insista avec une certaine complaisance sur ce fait que la pudeur des jeunes filles n'était qu'un reste de barbarie; rien n'était plus naturel que de voir un homme encore jeune ausculter une jeune fille à demi vêtue. Comme il le faisait tous les jours sans éprouver — croyait-il — le moindre émoi, il devait évidemment considérer la pudeur des jeunes filles comme un reste de barbarie et même comme une injure personnelle.

Il fallut bien se résigner. Tous les médecins ont beau avoir suivi les mêmes cours et ne pratiquer qu'une seule et même science, on avait pour une raison quelconque décidé autour de la princesse que seul ce fameux médecin — que d'autres traitaient d'ailleurs de mazette — possédait les connaissances capables de sauver Kitty. Après une auscultation sérieuse de la pauvre enfant confuse, éperdue, le célèbre médecin se lava soigneusement les mains et retourna au salon auprès du prince (1). Celui-ci l'écouta en toussotant et d'un air sombre. Homme âgé, bien portant et point sot, le prince ne croyait guère à la médecine et s'irritait d'autant plus de cette comédie qu'il était peut-être le seul à bien comprendre la cause du mal de Kitty. « Ce beau phraseur m'a tout l'air de revenir bredouille », se disait-il, exprimant par ce terme de chasseur son opinion sur le diagnostic du célèbre praticien. De son côté l'homme de l'art dissimulait mal son dédain pour le vieux gentillâtre; à peine lui semblait-il nécessaire d'adresser la parole à ce pauvre homme, la tête de la maison étant de toute évidence la princesse. C'est devant elle qu'il se préparait à répandre les perles de son éloquence. Elle revint bientôt avec le médecin de la famille, et le prince s'éloigna pour ne pas trop faire voir ce qu'il pensait de cette farce. La princesse, décontenancée, ne savait plus que faire : elle se sentait fort coupable à l'égard de Kitty.

« Eh bien, docteur, décidez de notre sort : dites-moi tout. » Elle voulait ajouter : « Y a-t-il de l'espoir?... » mais ses lèvres tremblèrent, et elle se contenta de répéter : « Eh bien, docteur?

— Permettez-moi, princesse, de conférer d'abord avec mon confrère; j'aurai alors l'honneur de vous donner mon avis.

— Faut-il vous laisser seuls?

— Comme bon vous semblera. »

La princesse soupira et sortit.

Une fois seuls, le médecin de la famille émit timidement son opinion : il devait s'agir d'un commencement d'affection tuberculeuse; cependant... etc.

Au beau milieu de la tirade, le célèbre médecin jeta un coup d'œil sur sa grosse montre en or.

« Oui, dit-il; mais... »

Son confrère s'arrêta respectueusement.

« Nous ne pouvons pas, comme vous le savez, préciser le début du processus tuberculeux; avant l'apparition des spélonques il n'y a rien de positif. Dans le

---

(1) Cette scène fut jugée indécente lors de la parution du roman.

cas actuel cependant certains symptômes, tels que hypo-alimentation, nervosité et autres nous permettent de redouter cette affection. La question se pose donc ainsi : qu'y a-t-il à faire, étant donné qu'on a des raisons de craindre une évolution tuberculeuse, pour entretenir une bonne alimentation?

— Ne perdons pas non plus de vue les causes morales, se permit d'insinuer, avec un fin sourire, le médecin de la famille.

— Cela va de soi, répondit le fameux médecin après un nouveau regard à sa montre... Mille excuses : savez-vous si le pont de la Iaouza est rétabli, ou s'il faut encore faire le détour?... Ah! il est rétabli; alors vingt minutes me suffiront... Nous disions donc que la question se pose ainsi : régulariser l'alimentation et fortifier les nerfs. L'un ne va pas sans l'autre, et il faut agir sur les deux moitiés du cercle.

— Mais le voyage à l'étranger?

— Je n'aime guère ces déplacements. D'ailleurs s'il y a menace de tuberculose, en quoi ce voyage sera-t-il utile? L'essentiel est de trouver un moyen d'entretenir une bonne alimentation sans nuire à l'organisme... »

Et le célèbre médecin développa son plan d'une cure d'eau de Soden, dont le mérite principal consistait dans son innocuité. Son confrère l'écoutait avec une attention respectueuse.

« Mais en faveur d'un voyage à l'étranger je ferai valoir le changement d'habitudes, l'éloignement d'une atmosphère propre à rappeler de fâcheux souvenirs. Enfin, la mère le désire.

— Ah!... Eh bien, qu'elles partent!... Pourvu que ces charlatans d'Allemands n'aillent pas aggraver le mal!... Il faut qu'elles suivent strictement vos prescriptions... Après tout, oui, qu'elles partent! »

Il regarda encore sa montre.

« Oh! Il est temps que je vous quitte », déclara-t-il et il se dirigea vers la porte.

L'illustre médecin déclara à la princesse — probablement par un sentiment de convenance — qu'il désirait voir la malade encore une fois.

« Comment, s'écria la princesse terrifiée, vous voulez recommencer l'examen!

— Non, non, princesse, rien que quelques détails.

— Eh bien, soit! »

Et la princesse introduisit le médecin dans le petit salon où se tenait Kitty, debout au milieu de la pièce, très amaigrie, les joues cramoisies et les yeux brillants après la confusion que lui avait causée la visite du médecin. Quand elle les vit entrer, ses yeux se remplirent de larmes, et elle rougit encore davantage. Les traitements qu'on lui imposait lui paraissaient absurdes : n'était-ce pas vouloir ramasser les fragments d'un vase brisé pour chercher à les rejoindre? Son cœur pouvait-il se guérir avec des pilules et des poudres? Mais elle osait d'autant moins contrarier sa mère que celle-ci se sentait coupable.

« Veuillez vous asseoir, mademoiselle », dit le grand médecin en souriant.

Il s'assit en face d'elle, lui prit le pouls et recommença une série d'ennuyeuses questions. Elle lui répondit d'abord, puis enfin, impatientée, se leva.

« Excusez-moi, docteur, en vérité tout cela ne mène à rien. Voilà trois fois que vous me posez la même question. »

Le grand médecin ne s'offensa point.

« Irritabilité maladive, fit-il remarquer à la princesse lorsque Kitty fut sortie. Au reste, j'avais fini. »

Et sur ce, l'esculape, s'adressant à la princesse comme à une personne d'une intelligence exceptionnelle, lui expliqua en termes scientifiques l'état de sa fille et lui donna, pour conclure, force recommandations sur la manière de prendre ces eaux dont le principal mérite consistait dans leur inutilité. Sur la question : « Fallait-il partir pour l'étranger? » le docteur réfléchit profondément, et le résultat de ces réflexions fut qu'on pouvait partir, à condition de ne point se fier aux charlatans et de suivre uniquement ses prescriptions.

Le départ du médecin fut le signal d'une détente : la mère revint auprès de sa fille toute rassérénée, et Kitty feignit de l'être, car depuis quelque temps il lui arrivait bien souvent d'avoir recours à la feinte.

II

DOLLY arriva sur les traces du médecin. Elle relevait à peine de couches (une petite fille lui était née à la fin de l'hiver), elle avait ses soucis, ses chagrins, et cependant, comme elle savait qu'une consultation devait avoir lieu ce jour-là, elle avait quitté son nourrisson et une de ses filles malade pour connaître le sort de Kitty.

« Eh bien? dit-elle en entrant dans le salon sans ôter son chapeau. Vous êtes gaie? C'est donc que tout va bien. »

On essaya de lui raconter ce qu'avait dit le médecin, mais bien qu'il eût fort bien et fort longuement parlé, personne ne sut au juste résumer ses discours. D'ailleurs il avait autorisé le voyage, n'était-ce pas l'essentiel?

Un soupir échappa à Dolly : sa sœur, sa meilleure amie allait partir! Et la vie était pour elle si peu gaie. Après la réconciliation, ses rapports avec son mari étaient devenus franchement humiliants : la soudure opérée par Anna avait subi de nouveaux accrocs. Comme Stépane Arcadiévitch ne restait guère chez lui et n'y laissait que peu d'argent, le soupçon de ses infidélités tourmentait sans cesse Dolly, mais elle le repoussait délibérément, car elle ne savait rien de positif et se rappelait avec horreur les tortures passées. Si même la découverte d'une trahison ne pouvait désormais provoquer en elle pareil accès de jalousie, elle n'en redoutait pas moins une rupture de ses habitudes. Elle préférait donc se laisser tromper, tout en méprisant son mari et en se méprisant elle-même à cause de cette faiblesse. Sa nombreuse famille lui causait d'ailleurs bien d'autres soucis : tantôt l'allaitement allait tout seul ou la bonne donnait ses huit jours, tantôt — et c'était justement le cas aujourd'hui — un des petits tombait malade.

« Comment vont les enfants? demanda la princesse.
— Ah! maman, nous avons bien des misères. Lili

est au lit, et je crains qu'elle n'ait la scarlatine. Je suis
sortie aujourd'hui pour savoir où vous en étiez, car
j'ai peur de ne plus pouvoir bouger de longtemps. »

Quand il sut le médecin parti, le vieux prince sortit
de son cabinet, tendit sa joue aux baisers de Dolly,
échangea quelques mots avec elle, puis s'adressant à sa
femme :

« Eh bien, dit-il, qu'avez-vous décidé? Vous partez?
Et que ferez-vous de moi?

— Je crois, Alexandre, que tu feras mieux de rester.

— Pourquoi papa ne viendrait-il pas avec nous,
maman? dit Kitty. Ce serait plus gai et pour lui et pour
nous. »

Le prince se leva et caressa les cheveux de Kitty.
Elle leva la tête et le regarda en s'efforçant de sourire.
Il lui semblait toujours que de toute la famille nul ne
la comprenait mieux que son père. Elle était la plus
jeune et par conséquent sa préférée : son affection,
croyait-elle, devait le rendre clairvoyant. Quand le
regard de Kitty croisa celui du prince, qui la considérait de ses bons yeux bleus, elle eut l'impression qu'il
lisait dans son âme et y voyait tout ce qui s'y passait
de mauvais. Elle rougit et se pencha vers lui, attendant
un baiser; mais il se contenta de lui tapoter les cheveux
et de dire :

« Ces bêtes de chignons! On n'arrive pas jusqu'à sa
fille, ce sont les cheveux de quelque bonne femme
défunte que l'on caresse... Eh bien, Dolly, que fait ton
« as »?

— Il va bien, papa, dit Dolly, comprenant qu'il
s'agissait de son mari. Il est toujours absent, je le vois
à peine, ne put-elle se défendre d'ajouter avec un sourire ironique.

— Il n'est pas encore allé à la campagne vendre son
bois?

— Non, il se prépare toujours à y aller.

— Vraiment!... Et alors, il faut que je fasse moi aussi
mes préparatifs? Soit, dit le prince à sa femme en s'asseyant. Et toi, Kitty, reprit-il en se tournant vers sa
cadette, sais-tu ce qu'il faut que tu fasses? Il faut qu'un
beau matin en te réveillant tu te dises : « Mais je suis
« tout à fait gaie et bien portante, il fait un beau froid

« sec, pourquoi ne reprendrais-je pas mes promenades
« matinales avec papa? »

A ces mots pourtant bien simples, Kitty se troubla
comme si on l'eût convaincue d'un crime... « Oui, il
sait tout, il comprend tout, et ces mots signifient que je
dois, coûte que coûte, surmonter mon humiliation. »
Elle voulut faire quelque réponse, mais des larmes lui
coupèrent la parole, et elle se sauva.

« Voilà bien de tes tours! dit la princesse en s'emportant contre son mari. Tu es toujours... » Et elle
entama une réprimande en règle.

Le prince l'écouta un assez long temps en silence,
mais son visage se rembrunissait de plus en plus.

« Elle fait tant de peine, la pauvre petite; tu ne
comprends donc pas qu'elle souffre de la moindre allusion à la cause de son chagrin? Ah! comme on peut
se tromper en jugeant le monde! (Au changement d'inflexion de sa voix, Dolly et le prince comprirent qu'elle
parlait de Vronski.) Je ne comprends pas qu'il n'y ait
point de lois pour punir d'aussi vils individus.

— Tu ferais mieux de te taire! » proféra d'un ton
sombre le prince en se levant et en faisant mine de se
retirer. Mais il s'arrêta sur le seuil et s'écria : « Des
lois, il y en a, ma bonne amie, et puisque tu me forces
à te le dire, je te ferai remarquer que dans toute cette
affaire la véritable coupable, c'est toi et toi seule. Il y
a toujours eu des lois contre ces garnements et il y en
a encore. Et tout vieux que je suis, je lui aurais moi-
même demandé des comptes, au mirliflore, si... s'il ne
s'était passé de certaines choses qui n'auraient point
dû avoir lieu. Et maintenant soignez-la, convoquez tous
vos charlatans! »

Le prince en aurait dit long si la princesse, comme
elle faisait toujours dans les questions graves, ne s'était
aussitôt soumise et repentie.

« Alexandre, Alexandre », murmura-t-elle en marchant vers lui, toute en larmes.

Dès qu'il la vit pleurer, le prince se calma et fit
quelques pas à sa rencontre.

« Allons, allons, ne pleure pas, je sais que pour toi
aussi, c'est dur. Mais que pouvons-nous faire? D'ailleurs le mal n'est pas grand et la miséricorde de Dieu
est infinie... Merci... », ajouta-t-il ne sachant plus trop

ce qu'il disait, et répondant au baiser que la princesse
lui posait sur la main. Il prit enfin le parti de se retirer.

Guidée par son instinct maternel, Dolly avait deviné,
en voyant Kitty se sauver tout en larmes, que seule une
femme pourrait agir sur elle avec quelque chance de
succès. Elle ôta donc son chapeau et, rassemblant toute
son énergie, se prépara à intervenir. Pendant le réqui-
sitoire de la princesse, elle avait essayé de la retenir,
autant que le lui permettait le respect filial; mais à la
réplique de son père elle n'opposa que le silence, tant
elle éprouvait de honte pour sa mère, puis d'affection
pour ce père si prompt à s'attendrir. Le prince parti,
elle se disposa à remplir sa mission.

« J'oublie toujours de vous demander, maman, si
vous savez que Levine avait l'intention de demander
la main de Kitty lorsqu'il est venu ici la dernière fois?
Il l'a dit à Stiva.

— Eh bien? je ne comprends pas.

— Peut-être Kitty l'a-t-elle refusé?... Elle ne vous a
rien dit?

— Non, elle ne m'a parlé ni de l'un ni de l'autre :
elle est trop fière. Mais je sais que tout cela vient de
ce...

— Mais, songez donc, si elle avait refusé Levine!...
Et elle ne l'aurait jamais refusé sans l'autre, je le sais.
Et cet autre l'a odieusement trompée. »

Effrayée en songeant à ses torts, la princesse prit le
parti de se fâcher.

« Ah! je n'y comprends plus rien! Chacun veut
maintenant en faire à sa tête, on ne dit plus rien à sa
mère, et ensuite...

— Maman, je vais la trouver.

— Vas-y, je ne t'en empêche pas, que je sache! »

III

En pénétrant dans le petit boudoir tendu de rose et
garni de figurines de *vieux saxe,* charmante pièce aussi
fraîche, aussi rose, aussi gaie que l'était Kitty deux

mois auparavant, Dolly se rappela le plaisir qu'elles avaient pris à le décorer l'année précédente. Elle eut froid au cœur en apercevant sa sœur immobile sur une petite chaise basse près de la porte, les yeux fixés sur un coin du tapis. Il y avait sur son visage une expression froide et sévère, dont elle ne se départit point à la vue de Dolly; elle se contenta de lui jeter un vague regard.

« Je crains fort de ne plus bouger de chez moi d'ici longtemps, et tu ne pourras pas non plus venir me voir, dit Dolly en s'asseyant auprès d'elle; c'est pourquoi j'ai voulu causer un peu avec toi.

— De quoi? demanda vivement Kitty en dressant la tête.

— De quoi, si ce n'est de ton chagrin?

— Je n'ai pas de chagrin.

— Laisse donc, Kitty. Crois-tu vraiment que je ne sache rien? Je sais tout. Et si tu veux m'en croire, tout cela est peu de chose. Qui de nous n'a point passé par là?... »

Kitty se taisait, les traits toujours tendus.

« Il ne vaut pas le chagrin qu'il te cause, reprit Dolly en allant droit au but.

— En effet, puisqu'il m'a dédaignée, murmura Kitty d'une voix tremblante. Je t'en supplie, laissons ce sujet!

— Qui t'a dit cela? Personne ne l'a jamais cru. Je suis au contraire persuadée qu'il était amoureux de toi, qu'il l'est encore, mais...

— Rien ne m'exaspère comme ces condoléances! » s'écria Kitty, s'emportant tout à coup. Elle se détourna en rougissant et, de ses doigts nerveux se mit à tourmenter, tantôt d'une main tantôt de l'autre, la boucle de sa ceinture. Dolly connaissait ce geste habituel à sa sœur quand elle perdait le contrôle d'elle-même; elle la savait capable de proférer alors des paroles dépourvues d'aménité; elle voulut donc la calmer, mais il était déjà trop tard.

« Que veux-tu me faire sentir, continua Kitty très agitée : que je me suis éprise d'un homme qui ne veut pas de moi, et que je meurs d'amour pour lui? Et c'est ma sœur qui me dit cela, une sœur qui croit me... me...

me témoigner sa sympathie!... Je n'ai que faire de cette pitié hypocrite!

— Kitty, tu es injuste.

— Pourquoi me tourmentes-tu?

— Je n'y songe guère... Je vois que tu as du chagrin et... »

Kitty, dans son emportement, n'entendait rien.

« Je n'ai ni à m'affliger ni à me consoler. Je suis trop fière pour aimer un homme qui ne m'aime pas.

— Mais je ne prétends pas... Ecoute, dis-moi la vérité, prononça fermement Dolly en lui prenant la main : Levine t'a-t-il parlé? »

Le nom de Levine fit perdre à Kitty tout empire sur elle-même; elle sauta de sa chaise, jeta par terre la boucle de sa ceinture, et s'écria avec des gestes précipités :

« Que vient faire ici Levine? Tu te plais décidément à me torturer! Je l'ai déjà dit et je le répète, je suis fière et incapable de faire jamais, jamais ce que tu as fait : revenir à un homme qui m'aurait trahie. Cela me dépasse. Tu t'y résignes, mais moi, je ne le pourrais pas... »

Sur ce, elle se dirigea vers la porte, mais en voyant que Dolly baissait tristement la tête sans répondre, elle se laissa tomber sur une chaise et cacha son visage dans son mouchoir.

Le silence se prolongea durant une ou deux minutes. Dolly pensait à ses propres tourments : son humiliation, qu'elle ne sentait que trop, lui paraissait plus douloureuse, rappelée ainsi par sa sœur. Kitty l'avait blessée; elle ne l'aurait jamais crue capable d'une telle cruauté. Mais tout à coup elle perçut le frôlement d'une robe ainsi qu'un sanglot contenu, tandis que deux bras levés lui entouraient le cou : Kitty était à genoux devant elle.

« Ma chérie, je suis si malheureuse! » murmurait-elle d'un ton contrit, en cachant dans les jupes de Dolly son joli visage mouillé de larmes.

Il fallait peut-être ces larmes pour lubrifier les rouages de la bonne entente entre les deux sœurs : après avoir bien pleuré, elles ne revinrent point aux sujets qui les préoccupaient; mais, tout en parlant d'autre chose, elles se comprenaient parfaitement. Kitty savait que ses paroles de blâme et d'amertume avaient blessé profondément sa sœur; elle savait aussi que Dolly ne lui en gardait pas rancune. De son côté, Dolly sentait qu'elle avait deviné juste : Kitty avait bien refusé Levine pour se voir trompée par Vronski; c'était là le point douloureux; mais elle était tout près d'aimer Levine et de haïr Vronski. Bien entendu Kitty ne souffla mot de tout cela; mais, une fois calmée, elle laissa entrevoir son état d'âme.

« Je n'ai pas de chagrin, mais tu ne peux t'imaginer combien tout m'est devenu odieux et répugnant, à commencer par moi-même. Tu ne saurais croire quelles mauvaises pensées me viennent à l'esprit.

— Quelles mauvaises pensées peux-tu bien avoir? demanda Dolly en souriant.

— Les plus mauvaises, les plus laides, je ne puis te les décrire. Ce n'est ni de l'ennui, ni du désespoir, c'est bien pis. Tout ce qu'il y avait de bon en moi me semble parfois avoir cédé la place au mal... Comment expliquer cela? continua-t-elle en lisant une certaine surprise dans les yeux de sa sœur. Par exemple, tu as entendu ce que papa m'a dit : eh bien, j'ai cru comprendre qu'il me souhaitait un mari au plus tôt. Maman me mène dans le monde : il me semble qu'elle veut se débarrasser de moi. Je sais que ce n'est pas vrai, mais je ne puis chasser ces idées. Les jeunes gens à marier me sont intolérables : j'ai toujours l'impression qu'ils prennent ma mesure. Autrefois c'était un plaisir pour moi d'aller au bal, j'aimais la toilette; maintenant j'ai honte, je me sens mal à l'aise. Que veux-tu que j'y fasse? Le docteur... Eh bien... »

Kitty s'arrêta, confuse; elle voulait dire que depuis cette néfaste transformation elle détestait Stépane Arcadiévitch et ne pouvait plus le voir sans que les images les plus basses se présentassent à son esprit.

« Eh bien, oui, tout prend à mes yeux l'aspect le plus repoussant. Voilà en quoi consiste ma maladie. Peut-être cela passera-t-il.

— Tâche de n'y point penser...

— Impossible. Je ne me sens à l'aise que chez toi, avec les enfants.

— Quel dommage que tu ne puisses y venir maintenant!

— J'irai tout de même : j'ai eu la scarlatine et je déciderai maman. »

Kitty tint parole : la scarlatine s'étant effectivement déclarée, elle s'installa chez sa sœur et l'aida à soigner les six enfants, qui se tirèrent heureusement d'affaire. Mais sa santé à elle ne s'en améliora pas pour autant. Les Stcherbatski quittèrent donc Moscou pendant le carême et se rendirent à l'étranger.

IV

A Pétersbourg, les gens du grand monde se connaissent tous et ne frayent guère qu'entre eux. Cependant, pour fermée qu'elle soit, cette société a ses clans. Mme Karénine avait ses entrées dans trois d'entre eux. Le premier, cercle officiel, comprenait les collègues et les subordonnés de son mari, unis ou divisés entre eux par les relations sociales les plus diverses et les plus capricieuses. Dans les commencements Anna avait éprouvé pour ces personnages un respect quasi religieux dont il ne lui restait plus guère que le souvenir. C'est qu'elle les connaissait tous maintenant, comme on se connaît dans une petite ville, avec leurs manies et leurs faiblesses, leurs sympathies et leurs antipathies. Elle savait où le bât les blessait, à qui et pour quelle raison chacun d'eux devait sa situation, quels rapports ils entretenaient entre eux ainsi qu'avec le centre commun. Mais en dépit des conseils de la comtesse Lydie, cette coterie officielle, à qui la liaient les intérêts de son mari, ne l'intéressa jamais, et elle l'évitait le plus possible.

Le second cercle, auquel Alexis Alexandrovitch devait le succès de sa carrière, avait pour centre la comtesse Lydie; il se composait de femmes âgées, laides, vertueuses et dévotes, et d'hommes intelligents, instruits et ambitieux. Un de ceux-ci avait surnommé cette coterie « la conscience de la société pétersbour-

geoise »; Alexis Alexandrovitch en faisait grand cas,
et le caractère liant d'Anna lui avait permis tout
d'abord de s'y faire des amis. Mais à son retour de
Moscou ce milieu lui devint insupportable : il lui sembla que tout le monde, à commencer par elle-même,
manquait de naturel, et comme elle s'ennuyait et se sentait mal à l'aise chez la comtesse Lydie, elle la fré-
quenta de moins en moins.

Le troisième clan était le monde proprement dit, ce
monde des bals, des dîners, des toilettes brillantes, qui
se retient d'une main à la cour pour ne pas tomber
dans le demi-monde, qu'il s'imagine mépriser tout en
partageant ses goûts. Le lien qui rattachait Mme Karénine à cette société était la princesse Betsy Tverskoï,
femme d'un de ses cousins, et riche de cent vingt mille
roubles de revenu : dès l'arrivée d'Anna à Pétersbourg,
la princesse Betsy s'était entichée d'elle; elle l'attirait
dans son monde et plaisantait fort celui de la comtesse
Lydie.

« Quand je serai vieille et laide, je ferai comme elle,
disait Betsy; mais jeune et jolie comme vous l'êtes
qu'allez-vous faire en cet hospice? »

Cependant Anna s'était longtemps tenue à l'écart de
cette société, dont le train de vie n'était point en rapport avec ses moyens, et qui lui plaisait d'ailleurs
moins que l'autre. Mais tout changea à son retour de
Moscou : elle négligea pour le grand monde ses amis
vertueux. Elle y rencontrait Vronski, et chacune de ces
rencontres provoquait en elle un émoi délicieux. Ils se
voyaient le plus souvent chez Betsy, née Vronski et
cousine germaine d'Alexis; mais celui-ci ne perdait
aucune occasion de l'entrevoir et de lui parler de son
amour. Elle ne lui faisait aucune avance, mais à sa vue,
elle sentait sourdre en son cœur l'animation joyeuse
qui l'avait saisie dès leur première rencontre, en
wagon. Cette allégresse se trahissait dans le pli de ses
lèvres et l'éclair de son regard; elle s'en doutait bien
mais n'avait point la force de la dissimuler.

Tout d'abord Anna se crut sincèrement mécontente
des poursuites de Vronski; mais un soir qu'il ne parut
point dans une maison où elle pensait le rencontrer,
elle comprit clairement à la douleur qui la poignit combien ses illusions étaient vaines et que, loin de lui

déplaire, cette assiduité formait l'intérêt dominant de
sa vie.

Une cantatrice célèbre chantait pour la seconde fois;
tout le grand monde était à l'Opéra, et Vronski au premier rang. Mais en apercevant sa cousine dans une
loge, il n'attendit point l'entracte pour aller la
rejoindre.

« Pourquoi n'êtes-vous pas venu dîner? » lui dit-elle;
puis elle ajouta à mi-voix de façon à n'être entendue
que de lui :

« J'admire la seconde vue des amoureux : « elle »
n'était pas là; mais venez après le spectacle. »

Vronski l'interrogea du regard; elle lui répondit d'un
signe de tête; il la remercia d'un sourire et s'assit
auprès d'elle.

« Et vos plaisanteries d'autrefois, que sont-elles devenues? continua la princesse qui suivait avec un plaisir particulier les progrès de cette passion. Vous êtes
pris, mon cher.

— Mais je ne demande qu'à l'être, répondit Vronski
avec son bon sourire coutumier. A parler franc, si je
me plains, c'est de ne l'être pas assez. Je commence à
perdre tout espoir.

— Quel espoir pensez-vous bien avoir? dit Betsy
défendant la vertu de son amie. *Entendons-nous...* »

Mais ses yeux excités disaient assez qu'elle comprenait tout aussi bien que lui en quoi consistait cet
espoir.

« Aucun, répondit Vronski en découvrant dans un
sourire ses dents blanches et bien rangées. Pardon,
continua-t-il en prenant la lorgnette des mains de
Betsy pour examiner par-dessus son épaule dénudée le
rang de loges opposé. Je crains de devenir ridicule. »

Il savait fort bien qu'aux yeux de Betsy, comme à
ceux des gens de son monde, il ne courait aucun risque
de ce genre. Il savait fort bien que, si un homme pouvait leur paraître ridicule en aimant sans espoir une
jeune fille ou une femme entièrement libre, il ne l'était
jamais en courtisant une femme mariée, en risquant
tout pour la séduire. Ce rôle était beau, grandiose, et
c'est pourquoi Vronski, en quittant sa lorgnette, regarda
sa cousine avec un sourire de fierté joyeuse qui se
jouait sous sa moustache.

« Mais pourquoi n'êtes-vous pas venu dîner? lui demanda-t-elle sans pouvoir se défendre de l'admirer.

— C'est toute une histoire. J'étais occupé. A quoi? Je vous le donne en cent, je vous le donne en mille... A réconcilier un mari avec l'offenseur de sa femme.

— Et vous avez réussi?

— A peu près.

— Il faudra me raconter ça au prochain entracte, dit-elle en se levant.

— Impossible; je vais aux Bouffes.

— Vous quittez Nilsson pour ça? dit Betsy indignée, et bien qu'elle n'eût point su distinguer Nilsson de la dernière choriste.

— Je n'y peux rien; j'ai pris rendez-vous pour mon affaire de réconciliation.

— Bienheureux les pacificateurs, ils seront sauvés, dit Betsy, qui se rappelait avoir entendu quelque chose de semblable. Eh bien, alors, dites-moi vite de quoi il s'agit. »

Et elle se rassit.

V

« C'est un peu leste, mais si drôle que je meurs d'envie de vous le raconter, dit Vronski en la regardant de ses yeux rieurs. Je ne nommerai personne, s'entend.

— Je devinerai; tant mieux.

— Ecoutez donc : deux jeunes gens fort gais...

— Vos camarades de régiment, bien entendu?

— Je n'ai pas dit : deux officiers, mais simplement deux jeunes gens qui avaient bien déjeuné...

— Traduisez : émoustillés.

— C'est possible. Deux jeunes gens de fort belle humeur s'en vont dîner chez un camarade. Un fiacre les dépasse; la jolie femme qui l'occupe se retourne et, à ce qu'il leur semble, leur fait en riant un signe de tête. Bien entendu ils la poursuivent au galop. A leur grande surprise, la belle inconnue s'arrête précisément devant la maison où ils se rendaient eux-mêmes. Elle monte à l'étage supérieur, ils ont juste le temps d'apercevoir deux jolis petits pieds et l'éclat des lèvres sous la voilette.

— A en juger par votre ton, vous deviez être de la partie.

— Vous oubliez vos propos de tout à l'heure... Mes jeunes gens entrent chez leur camarade, qui donnait un dîner d'adieux. Il est possible qu'au cours de ce dîner ils levèrent le coude un peu plus haut qu'il n'eût fallu. C'est monnaie courante en pareil cas. Ils veulent à tout prix savoir qui habite l'étage au-dessus : personne ne peut satisfaire leur curiosité. « Y a-t-il des « mamzelles » dans la maison? » demandent-ils au domestique de leur ami. « Oh! pour ça, beaucoup », répond le gaillard. Après le dîner, ils passent dans le bureau de leur ami pour écrire une missive à leur inconnue. Ils pondent une déclaration enflammée et décident de la remettre en main propre afin d'en expliquer au besoin les points obscurs.

— Pourquoi   me   racontez-vous   des   horreurs pareilles? Et après?

— Ils sonnent. Une bonne vient leur ouvrir. Ils lui remettent la lettre, se disent fous d'amour et prêts à mourir devant cette porte. La bonne, stupéfaite, parlemente. Soudain paraît un monsieur rouge comme une écrevisse, avec des favoris en pattes de lapin, qui les flanque à la porte non sans leur avoir déclaré qu'il n'y avait pas dans la maison d'autre femme que la sienne.

— Comment savez-vous qu'il a les favoris en pattes de lapin?

— Parce que j'ai tenté aujourd'hui une réconciliation.

— Et alors.

— C'est le plus intéressant de l'affaire. Il se trouve que ce couple heureux est celui d'un conseiller et d'une conseillère titulaires. M. le conseiller a porté plainte et me voilà passé médiateur! Et quel médiateur! Comparé à moi, Talleyrand n'était qu'une mazette, je vous l'affirme.

— A quelle difficulté vous êtes-vous donc heurté?

— Vous allez voir... Nous avons commencé par nous excuser de notre mieux : « Déplorable malentendu... « Sommes au désespoir... Veuillez nous excuser. » M. le

conseiller est aux anges, mais n'en désire pas moins
exprimer ses sentiments. Ce faisant il s'emporte, lâche
des gros mots, et me contraint à faire un nouvel appel
à mes talents diplomatiques. « Je conviens que leur
« conduite a été déplorable, mais veuillez prendre en
« considération qu'il s'agit d'une méprise : ils sont
« jeunes et venaient de bien dîner. Ils se repentent du
« fond du cœur et vous prient de leur pardonner. »
M. le conseiller se radoucit. « J'en conviens, comte, et
« suis prêt à pardonner, mais concevez-vous que ma
« femme, une honnête femme, monsieur, a été exposée
« aux poursuites, aux insolences, aux grossièretés de
« mauvais garnements, de misé... » Cela en présence
desdits mauvais garnements avec qui je dois le réconcilier! Il me faut refaire de la diplomatie, mais chaque
fois que je crois avoir gain de cause, patatras, mon
conseiller reprend sa colère et sa figure rouge : ses
pattes de lapin se remettent en mouvement et je dois
avoir recours à de nouvelles finesses.

— Ah! ma chère, il faut vous raconter ça, dit Betsy
à une dame qui entrait dans sa loge. Il m'a bien amu-
sée... Eh bien, *bonne chance* », ajouta-t-elle en tendant
à Vronski le seul doigt que son éventail laissât libre.

Avant de regagner le devant de sa loge sous la
lumière crue du gaz, elle empêcha d'un geste des
épaules son corsage de remonter afin de se présenter
à toute la salle dans l'éclat de sa nudité.

Cependant Vronski s'en allait aux Bouffes, où son
colonel, qui n'y manquait pas une représentation, lui
avait effectivement donné rendez-vous. Il devait lui
faire son rapport sur la marche de la négociation qui
depuis trois jours l'occupait en l'amusant. Les héros
de l'aventure étaient deux officiers de son escadron,
Pétritski, qu'il aimait fort, et un jeune prince Kédrov,
nouvellement entré au régiment, gentil garçon et charmant camarade. Qui plus est, l'honneur du corps était
en jeu. En effet Wenden, le conseiller titulaire, avait
porté plainte au colonel contre les insulteurs de sa
femme. A l'en croire, celle-ci, mariée depuis six mois
et dans une situation intéressante, s'était rendue à
l'église en compagnie de sa mère; une indisposition
subite lui avait fait prendre, pour rentrer au plus vite
chez elle, le premier fiacre venu. Poursuivie par les

officiers, elle avait, sous l'empire de la peur, grimpé son escalier en courant, d'où aggravation de son mal. En ce qui le concernait personnellement, il avait, en rentrant de son bureau, entendu un coup de sonnette et des voix inconnues : mis en présence de deux officiers ivres, il les avait flanqués à la porte et demandait maintenant qu'ils fussent sévèrement punis. Le colonel manda aussitôt Vronski.

« Vous avez beau dire, lui déclara-t-il, Pétritski devient impossible. Il ne se passe pas de semaine sans quelque équipée. Soyez sûr que ce fonctionnaire n'en restera pas là. »

En effet l'affaire était plutôt épineuse; on ne pouvait songer à un duel; il fallait à tout prix apaiser le plaignant. Vronski l'avait aussitôt compris, et le colonel comptait beaucoup sur sa délicatesse, son entregent, son esprit de corps. Tous deux décidèrent que Pétritski et Kédrov feraient des excuses et que Vronski les accompagnerait : son nom et ses aiguillettes d'aide de camp en imposeraient sans doute à l'offensé. Ils le croyaient du moins, mais ces grands moyens ne réussirent qu'à moitié et, comme on l'a vu, la réconciliation restait encore douteuse.

Vronski emmena le colonel au foyer et lui raconta le succès ou plutôt l'insuccès de sa mission. Réflexion faite, le colonel résolut de ne donner aucune suite à l'affaire, ce qui ne l'empêcha point de poser force questions à Vronski et de rire franchement en apprenant les sautes d'humeur de M. le conseiller et la manière habile dont Vronski, profitant d'une minute de détente, avait opéré sa retraite en poussant devant lui Pétritski.

« Vilaine histoire, conclut-il, mais bien drôle. Kédrov ne peut tout de même pas se battre avec ce monsieur! Il s'est tant emporté que ça? demanda-t-il une fois de plus en riant... Et comment trouvez-vous Claire ce soir? Merveilleuse, n'est-ce pas? (Il s'agissait d'une nouvelle actrice française.) On a beau la voir souvent, elle n'est jamais la même. Il n'y a que les Français pour ça, mon cher. »

VI

La princesse Betsy n'attendit point, pour quitter le
théâtre, la fin du dernier acte. A peine eut-elle mis un
nuage de poudre sur son long visage pâle, arrangé
quelque peu sa toilette et commandé le thé au grand
salon, que les premières voitures s'arrêtèrent devant
sa vaste demeure de la Grande Morskaïa. Les arrivants
descendirent sous un large porche; un Suisse monu-
mental leur ouvrait sans bruit l'immense porte vitrée
derrière laquelle il lisait tous les matins ses journaux
pour l'édification des passants.

Le grand salon vit entrer presque en même temps
les invités par une porte, et par l'autre la maîtresse de
maison, teint et coiffure rafraîchis. Les murs étaient
tendus d'étoffes sombres, le parquet, couvert d'épais
tapis; sur une grande table la lumière de nombreuses
bougies avivait l'éclat de la nappe, d'un samovar d'argent et d'un service à thé en porcelaine transparente.

La princesse prit place devant le samovar et ôta ses
gants. Des laquais habiles à transporter des chaises sans
qu'on s'en aperçût aidèrent tout le monde à se caser.
Deux groupes se formèrent : l'un auprès de la maîtresse
de la maison, l'autre dans le coin opposé du salon
autour d'une belle ambassadrice aux sourcils noirs bien
arqués, vêtue de velours noir. Ici et là, comme il arrive
toujours au début d'une soirée, la conversation, interrompue par les nouvelles entrées, les offres de thé et
les échanges de politesse, demeurait encore hésitante.

« Elle est parfaite en tant qu'actrice; on voit qu'elle
a étudié Kaulbach, affirmait un diplomate dans le
groupe de l'ambassadrice; avez-vous remarqué comme
elle est tombée?...

— De grâce, ne parlons pas de Nilsson, tout a été dit
sur son compte », s'écria une grosse dame blonde fort
rouge, sans sourcils et sans chignon, vêtue d'une robe
de soie fanée. C'était la princesse Miagki, surnommée
l'enfant terrible à cause de son sans-gêne. Assise entre
les deux groupes, elle tendait les deux oreilles et pre-

nait part aux deux entretiens. « Trois personnes m'ont
dit aujourd'hui cette même phrase sur Kaulbach. Il
faut croire qu'on s'est donné le mot; et pourquoi cette
phrase a-t-elle du succès? »

Cette observation coupa court à la conversation; il
fallut chercher un nouveau thème.

« Racontez-nous quelque chose d'amusant, mais qui
ne soit pas méchant, demanda au diplomate interdit
l'ambassadrice, fort versée dans l'art de la causerie
élégante, le *small talk,* comme disent les Anglais.

— On prétend que c'est fort difficile, la méchanceté
seule passe pour amusante, répondit le diplomate en
souriant. Néanmoins je veux bien essayer. Donnez-moi
un thème, tout est là. Quand on tient un thème, rien
n'est plus facile que de broder dessus. Il me semble
bien souvent que les brillants causeurs du siècle dernier seraient fort embarrassés de nos jours, où l'esprit
est devenu ennuyeux...

— Cela n'est pas nouveau », interrompit en riant
l'ambassadrice.

La causerie reprenait sur un ton charmant, mais
trop anodin pour qu'il pût se maintenir. Restait le seul
moyen infaillible : la médisance; il fallut bien y recourir.

« Vous ne trouvez pas que Touchkévitch a des façons
Louis XV? reprit le diplomate en désignant des yeux
un beau jeune homme blond qui se tenait près de
la table.

— Oh! oui, il est dans le style du salon; c'est pourquoi il y vient souvent. »

Cette fois la conversation se soutint : il était fort
amusant de traiter par allusions un sujet interdit en
ce lieu, à savoir la liaison de Touchkévitch avec la maîtresse de la maison.

Autour de celle-ci également, la causerie hésita
quelque temps entre les trois thèmes inévitables : la
nouvelle du jour, le théâtre et le jugement du prochain; là aussi la médisance prévalut (1).

---

(1) Tolstoï, retiré sur ses terres, avait rompu avec le monde
et les sphères officielles des capitales. C'était la campagne qu'il
appelait *le beau monde.* « La médisance le peinait souvent. Il
disait : « La conversation s'anime toujours lorsqu'on critique
« quelqu'un. » (T. Kouzminski, *op. cit.*)

« Avez-vous entendu dire que la Maltistchev, la mère et non la fille, se fait un costume de *diable rose?*

— Pas possible? C'est tout bonnement délicieux.

— Je m'étonne qu'avec son esprit — car elle en a — elle ne sente pas ce ridicule. »

Chacun eut un mot pour critiquer, tourner en dérision l'infortunée Maltistchev, et les phrases s'entre-choquèrent en pétillant comme un fagot qui flambe.

Informé, au moment de partir pour son cercle, que la princesse recevait, son mari, un bon gros homme collectionneur passionné de gravures, fit à ce moment une courte apparition. D'un pas feutré, qu'assourdissait encore le tapis, il alla tout droit à la comtesse Miagki.

« Eh bien, lui demanda-t-il, la Nilsson vous a-t-elle plu?

— Peut-on effrayer ainsi les gens! s'écria-t-elle. Quelle idée de tomber du ciel sans crier gare!... Ne me parlez pas de l'Opéra, vous n'entendez rien à la musique. Je préfère m'abaisser jusqu'à vous et vous entendre discourir de vos gravures et de vos majoliques. Allons, qu'avez-vous encore découvert au marché aux puces?

— Voulez-vous voir ma dernière trouvaille? Mais vous n'y comprenez goutte.

— Montrez toujours. J'ai fait mon éducation chez les... j'ai oublié leur nom. Vous savez, les banquiers... Ma foi, ils ont des gravures superbes, qu'ils nous ont montrées.

— Comment, vous êtes allée chez les Schutzbourg? demanda de sa place, près du samovar, la maîtresse de la maison.

— Oui, *ma chère,* répondit la princesse Miagki en haussant la voix, car elle se sentait écoutée de tous. Ils nous ont invités à dîner, mon mari et moi, et l'on nous a servi une sauce qui avait, paraît-il, coûté mille roubles. Une bien mauvaise sauce, d'ailleurs, je ne sais quoi de verdâtre. Comme j'ai dû les recevoir à mon tour, je leur en ai servi une de quatre-vingt-cinq kopeks, dont tout le monde a été très content; je n'ai pas les moyens de faire des sauces de mille roubles, moi!

— Elle est unique! dit Betsy.

— Renversante! » approuva quelqu'un.

Si la princesse Miagki ne manquait jamais son effet.

c'est qu'elle disait avec bon sens, mais pas toujours
avec à-propos, des choses fort ordinaires. Dans le
monde où elle vivait, ce gros bon sens tenait lieu d'esprit. Son succès l'étonnait elle-même, ce qui ne l'empêchait pas d'en jouir.

Profitant du silence qui s'était fait, la maîtresse de
la maison voulut opérer une soudure entre les deux
groupes et, s'adressant à l'ambassadrice :

« Décidément, lui dit-elle, vous ne voulez pas de
thé? Venez donc par ici.

— Non, merci, nous sommes très bien comme ça »,
répondit l'autre en souriant. Et elle revint à l'entretien
interrompu. Le sujet en valait la peine : on passait au
crible les Karénine, mari et femme.

« Anna a beaucoup changé depuis son voyage à Moscou, disait une de ses amies. Elle a quelque chose
d'étrange.

— Le changement tient à ce qu'elle a amené à sa
suite l'ombre d'Alexis Vronski, dit l'ambassadrice.

— Eh qu'importe! Il y a bien un conte de Grimm,
où un homme, en punition de je ne sais quel méfait, se
trouve privé de son ombre; mais je n'arrive pas à
comprendre ce genre de punition. Sans doute est-il très
pénible à une femme d'être privée d'ombre.

— Oui, dit l'amie d'Anna; mais les femmes qui ont
des ombres finissent mal d'ordinaire. »

Ces médisances parvinrent aux oreilles de la princesse Miagki.

« Puissiez-vous vous mordre la langue! s'écria-t-elle
soudain. Mme Karénine est une femme charmante. Son
mari, soit, je ne l'aime pas, mais elle, c'est autre chose.

— Et pourquoi ne l'aimez-vous pas? demanda l'ambassadrice. C'est un homme fort remarquable. Mon
mari prétend qu'il y a en Europe peu d'hommes d'Etat
de sa valeur.

— Le mien prétend la même chose, mais je ne le
crois pas. Si nos maris s'étaient tus, nous aurions toujours vu Alexandre Alexandrovitch tel qu'il est. Et
selon moi, c'est un sot. Entre nous soit dit, bien
entendu; mais cela met à l'aise. Autrefois, quand je me
croyais tenue de lui trouver de l'esprit, je me traitais
de bête parce que je ne savais où découvrir cet esprit;

mais aussitôt que j'ai dit, à voix basse s'entend : « C'est un sot », tout s'est expliqué.

— Comme vous êtes méchante aujourd'hui!

— Pas le moins du monde. Mais, que voulez-vous, l'un de nous deux doit être une bête; et c'est là, vous le savez, un défaut qu'on n'aime guère avouer.

— Nul n'est content de sa fortune, ni mécontent de son esprit, insinua le diplomate, citant un aphorisme français (1).

— Précisément, s'empressa de confirmer la princesse Miagki... Quant à Anna, je ne vous l'abandonne point. Elle est charmante, vous dis-je. Est-ce sa faute si tous les hommes sont amoureux d'elle et la suivent comme son ombre?

— Mais je ne prétends pas la blâmer, dit l'amie d'Anna pour se disculper.

— Parce que personne ne nous suit comme nos ombres, cela ne prouve pas que nous ayons le droit de juger. »

Après avoir dit son fait à l'amie d'Anna, la princesse se leva et, suivie de l'ambassadrice, se rapprocha de la grande table, où le roi de Prusse défrayait la conversation.

« De qui médisiez-vous dans votre coin? demanda Betsy.

— Des Karénine : la princesse nous a dépeint Alexis Alexandrovitch », répondit en souriant l'ambassadrice. Et elle prit place à la table.

« Quel dommage que nous n'ayons pu l'entendre! dit Betsy, le regard tourné vers la porte. Ah! vous voilà enfin », ajouta-t-elle avec un sourire à l'adresse de Vronski qui venait d'entrer.

Vronski connaissait toutes les personnes réunies en ce lieu; il les voyait même tous les jours; il fit donc son entrée avec l'aisance tranquille d'un homme qui retrouve des gens qu'il vient à peine de quitter.

« D'où je viens? répondit-il à une question de l'ambassadrice. Il faut que je le confesse : des Bouffes, et toujours avec un nouveau plaisir, quoi que ce soit bien pour la centième fois. Je l'avoue à ma honte : je m'en-

(1) Le mot est de Mme Deshoulières. (N. d. T.)

dors à l'Opéra, tandis qu'aux Bouffes je m'amuse jusqu'à la dernière minute. Ce soir... »

Il nomma une actrice française, et voulut raconter
sur son compte une histoire plaisante; mais l'ambassadrice l'arrêta avec une expression de terreur feinte.

« Ne nous parlez pas de cette horreur!

— Je me tais, d'autant plus que vous les connaissez
toutes, ces horreurs.

— Et vous iriez toutes les voir, si c'était admis
comme l'Opéra », ajouta la princesse Miagki.

VII

DES pas se firent entendre près de la porte d'entrée,
et la princesse Betsy, persuadée qu'elle allait voir
paraître Mme Karénine, glissa une œillade du côté de
Vronski. Le jeune homme avait changé de visage : les
yeux braqués sur la porte, il se leva lentement de son
siège et parut flotter entre la crainte et la joie. Anna
fit son entrée, regard fixe et buste cambré, à son habitude. Du pas rapide et décidé qui la distinguait des
autres femmes de son monde, elle traversa la courte
distance qui la séparait de Betsy, lui serra la main en
souriant, puis, avec le même sourire, se tourna vers
Vronski. Celui-ci s'inclina profondément et lui avança
une chaise. Elle parut contrariée, rougit et répondit à
peine à cette politesse; mais, se reprenant aussitôt, elle
salua quelques personnes, serra quelques mains et dit
à Betsy :

« J'aurais voulu venir plus tôt, mais j'étais chez la
comtesse Lydie, et je me suis laissé retenir. Il y avait
là Sir John, il est très intéressant.

— Le missionnaire?

— Oui, il nous a raconté sur les Indes bien des
choses curieuses. »

La conversation que l'entrée d'Anna avait interrompue reprenait de nouveau comme un feu qu'on vient
d'attiser.

« Sir John! Oui, Sir John. Je l'ai vu. Il parle bien.
La Vlassiev est positivement toquée de lui.

— Est-il vrai que la plus jeune des Vlassiev épouse Topov?

— On prétend que c'est chose décidée.

— Je m'étonne que les parents y consentent. C'est un mariage d'amour à ce qu'on dit.

— D'amour! s'exclama l'ambassadrice. Où prenez-vous des idées aussi antédiluviennes? Qui parle de passion de nos jours?

— Que voulez-vous, madame, dit Vronski, cette vieille mode ridicule ne veut toujours point céder la place.

— Tant pis pour ceux qui la maintiennent! Je ne connais, en fait de mariage heureux, que les mariages de raison.

— Soit! mais n'arrive-t-il pas bien souvent que ces mariages tombent en poussière à l'apparition de cette passion que l'on traitait en intruse?

— Permettez, par mariage de raison j'entends celui que l'on fait lorsque des deux parts on a jeté sa gourme. L'amour, c'est comme la scarlatine, il faut avoir passé par là.

— On devrait bien alors trouver un moyen de l'inoculer, comme la petite vérole.

— J'ai été dans ma jeunesse amoureuse d'un sacriste, déclara la princesse Miagki; je voudrais bien savoir si le remède a opéré.

— Plaisanterie à part, dit Betsy, je crois que pour connaître l'amour il faut d'abord se tromper, puis réparer son erreur.

— Même après le mariage? demanda en riant l'ambassadrice.

— On ne se repent jamais trop tard, dit le diplomate, citant un proverbe anglais.

— Précisément, approuva Betsy. Commettre une erreur, puis la réparer, voilà le vrai. Qu'en pensez-vous, ma chère? demanda-t-elle à Anna qui écoutait la conversation sans mot dire, un demi-sourire aux lèvres.

— Je crois, répondit Anna jouant avec son gant, que s'il y a autant d'opinions que de têtes, il y a aussi autant de façons d'aimer qu'il y a de cœurs. »

Vronski, qui, les yeux rivés sur Anna, avait attendu sa réponse avec un battement de cœur, respira comme au sortir d'un danger. Elle se tourna brusquement vers lui.

« J'ai reçu des nouvelles de Moscou, lui dit-elle, Kitty Stcherbatski est très malade.

— Vraiment? » fit-il d'un air sombre.

Anna lui jeta un regard sévère.

« Cela ne vous touche guère, il me semble?

— Au contraire, cela me touche beaucoup. Puis-je savoir au juste ce que l'on vous écrit? »

Anna se leva et s'approcha de Betsy.

« Voudriez-vous me donner une tasse de thé? » lui dit-elle en s'arrêtant derrière sa chaise.

Pendant que Betsy versait le thé. Vronski rejoignit Anna.

« Que vous écrit-on?

— Il me semble bien souvent, dit-elle en guise de réponse, que les hommes ne mettent guère en pratique les beaux sentiments dont ils font si volontiers parade. Il y a longtemps que je voulais vous le dire, ajouta-t-elle en allant s'asseoir près d'un guéridon chargé d'albums.

— Je ne comprends pas très bien ce que signifient vos paroles », dit-il en lui offrant sa tasse.

Et, comme elle lui désignait le canapé du regard, il prit place auprès d'elle.

« Oui, je voulais vous le dire, continua-t-elle sans lever les yeux sur lui, vous avez mal agi, très mal.

— Croyez-vous que je ne le sache pas? Mais à qui la faute?

— Pourquoi me dites-vous cela? demanda-t-elle en le dévisageant.

— Vous le savez bien », répliqua-t-il avec exaltation. Il soutint hardiment le regard d'Anna, et ce fut elle qui se troubla.

« Cela prouve simplement que vous n'avez pas de cœur », dit-elle. Mais ses yeux laissaient entendre qu'elle ne savait que trop bien qu'il en avait.

« Ce à quoi vous faites allusion était une erreur et non de l'amour.

— Souvenez-vous que je vous ai défendu de prononcer ce mot, ce vilain mot », dit-elle en tressaillant. Mais aussitôt elle comprit que par ce seul mot : « défendu » elle se reconnaissait certains droits sur lui et semblait l'encourager à lui parler d'amour. « Il y a longtemps que je désirais avoir avec vous un entre-

tien sérieux, reprit-elle en le regardant bien en face,
les joues brûlantes de rougeur, et je suis venue tout
exprès aujourd'hui, sachant que je vous rencontrerais.
Il faut que tout cela finisse. Je n'ai jamais eu à rougir
devant personne, et vous me causez le chagrin pénible
de me sentir coupable. »

Tandis qu'elle parlait, sa beauté prenait une expression nouvelle, toute spirituelle, dont Vronski fut frappé.

« Que voulez-vous que je fasse? demanda-t-il d'un
ton simple et sérieux.

— Que vous alliez à Moscou pour y implorer le pardon de Kitty.

— Vous ne voulez pas cela? »

Il sentait qu'elle s'efforçait de dire une chose, mais
qu'elle en souhaitait une autre.

« Si vous m'aimez comme vous le dites, murmura-
t-elle, rendez-moi ma tranquillité. »

Le visage de Vronski s'éclaircit.

« Ne savez-vous pas que vous êtes toute ma vie?
Mais j'ignore la tranquillité et ne saurais vous la donner. Me donner tout entier, donner mon amour... oui...
Je ne puis vous séparer de moi par la pensée. A mes
yeux, vous et moi ne faisons qu'un. Et je ne vois dans
l'avenir aucune tranquillité ni pour vous ni pour moi.
Je ne vois en perspective que le malheur et le désespoir... ou le bonheur, et quel bonheur!... Est-il donc vraiment impossible? » ajouta-t-il du bout des lèvres; mais
elle l'entendit.

Elle bandait tous les ressorts de sa volonté pour
donner à Vronski la réplique que lui dictait son devoir;
mais elle ne put que poser sur lui un regard chargé
d'amour.

« Mon Dieu, pensa-t-il dans un transport, au moment
où je perdais tout espoir, l'amour l'emporte! Elle
m'aime, elle me l'avoue. »

« Faites cela pour moi : ne me parlez plus jamais
ainsi et restons bons amis, finit-elle par dire; mais
ses yeux tenaient un autre langage.

— Nous ne serons jamais amis, vous le savez bien.
Serons-nous les plus heureux ou les plus infortunés des
êtres? c'est à vous d'en décider. »

Elle voulut parler, mais il l'interrompit.

« Songez-y bien : tout ce que je vous demande, c'est

le droit d'espérer et de souffrir comme en ce moment.
Si cette pauvre chose est impossible, ordonnez-moi de
disparaître et je disparaîtrai. Vous ne me verrez plus,
si ma présence vous est pénible.

— Je ne vous chasse pas.

— Alors ne changez rien, laissez les choses telles
qu'elles sont, dit-il d'une voix tremblante... Mais voici
votre mari. »

Effectivement Alexis Alexandrovitch entrait à ce
moment dans le salon, de sa démarche posée et disgra-
cieuse. Il jeta en passant un regard à sa femme et à
Vronski, présenta ses devoirs à la maîtresse de la maison, s'assit à la table de thé et déclara de sa voix lente
et bien timbrée, sur le ton de moquerie qu'il affectionnait :

« Votre « Rambouillet » est, je crois, au complet :
les Grâces et les Muses. »

Mais la princesse Betsy ne pouvait souffrir ce ton
persifleur, *sneering,* comme elle disait. En maîtresse de
maison consommée elle amena la conversation sur un
sujet sérieux, le service militaire obligatoire. Alexis
Alexandrovitch s'enflamma sur-le-champ et se mit à
défendre la nouvelle loi contre les attaques de Betsy.

Vronski et Anna restaient toujours près du guéridon.

« Cela devient inconvenant, murmura une dame en
désignant du regard Karénine, Anna et Vronski.

— Que vous disais-je? » répondit l'amie d'Anna.

Ces dames ne furent pas seules à faire cette observation. Presque toutes les autres, même la princesse
Miagki, même Betsy, jetèrent plus d'une fois aux deux
isolés plus d'un regard réprobateur; seul Alexis Alexandrovitch, tout à ses propos passionnants, paraissait ne
rien voir. Betsy se fit habilement relayer par un auditeur bénévole et, pour pallier le mauvais effet produit,
alla rejoindre Anna.

« J'admire toujours la netteté d'expression de votre
mari, dit-elle : les questions les plus transcendantes me
deviennent accessibles quand il parle.

— Oh! oui », répondit Anna, rayonnante de bonheur
et sans comprendre un traître mot de ce que disait
Betsy. Elle se leva, s'approcha de la grande table et
prit part à la conversation générale. Au bout d'une
demi-heure, Alexis Alexandrovitch proposa à sa femme

de rentrer avec lui; mais elle répondit, sans le regarder, qu'elle resterait à souper. Alexis Alexandrovitch prit congé et partit...

La voiture de Mme Karénine était avancée; le vieux cocher, un gros Tatar en manteau ciré, retenait avec peine le cheval gris de volée que le froid impatientait. Un valet venait d'ouvrir la portière du coupé, tandis que le suisse surveillait la porte d'entrée. Vronski accompagnait Anna Arcadiévna; la tête penchée, elle l'écoutait avec délices, tout en tirant d'une main nerveuse la dentelle de sa manche qui s'était prise dans l'agrafe de sa pelisse.

« Vous ne m'avez rien promis, disait-il, et je ne vous demande rien; mais, vous le savez, je n'ai que faire d'amitié; le bonheur de ma vie dépend de ce seul mot qui vous déplaît si fort : l'amour.

— L'amour... », répéta-t-elle lentement, comme si elle se parlait à elle-même. Et sa dentelle enfin libérée, elle dit tout à coup en le regardant bien en face : « Si ce mot de déplaît, c'est qu'il a pour moi un sens beaucoup plus profond que vous ne pouvez l'imaginer. Au revoir. »

Elle lui tendit la main et, de son pas souple et rapide, passa devant le suisse et disparut dans sa voiture.

Ce regard, ce serrement de main enflammèrent Vronski. Il porta à ses lèvres la main qu'avaient touchée les doigts d'Anna et rentra chez lui bien convaincu que cette soirée avait plus avancé ses affaires que les deux mois précédents.

VIII

ALEXIS ALEXANDROVITCH n'avait rien trouvé d'anormal au tête-à-tête animé de sa femme et de Vronski; mais quand il s'aperçut que d'autres personnes se formalisaient de cet aparté, il le jugea à son tour inconvenant et résolut d'en faire l'observation à sa femme.

Comme d'ordinaire en rentrant chez lui, Alexis Alexandrovitch gagna son cabinet, s'installa dans un

fauteuil, ouvrit un ouvrage sur le papisme à la page
marquée par son coupe-papier et s'absorba dans sa
lecture jusqu'à une heure du matin; cependant il lui
arrivait de temps à autre de passer la main sur son
front et de secouer la tête comme pour en chasser une
pensée importune. A l'heure habituelle, il se leva et fit
sa toilette de nuit. Anna n'était pas encore rentrée. Son
livre sous le bras, il monta dans sa chambre; mais son
esprit, d'ordinaire préoccupé de questions relatives à
sa carrière, revenait sans cesse au fâcheux incident
de la soirée. Contre son habitude, il ne se coucha
point, mais se prit à marcher de long en large, les
mains derrière le dos : il jugeait nécessaire de réfléchir mûrement à l'affaire.

Il lui avait tout d'abord semblé bien facile et très
simple d'adresser une observation à sa femme; mais
à la réflexion le cas lui parut épineux. Alexis Alexandrovitch n'était point jaloux. Il avait toujours professé
qu'un mari doit avoir pleine confiance en sa femme et
ne pas l'offenser en lui témoignant de la jalousie.
Quelles raisons justifiaient cette belle assurance? Peu
lui importait : il se montrait confiant parce qu'il estimait que tel était son devoir. Et voici que soudain, sans
rien renier de ses convictions, il se sentait en face
d'une situation illogique, absurde, et ne savait qu'entreprendre. Cette situation n'était pas autre chose que
la vie réelle, et s'il la jugeait illogique et stupide, c'est
qu'il ne l'avait jamais connue qu'à travers l'écran
déformateur de ses obligations professionnelles. L'impression qu'il éprouvait maintenant était celle d'un
homme qui passe tranquillement sur un pont au-dessus
d'un précipice et s'aperçoit tout à coup que le pont
est démonté et l'abîme béant. Ce gouffre était pour lui
la vie réelle et le pont l'existence artificielle qu'il avait
seule connue jusqu'alors. Pour la première fois l'idée
que sa femme pût aimer un autre homme lui venait à
l'esprit et cette idée le terrifiait.

Sans songer à se dévêtir il marchait d'un pas régulier sur le parquet sonore de la salle à manger éclairée
d'une seule lampe, sur l'épais tapis du salon obscur
où son grand portrait récemment terminé et suspendu
au-dessus du divan reflétait un faible rai de lumière;
il traversait ensuite le boudoir de sa femme où deux

bougies allumées sur le petit bureau lui découvraient,
entre des portraits de parents èt d'amies, quelques
charmants bibelots qui lui étaient depuis longtemps
familiers; arrivé à la porte de la chambre, il rebrous-
sait chemin. Il fit ainsi de nombreux tours, au cours
desquels il s'arrêtait infailliblement — presque toujours dans la salle à manger — pour se dire : « Oui,
il faut couper court à tout cela, prendre un parti, lui
signifier ma décision. » Et il revenait sur ses pas.
« Oui, mais laquelle? » se demandait-il dans le salon,
sans trouver de réponse. « Et après tout, que s'est-il
passé? Rien. Elle a longtemps causé avec lui; mais avec
qui une femme ne causerait-elle pas dans le monde? »
songeait-il en arrivant au boudoir. Et la porte une
fois franchie, il concluait : « D'ailleurs me montrer
jaloux serait humiliant pour nous deux. » Mais ce raisonnement, naguère si probant, n'opérait plus. Il reprenait depuis la chambre à coucher sa promenade en
sens inverse; à peine mettait-il le pied dans le salon
obscur qu'une voix intérieure lui murmurait : « Non;
si d'autres ont paru surpris, c'est qu'il y a là quelque
chose. » Et, parvenu dans la salle à manger, il proclamait de nouveau qu'il fallait couper court à tout cela,
prendre un parti. « Mais lequel? » se demandait-il dans
le salon. Et ainsi de suite. Ses pensées, comme son
corps, décrivaient un cercle parfait sans découvrir le
moyen d'en sortir. Il s'en aperçut, passa la main sur
son front et s'assit dans le boudoir.

Là, tandis qu'il regardait le bureau d'Anna avec son
buvard en malachite et un billet inachevé, ses idées
prirent un autre cours : il songea à elle, se demanda
quelles pensées elle pouvait avoir, quels sentiments elle
pouvait éprouver. Pour la première fois, son imagination lui présenta la vie de sa femme, les besoins de
son esprit et de son cœur : et l'idée qu'elle devait avoir
une existence personnelle le frappa si vivement qu'il
s'empressa de la chasser. C'était le gouffre qu'il n'osait
sonder du regard. Pénétrer par la pensée et le sentiment dans l'âme d'autrui lui semblait une fantaisie
dangereuse.

« Et ce qu'il y a de plus terrible, songeait-il, c'est
que cette inquiétude insensée me prend au moment de
mettre la dernière main à mon œuvre (un projet qu'il

voulait faire adopter), lorsque j'ai le plus besoin de tout
mon calme, de toutes les forces de mon esprit. Voyons,
que faire? Je ne suis pourtant pas de ceux qui connaissent l'inquiétude et l'angoisse sans avoir le courage
de regarder leur mal en face. »

« Il faut réfléchir, prendre un parti et me délivrer
de ce souci », proféra-t-il à voix haute.

« Je ne me reconnais pas le droit de scruter ses
sentiments; de sonder ce qui a pu ou pourra se passer
dans son âme; c'est l'affaire de sa conscience et le
domaine de la religion, décida-t-il *in petto* tout soulagé d'avoir enfin trouvé une norme qui pût s'appliquer
aux circonstances qui venaient de surgir. Ainsi donc,
répéta-t-il, les questions relatives à ses sentiments, etc.,
sont des questions de conscience auxquelles je n'ai
pas à toucher. Par contre, mon devoir se dessine clairement. Obligé, en tant que chef de famille, de diriger
sa conduite, j'encours une responsabilité morale : je
dois donc la prévenir du danger que j'entrevois, faire
au besoin acte d'autorité. Je ne puis me taire. »

Sur ce, tout en regrettant d'employer son temps et
ses ressources intellectuelles à des affaires de ménage,
Alexis Alexandrovitch dressa dans sa tête un plan de
discours qui prit bientôt la forme nette, précise et
logique d'un rapport. « Je dois lui faire sentir ce qui
suit : 1° la signification et l'importance de l'opinion
publique; 2° le sens religieux du mariage; et, si besoin
est : 3° les malheurs qui peuvent rejaillir sur son fils;
4° ceux qui peuvent l'atteindre elle-même. » Et, joignant les mains, Alexis Alexandrovitch fit craquer les
jointures de ses doigts. Ce geste, une mauvaise habitude, le calmait toujours et l'aidait à reprendre l'équilibre moral dont il avait tant besoin en ce moment.

Une voiture arriva devant la maison, et Alexis
Alexandrovitch s'arrêta au milieu de la salle à manger. Des pas de femme montaient l'escalier. Son homélie toute prête, il restait là debout, serrant ses doigts
pour les faire craquer encore : effectivement une join-
ture craqua. Bien que fort satisfait de son homélie, il
se prit à redouter, en la sentant venir, l'explication
qu'il lui fallait avoir avec sa femme.

IX

Anna entra, jouant avec les glands de sa mante. Elle tenait la tête baissée, et son visage rayonnait, mais pas de joie; c'était plutôt le rayonnement terrible d'un incendie par une nuit obscure. En apercevant son mari elle leva la tête et sourit comme si elle se fût éveillée.

« Comment, tu n'es pas au lit! Par quel miracle? » dit-elle en enlevant sa capeline et, sans s'arrêter, elle se dirigea vers le cabinet de toilette.

« Il est tard, Alexis Alexandrovitch, ajouta-t-elle en franchissant la porte.

— Anna, j'ai besoin de causer avec toi.

— Avec moi? Elle revint sur ses pas et le dévisagea avec surprise. A quel propos? De quoi s'agit-il? demanda-t-elle en s'asseyant. Eh bien, causons, puisque c'est si nécessaire, mais il vaudrait mieux dormir. »

Anna disait ce qui lui venait à l'esprit, s'étonnant elle-même de pouvoir mentir si facilement. Quel naturel dans ses paroles! comme ce besoin de dormir semblait réel! Elle se sentait poussée, soutenue par une force invisible, revêtue d'une impénétrable armure de mensonge.

« Anna, commença-t-il, je dois te mettre sur tes gardes.

— Sur mes gardes? Pourquoi? »

Son regard était d'une franchise, d'une gaieté parfaites, et quelqu'un qui ne l'eût pas connue comme son mari n'aurait rien remarqué d'anormal ni dans le ton de sa voix ni dans le sens de ses paroles. Mais pour lui, qui ne pouvait retarder son coucher de cinq minutes sans qu'elle lui en demandât la raison, pour lui qui était toujours le premier confident de ses joies comme de ses chagrins, le fait qu'elle ne voulait maintenant ni remarquer son trouble ni parler d'elle-même était très significatif. Il comprenait que cette âme lui était désormais fermée. Bien plus il sentait que loin d'en éprouver de la confusion, elle semblait dire ouvertement : « Oui, c'est ainsi que cela doit être et que cela sera dorénavant. » Il se fit l'effet d'un homme qui, rentrant chez lui, trouverait porte close. « Mais peut-être, se dit-il, la clef se retrouvera-t-elle encore. »

« Je dois te mettre en garde, reprit-il d'une voix calme, contre l'interprétation qu'on peut donner dans le monde à ton imprudence et à ton étourderie. Ton entretien trop animé de ce soir avec le comte Vronski (il détacha avec fermeté les syllabes du mot) n'est point passé inaperçu. »

Tout en parlant il regardait les yeux rieurs et impénétrables d'Anna et comprenait l'inutilité absolue de ses discours.

« Tu es toujours le même », répondit-elle comme si elle ne comprenait rien à ses propos et n'attachait d'importance qu'à la fin de la phrase. « Tantôt il t'est désagréable que je m'ennuie et tantôt que je m'amuse. Je ne me suis pas ennuyée ce soir : cela te blesse? »

Alexis Alexandrovitch tressaillit et serra encore ses mains pour les faire craquer.

« Ah! de grâce, laisse tes mains tranquilles, je déteste ça, dit-elle.

— Anna, est-ce bien toi? dit doucement Alexis Alexandrovitch en faisant un effort sur lui-même.

— Mais enfin qu'y a-t-il? s'écria-t-elle avec un étonnement sincère et comique. Que veux-tu de moi? »

Alexis Alexandrovitch se tut et passa la main sur son visage. Il comprenait qu'au lieu de l'avertir simplement d'une imprudence mondaine, il s'inquiétait malgré lui de ce qui se passait dans la conscience de sa femme et se heurtait à un obstacle peut-être imaginaire.

« Voici ce que je voulais te dire, poursuivit-il d'un ton froid et posé, et je te prie de m'écouter jusqu'au bout. Je considère, tu le sais, la jalousie comme un sentiment humiliant, et ne me laisserai jamais guider par elle. Mais il existe certaines convenances sociales que l'on ne viole pas impunément. Or tantôt — à en juger du moins par l'impression que tu as produite sur tout le monde, car, en ce qui me concerne, j'avoue n'avoir rien remarqué — ta conduite et ta tenue ont quelque peu prêté à la critique.

— Décidément je n'y suis plus », dit Anna en haussant les épaules. « Au fond peu lui importe, songeait-elle, mais il redoute le qu'en-dira-t-on. » « Tu es

malade, Alexis Alexandrovitch », ajouta-t-elle en se
levant prête à partir; mais il fit un pas vers elle comme
pour l'arrêter.

Jamais Anna ne lui avait vu une physionomie si
sombre et si déplaisante; elle demeura sur place, baissant la tête pour retirer d'une main agile les épingles
de sa coiffure.

« Eh bien, j'écoute, proféra-t-elle sur un ton de
tranquille persiflage; j'écoute même avec grand intérêt,
car je voudrais comprendre de quoi il retourne. »

Elle s'étonnait elle-même de pouvoir s'exprimer avec
un tel naturel, une si parfaite assurance, un si grand
discernement dans le choix des mots.

« Je n'ai pas le droit et je tiens même pour dangereux d'approfondir tes sentiments, reprit Alexandre
Alexandrovitch. En creusant dans nos âmes, nous ris-
quons de faire apparaître à la surface ce qui peut-être
serait demeuré enseveli dans les profondeurs. Tes sentiments regardent ta conscience, mais je suis obligé vis-
à-vis de toi, de moi, de Dieu, de te rappeler tes devoirs.
Ce ne sont pas les hommes, c'est Dieu qui a uni nos
deux vies. Un crime seul peut rompre ce lien, et ce
crime entraîne après lui sa punition.

— Mon Dieu, je n'y comprends goutte, et pour mon
malheur je tombe de sommeil, dit Anna en retirant
ses dernières épingles.

— Anna, au nom du Ciel ne prends pas ce ton,
supplia-t-il. Je me trompe peut-être, mais crois bien
que je parle autant dans ton intérêt que dans le mien.
Je suis ton mari et je t'aime. »

Elle baissa pour un instant le front, et l'éclair de ses
yeux s'éteignit; mais le mot « aimer » l'irrita de nouveau. « Aimer, pensa-t-elle, sait-il seulement ce que
c'est? S'il n'avait pas entendu parler d'amour, voilà
un mot qu'il aurait toujours ignoré. »

« Alexis Alexandrovitch, je ne te comprends vraiment pas, dit-elle; explique-moi ce que tu trouves...

— Laisse-moi finir. Je t'aime, mais je ne parle pas
pour moi; en l'occurrence les principaux intéressés
sont ton fils et toi-même. Il est fort possible, je le
répète, que mes paroles te semblent inutiles et dépla-
cées. Peut-être sont-elles l'effet d'une erreur de ma
part; dans ce cas je te prie de m'excuser. Mais, si tu

reconnais le moindre fondement à mes observations, je
te conjure d'y réfléchir et, si le cœur t'en dit, de t'ouvrir à moi... »

Sans qu'il le remarquât, Alexis Alexandrovitch tenait
des propos tout différents de ceux qu'il avait médités.

« Je n'ai rien à te dire... Et vraiment, ajouta-t-elle
soudain en réprimant avec peine un sourire, il est
temps de dormir. »

Alexis Alexandrovitch soupira, ne répliqua rien et
passa dans la chambre à coucher.

Quand elle y entra à son tour, il était déjà au lit; un
pli sévère contractait ses lèvres, et ses yeux ne la regardaient point. Anna se coucha, persuadée qu'il allait
reprendre son antienne, ce qu'elle redoutait et désirait
tout à la fois. Mais il garda le silence. Elle attendit
longtemps sans bouger et finit par l'oublier. Elle songeait à l'autre, elle le voyait, un émoi joyeux, criminel,
gonflait son cœur. Tout à coup elle perçut un ronflement régulier et calme. Alexis Alexandrovitch sembla
d'abord s'en effrayer lui-même et s'arrêta; mais bientôt le ronflement retentit de nouvau, calme et régulier.

« Trop tard! » murmura-t-elle en souriant. Elle resta
longtemps ainsi, immobile, les yeux ouverts, et croyant
les sentir briller dans l'obscurité.

X

A partir de ce jour-là une vie nouvelle commença pour
les Karénine. Rien de particulier en apparence : Anna
continuait à aller dans le monde, surtout chez la princesse Betsy, et à rencontrer partout Vronski; Alexis
Alexandrovitch s'en apercevait mais sans pouvoir l'empêcher. A toutes ses tentatives d'explication elle opposait un étonnement rieur, absolument impénétrable. Les
apparences étaient sauves, mais les sentiments avaient
bien varié. Alexis Alexandrovitch, si fort quand il
s'agissait des intérêts publics, se sentait ici impuissant.
Comme un bœuf à l'abattoir, il baissait la tête et attendait avec résignation le coup fatal. Lorsque ses pensées l'obsédaient, il se disait que la bonté, la tendresse,

le raisonnement pouvaient encore peut-être sauver Anna; chaque jour il se proposait de lui parler; mais dès qu'il tentait de le faire, le même esprit de mal et de mensonge qui la possédait s'emparait également de lui, et il ne lui disait point ce qu'il aurait voulu lui dire. Il reprenait involontairement son ton de persiflage, et ce n'est pas sur ce ton-là que les choses qu'il aurait voulu lui faire sentir pouvaient être exprimées.

.. ..
.. ..

XI

CE qui pendant près d'un an, avait été pour Vronski le but unique de la vie, pour Anna un rêve terrifiant mais enchanteur, s'était enfin réalisé. Pâle, le menton tremblant, il se tenait penché sur elle et la conjurait de se calmer.

« Anna, Anna, disait-il d'une voix saccadée, Anna, je t'en supplie!... »

Mais plus il élevait la voix, plus elle baissait la tête. Cette tête naguère si fière, si joyeuse et maintenant si humiliée, elle l'aurait abaissée jusqu'à terre, du divan où elle était assise, et serait elle-même tombée sur le tapis s'il ne l'avait soutenue.

« Mon Dieu!... Pardonne-moi! » sanglotait-elle en lui serrant la main contre sa poitrine.

Elle se trouvait si coupable, si criminelle qu'il ne lui restait qu'à demander grâce; et n'ayant plus que lui au monde, c'était de lui qu'elle implorait son pardon. En le regardant, son abaissement lui paraissait si palpable qu'elle ne pouvait prononcer d'autre parole. Quant à lui, il se sentait pareil à un assassin devant le corps inanimé de sa victime : ce corps immolé par lui, c'était leur amour, la première phase de leur amour. Il se mêlait je ne sais quoi d'odieux au souvenir de ce qu'ils avaient payé du prix effroyable de leur honte. Le sentiment de sa nudité morale écrasait Anna et se communiquait à Vronski. Mais quelle que soit l'horreur du meurtrier devant sa victime, il ne lui faut pas moins cacher le cadavre, le couper en morceaux, profiter du crime commis. Alors, avec une rage frénétique, il se jette sur ce cadavre et l'entraîne pour le mettre en pièces. C'est ainsi que Vronski couvrait de baisers le visage et les épaules d'Anna. Elle lui tenait la main et ne bougeait point. Oui, ces baisers, elle les avait achetés au prix de son honneur; oui, cette main qui lui appartenait pour toujours était celle de son complice. Elle souleva cette main et la baisa. Il tomba à ses genoux, cherchant à voir ces traits qu'elle lui dérobait sans dire un mot. Enfin elle parut faire un effort sur elle-même, se leva et le repoussa. Son visage était d'autant plus pitoyable qu'il n'avait rien perdu de sa beauté.

« Tout est fini, dit-elle. Il ne me reste plus que toi, ne l'oublie pas.

— Comment oublierais-je ce qui fait ma vie! Pour un instant de ce bonheur...

— Quel bonheur? s'écria-t-elle avec un sentiment de dégoût et de terreur si profond qu'il le partagea aussitôt. Je t'en supplie, pas un mot, pas un mot de plus... »

Elle se leva vivement et s'écarta de lui.

« Pas un mot de plus!... » répéta-t-elle, et elle s'éloigna avec une morne expression de désespoir qui le frappa étrangement (1).

Anna se voyait impuissante à exprimer la honte, la frayeur, la joie qui s'emparaient d'elle à l'aube de cette vie nouvelle; à des paroles imprécises ou banales elle préférait le silence. Mais, ni le lendemain ni le surlendemain, les mots propres à définir la complexité de ses sentiments ne lui vinrent davantage; ses pensées même ne traduisaient pas les impressions de son âme. « Non, se disait-elle, je ne puis réfléchir à tout cela maintenant; plus tard, quand je serai moins agitée. » Mais le calme de l'esprit ne lui revenait point; chaque fois qu'elle songeait à ce qui avait eu lieu et à ce qui adviendrait d'elle, l'angoisse la prenait, et elle repoussait ces pensées. « Plus tard, plus tard, répétait-elle, quand j'aurai retrouvé mon calme. »

(1) Cette scène, de même que celle de l'auscultation, fut trouvée très audacieuse à l'époque et scandalisa certaines gens. « On vous taxe de cynisme... mais ceux qui ont un peu plus d'esprit sont enthousiasmés. » (Strakhov, lettre du 21 mars 1875.)

En revanche, lorsque pendant son sommeil elle perdait tout empire sur ses réflexions, sa situation lui apparaissait dans son atroce réalité. Presque toutes les nuits elle faisait le même rêve. Elle rêvait que tous deux étaient ses maris et lui dispensaient leurs caresses. Alexis Alexandrovitch pleurait en lui baisant les mains et disait : « Que nous sommes heureux maintenant! » Alexis Vronski assistait à la scène et il était aussi son mari. Elle s'étonnait d'avoir cru que ce fût impossible; elle leur expliquait en riant que tout était maintenant bien simple, qu'ils devaient se trouver heureux et contents. Mais ce rêve l'oppressait comme un cauchemar et elle se réveillait dans l'épouvante.

XII

Dans les premiers temps qui suivirent son retour de Moscou, toutes les fois qu'il arrivait à Levine de rougir et de tressaillir en se rappelant l'humiliation du refus essuyé, il se disait : « Je rougissais et tessaillais tout autant, je me croyais un homme perdu quand une mauvaise note de physique m'a fait redoubler ma seconde année, puis quand j'ai compromis l'affaire de ma sœur qui m'avait été confiée. Et maintenant que les années ont passé, je me rappelle ces désespoirs avec étonnement. Il en sera de même du chagrin d'aujourd'hui : le temps passera et j'y deviendrai indifférent. »

Mais trois mois s'écoulèrent sans apporter le moindre apaisement. Ce qui empêchait la blessure de se cicatriser, c'est qu'après avoir tant rêvé de la vie de famille et s'être cru si mûr pour elle, non seulement il ne s'était pas marié mais il se trouvait plus éloigné que jamais du mariage. Comme toutes les personnes de son entourage, il sentait avec douleur qu'à son âge il n'est point bon à l'homme de vivre seul. Il se rappelait un mot de son vacher Nicolas, un paysan naïf avec lequel il causait volontiers. « Sais-tu, Nicolas, que j'ai envie de me marier? » lui avait-il dit avant son départ pour Moscou. Sur quoi Nicolas

de répondre sans la moindre hésitation : « Y a longtemps que ça devrait être fait, Constantin Dmitritch. »
Et jamais le mariage ne lui avait paru si lointain!
La place était prise, et si parfois son imagination lui
suggérait de donner à Kitty une remplaçante parmi
les jeunes filles de sa connaissance, son cœur lui
révélait bien vite l'absurdité de ce dessein. En outre,
le souvenir du rôle humiliant qu'il croyait avoir joué
le tourmentait sans cesse. Il avait beau se dire
qu'après tout il n'avait commis aucun crime, il rougissait de ce souvenir et d'autres du même genre, tout
aussi futile et qui pourtant pesaient beaucoup plus
sur sa conscience que les quelques mauvaises actions
dont il s'était, comme tout le monde, rendu coupable.

Le temps et le travail firent néanmoins leur œuvre.
Les événements, si importants en leur modestie, de la
vie champêtre, effacèrent peu à peu les impressions
pénibles. Chaque semaine emporta quelque chose du
souvenir de Kitty; Levine en vint même à attendre
avec impatience l'annonce de son mariage, espérant
que cette nouvelle le guérirait à la façon d'une dent
qu'on arrache.

Cependant le printemps survint, un de ces beaux et
rares printemps sans accrocs ni traîtrises dont se
réjouissent les plantes et les animaux aussi bien que
les hommes. Cette saison splendide donna à Levine
une nouvelle ardeur, et affermit sa résolution de
renoncer au passé pour organiser sa vie solitaire dans
des conditions de fixité et d'indépendance. Si plusieurs des plans formés par lui à son retour étaient
restés à l'état de projet, le point essentiel, la chasteté de sa vie, n'avait reçu aucune atteinte : la honte
qui d'ordinaire suivait chez lui la chute ne le tenail-
lait plus, il osait regarder les gens en face. D'autre
part, Marie Nicolaïevna l'ayant prévenu dès le mois
de février que l'état de son frère empirait sans qu'il
consentît pour autant à se faire soigner, Levine, aussitôt reparti pour Moscou, avait su convaincre Nicolas
de consulter un médecin et même d'accepter un prêt
pour un séjour aux eaux; il pouvait donc sous ce
rapport être content de lui-même. Comme toujours
au début du printemps, les travaux des champs
requirent toute son attention; par ailleurs, en plus de

ses lectures, il avait entrepris au cours de l'hiver une étude sur l'économie rurale : partant de cette donnée que le tempérament de l'ouvrier agricole est un fait aussi absolu que le climat ou la nature du sol, il demandait que la science agronomique tînt compte au même degré de ces trois éléments. Ainsi donc, en dépit ou peut-être par suite de sa solitude, sa vie fut extrêmement remplie; c'est à peine si de temps à autre il regrettait de ne pouvoir communiquer qu'à sa vieille bonne les idées qui lui passaient par la tête, car il lui arrivait souvent de raisonner avec elle sur la physique, l'agronomie et surtout la philosophie, sujet favori d'Agathe Mikhaïlovna.

La belle saison fut lente à venir. Un temps clair et glacial marqua les dernières semaines de carême. Si le soleil amenait pendant la journée un certain dégel, un froid de sept degrés sévissait pendant la nuit, et la gelée formait sur la neige une croûte si dure qu'il n'y avait plus de routes tracées. Le jour de Pâques se passa sous la neige. Mais, le lendemain, un vent chaud se leva brusquement, les nuages s'amoncelèrent, et pendant trois jours et trois nuits une pluie tiède et orageuse ne cessa de tomber. Le jeudi, le vent se calma tandis qu'un épais brouillard gris s'étendait sur la terre comme pour dissimuler les mystères qui s'accomplissaient dans la nature : la chute de la pluie, la fonte des neiges, le craquement des glaçons, la débâcle des torrents écumeux et jaunâtres. Enfin, le lundi de Quasimodo, vers le soir, le brouillard se dissipa, les nuages se diluèrent en moutons blancs, et le beau temps apparut pour de vrai. Le lendemain matin, un soleil brillant acheva de fondre la légère couche de glace qui s'était reformée pendant la nuit, et l'air tiède s'imprégna des vapeurs qui montaient de la terre. L'herbe ancienne prit aussitôt des teintes vertes, la nouvelle pointa dans le sol, les bourgeons des viornes, des groseilliers, des bouleaux se gonflèrent de sève, et sur les branches des osiers inondées d'une lumière d'or les abeilles, libérées de leurs quartiers d'hiver, bourdonnèrent allégrement. D'invisibles alouettes firent éclater leur chant au-dessus du velours des prés et des chaumes engivrés, les vanneaux gémirent dans les creux et les marais submergés par les eaux tor-

rentielles; les grues et les oies sauvages jetèrent, haut
dans le ciel, leur appel printanier. Les vaches, dont
le poil ne repoussait qu'irrégulièrement et montrait çà
et là des places nues, meuglèrent dans les pacages:
autour des brebis bêlantes qui commençaient à perdre
leur toison, les agneaux gambadèrent gauchement; les
gamins couraient le long des sentiers humides, où
s'imprimait la trace de leurs pieds nus; le caquetage
des femmes occupées à blanchir leur toile s'éleva
autour de l'étang tandis que de toutes parts retentis-
sait la hache des paysans réparant herses et araires.
Le printemps était vraiment venu.

XIII

POUR la première fois Levine n'endossa pas sa pelisse,
mais vêtu d'un caftan de drap et chaussé de grandes
bottes il partit pour une tournée d'inspection, enjam-
bant les ruisseaux que le soleil rendait éblouissants,
et posant le pied tantôt sur un débris de glace, tantôt
dans une boue épaisse.
   Le printemps, c'est l'époque des projets et des plans.
Levine, en sortant, ne savait pas plus ce qu'il allait
entreprendre que l'arbre ne devine comment et dans
quel sens s'étendront les jeunes pousses et les jeunes
rameaux enveloppés dans ses bourgeons; mais il sentait que les plus beaux projets et les plans les plus
sages débordaient en lui. Il alla d'abord voir son bétail.
On avait fait sortir les vaches : bien réchauffées et
leur nouveau poil luisant, elles meuglaient, impatientes
d'aller aux champs. Levine, qui les connaissait toutes
dans les moindres détails, prit plaisir à les voir et
donna l'ordre de les mener au pâturage et de mettre à
l'air les veaux. Le berger tout guilleret fit ses préparatifs de départ, tandis que les vachères, retroussant leurs
jupes sur leurs jambes nues encore vierges de hâle,
barbotaient dans la boue à la poursuite des veaux que
le printemps faisait beugler de joie et qu'elles empêchaient à coups de gaule de quitter la cour.

Levine admira les nouveau-nés de l'année qui étaient vraiment d'une beauté peu commune : les plus âgés avaient déjà la taille d'une vache ordinaire, et la fille de la Paonne atteignait à trois mois la grandeur des génisses d'un an. Il ordonna d'apporter les auges et les râteliers portatifs. Mais ces ustensiles, dont on ne s'était pas servi depuis l'automne, se trouvèrent en mauvais état. Levine fit querir le charpentier qui devait être occupé à mettre au point la machine à battre; on ne le trouva point : il réparait les herses qui auraient dû l'être depuis le carnaval. Levine ne cacha point son dépit : toujours cet éternel laisser-aller, contre lequel il luttait en vain depuis si longtemps! Les râteliers, ainsi qu'il l'apprit, avaient été remisés pendant l'hiver dans l'écurie des domestiques, où, étant de construction légère, ils s'étaient vite brisés. Quant aux instruments aratoires, que trois charpentiers engagés expressément auraient dû remettre en état au cours de l'hiver, rien n'avait été fait : on réparait les herses au moment même où l'on allait en avoir besoin. Levine manda le régisseur, puis, impatienté, se mit lui-même à sa recherche. Il le rencontra qui s'en venait de la grange, vêtu d'un caftan court garni d'astrakan, brisant une paille entre ses doigts et rayonnant comme l'univers entier ce jour-là.

« Pourquoi le charpentier n'est-il pas à la machine?

— Je voulais justement vous prévenir hier : il faut réparer les herses, voilà bientôt le moment de labourer.

— Qu'avez-vous donc fait pendant l'hiver?

— Mais quel besoin avez-vous du charpentier?

— Où sont les râteliers portatifs?

— J'ai donné l'ordre de les sortir. Que voulez-vous qu'on fasse avec ce monde-là! répondit le régisseur en faisant un geste de désespoir.

— Ce n'est pas avec ce monde-là, mais avec le régisseur qu'il n'y a rien à faire; je me demande à quoi vous m'êtes utile! » répliqua Levine en s'échauffant; mais, se souvenant à temps que les cris n'y feraient rien, il s'arrêta et se contenta de soupirer. « Eh bien, reprit-il après un moment de silence, peut-on commencer les semailles?

— Demain ou après-demain on pourra s'y mettre derrière Tourkino.

— Et le trèfle?

— J'ai envoyé Vassili et Michka le semer, mais je ne sais pas s'ils y parviendront; le sol est encore bien détrempé.

— Sur combien d'hectares?

— Six.

— Pourquoi pas sur les vingt? » s'écria Levine dont cette nouvelle accrut le dépit. En effet sa propre expérience avait confirmé la justesse de la théorie suivant laquelle le trèfle, pour être beau, doit se semer aussi tôt que possible, presque sur la neige. Et il ne pouvait jamais se faire obéir!

« Nous manquons de bras. Que voulez-vous qu'on fasse avec ce monde-là? Il y en a trois qui ne sont pas venus. Et puis Simon...

— Vous auriez dû prendre ceux qui déchargent la paille.

— C'est ce que j'ai fait.

— Où sont-ils donc tous?

— Il y en a cinq qui font de la « compote » (le régisseur voulait dire du *compost*). Quatre autres qui remuent l'avoine : pourvu qu'elle n'échauffe pas, Constantin Dmitritch! »

Levine comprit aussitôt ce que signifiait ce « pourvu que... » : l'avoine anglaise, réservée pour les semences, avait déjà échauffé! On avait une fois de plus enfreint ses ordres.

« Ne vous avais-je pas dit pendant le carême qu'il fallait l'aérer au moyen de cheminées? s'écria-t-il.

— Ne vous inquiétez pas, tout se fera en temps voulu. »

Levine ne répondit que par un geste de courroux et alla tout droit à la grange examiner l'avoine : par bonheur elle n'était point encore gâtée, mais les ouvriers la remuaient à la pelle au lieu de la descendre simplement d'un étage à l'autre. Quand il eut donné des ordres en conséquence et envoyé deux ouvriers au trèfle, Levine se sentit plus calme : il faisait vraiment trop beau pour se mettre en colère. Il se dirigea vers l'écurie.

« Ignace, cria-t-il à son cocher qui, les manches

retroussées, lavait la calèche près du puits, selle-moi un cheval.

— Lequel?

— Va pour Spatule!

— A vos ordres. »

Tandis qu'on sellait son cheval, Levine voyant le régisseur tourner et virer aux alentours, lui rendit ses bonnes grâces et s'entretint avec lui des prochains travaux : il fallait charrier le fumier le plus tôt possible, de façon à terminer ce travail avant le premier fauchage; labourer à la charrue la partie la plus éloignée du domaine et la laisser momentanément en jachère; puis faire les foins à son compte et non point de moitié avec les paysans.

Le régisseur écoutait attentivement; il faisait effort pour approuver les projets du maître, mais il avait cette physionomie découragée et abattue que Levine ne lui connaissait que trop. « Tout cela est bel et bien, semblait-il dire, mais l'homme propose et Dieu dispose. » Rien ne contrariait tant Levine que cet air navré, commun, hélas! à tous les régisseurs qu'il avait eus à son service. Il avait pris le parti de ne plus se fâcher mais n'en luttait pas moins avec une ardeur toujours nouvelle contre cette force élémentaire qui lui barrait sans cesse le chemin et à laquelle il avait donné le nom de « Dieu dispose ».

« Encore faut-il qu'on ait le temps, Constantin Dmitritch, proféra enfin le régisseur.

— Pourquoi ne l'auriez-vous pas?

— Il nous faut louer quinze ouvriers de plus, et on n'en trouve pas. Il en est bien venu aujourd'hui, mais ils demandent soixante-dix roubles pour l'été. »

Levine se tut. Toujours cette même force ennemie! Il savait qu'en dépit de tous les efforts, on ne pouvait jamais engager au prix normal plus de trente-sept à trente-huit ouvriers; on arrivait parfois jusqu'à quarante, mais jamais au-delà. Il se résolut pourtant à lutter encore.

« Envoyez à Soury, à Tchéfirovka; s'il ne vient pas d'ouvriers, il faut en faire chercher.

— Pour ce qui est d'envoyer, ça peut toujours se faire, dit Vassili Fiodorovitch d'un ton accablé. A propos, je dois vous dire que les chevaux sont bien faibles.

— Nous en rachèterons; mais je sais, ajouta-t-il en riant, que vous ferez toujours aussi peu et aussi mal que possible! Je vous préviens que cette année je ne vous laisserai pas agir à votre guise, je surveillerai tout moi-même...

— Ne dirait-on pas que vous dormez trop? Tant mieux d'ailleurs : on travaille plus gaiement sous l'œil du maître...

— Alors, vous dites qu'on sème le trèfle de l'autre côté du Val aux bouleaux? Je vais aller voir, reprit Levine en enfourchant le petit cheval isabelle que lui Dmitritch, cria le cocher.

— Vous ne passerez pas les ruisseaux, Constantin Dmitrich, cria le cocher.

— Eh bien, je prendrai par le bois. »

D'un pas fringant, le bon petit cheval, qui dans sa joie de quitter l'écurie tirait sur la bride et reniflait toutes les flaques d'eau, emporta son maître hors de la cour boueuse. L'impression joyeuse que Levine avait éprouvée à la basse-cour ne fit qu'augmenter lorsque bercé par l'amble de la brave bête il se trouva en pleine campagne. En traversant son bois, il aspirait à longs traits l'air d'une tiédeur humide, car la neige s'y attardait en écharpes poreuses, et se réjouissait de voir la mousse renaître sur chaque tronc d'arbre et sur chaque branche les bourgeons prêts à s'épanouir. Au sortir du bois, l'étendue des champs s'offrit à sa vue, semblable à un immense tapis de velours vert, sur lequel tranchait, de-ci, de-là, la tache blanche d'un lambeau de neige.

Sans s'offusquer de voir un cheval de paysan et son poulain piétiner les jeunes pousses, il les fit chasser par un villageois qui passait. Il prit avec la même douceur la réponse à la fois niaise et narquoise du paysan auquel il demandait : « Eh bien, Hypate, sèmerons-nous bientôt? — S'agirait d'abord de labourer, Constantin Dmitritch. » Plus il avançait, plus il sentait croître sa bonne humeur, plus il formait de projets qui lui semblaient se surpasser les uns les autres en sagesse : séparer les champs par des haies d'osiers tournées du côté du midi pour que la neige ne s'y amoncelât point; diviser les terres labourables en neuf parcelles dont six seraient fumées et trois gardées en réserve pour la culture potagère; construire une étable dans la partie la plus éloignée du domaine, y creuser une mare et utiliser l'engrais au moyen de parcs portatifs; arriver ainsi à cultiver trois cents hectares de froment, cent de pommes de terre et cent cinquante de fourrage sans épuiser la terre.

Tout en rêvant de la sorte Levine dirigeait son cheval le long des bordures pour ne pas piétiner ses blés. Il arriva enfin à l'endroit où l'on semait le trèfle. La charrette était arrêtée dans un champ de froment, où les roues avaient creusé des ornières et que le cheval foulait aux pieds. Elle contenait un mélange de terre et de semences que le froid ou le long séjour en magasin avait réduit à l'état de mottes, sans qu'on ait pris soin de le cribler. Assis au bord d'une sente les deux journaliers allumaient une pipe; à la vue du maître, l'un d'eux, Vassili, se dirigea vers la charrette, tandis que l'autre, Michka, se mettait en devoir de semer. Tout cela n'était pas dans l'ordre, mais Levine, qui se fâchait rarement contre les ouvriers, ordonna simplement à Vassili de ramener la charrette sur la dérayure.

« Ça ne fait rien, allez, not'maître, objecta Vassili; ça repoussera, croyez-moi.

— Fais-moi le paisir, rétorqua Levine, d'obéir sans raisonner.

— Bien, not'maître, répondit Vassili en prenant le cheval par la bride. Pour de la semence, c'est de la semence, reprit-il pour rentrer en grâce. Y a vraiment pas plus beau. Seulement on n'avance guère vite, on traîne comme qui dirait un boulet à chaque patte.

— Mais, dis-moi, pourquoi ne l'a-t-on pas criblée?

— Ça ne fait rien, allez, not'maître, on fait ça nous-mêmes », répondit Vassili en triturant une motte de semences dans le creux de sa main.

Le coupable n'était pas Vassili; Levine ne pouvait donc pas s'en prendre à lui. Pour calmer son dépit, il recourut à un moyen maintes fois expérimenté. Après avoir considéré un moment Michka qui sou'evait à chaque pas d'énormes paquets de glaise, il prit le semoir de Vassili dans le dessein de semer lui-même.

« Où t'es-tu arrêté? »

Vassili indiqua l'endroit du pied, et Levine commença à semer du mieux qu'il put; mais il avançait difficilement, comme dans un marais; aussi, quand il eut terminé une planche, il s'arrêta tout en nage et rendit le semoir à l'ouvrier.

« Surtout, not'maître, dit Vassili, faudra voir à pas m'attraper pour c'te planche-là.

— Tu crois? dit gaiement Levine, sentant que son moyen avait déjà opéré.

— Vous verrez c't été, ça poussera en première, c'est moi qui vous le dis. Regardez-moi plutôt ce champ que j'ai semé l'aut'printemps. Faut que je vous dise, Constantin Dmitritch, j'travaille pour vous comme si c'était pour mon vieux. J'aime pas la mauvaise ouvrage et j'ai l'œil à ce que les autres en fassent pas. Quand l'maître est content, n'est-ce pas, on l'est aussi. Rien qu'à reluquer ce champ-là, voyez-vous, ça fait du bien au cœur.

— Quel beau printemps, hein, Vassili?

— Oui, y a pas à dire, nos vieux n'ont point souvenance d'avoir vu son pareil. J'reviens d'chez le mien; figurez-vous qu'il avait semé aussi douze boisseaux et v'là qu'y soutient maintenant qu'on peut pas le distinguer du seigle.

— Il y a longtemps qu'on sème du froment chez vous?

— D'puis l'année dernière, et sur votre conseil encore; même que vous nous avez fait cadeau de vingt boisseaux : on en a vendu huit et on a semé le reste.

— Allons, ça va, fais bien attention, dit Levine en retournant à son cheval, triture sérieusement les mottes et surveille de près Michka. Et si la semence lève bien, il y aura pour toi cinquante kopeks par hectare.

— Vous êtes ben honnête, not'maître; on serait content à moins. »

Levine remonta à cheval pour inspecter le trèfle semé l'année précédente et le champ labouré pour le blé de printemps.

Le trèfle avait fort bien levé : il étalait déjà à travers les chaumes une verdure engageante. Dans cette terre à demi dégelée le cheval enfonçait jusqu'au jarret; il lui fut même impossible d'avancer dans les sillons libres de neige. Néanmoins Levine put cons-

tater que le labour était excellent : dans deux ou trois
jours on pourrait herser et semer. Levine revint par
les ruisseaux, espérant que l'eau aurait baissé : effectivement il put les traverser et effraya au passage
deux canards sauvages.

« Il doit y avoir des bécasses », se dit-il, et un
garde forestier qu'il rencontra en approchant de la
maison lui confirma cette supposition. Il mit aussitôt
son cheval au trot, afin d'avoir le temps de dîner
et de préparer son fusil pour le soir.

XIV

Au moment où Levine rentrait chez lui fort content,
il entendit un bruit de grelots du côté du grand portail.

« Tiens, quelqu'un arrive de la gare, pensa-t-il;
c'est l'heure du train de Moscou... Qui cela peut-il
bien être? Nicolas? Ne m'a-t-il pas dit qu'au lieu
d'aller prendre les eaux il viendrait peut-être chez
moi? » Il fut un moment contrarié, craignant que la
présence de son frère ne gâtât sa bonne humeur printanière; mais, refoulant aussitôt ce sentiment égoïste,
il se prit, avec une joie attendrie, à désirer de toute
son âme que le visiteur annoncé par la clochette fût
bien Nicolas. Il pressa son cheval et au tournant d'un
buisson d'acacias il aperçut dans un traîneau de
louage un monsieur en pelisse, qu'il ne reconnut pas
tout d'abord. « Pourvu que ce soit quelqu'un avec qui
l'on puisse causer! »

« Eh, mais c'est le plus aimable des hôtes, s'écria-
t-il au bout d'un instant en levant les bras au ciel, car
il venait de reconnaître Stépane Arcadiévitch. Que je
suis content de te voir! »

Il ajouta à part soi : « J'apprendrai certainement de
lui si elle est mariée. » Et il s'aperçut aussitôt que par
cette belle journée de printemps le souvenir même de
Kitty ne lui faisait aucun mal.

« Avoue que tu ne m'attendais pas, dit Stépane

Arcadiévitch en sortant de son traîneau, le visage
rayonnant de santé et de joie, en dépit de trois taches
de boue qui s'étalaient sur son nez, ses joues, ses
sourcils. Je suis venu : 1° pour te voir; 2° pour tirer
un coup de fusil; 3° pour vendre mon bois de Iergouchovo.

— Parfait. Et que dis-tu de ce printemps? Comment as-tu pu arriver jusqu'ici en traîneau?

— En télègue ce serait encore plus dur, Constantin Dmitritch, rétorqua le voiturier, une vieille connaissance de Levine.

— Eh bien, je suis très, très heureux de te voir »,
reprit celui-ci en souriant d'un bon sourire enfan-
tin.

Il mena son hôte dans la chambre d'amis, où furent
incontinent apportés les bagages, à savoir un sac de
voyage, un fusil dans sa gaine et un étui à cigares.
Laissant alors Stépane Arcadiévitch à sa toilette, il
voulut descendre au bureau pour faire part au régisseur de ses remarques sur les trèfles et les labours.
Mais Agathe Mikhaïlovna, qui avait à cœur le bon
renom du logis, l'arrêta dans l'antichambre et lui
demanda ses instructions au sujet du dîner.

« Faites comme vous voudrez, mais dépêchez-
vous », répondit-il en gagnant le bureau.

Quand il en revint, Oblonski, lavé, peigné, radieux,
sortait de sa chambre. Ils montèrent ensemble au
premier.

« Que je suis donc content d'être parvenu jusqu'à
toi! Je vais enfin être initié aux mystères de ton existence. Plaisanterie à part, je te porte envie. Quelle
charmante demeure, comme tout y est clair et gai!
déclara Stépane Arcadiévitch, oubliant que le printemps ne durait pas toujours et que l'année comptait aussi des jours sombres. Et ta vieille bonne vaut
le voyage. Je préférerais peut-être une jolie soubrette,
mais la bonne vieille cadre bien avec ton style sévère
et monastique. »

Entre autres nouvelles intéressantes, Stépane Arcadiévitch prévint Levine que Serge Ivanovitch avait
l'intention de venir le voir au cours de l'été; il ne
souffla mot ni de Kitty ni des Stcherbatski et se
contenta de transmettre les amitiés de sa femme.

Levine apprécia cette délicatesse. Au reste la visite de Stépane Arcadiévitch lui agréait fort : comme toujours pendant ses périodes de solitude il avait amassé durant sa retraite une foule d'idées et d'impressions qu'il ne pouvait communiquer à son entourage; il déversa donc dans le sein de son ami l'exaltation que lui inspirait le renouveau, ses plans et ses déboires agricoles, les pensées qui lui étaient venues à l'esprit, ses remarques sur les livres qu'il avait lus, et surtout l'idée fondamentale de l'ouvrage qu'il méditait, idée qui constituait sans qu'il s'en doutât, la critique de tous les traités d'économie rurale. Stépane Arcadiévitch, toujours aimable et prompt à tout saisir, se montra cette fois plus séduisant que jamais; Levine crut même remarquer dans son attitude envers lui une nuance nouvelle de cordialité déférente, dont il ne laissa pas d'être flatté.

Les efforts combinés d'Agathe Mikhaïlovna et du cuisinier pour améliorer l'ordinaire eurent ce résultat inattendu que les deux amis mourant de faim se jetèrent sur les hors-d'œuvre, avalèrent pain, beurre, champignons marinés et une demi-volaille fumée, et que Levine fit servir le potage sans attendre les petits pâtés sur lesquels le maître-queux comptait pour éblouir leur invité. D'ailleurs Stépane Arcadiévitch, habitué pourtant à d'autres festins, ne cessa de trouver tout excellent : le ratafia, le pain, le beurre, la volaille fumée, les champignons, la soupe aux orties, le poulet au blanc, le petit vin blanc de Crimée, tout le ravit, tout l'enchanta.

« Parfait, parfait, répétait-il en allumant, après le rôti, une grosse cigarette. Je crois vraiment avoir abordé sur un paisible rivage après le tapage et les secousses d'une traversée mouvementée. Ainsi donc tu prétends que l'élément représenté par l'ouvrier doit entrer en ligne de compte dans le choix du mode de culture. Je suis un profane dans ces questions, mais il me semble que cette théorie et son application auront aussi une influence sur l'ouvrier.

— Oui, mais attends; je ne parle pas d'économie politique, je parle de l'économie rurale considérée en tant que science. Tout comme pour les sciences naturelles, il faut en étudier les données, les phénomènes et l'ouvrier du point de vue économique, ethnographique... »

Cependant Agathe Mikhaïlovna apportait les confitures...

« Mes compliments, Agathe Fiodorovna, lui dit Stépane Arcadiévitch en se baisant le bout des doigts, quel confit, quel ratafia! Eh bien, Kostia, ajouta-t-il, n'est-il pas temps de partir? »

Levine jeta un regard par la fenêtre sur le soleil qui déclinait derrière la cime encore dénudée des arbres.

« Oui, ma foi. Kouzma, qu'on attelle le char à bancs! »

Et il descendit l'escalier en courant. Stépane Arcadiévitch le suivit et alla lui-même précautionneusement déballer son fusil contenu dans un étui de bois laqué recouvert d'une housse de toile : c'était une arme d'un modèle *nouveau* et coûteux. Prévoyant un bon pourboire, Kouzma s'était attaché à ses pas, et Stépane Arcadiévitch ne l'empêcha point de lui passer et ses bas et ses bottes.

« A propos, Kostia, il doit venir tantôt un certain Riabinine, un homme de négoce. Veux-tu dire qu'on le reçoive et qu'on le fasse attendre.

— Serait-ce à Riabinine que tu vends ton bois?

— Mais oui. Est-ce que tu le connais?

— Certes. J'ai eu affaire à lui « positivement et définitivement. »

Stépane Arcadiévitch se prit à rire. « Positivement et définitivement » étaient les mots favoris du personnage.

« Oui, il a des façons de parler bien amusantes. Ah! ah! tu devines où va ton maître », ajouta-t-il en flattant de la main Mignonne, qui tournait en jappant autour de Levine et lui léchait tantôt la main, tantôt la botte ou le fusil.

Ils sortirent. Le char à bancs les attendait à la porte.

« J'ai fait atteler, bien que ce soit tout près d'ici, mais si tu préfères, nous irons à pied.

— J'aime autant la voiture », dit Stépane Arcadiévitch en prenant place; il s'enveloppa les jambes d'un plaid tigré et alluma un cigare. « Comment peux-tu te passer de fumer? reprit-il. Le cigare, c'est la volupté suprême... Ah! la bonne vie que tu mènes! Comme je t'envie!

— Qui t'empêche d'en faire autant?

— Eh non, tu es un homme heureux, tu possèdes tout ce qui te fait plaisir : tu aimes les chevaux, les chiens, la chasse, la culture, et tu as tout cela sous la main. Tu es heureux!

— C'est peut-être parce que j'apprécie ce que je possède et ne désire pas trop vivement ce que je n'ai point », répondit Levine en songeant à Kitty.

Stépane Arcadiévitch saisit l'allusion, mais se contenta de le regarder sans mot dire. Si reconnaissant qu'il fût à Oblonski d'avoir deviné avec son tact ordinaire combien ce sujet lui était douloureux, Levine aurait pourtant voulu savoir à quoi s'en tenir, mais il n'osait point aborder la question.

« Voyons, dis-moi où en sont tes affaires », reprit-il en se reprochant de ne penser qu'à ses propres soucis.

Les yeux de Stépane Arcadiévitch s'allumèrent.

« Tu n'admets pas qu'on puisse désirer quelque supplément à sa portion congrue; selon toi, c'est un crime, et moi, je n'admets pas qu'on puisse vivre sans amour, répondit-il, ayant compris à sa façon la question de Levine. Je n'y puis rien, je suis ainsi fait. Et vraiment, quand on y songe, on fait si peu de tort à autrui et tant de plaisir à soi-même!

— Y aurait-il du nouveau? s'informa Levine.

— Il y en a, mon cher. Tu connais le type des femmes ossianesques... ces femmes que l'on ne voit qu'en rêve? Eh bien, elles existent parfois en chair et en os... et elles sont alors terribles. La femme, vois-tu, c'est un thème inépuisable : on a beau l'étudier, on rencontre toujours du nouveau...

— Mieux vaut ne pas l'étudier, alors.

— Oh! si. Je ne sais plus quel mathématicien a dit que le plaisir consistait à chercher la vérité et non point à la trouver. »

Levine écoutait sans mot dire, mais il avait beau faire, il n'arrivait pas à pénétrer l'âme de son ami, à comprendre le plaisir qu'il prenait à des études de ce genre.

XV

Les deux amis arrivèrent bientôt à l'orée d'un jeune
bois de trembles qui dominait la rivière. Ils descendirent de voiture; après avoir posté Oblonski au coin
d'une clairière marécageuse, où la mousse apparaissait
sous la neige, Levine se plaça du côté opposé près
d'un bouleau fourchu, appuya son fusil à une branche
basse, ôta son caftan, remonta sa ceinture, vérifia la
souplesse de ses mouvements.

Mignonne le suivait à la botte; elle s'assit avec précaution en face de lui, les oreilles à l'écoute. Le soleil
qui disparaissait derrière les grands bois donnait un
relief intense aux branches pendantes, déjà bour-
geonnantes,   des   bouleaux   disséminés   parmi   les
trembles.

Dans le fourré, où la neige n'avait pas encore complètement fondu, on entendait l'eau s'écouler à petit
bruit en ruisselets sinueux. Les oiseaux gazouillaient
et voletaient parfois d'un arbre à l'autre. Il y avait
aussi des moments de silence absolu, où l'on percevait le bruissement des feuilles sèches remuées par le
dégel ou par l'herbe qui perçait.

« En vérité l'on voit et l'on entend croître l'herbe »,
se dit Levine en remarquant une feuille de tremble
humide et couleur d'ardoise que soulevait la pointe
d'un jeune brin. Immobile et tendant l'oreille, il promenait ses regards de sa chienne aux aguets à la terre
couverte de mousse, il les abaissait sur les cimes
dépouillées dont la houle ondulait au-dessous de lui
pour les reporter sur le ciel strié de nuées blanches
qui s'obscurcissait peu à peu. Un vautour passa d'un
vol lent, très haut dans le lointain; un autre le suivit
et disparut à son tour. Dans le fourré la mélodie des
oiseaux se fit plus vive, plus animée. Un hibou ulula,
tout proche; Mignonne dressa l'oreille, fit quelques
pas avec prudence et pencha la tête pour mieux
écouter. Par-delà la rivière, un coucou lança deux
fois son appel cadencé, mais s'égosilla et n'émit plus
que des sons discordants.

« Entends-tu? déjà le coucou, dit Stépane Arcadiévitch en quittant sa place.

— Oui, j'entends, répondit Levine, rompant à
contrecœur le silence des bois. Mais attention, voilà
le moment. »

Stépane Arcadiévitch retourna derrière son buisson,
et Levine ne vit plus que l'éclair d'une allumette aussitôt suivi de la lueur rouge et de la fumée bleuâtre d'une
cigarette. « Tchik, tchik », perçut-il bientôt : Oblonski
armait son fusil.

« Qu'est-ce encore que ce cri? s'exclama celui-ci
en attirant l'attention de Levine sur un bruit sourd
et prolongé assez semblable au hennissement folâtre
d'un poulain.

— Comment, tu ne sais pas? C'est le cri du bouquin. Mais, silence, voilà la croule! » s'écria presque
Levine en armant, lui aussi, son fusil.

Un léger sifflement se fit entendre assez loin puis,
à la cadence régulière de deux secondes, un second,
puis un troisième, celui-ci suivi d'un croassement.

Levine leva les yeux à droite, à gauche; soudain
tout en face de lui dans le ciel d'un bleu trouble, au-
dessus de la cime indéterminée des trembles conju-
guant leurs jeunes pousses, apparut un oiseau. Un son
aigu, assez semblable à celui d'une étoffe que l'on
déchire, lui résonna à l'oreille; il distinguait déjà
le col et le long bec de la bécasse; mais à peine l'eut-il
visée qu'un éclair rouge s'éleva du buisson où se
tenait Oblonski : l'oiseau descendit comme une flèche
pour faire aussitôt un crochet en hauteur. Un second
éclair brilla, un coup retentit; et la bête, cherchant à
se rattraper, battit en vain de l'aile, s'immobilisa un
instant et chut lourdement à terre.

« Manquée? cria Stépane Arcadiévitch que la
fumée aveuglait.

— La voilà! » répondit Levine en montrant
Mignonne qui, une oreille dressée, agitant gaiement
le bout de sa queue duveteuse, esquissant une sorte de
sourire, rapportait lentement, comme pour faire durer
le plaisir, le gibier à son maître. « Tous mes compliments! reprit-il, refoulant un certain sentiment d'envie.

— J'ai eu un mauvais raté du coup droit, bou-

gonna Stépane Arcadiévitch en rechargeant son arme.
Chut, en voilà une autre! »

En effet des sifflements se succédaient, rapides,
perçants, mais que ne suivit cette fois aucun croassement. Deux bécasses, folâtrant et se poursuivant l'une
l'autre, partirent juste au-dessus des chasseurs.
Quatre coups retentirent, mais les oiseaux, faisant à
la façon des hirondelles un brusque crochet, se perdirent dans les airs.

.. ..

La chasse fut excellente. Stépane Arcadiévitch tua
encore deux oiseaux, et Levine, deux autres, dont l'un
ne se retrouva pas. La nuit venait. Très bas du côté
du couchant, Vénus au doux éclat d'argent montait
entre les bouleaux, tandis que miroitait, haut vers le
levant, le feu rouge du sombre Arcturus. Certaines
étoiles de la Grande Ourse brillaient par intervalles au-
dessus de Levine. La croule semblait terminée, mais
il résolut d'attendre que Vénus ait dépassé la branche
d'un bouleau au-dessous de laquelle il l'apercevait et
que la Grande Ourse fût complètement visible. Mais
l'étoile avait dépassé la branche et le char de la
Grande Ourse se montrait tout entier, qu'il attendait
encore.

« N'est-il pas temps de rentrer? » demanda Stépane Arcadiévitch.

Tout était silencieux dans la forêt, aucun oiseau n'y
bougeait.

« Attendons encore, répondit Levine.

— Comme tu voudras. »

Ils étaient en ce moment à quinze pas l'un de
l'autre.

« Stiva, s'écria soudain Levine, tu ne m'as pas dit
si ta belle-sœur est mariée ou si le mariage va se
faire. »

Il se sentait si ferme, si calme qu'aucune réponse,
croyait-il, ne pouvait l'émouvoir. Mais il ne s'attendait pas à celle qu'allait lui faire Stépane Arcadiévitch.

« Elle n'est pas mariée et n'a jamais songé au
mariage. Elle est très malade, et les médecins l'ont
envoyée à l'étranger. On craint même pour sa vie.

— Que dis-tu là! s'exclama Levine. Malade... mais qu'a-t-elle? Et comment... »

Cependant, Mignonne, l'oreille à l'écoute, scrutait le ciel et leur jetait des regards de reproche. « Ils ont bien choisi leur temps pour jaser! songeait-elle. En voilà une qui vient... Oui, la voilà. Ils vont la rater. »

Au même instant un sifflement aigu fouetta les oreilles de nos chasseurs; tous deux saisirent en même temps leur fusil, les deux éclairs, les deux coups se confondirent. La bécasse, qui volait très haut, battit de l'aile et tomba dans la cépée, en brisant les jeunes pousses.

« Nous l'avons de moitié », s'écria Levine courant avec Mignonne à la recherche du gibier. « Qu'est-ce donc qui m'a fait tant de peine tout à l'heure? se demanda-t-il. Ah! oui, Kitty est malade. C'est dommage, mais qu'y puis-je? » « Ah! ah! ma belle, tu l'as! reprit-il à haute voix en enlevant de la gueule de Mignonne l'oiseau tout chaud, pour le mettre dans son carnier presque plein. Je l'ai trouvée, Stiva », cria-t-il joyeusement.

XVI

En rentrant, Levine posa force questions sur la maladie de Kitty et les projets des Stcherbatski. Sans qu'il osât se l'avouer, les détails que lui donna son ami lui firent un secret plaisir; il lui restait encore un espoir, et surtout il n'était point fâché que celle qui l'avait tant fait souffrir souffrît à son tour. Mais quand Oblonski remonta aux causes de la maladie de Kitty et prononça le nom de Vronski, Levine l'interrompit.

« Je n'ai pas le droit d'être initié à des secrets de famille qui, pour parler franc, ne m'intéressent nullement. »

Stépane Arcadiévitch esquissa un sourire : il venait de surprendre sur les traits de Levine ce brusque passage de la gaieté à la tristesse qu'il ne lui connaissait que trop.

« As-tu conclu avec Riabinine pour ton bois? demanda Levine.

— Oui, il m'offre un très bon prix : trente-huit mille roubles, dont huit d'avance et les trente autres échelonnés sur six ans. Cette affaire m'a causé beaucoup de soucis, personne ne m'a offert davantage.

— Tu lui donnes ton bois pour rien, proféra Levine d'un air sombre.

— Comment cela, pour rien! répliqua Stépane Arcadiévitch avec un sourire amusé, car il savait que Levine serait maintenant mécontent de tout.

— Ton bois vaut pour le moins cinq cents roubles l'hectare, trancha Levine.

— Ah! ces agriculteurs! plaisanta Stépane Arcadiévitch. Vous accablez toujours de votre mépris les pauvres citadins que nous sommes, mais quand il s'agit de conclure une affaire, nous nous en tirons mieux que vous. Crois-moi, j'ai tout calculé; le bois est vendu dans d'excellentes conditions, et je ne crains qu'une chose, c'est que l'acheteur ne se dédise. Il n'y a guère de bois d'œuvre, reprit-il en soulignant le mot, croyant réduire à néant par ce terme technique tous les doutes de Levine; c'est presque tout bois de chauffage, et il y en aura à peine trois cents stères par hectare. Or il me donne deux cents roubles l'hectare. »

Levine eut un sourire de dédain. « Voilà bien, songea-t-il, le genre de ces messieurs de la ville (1), qui pour une ou deux fois en dix ans qu'ils viennent à la campagne, et pour deux ou trois mots de terroir qu'ils ont pu attraper et qu'ils emploient à tort et à travers, s'imaginent pouvoir nous en remontrer. Le pauvre garçon parle de choses dont il ignore le premier mot. »

« Je ne me permets pas de te faire la leçon quand il s'agit des paperasses de ton administration, rétorqua-t-il; et, le cas échéant, je te demanderais conseil. Mais toi, tu t'imagines connaître à fond ces affaires de bois. Elles sont pourtant bien compliquées, je t'assure. As-tu compté tes arbres?

(1) Tolstoï avait horreur de la vie de citadin. « Il m'est insupportable d'être dans une ville, et tu dis que j'aime battre le pavé. Je voudrais seulement que tu éprouves fût-ce le dixième de mon amour de la campagne et de ma haine de l'oisiveté frivole de la ville. » (Lettre à sa femme, 27 septembre 1866.)

— Comment cela, compter mes arbres! objecta en riant Stépane Arcadiévitch, qui voulait à tout prix faire renaître la bonne humeur de son ami. Compter les sables de la mer, les rayons des planètes, qu'un génie y parvienne, s'il le peut!

— Je te réponds que le génie de Riabinine y parvient. Il n'y a pas de négociant qui achète sans compter, à moins qu'on ne lui donne le bois pour rien, comme tu le fais. Je le connais, ton bois, j'y chasse tous les ans : il vaut cinq cents roubles l'hectare, argent comptant, tandis qu'il t'en offre deux cents à tempérament. Tu lui fais cadeau de quelque trente mille roubles.

— Ne t'emballe pas, voyons, dit Oblonski d'un ton plaintif; pourquoi personne ne m'a-t-il offert ce prix là?

— Parce qu'il est de connivence avec les autres marchands et qu'il leur a promis une ristourne. Je connais tous ces gens-là, j'ai eu affaire à eux, ils s'entendent comme larrons en foire. Sois tranquille, le Riabinine dédaigne les petits profits de dix à quinze pour cent, il attend son heure et achète vingt kopeks ce qui vaut un rouble.

— Tu vois les choses en noir.

— Pas le moins du monde! » conclut Levine d'un ton sombre au moment où ils approchaient de la maison.

Devant la porte stationnait une télègue, solidement bardée de fer et de cuir, solidement attelée d'un cheval bien nourri, où se prélassait le commis de Riabinine, un gars à la mine bien rouge et au caftan bien sanglé, qui à l'occasion lui servait de cocher. Le patron en personne attendait les deux amis dans le vestibule. C'était un homme d'âge moyen, grand, sec, moustachu, le menton rasé et proéminent, les yeux ternes et à fleur de tête. Vêtu d'une redingote dont les longs pans s'ornaient de boutons très bas par-derrière, il portait des bottes dont les tiges, droites à la hauteur des mollets, lui tombaient en accordéon sur les talons, et par-dessus ses bottes de lourds caoutchoucs. Il s'essuya la figure avec son mouchoir, croisa sans qu'il en fût besoin les pans de sa redingote, et s'avança vers les arrivants avec un sourire, tendant à Oblonski une main qui semblait vouloir attraper quelque chose.

« Ah! vous voilà, dit Stépane Arcadiévitch en lui tendant la main. C'est parfait.

— Les chemins ont beau être mauvais, je n'aurais pas osé enfreindre les ordres de Votre Excellence. Positivement j'ai fait la route à pied, mais me voici au jour fixe... Mes hommages, Constantin Dmitritch », continuait-il en se tournant vers Levine, avec l'intention d'attraper aussi sa main; mais celui-ci, qui retirait les bécasses du carnier, fit semblant de ne pas remarquer le geste. « Vous vous êtes donné le plaisir de la chasse? ajouta Riabinine avec un regard de mépris pour les bécasses. Quel oiseau ça peut-il bien être? Est-ce possible que ça ait bon goût? » Et il branla le chef d'un air désapprobateur : était-ce vraiment là manger de chrétien?

« Veux-tu passer dans mon bureau? demanda Levine en français et sur un ton décidément lugubre. Entrez dans mon bureau, vous y discuterez votre affaire, reprit-il en russe.

— Où bon vous conviendra », dit le marchand d'un air de supériorité dédaigneuse, voulant faire entendre que, si d'autres ignoraient les finesses du savoir-vivre, lui Riabinine, se trouvait toujours et partout à sa place.

En pénétrant dans le bureau, Riabinine, machinalement, chercha des yeux l'image sainte; mais quand il l'eut trouvée, il ne se signa point. Il eut pour les bibliothèques et pour les rayons chargés de livres le même regard de dédain, le même hochement de tête qu'il avait accordé aux bécasses : ici non plus, le jeu n'en valait pas la chandelle.

« Eh bien, avez-vous apporté l'argent? demanda Oblonski. Mais asseyez-vous.

— L'argent ne fera point défaut. Pour le moment on est venu faire un bout de causette.

— A quel propos? Mais asseyez-vous donc.

— Pour ce qui est de s'asseoir, on peut s'asseoir, dit Riabinine en se laissant tomber dans un fauteuil et en s'appuyant au dossier de la manière la plus incommode... Il faut céder quelque chose, mon prince; ce serait péché que de ne pas le faire... Quant à l'argent, il est tout prêt, définitivement et jusqu'au dernier kopek. De ce côté-là, il n'y aura pas de retard. »

Ce discours cloua sur place Levine qui, son fusil rangé dans une armoire, voulait se retirer.

« Comment, s'écria-t-il, vous demandez encore un rabais! Mais vous offrez déjà un prix dérisoire. Si mon ami était venu me trouver plus tôt, je lui aurais fait une proposition. »

Riabinine se leva et toisa Levine en souriant.

« Constantin Dmitritch est par trop dur à la détente, dit-il en s'adressant à Oblonski. On n'achète définitivement rien avec lui. J'ai marchandé son blé, je lui offrais un bon prix et...

— Pourquoi vous ferais-je cadeau de mon bien? Je ne l'ai, que je sache, ni trouvé ni volé.

— Faites excuse, au jour d'aujourd'hui il est positivement impossible de voler. Au jour d'aujourd'hui, voyez-vous, la procédure est définitivement devenue publique. Tout se passe honnêtement et ouvertement. Comment pourrait-on voler dans ces conditions? Nous avons traité en honnêtes gens. Le bois est trop cher, je ne joindrais pas les deux bouts. Il faut me faire une petite concession.

— Mais votre affaire est-elle, oui ou non, conclue? Si oui, il n'y a plus à marchander; si non, c'est moi qui achète le bois. »

Le sourire disparut du visage de Riabinine, cédant la place à une expression d'oiseau de proie, rapace et cruelle. De ses doigts osseux et agiles, il déboutonna sa redingote, offrant aux regards sa blouse russe, son gilet aux boutons de cuivre, sa chaîne de montre, et il tira de son sein un gros portefeuille usé.

« Le bois est à moi, s'il vous plaît, proféra-t-il, en tendant la main après un rapide signe de croix. Prends mon argent, je prends ton bois. Voilà comment Riabinine entend les affaires, il ne coupe pas les liards en quatre, ajouta-t-il d'un ton bourru, en brandissant son portefeuille.

— A ta place, je ne me presserais pas, conseilla Levine.

— Que dis-tu! objecta non sans surprise Oblonski. Je lui ai donné ma parole! »

Levine sortit en faisant claquer la porte. Riabinine hocha la tête en souriant.

« Tout ça, voyez-vous, c'est de l'enfantillage, posi-

tivement et définitivement. Parole d'honneur, j'achète
quasiment pour la gloire, parce que je veux qu'on dise :
« C'est Riabinine et non un autre qui a acheté le bois
« d'Oblonski. » Et Dieu sait si je m'en tirerai! Parole
d'honneur... Eh bien, il s'agit maintenant de rédiger
un petit contrat... »

Une heure plus tard, l'homme de négoce, la redingote bien agrafée, la houppelande bien croisée sur sa
poitrine, remontait dans sa bonne télègue bien solide,
emportant chez lui un contrat en bonne et due forme.

« Oh! ces beaux messieurs, dit-il à son commis; toujours la même histoire!

— Ça, c'est s'ment ben sûr, répondit le commis en
lui cédant les rênes pour accrocher le tablier de cuir
de la voiture. Et par rapport à l'achat, Mikhaïl Igna-
titch?

— Hé, hé!... »

XVII

Stépane Arcadiévitch monta au premier, la poche
bourrée de billets à trois mois que Riabinine avait
su lui faire accepter en acompte. La vente était
conclue, il tenait l'argent en portefeuille, la chasse avait
été bonne : il se sentait donc de fort belle humeur et
désirait mettre par un joyeux souper une fin agréable
à une journée si bien commencée. Pour cela il fallait
à tout prix distraire Levine; mais, quelque désir qu'eût
celui-ci de se montrer aimable et prévenant, il n'arrivait point à chasser ses idées noires. La nouvelle que
Kitty n'était pas mariée l'avait comme enivré, mais au
fond de la griserie il avait trouvé l'amertume. Pas
mariée et malade; malade d'amour pour celui qui l'avait
dédaignée! C'était presque une injure personnelle.
Vronski l'avait repoussée, mais elle l'avait repoussé, lui,
Levine. Vronski n'avait-il pas acquis le droit de le
mépriser?

Ce n'était là d'ailleurs qu'une impression assez vague,
et plutôt qu'à la vraie cause de sa contrariété Levine
s'en prenait à des bagatelles. Cette absurde vente de

forêt, la tromperie dont Oblonski avait été victime sous son toit, l'irritèrent tout particulièrement.

« Alors, c'est fini? demanda-t-il en voyant revenir Oblonski. Veux-tu souper?

— Ce n'est pas de refus. La campagne me donne un appétit de loup. Mais pourquoi n'as-tu pas invité Riabinine?

— Eh, qu'il aille à tous les diables!

— Bigre, comme tu le traites! Tu ne lui donnes même pas la main; pourquoi?

— Parce que je ne la donne pas à mon domestique, lequel vaut cent fois mieux que lui.

— Quelles idées arriérées! Et la fusion des classes, qu'en fais-tu?

— Je l'abandonne aux personnes à qui elle est agréable; quant à moi, elle me dégoûte.

— Décidément, tu n'es qu'un rétrograde.

— A vrai dire, je ne me suis jamais demandé qui j'étais. Je suis tout bonnement Constantin Levine.

— Un Constantin Levine bien maussade, dit en souriant Oblonski.

— C'est vrai, et sais-tu pourquoi? A cause de cette vente stupide, excuse le mot. »

Stépane Arcadiévitch prit un air d'innocence outragée.

« Voyons, fit-il, quand quelqu'un a-t-il vendu quoi que ce fût sans qu'on lui ait dit aussitôt : « Mais « cela vaut bien davantage »? Par malheur personne n'offre ce beau prix avant la vente. Non, je vois que tu as une dent contre ce malheureux Riabinine.

— Peut-être et je vais te dire pourquoi. Tu auras beau me traiter encore de rétrograde ou de quelque autre nom aussi cocasse, je ne saurais trop déplorer l'appauvrissement général de cette noblesse à laquelle, en dépit de la fusion des classes, je suis fort heureux d'appartenir. Si encore c'était là une conséquence de nos prodigalités, passe encore : mener la vie à grandes guides, c'est affaire aux nobles, et eux seuls s'y entendent. Je ne suis point froissé de voir les paysans acheter nos terres. Le propriétaire ne fait rien, le paysan travaille et prend la place de l'oisif. C'est dans l'ordre et j'en suis heureux pour lui. Mais ce qui me vexe, c'est de constater que notre noblesse se laisse dépouiller par... comment dirai-je..., oui, c'est cela, pas innocence! Ici c'est un fermier polonais qui achète à moitié prix, d'une dame qui habite Nice, un superbe domaine. Là, c'est un négociant qui prend à ferme pour un rouble l'hectare ce qui en vaut dix. Aujourd'hui c'est toi qui, sans rime ni raison, fais cadeau à ce coquin d'une trentaine de mille roubles.

— Alors, d'après toi, j'aurais dû compter mes arbres un à un?

— Parfaitement. Si tu ne les as pas comptés, sois sûr que Riabinine l'a fait pour toi. Ses enfants auront de quoi vivre et s'instruire, et Dieu sait si les tiens...

— Excuse-moi, je trouve ce calcul mesquin. Nous avons nos occupations, ils ont les leurs, et il faut bien qu'ils fassent leurs bénéfices. Au demeurant l'affaire est terminée, et il n'y a plus à y revenir... Mais voici venir des œufs sur le plat qui me paraissent fort appétissants. Sans compter qu'Agathe Mikhaïlovna va nous sortir cette excellente eau-de-vie... »

Oblonski se mit à table et plaisanta avec Agathe Mikhaïlovna, l'assurant qu'il n'avait de longtemps si bien dîné ni si bien soupé.

« Au moins, dit celle-ci, vous avez, vous, une bonne parole à donner, tandis que Constantin Dmitritch, ne lui servit-on qu'une croûte de pain, il l'avalerait sans rien dire et s'en irait. »

Quelque effort qu'il tentât pour se dominer, Levine restait sombre et silencieux. Il avait sur les lèvres une question qu'il ne se décidait pas à poser, ne sachant trop ni de quelle manière ni à quel propos la formuler. Stépane Arcadiévitch avait eu le temps de redescendre dans sa chambre, d'y faire sa toilette, de revêtir une chemise de nuit tuyautée et enfin de se coucher, que Levine tournait encore autour de lui, abordant mille bagatelles, sans avoir le courage de demander ce qui lui tenait au cœur.

« Comme c'est bien présenté! dit-il en développant une savonnette parfumée, attention d'Agathe Mikhaïlovna dont Oblonski ne profitait point. Regarde donc, c'est vraiment une œuvre d'art.

— Oui, tout se perfectionne de nos jours, approuva Stépane Arcadiévitch avec un bâillement de béatitude. Les théâtres, par exemple, et autres lieux de plaisir... »

Ici nouveau bâillement. « Il y a partout maintenant la
lumière électrique...

— Oui, la lumière électrique..., répéta Levine. A
propos, et Vronski, que devient-il? se risqua-t-il enfin
à demander en abandonnant sa savonnette.

— Vronski? dit Stépane Arcadiévitch, cessant soudain de bâiller. Il est à Pétersbourg. Il est parti peu de
temps après toi et n'est plus revenu à Moscou. Sais-tu,
Kostia, continua-t-il en s'accoudant à la table de nuit
et en appuyant sur sa main son beau visage qu'éclai-
raient comme deux étoiles de bons yeux quelque peu
somnolents, en toute franchise, ne t'en prends qu'à toi-
même. Tu as eu peur d'un rival, et je te répète ce que
je te disais alors, je ne sais lequel de vous deux avait
le plus de chances. Pourquoi n'avoir pas été de l'avant?
Ne t'avais-je pas prévenu que... »

Et il bâilla des mâchoires, tâchant de ne pas ouvrir
la bouche.

« Sait-il ou ne sait-il pas que j'ai fait ma demande?
se demandait Levine en le dévisageant. Oui, il y a de la
ruse, de la diplomatie dans ses traits. » Et, se sentant
rougir, il plongea sans mot dire son regard dans celui
d'Oblonski.

« En admettant, continuait Stépane Arcadiévitch,
qu'elle ait éprouvé pour lui un sentiment quelconque,
il ne peut s'agir que d'un entraînement superficiel. C'est
la mère qui s'est laissé séduire par l'aristocratie de ses
manières et la brillante position qu'il occupera un jour
dans le monde... »

Levine fronça le sourcil. L'injure du refus lui poignit de nouveau le cœur comme une blessure toute
fraîche. Par bonheur il était chez lui; et chez soi on
se sent plus fort.

« Un instant, s'écria-t-il en interrompant Oblonski.
Tu parles d'aristocratie. Veux-tu me dire en quoi
consiste celle de Vronski ou de n'importe quel autre et
en quoi elle autorise le mépris que l'on a eu pour moi?
Tu le considères comme un aristocrate. Je ne suis pas
de cet avis. Un homme dont le père s'est poussé par de
sales intrigues et dont la mère a eu je ne sais combien
d'aventures... Non, merci. J'appelle aristocrates les
gens qui comme moi peuvent se revendiquer de trois
ou quatre générations d'honnêtes gens, instruits, culti-

vés (je ne parle pas des dons de l'esprit, c'est une
autre affaire), qui, n'ayant jamais eu besoin de personne, ne se sont jamais abaissés devant qui que ce
soit. Tels furent mon père et mon grand-père. Et je
connais beaucoup de familles semblables. Tu fais cadeau
de trente mille roubles à un Riabinine et tu trouves
mesquin que je compte les arbres de mes bois; mais
tu te verras un jour confier quelque ferme du gouvernement et je ne sais quoi encore, ce que je n'obtien-
drai jamais. Voilà pourquoi je ménage le bien que m'a
laissé mon père et celui que je me suis acquis par
mon travail... C'est nous qui sommes les aristocrates
et non pas ceux qui vivent aux crochets des puissants
de ce monde et qui se laissent acheter pour pas grand-
chose.

— A qui en as-tu? je suis de ton avis, répondit sincèrement Stépane Arcadiévitch, fort amusé par cette
sortie mais soupçonnant que Levine le rangeait lui
aussi parmi ces gens qui se laissent acheter pour pas
grand-chose. Tu n'es pas juste pour Vronski, mais il
ne s'agit pas de cela. Je te le dis tout franc; tu devrais
partir avec moi pour Moscou et...

— Non. Je ne sais si tu as eu connaissance de ce
qui s'est passé; d'ailleurs peu m'importe. Puisqu'il faut
te le dire, je me suis déclaré à Catherine Alexandrovna
et j'ai essuyé un refus qui me rend son souvenir pénible
et humiliant.

— Pourquoi cela? Quelle folie!

— N'en parlons plus. Et si je me suis emporté, je te
fais toutes mes excuses. »

Maintenant qu'il s'était expliqué, sa bonne humeur
lui était revenue.

« Allons, reprit-il en souriant et en prenant la main
d'Oblonski, sans rancune, n'est-ce pas, Stiva?

— Mais je ne songe pas à me fâcher. Je suis bien
aise que nous nous soyons ouverts l'un à l'autre. Mais
dis-moi, la croule est parfois bonne le matin; je me
passerais bien de dormir et j'irais ensuite tout droit
à la gare.

— Entendu. »

XVIII

Sɪ la vie intérieure de Vronski appartenait toute à sa
passion, sa vie extérieure suivait son cours immuable,
oscillant entre les devoirs mondains et les obligations
de service. Le régiment jouait un grand rôle dans son
existence, tout d'abord parce qu'il l'aimait, et plus
encore parce qu'il y était aimé. Non seulement on l'y
aimait, mais on le respectait, on était fier de voir un
homme si riche, si instruit, si bien doué placer les
intérêts de son régiment et de ses camarades au-dessus
des succès d'amour-propre et de vanité auxquels il
pouvait prétendre. Vronski se rendait compte des sentiments qu'il inspirait et se croyait tenu de les entretenir; d'ailleurs le métier militaire lui plaisait.

Il va sans dire qu'il ne parlait à personne de son
amour; aucun mot imprudent ne lui échappait au
cours des beuveries les plus prolongées (d'ailleurs il ne
s'enivrait jamais au point de perdre le contrôle de lui-
même); et il savait clore le bec aux indiscrets qui se
permettaient la moindre allusion à ses affaires de cœur.
Elles étaient pourtant la fable de la ville, tout le
monde soupçonnait plus ou moins son roman avec
Mme Karénine. La plupart des jeunes gens enviaient
précisément ce qui lui pesait le plus dans cette liaison,
la haute position du mari, qui en faisait un événement mondain. La plupart des jeunes femmes, jalouses
d'Anna qu'elles étaient lasses d'entendre toujours traiter de « juste », voyaient sans déplaisir leurs prédic-
tions vérifiées et n'attendaient que la sanction de l'opinion publique pour l'accabler de leur mépris; elles
tenaient déjà en réserve la boue qu'elles lui jetteraient
quand le moment serait venu. Les personnes d'âge
mûr et celles d'un rang élevé redoutaient un scandale et se montraient mécontentes.

La comtesse Vronski avait d'abord appris avec une
joie malicieuse les amours de son fils : rien, à l'entendre, ne formait mieux un jeune homme qu'une
liaison dans le grand monde; elle n'était pas fâchée
que cette Mme Karénine, qui lui avait tant plu et ne

parlait que de son enfant, ait fini par sauter le pas,
ainsi qu'il sied à toutes les jolies femmes de son rang.
Mais cette indulgence cessa dès qu'elle sut qu'Alexis,
pour ne pas s'éloigner de sa maîtresse, avait refusé
un avancement important, ce dont on lui gardait rancune en haut lieu. Elle s'était aussi laissé dire que,
loin d'être le brillant caprice qu'elle aurait approuvé,
cette passion tournait au tragique, à la Werther, et
risquait de faire commettre à son fils force sottises.
Comme elle n'avait pas revu celui-ci depuis son brusque
départ de Moscou, elle le prévint par son frère aîné
qu'elle désirait sa visite. Ce frère ne cachait pas non
plus son mécontentement, non qu'il s'inquiétât de
savoir si l'amour de son cadet était profond ou éphé-
mère, calme ou passionné, innocent ou coupable (lui-
même, bien que père de famille, entretenait une danseuse et n'avait pas le droit de se montrer sévère); mais
sachant que cet amour déplaisait à qui de droit, il ne
pouvait que blâmer Alexis.

Entre son service et ses relations mondaines, Vronski
consacrait une partie de son temps à une seconde passion, celle des chevaux. Les officiers organisaient cette
année-là des courses d'obstacles; il s'était fait inscrire
et avait acheté une jument anglaise pur sang. Malgré
son amour, et bien qu'il y mît de la réserve, ces courses
avaient pour lui un très grand attrait.

Les deux passions ne se nuisaient d'ailleurs point.
Il fallait à Vronski, en dehors d'Anna, un entraînement
quelconque pour le reposer, le distraire des émotions
violentes qui l'agitaient (1).

(1) *Anna Karénine* qui paraissait en feuilleton dans le *Messager Russe* fut accueillie et commentée avec passion par le public.
On en trouve de nombreux échos dans les lettres du critique
Strakhov, un des meilleurs amis de Tolstoï. « Revenons à votre
roman. L'émotion ne se calme pas... Les commentaires sont si
variés qu'on ne saurait tous les passer en revue... Continuez, Léon
Nicolaïevitch. Vous ne pouvez savoir l'impression que vous pro-
duisez... On a beaucoup moins parlé de *La Guerre et la Paix* que
d'*Anna Karénine*. » (Strakhov, lettres à Tolstoï des 21 mars et
5 mai 1875.)

XIX

Le jour des courses de Krasnoié Sélo, Vronski vint,
plus tôt que d'habitude, manger un bifteck au mess des
officiers. Il n'était pas trop rigoureusement tenu à res-
treindre sa nourriture, son poids répondant aux
soixante-douze kilos de rigueur; mais il ne devait pas
non plus engraisser et s'abstenait en conséquence de
sucre et de farineux. Les coudes sur la table, la tunique
déboutonnée laissant voir son gilet blanc, il semblait
plongé dans la lecture d'un roman français ouvert sur
son assiette, mais il ne prenait cette attitude que pour
se dérober aux conversations des allants et venants; sa
pensée était ailleurs.

Il songeait au rendez-vous que lui avait donné Anna
après les courses. Ne l'ayant point vue depuis trois
jours, il se demandait si elle pourrait tenir sa promesse, car son mari venait de rentrer d'un voyage à
l'étranger. Comment s'en assurer? Ils s'étaient vus pour
la dernière fois à la villa de Betsy, sa cousine, car il
ne fréquentait guère celle des Karénine. C'était pourtant là qu'il projetait maintenant de se rendre, et il
cherchait pour s'y présenter un prétexte plausible.

« Je dirai que Betsy m'a chargé de lui demander
si elle compte venir aux courses; oui, certainement,
j'irai », décida-t-il. Et son imagination lui peignit avec
tant de vivacité le bonheur de cette entrevue que son
visage, soudain redressé, rayonna de joie.

« Fais dire chez moi qu'on attelle au plus tôt la
calèche », dit-il au garçon qui lui apportait son bifteck
sur un plat d'argent. Il attira le plat à lui et se mit à
manger.

De la salle de billard voisine on entendait monter
parmi le choc des billes un bruit de voix mêlé à des
éclats de rire. Deux officiers se montrèrent à la porte :
l'un, tout jeune au visage poupin récemment sorti du
Corps des pages, l'autre, gras et vieux, avec de petits
yeux lourds de graisse et un bracelet au bras.

Vronski coula vers eux un clin d'œil ennuyé, et, re-

portant ses regards sur son livre, fit semblant de ne
les point remarquer.

« Ah! bah, tu prends des forces? dit le gros officier, en s'asseyant près de lui.

— Comme tu vois, répondit Vronski d'un ton maussade et sans lever les yeux.

— Tu ne crains pas d'engraisser? continua le bonhomme en avançant une chaise à son jeune camarade.

— Tu dis? demanda Vronski de plus en plus bourru
et sans dissimuler une grimace d'aversion.

— Tu ne crains pas d'engraisser?

— Garçon, du xérès! » cria Vronski sans lui
répondre, et après avoir transporté son livre de l'autre
côté de l'assiette, il se replongea dans sa lecture.

Le gros officier prit la carte des vins, la tendit au
plus jeune et dit en le regardant :

« Vois donc ce que nous pourrions boire.

— Du vin du Rhin, si tu veux », répondit l'autre
qui tout en lissant son imperceptible moustache, posait
sur Vronski un regard pas très assuré. Voyant que
celui-ci ne bougeait pas, il se leva.

« Retournons dans la salle de billard », proposa-t-il.

Le gros officier le suivit docilement. Ils allaient sortir quand apparut un superbe gaillard, le capitaine
Iachvine. Il ne leur accorda qu'un salut condescendant
et s'en fut tout droit à Vronski.

« Ah! le voilà! » s'écria-t-il en laissant tomber
vigoureusement sa grosse main sur l'épaule du jeune
homme. Celui-ci se retourna d'un air mécontent, mais
son visage reprit aussitôt l'expression de sérénité qui
lui était habituelle.

« Bravo, Alexis, barytona le capitaine, mange un
morceau et avale un petit verre.

— C'est que je n'ai guère faim.

— Reluque-moi les inséparables », reprit Iachvine,
avec un regard ironique vers les deux officiers qui
s'éloignaient. Et il s'assit près de Vronski en pliant
fortement ses grandes jambes moulées dans sa culotte
de cheval et trop longues pour la hauteur des chaises.
« Pourquoi n'es-tu pas venu hier au théâtre de Krasnoié? La Numérov ne joue vraiment pas mal. Où étais-
tu donc?

— Je me suis attardé chez les Tverskoï.

— Ah! oui... »

Ivrogne, débauché, dénué de principes ou plutôt pourvu de principes uniquement immoraux, Iachvine était au régiment le meilleur camarade de Vronski. Celui-ci admirait sa force physique exceptionnelle, dont il faisait surtout preuve en buvant comme une outre et en se passant au besoin de sommeil; il n'admirait pas moins la force morale qui lui valait la considération quelque peu inquiète de ses chefs et de ses camarades, et lui permettait de risquer au jeu, même après les plus fortes ribotes, des dizaines de milliers de roubles avec un calme et une présence d'esprit si imperturbables qu'on le tenait au Club anglais pour le premier des joueurs. En outre, Vronski se sentait aimé de Iachvine pour lui-même et non point pour son nom ni pour sa richesse; voilà pourquoi il lui portait une affection sincère, voilà pourquoi il eût voulu l'entretenir — et lui seul — de son amour, convaincu qu'en dépit du mépris qu'il affectait pour tout sentiment, Iachvine seul pouvait comprendre la profondeur de cette passion, Iachvine seul n'en ferait point un sujet de médisances. Sans lui en avoir jamais soufflé mot, il lisait dans ses yeux que Iachvine savait tout et prenait la chose avec le sérieux voulu.

« Ah! oui », dit le capitaine. Un éclair brilla dans ses yeux noirs tandis qu'obéissant à un tic familier il ramenait d'une main nerveuse le bout gauche de sa moustache entre ses lèvres.

« Et toi, qu'as-tu fait de ta soirée? As-tu gagné?

— Huit mille roubles, dont trois qui ne rentreront peut-être pas.

— Alors je puis te faire perdre sans remords, dit en riant Vronski, sachant que Iachvine avait parié sur lui une forte somme.

— Je n'entends par perdre. Seul Makhotine est à craindre. »

Et l'entretien s'engagea sur les courses, le seul sujet qui pût en ce moment intéresser Vronski.

« Eh bien, j'ai fini, dit enfin celui-ci, nous pouvons partir. »

Il se dirigea vers la porte. Iachvine se leva en étirant son long dos et ses longues jambes.

« Je ne puis dîner de si bonne heure, mais je vais

boire quelque chose. Je te suis. Holà, du vin! cria-t-il
de sa voix tonnante qui faisait trembler les vitres et
r'avait pas sa pareille pour lancer les commandements.
Non, inutile! cria-t-il aussitôt après. Puisque tu rentres
chez toi, je t'accompagne. »

Ils sortirent de compagnie.

XX

VRONSKI occupait au camp une chaumière finnoise
vaste et propre, divisée en deux par une cloison. Tout
comme à Pétersbourg, il avait pour commensal Pétritski;
celui-ci dormait quand Vronski et Iachvine entrèrent.

« Assez dormi comme cela, lève-toi », dit Iachvine
en allant secouer le dormeur par l'épaule derrière la
cloison où il était couché, la chevelure en désordre et
le nez dans l'oreiller.

Pétritski sauta sur ses genoux et promena autour de
lui des regards mal éveillés.

« Ton frère est venu, dit-il à Vronski. Il m'a réveillé,
l'animal, pour me dire qu'il reviendrait. »

Là-dessus, il se rejeta sur l'oreiller en ramenant sur
lui la couverture.

« Laisse-moi tranquille, voyons », cria-t-il avec
colère à Iachvine qui faisait mine de lui retirer sa couverture. Puis, se tournant vers lui et ouvrant définitivement les yeux : « Tu ferais mieux de me dire ce que
je devrais boire pour m'ôter de la bouche cette atroce
amertume.

— De l'eau-de-vie, c'est ce qu'il y a de meilleur,
claironna Iachvine. Téréstchenko, vite de l'eau-de-vie
et des concombres à ton maître! commanda-t-il en prenant un plaisir évident aux roulades de sa voix tonitruante.

— De l'eau-de-vie? Tu crois? demanda Pétritski en
se frottant les yeux. Si tu en prends, je suis ton homme.
Et toi, Vronski, nous tiendras-tu compagnie? »

Et quittant son lit, il s'avança, enveloppé d'une couverture tigrée, les bras en l'air, fredonnant en français : « Il était un roi de Thu... u... lé. »

« Eh bien, Vronski, répéta-t-il, nous tiendras-tu compagnie oui ou non?

— Va te faire fiche! répondit Vronski à qui son domestique tendait sa redingote.

— Où comptes-tu aller? demanda Iachvine en voyant approcher de la maison une calèche attelée de trois chevaux.

— A l'écurie et de là chez Brianski avec qui j'ai une affaire à régler. »

Il avait en effet promis à Brianski, qui demeurait à dix verstes de Péterhof, de venir lui régler un achat de chevaux et espérait avoir le temps de passer chez lui. Mais ses camarades comprirent aussitôt qu'il allait encore ailleurs. Tout en chantonnant, Pétritski cligna de l'œil et fit une moue qui signifiait : « Nous savons ce que Brianski veut dire. »

« Ne t'attarde pas », se contenta de dire Iachvine, et, pour rompre les chiens : « A propos, et mon rouan, fait-il ton affaire? » demanda-t-il en examinant par la fenêtre le limonier qu'il avait cédé à Vronski.

Au moment où celui-ci allait sortir, Pétritski l'arrêta en criant :

« Attends donc, ton frère m'a laissé une lettre et un billet pour toi. Où diantre les ai-je fourrés?

— Eh bien, voyons, où sont-ils?

— Où ils sont? c'est justement la question, déclara Pétritski en posant le doigt sur son front.

— Finis, voyons, c'est agaçant! dit Vronski en souriant.

— Je n'ai pas fait de feu dans la cheminée. Ils doivent être là quelque part.

— Trêve de plaisanteries. Où est la lettre?

— Ma parole, je n'en sais plus rien. Aurais-je rêvé par hasard? Attends, attends, ne te fâche pas; si tu avais vidé quatre bouteilles comme je l'ai fait hier au soir, tu perdrais, toi aussi, la notion des choses... Attends, je vais tâcher de me rappeler. »

Pétritski retourna derrière sa cloison et se laissa tomber sur son lit.

« Voyons, c'est ainsi que j'étais couché et lui se tenait là... Oui, oui, oui, m'y voilà. »

Et il tira la lettre de dessous son matelas.

Vronski prit la lettre qu'accompagnait un billet de

son frère. C'était bien ce qu'il supposait : sa mère lui reprochait de n'être pas venu la voir, et son frère désirait l'entretenir d'urgence. « De quoi se mêlent-ils! » murmura-t-il, et, froissant les deux papiers, il les glissa entre les boutons de sa tunique dans l'intention de les relire en route plus à loisir. Il se heurta dans l'entrée à deux officiers, dont l'un appartenait à un autre régiment, car on prenait volontiers son logis pour lieu de réunion.

« Où vas-tu? dit l'un d'eux.

— A Péterhof pour affaire.

— Ton cheval est-il arrivé de Tsarskoié?

— Oui, mais je ne l'ai pas encore vu.

— On prétend que Gladiator, le cheval de Makhotine, boîte.

— Des blagues! dit l'autre officier. Mais comment ferez-vous pour courir par une boue pareille?

— Ah! ah! vous venez me sauver la vie! » s'écria, en voyant entrer les nouveaux venus, Pétritski à qui son ordonnance offrait sur un plateau des concombres et de l'eau-de-vie. « Comme vous voyez, Iachvine me fait boire pour me rafraîchir les idées.

— Savez-vous que vous nous avez fait passer une nuit blanche? dit l'un des officiers.

— Eh oui, ma foi, tout s'est terminé en musique. Volkov a grimpé sur le toit et nous a annoncé de là qu'il avait du vague à l'âme. Si nous faisions un peu de musique, ai-je proposé : une marche funèbre? Et au son de la marche funèbre il s'est endormi sur son toit.

— Prends donc ton eau-de-vie, et par là-dessus de l'eau de Seltz avec beaucoup de citron, dit Iachvine encourageant Pétritski comme une maman qui veut faire avaler une médecine à son enfant. Après cela tu pourras te permettre une bouteille de champagne.

— J'aime mieux ça. Attends un peu, Vronski, tu vas boire avec nous.

— Non, messieurs, adieu. Je ne bois pas aujourd'hui.

— Tu crains de t'alourdir. Eh bien, nous nous passerons de toi. Vite de l'eau de Seltz et du citron!

— Vronski! cria quelqu'un comme celui-ci sortait.

— Qu'y a-t-il?

— Tu devrais te faire couper les cheveux, ils te donnent trop de poids. »

Une calvitie précoce affligeait Vronski. Il sourit de la plaisanterie et, avançant sa casquette sur son front pour cacher l'endroit fatal, il sortit et monta en calèche.

« A l'écurie! » commanda-t-il.

Il allait prendre ses lettres pour les relire, mais à la réflexion il préféra ne pas se laisser distraire et remit sa lecture après la visite à l'écurie.

XXI

On avait dû amener dès la veille le cheval de Vronski dans l'écurie provisoire, baraque en planches édifiée en hâte à proximité du champ de courses. Comme depuis quelques jours il laissait à l'entraîneur le soin de la promener, Vronski ne savait trop dans quel état il allait trouver sa monture! Dès qu'il vit la calèche approcher, le lad appela l'entraîneur. Celui-ci, un Anglais efflanqué, une touffe de poils au menton, en jaquette courte et bottes à l'écuyère, vint au-devant de son maître de cette démarche niaise et dandinante, les coudes écartés, habituelle aux jockeys.

« Comment va Froufrou? demanda Vronski en anglais.

— *All right, sir,* répondit l'Anglais du fond de la gorge. Mieux vaut ne pas entrer, ajouta-t-il en soulevant son chapeau. Je lui ai mis une muselière, cela l'agite. Si on l'approche, elle s'énervera.

— J'irai tout de même; je veux la voir.

— Allons alors », consentit à contrecœur l'Anglais, toujours sans ouvrir la bouche. Et de son pas dégingandé, les bras toujours ballants, il prit les devants, en jouant des coudes.

Ils entrèrent dans la petite cour ménagée devant la baraque. Le lad de service, un garçon bien mis et de bonne mine, les introduisit, balai en main. Cinq chevaux occupaient l'écurie, chacun dans sa stalle; celui

de Makhotine, le concurrent le plus sérieux de Vronski,
Gladiator, un robuste alezan, devait être là. Vronski,
qui ne le connaissait pas, était plus curieux de le voir
que de voir son propre cheval, mais les règles des
courses lui interdisaient de se le faire montrer et
même de poser la moindre question à son sujet. Tandis qu'il suivait le couloir, le lad ouvrit la porte de la
seconde stalle de gauche et Vronski entrevit un vigoureux alezan à balzanes blanches. Il devina que c'était
Gladiator, mais se retourna aussitôt du côté de Froufrou, comme il se fût détourné d'une lettre ouverte qui
ne lui aurait pas été adressée.

« C'est le cheval de Ma... Mak... je n'arrive pas à
prononcer ce nom-là », jeta l'Anglais par-dessus
l'épaule en désignant, de son pouce à l'ongle crasseux,
la stalle de Gladiator.

« De Makhotine ? oui, c'est mon seul adversaire
sérieux.

— Si vous le montiez, dit l'Anglais, je parierais pour
vous.

— Froufrou est plus nerveuse, celui-ci plus résistant,
répondit Vronski en souriant de l'éloge.

— Dans les courses d'obstacles, reprit l'Anglais, tout
est dans l'art de monter, dans le *pluck*. »

Le *pluck,* c'est-à-dire l'énergie et l'audace, Vronski
n'en manquait certes pas, il le savait, et ce qui valait
encore mieux, il était fermement convaincu que personne ne pouvait en avoir plus que lui.

« Et vous êtes sûr qu'une forte transpiration n'était
pas nécessaire ?

— Très sûr, répondit l'Anglais. Ne parlez pas haut,
je vous en prie, la bête s'énerve », ajouta-t-il avec un
signe de tête du côté de la stalle fermée où l'on entendait piétiner le cheval sur la litière.

Il ouvrit la porte, et Vronski pénétra dans le box,
qu'éclairait faiblement une petite lucarne. Un cheval
bai brun, avec une muselière, y foulait nerveusement
la paille fraîche. Quand ses yeux furent habitués à la
pénombre du box, Vronski scruta une fois de plus d'un
regard machinal toutes les formes de son cheval favori.
Froufrou était une bête de taille moyenne et d'une
conformation   un   peu   défectueuse. Elle   avait   les

membres grêles; la poitrine étroite en dépit du poitrail
saillant; la croupe légèrement ravalée; les jambes, surtout celles de derrière, un peu cagneuses et pas très
musclées. Bien que l'entraînement lui eût fait perdre
son ventre, elle n'en avait pas moins la poitrine très
profonde. Vus de face, ses canons semblaient de vrais
fuseaux; vus de côté au contraire, ils paraissaient très
larges. Malgré ses flancs creux, elle était un peu longue
de corsage. Mais une grande qualité palliait tous ces
défauts : elle avait du « sang », ce sang qui « se
révèle », comme disent les Anglais. Ses muscles, très
développés sous un réseau de veines qui courait le long
d'une peau fine, souple et lisse comme du satin, paraissaient aussi durs que de l'os. Sa tête sèche, aux yeux
à fleur de tête brillants et gais, s'élargissait en naseaux
ouverts et roses à l'intérieur. C'était une de ces bêtes
auxquelles la parole ne semble manquer que par suite
d'un mécanisme incomplet de leur bouche. Tout au
moins Vronski eut le sentiment d'être compris par elle
tandis qu'il la contemplait. Dès qu'il fut entré, elle
renâcla, cligna si fort un œil que le blanc s'injecta de
sang et jeta de l'autre un regard en arrière vers les
arrivants, en cherchant à secouer sa muselière et en
se balançant d'un pied sur l'autre.

« Vous voyez comme elle est nerveuse! dit l'Anglais.

— Ho, ma belle, ho », fit Vronski en s'approchant
pour la calmer.

Plus il avançait, plus elle s'énervait. Mais quand il
fut à la hauteur de sa tête, elle se calma soudain, et ses
muscles tressaillirent sous son pied délicat. Vronski
caressa son cou puissant, remit à sa place une mèche
de crinière qu'elle avait rejetée de l'autre côté de
l'encolure et approcha son visage des naseaux dilatés
et ténus comme une aile de chauve-souris. Elle respira bruyamment, vibra, coucha l'oreille et étendit
vers lui son puissant museau noir, comme pour le saisir par la manche; mais, empêchée par la muselière,
elle la secoua, tandis que, de ses jambes faites au
moule, elle reprenait de plus belle son piétinement.

« Calme-toi, ma belle, calme-toi », lui dit Vronski
en la flattant sur la croupe.

Il quitta le box dans la conviction rassurante que
son cheval était en parfait état.

L'agitation de la jument s'était communiquée à son maître. Le sang affluait au cœur de Vronski; il éprouvait, lui aussi, le besoin de remuer et de mordre, sensation troublante et amusante à la fois.

« Eh bien, je compte sur vous, dit-il à l'Anglais; à six heures et demie sur la piste.

— *All right.* Mais où allez-vous, *my Lord?* » demanda l'Anglais en se servant du titre de *Lord* qu'il n'employait presque jamais.

La hardiesse de cette question surprit Vronski; il leva la tête et regarda l'Anglais comme il savait le faire, non dans les yeux mais en plein front. Il comprit aussitôt que l'entraîneur ne lui avait pas parlé comme à son maître mais comme à un jockey.

« J'ai besoin de voir Brianski, répondit-il; je serai de retour dans une heure. »

« Combien de fois m'aura-t-on posé cette question aujourd'hui! », songea Vronski. Et, ce qui lui arrivait rarement, il rougit sous le regard scrutateur de l'Anglais. Comme s'il savait où allait son maître, celui-ci reprit :

« L'essentiel est de garder son calme. Ne vous faites pas de mauvais sang. Evitez les contrariétés.

— *All right* », répondit Vronski en souriant. Et sautant dans sa calèche, il se fit conduire à Péterhof.

Cependant le ciel qui menaçait depuis le matin s'assombrit tout à fait; une violente averse se mit à tomber.

« C'est fâcheux, se dit Vronski en levant la capote de la calèche : le terrain était déjà lourd, ce sera maintenant un marais. »

Il profita de ce moment de solitude pour relire les fameuses lettres. C'était toujours la même chose. Sa mère comme son frère trouvaient bon de s'immiscer dans ses affaires de cœur. Cette façon d'agir provoquait en lui une irritation insolite. « Que leur importe? A quoi tend cette agaçante sollicitude? Ils sentent probablement qu'il y a là quelque chose qu'ils ne peuvent comprendre. Si c'était une vulgaire liaison mondaine, ils me laisseraient tranquille; mais ils devinent que la bagatelle n'a rien à voir ici, que cette femme m'est plus chère que la vie. Voilà ce qui les dépasse et qui par conséquent les irrite. Quel que soit notre sort, c'est nous qui l'avons fait et nous ne le regrettons pas, songeait-il en s'unissant à Anna dans le mot « nous ». Ils veulent à tout prix nous apprendre à vivre, eux qui n'ont aucune idée de ce qu'est le bonheur. Ils ne savent pas que sans cet amour il n'y aurait pour nous ni joie ni douleur en ce monde, la vie n'existerait plus. »

Au fond, ce qui l'irritait le plus contre les siens, c'est que sa conscience lui disait qu'ils avaient raison. Son amour pour Anna n'était pas un entraînement passager destiné, comme tant de liaisons, à disparaître en ne laissant d'autres traces que des souvenirs agréables ou pénibles. Il sentait vivement la fausseté de leur situation, maudissait les obligations mondaines qui les contraignaient, pour sauver les apparences, à mener une vie de ruse et de dissimulation, à se préoccuper sans cesse du qu'en-dira-t-on, alors que toutes les choses étrangères à leur passion leur étaient devenues parfaitement indifférentes.

Ces fréquentes nécessités de feindre lui revinrent vivement à la mémoire; rien n'était plus contraire à sa nature, et il se rappela le sentiment de honte qu'il avait plus d'une fois surpris dans Anna lorsqu'elle se trouvait, elle aussi, contrainte au mensonge. L'étrange dégoût qui depuis quelque temps s'emparait parfois de lui l'assaillit aussitôt. Pour qui éprouvait-il cette répulsion? Pour Alexis Alexandrovitch, pour lui-même, pour le monde entier? Il n'en savait trop rien et n'avait garde de s'y attarder. Il chassa donc une fois de plus cette impression et laissa ses pensées suivre leur cours.

« Oui, jadis elle était malheureuse, mais fière et tranquille. Et maintenant, quelque peine qu'elle se donne pour ne pas le faire voir, elle a perdu et son calme et sa dignité. Il faut en finir. »

Et pour la première fois l'idée de couper court à cette vie de mensonge lui apparut nette et précise. « Assez tergiversé, décida-t-il. Il faut que nous quittions tout, elle et moi, et que, seuls avec notre amour, nous allions nous cacher quelque part. »

XXII

L'AVERSE fut de courte durée, et lorsque Vronski arriva
au grand trot de son limonier qui tirait après lui les
chevaux de volée galopant à toutes brides dans la
boue, le soleil, déjà reparu, faisait scintiller des deux
côtés de la grande rue les toits des villas, tout ruisselants d'eau, et le feuillage mouillé des vieux tilleuls
d'où tombaient des gouttes joyeuses. Vronski bénis-
sait la pluie : qu'importait maintenant le mauvais état
du champ de courses puisque, grâce à cette ondée,
il allait trouver Anna chez elle et très probablement
seule, son mari revenu depuis quelques jours d'une
saison aux eaux ne s'étant pas encore installé à la
campagne.

Afin d'attirer le moins possible l'attention, Vronski,
comme de coutume, descendit de voiture un peu avant
le pont et gagna à pied la villa des Karénine. Il n'eut
garde de sonner à la grande porte et fit un détour
par les communs.

« Monsieur est-il arrivé? demanda-t-il au jardinier.

— Pas encore, mais madame est là. Prenez la peine
de sonner à la grande porte, on vous ouvrira.

— Non, je préfère passer par le jardin. »

La sachant seule, il voulait la surprendre : comme
il n'avait point promis de venir, elle ne pouvait l'attendre un jour de courses. Il releva donc son sabre
pour ne pas faire de bruit et s'engagea avec précaution dans le sentier sablé et bordé de fleurs qui menait
à la terrasse sur laquelle s'ouvrait de ce côté la villa.
Chassant les préoccupations qui l'avaient assiégé en
route, il ne pensait plus qu'au bonheur de « la »
voir bientôt en chair et en os et non plus seulement
en imagination. Déjà il gravissait le plus doucement
possible la pente douce de la terrasse lorsqu'il se
rappela ce qu'il oubliait toujours et ce qui consistait
le point le plus douloureux de ses rapports avec Anna,
la présence de son fils, de cet enfant au regard inqui-
siteur et, croyait-il, hostile.

L'enfant était le principal obstacle à leurs entre-vues. Jamais en sa présence ils ne se permettaient un mot qui ne pût être entendu de tout le monde, jamais même la moindre allusion de nature à l'intriguer. Il s'était établi entre eux à ce sujet une sorte d'entente muette : duper le petit garçon leur eût paru se faire injure à eux-mêmes. Ils causaient donc devant lui comme de simples connaissances. Malgré ces précautions, Vronski rencontrait souvent le regard perplexe et scrutateur de l'enfant fixé sur lui; caressant à certaines heures, froid et ombrageux à d'autres, Serge semblait deviner d'instinct qu'il existait entre cet homme et sa mère un lien sérieux et dont la signification lui échappait.

Effectivement le pauvre petit ne savait trop comment se comporter avec ce monsieur; grâce à la finesse d'intuition propre à l'enfance, il avait deviné que tout en ne parlant jamais de lui son père, sa gouvernante, sa bonne éprouvaient pour Vronski une répulsion mêlée d'effroi, tandis que sa mère le traitait comme un ami très cher. « Qu'est-ce que cela signifie? Qui est-ce? Dois-je l'aimer? Si je n'y comprends rien, c'est sans doute que je suis méchant ou borné », songeait l'enfant. De là sa timidité, son regard interrogateur et quelque peu méfiant, cette mobilité d'humeur qui gênaient tant Vronski. La présence de ce petit être provoquait invariablement en lui, sans cause apparente, cette étrange nausée qui le poursuivait depuis un certain temps. Elle les rendait tous deux — Anna aussi bien que Vronski — semblables à des navigateurs auxquels la boussole prouverait qu'ils vont à la dérive sans qu'ils puissent arrêter leur course, car reconnaître cette erreur de direction équivaudrait à reconnaître leur perte. Comme la boussole au nautonier, cet enfant au regard naïf rendait évident à leurs yeux leur éloignement de cette norme qu'ils ne connaissaient que trop bien sans vouloir s'y soumettre.

Mais ce jour-là Anna était absolument seule. Elle attendait sur la terrasse le retour de son fils surpris par la pluie au cours d'une promenade. Elle avait envoyé à sa recherche un domestique et une femme de chambre. Vêtue d'une robe blanche garnie de

larges broderies, elle était assise dans un coin, cachée
par des plantes, et n'entendait point venir son amant.
La tête penchée, elle appuyait son front sur le métal
froid d'un arrosoir oublié sur la balustrade et qu'elle
retenait de ses deux mains chargées de bagues si fami-
lières à Vronski. La beauté de cette tête aux cheveux
noirs frisés, de ce cou, de ces bras, de tout l'ensemble
de la personne causait toujours au jeune homme une
nouvelle surprise. Il s'arrêta et la contempla avec
transport. Elle sentit d'instinct son approche, et il
avait à peine fait un pas, qu'elle repoussa l'arrosoir
et tourna vers lui son visage brûlant.

« Qu'avez-vous? vous êtes malade? » lui demanda-
t-il en français, tout en s'approchant d'elle. Il aurait
voulu courir, mais, dans la crainte d'être aperçu, il
jeta vers la porte de la terrasse un regard qui le fit
rougir comme tout ce qui lui rappelait que la
contrainte et la dissimulation s'imposaient.

« Non, je me porte bien, répondit-elle en se levant
et en serrant fermement la main qu'il lui tendait. Je
ne... t'attendais pas.

— Mon Dieu, quelles mains froides!

— Tu m'as fait peur; je suis seule et j'attends Serge
qui est allé se promener; c'est par ici qu'ils revien-
dront. »

Elle affectait le calme, mais ses lèvres tremblaient.

« Excusez-moi d'être venu, je ne pouvais passer la
journée sans vous voir, reprit-il en français, ce qui lui
permettait, pour éviter un tutoiement dangereux, d'avoir
recours au « vous », trop cérémonieux en russe.

— T'excuser quand ta visite me rend si heureuse!

— Mais vous êtes malade ou vous avez du chagrin,
poursuivit-il en se penchant vers elle sans lâcher sa
main. A quoi songiez-vous?

— Toujours à la même chose », répondit-elle en
souriant.

Elle disait vrai. A quelque heure du jour qu'on l'eût
interrogée, elle aurait fait à bon droit la même
réponse, car elle ne songeait qu'à son bonheur et à
son infortune. Au moment où il l'avait surprise, elle
se demandait pourquoi d'aucuns, Betsy par exemple
dont elle connaissait la liaison si bien dissimulée avec
Touchkévitch, prenaient si légèrement ce qui la faisait

tant souffrir. Pour de certaines raisons cette pensée l'avait particulièrement tourmentée ce jour-là. Elle parla des courses; voulant la distraire du trouble dans lequel il la voyait, il lui raconta de son ton le plus naturel les préparatifs qui se faisaient.

« Faut-il lui dire? songeait-elle en regardant ses yeux limpides et caressant. Il a l'air si heureux, il s'amuse tant de cette course qu'il ne comprendra peut-être pas l'importance de ce qui nous arrive. »

Mais brusquement il s'interrompit.

« Vous ne m'avez toujours pas dit à quoi vous songiez quand je suis arrivé? Dites-le-moi, je vous en supplie. »

Elle ne répondait toujours point. La tête penchée, elle levait à demi les yeux vers lui; à travers les longs cils son regard brillait, plein d'interrogations; sa main jouait nerveusement avec une feuille arrachée à quelque plante. Le visage de Vronski prit aussitôt l'expression de dévouement absolu à quoi elle ne savait point résister.

« Je vois qu'il est arrivé quelque chose. Puis-je être tranquille un instant quand je vous sais un chagrin que je ne partage pas? Parlez, au nom du Ciel », sup-plia-t-il.

« Non, s'il ne sent pas toute l'importance de ce que j'ai à lui dire, je ne lui pardonnerai pas; mieux vaut se taire que de le mettre à l'épreuve », songeait-elle le regard toujours fixé sur lui, et la main de plus en plus tremblante.

« Au nom du Ciel, répéta-t-il.

— Faut-il le dire?

— Oui, oui.

— Je suis enceinte », murmura-t-elle lentement.

La feuille qu'elle tenait entre ses doigts tressaillit encore davantage, mais elle ne le quitta point des yeux, cherchant à lire sur son visage comment il prendrait cet aveu. Il pâlit, voulut parler, mais s'arrêta, baissa la tête et laissa tomber la main qu'il tenait entre les siennes. « Oui, se dit-elle, il sent toute la portée de cet événement. » Elle l'en remercia d'un serrement de main.

Mais elle se trompait en croyant qu'il donnait à la chose l'importance qu'elle y attachait en tant que

femme. Cette nouvelle avait d'abord fait naître en lui
un accès de dégoût plus violent que jamais; mais il
comprit aussitôt que la crise qu'il souhaitait était
arrivée : on ne pouvait plus rien cacher au mari et il
fallait sortir au plus tôt, à n'importe quel prix, de
cette situation odieuse. Au reste le trouble d'Anna
se communiquait à lui : il la regarda de ses yeux
tendrement soumis, lui baisa la main, se leva et se
mit à marcher de long en large sur la terrasse sans
proférer une parole. Au bout de quelque temps il
revint à elle et lui dit d'un ton résolu :

« Ni vous, ni moi n'avons considéré notre liaison
comme une bagatelle sans importance. Voici notre
sort fixé. Il faut à tout prix mettre fin au... (il jeta
autour de lui un regard circonspect) au mensonge
dans lequel nous vivons.

— Mais comment y mettre fin, Alexis? » dit-elle
doucement.

Elle était calme maintenant et lui souriait avec tendresse.

« Il faut quitter votre mari et unir nos existences.

— Elles le sont déjà, murmura-t-elle.

— Pas tout à fait.

— Mais comment faire, Alexis? enseigne-le-moi,
dit-elle en songeant avec amertume à ce que sa situation avait d'inextricable. Y a-t-il donc quelque issue?
Ne suis-je pas la femme de mon mari?

— Il y a une issue à toutes les situations; il s'agit
seulement de prendre un parti. Tout est préférable
à la vie que tu mènes. Crois-tu donc que je ne voie
pas combien tout est tourment pour toi : le monde, ton
fils, ton mari...

— Pas mon mari, dit-elle avec un franc sourire.
Je ne pense pas à lui, j'ignore son existence.

— Tu n'es pas sincère. Je te connais, tu te tour-
mentes aussi à cause de lui.

— Mais il ne sait rien », dit-elle; et soudain son
visage se couvrit d'une vive rougeur : les joues, le
front, le cou, tout rougit, et des larmes de honte lui
vinrent aux yeux. « Ne parlons plus de lui! »

XXIII

Plusieurs fois, Vronski avait déjà essayé, bien que plus mollement, de lui faire comprendre sa position, et toujours il s'était heurté à des arguments aussi futiles. Il devait y avoir dans ce sujet des points qu'elle ne voulait ou ne pouvait approfondir, car dès qu'il l'abordait, la véritable Anna disparaissait pour faire place à une femme étrangère qui tenait tête à Vronski et que lui redoutait et haïssait presque. Cette fois il résolut de s'expliquer à fond.

« Qu'il sache ou non, peu nous importe, dit-il de son ton ferme et calme. Nous ne pouvons... vous ne pouvez rester dans cette situation, surtout à présent.

— Que devrais-je faire selon vous? » demanda-t-elle toujours avec le même accent légèrement agressif. Elle, qui tantôt craignait de lui voir accueillir avec légèreté l'annonce de sa grossesse, regrettait maintenant qu'il en déduisît la nécessité d'une résolution énergique.

« Tout avouer et le quitter.

— Fort bien, mais supposons que je le fasse, savez-vous ce qui en résultera? je vais vous le dire. »

Un éclair méchant jaillit de ses yeux, tout à l'heure si tendres.

« Ah! vous en aimez un autre, vous avez avec lui une liaison criminelle, reprit-elle en singeant Alexis Alexandrovitch et en appuyant comme lui sur le mot « criminelle ». Je vous avais prévenue des suites que cette conduite comporte au point de vue de la religion, de la société, de la famille. Vous ne m'avez pas écouté. Je ne puis maintenant livrer à la honte mon nom et... » — Elle allait dire : « mon fils », mais elle s'arrêta, car cet enfant ne pouvait être pour elle matière à raillerie. — ... et quelque chose de ce genre, ajouta-t-elle. Bref il me notifiera de son ton officiel, net et précis, qu'il ne peut me rendre la liberté, mais qu'il prendra des mesures pour arrêter le scandale. Et ces mesures, il les prendra pour de bon et le plus tranquillement du monde, croyez-moi... Ce n'est pas

un homme, mais une machine et, quand il se fâche,
une très méchante machine », ajouta-t-elle en se rappelant les moindres tics, les moindres tares physiques
d'Alexis Alexandrovitch, pour y trouver une compen-
sation à l'horrible faute dont elle s'était rendue coupable envers lui.

« Cependant, Anna, dit Vronski avec douceur dans
l'espoir de la convaincre et de la calmer, il faut tout
lui dire; et nous agirons ensuite selon ce qu'il fera.

— Alors je devrai m'enfuir?

— Pourquoi pas? Cette vie ne peut continuer. Je
ne songe pas à moi, mais à vous qui souffrez.

— M'enfuir et devenir ostensiblement votre maîtresse, n'est-ce pas? lui jeta-t-elle avec dépit.

— Anna! s'écria-t-il froissé.

— Oui, votre maîtresse, et perdre... tout. »

Elle voulait une fois de plus dire : « mon fils »,
mais ne put prononcer ce mot.

Vronski se refusait à admettre que cette forte et
loyale nature acceptât, sans chercher à en sortir, la
situation fausse où elle se trouvait; il ne devinait
point que l'obstacle était précisément ce mot « fils »
qu'elle ne pouvait se résoudre à articuler. Quand
Anna songeait à cet enfant, aux sentiments qu'il nour-
rirait à son égard si elle abandonnait son mari, l'horreur de sa faute lui apparaissait si manifeste qu'elle
n'était plus en état de raisonner; en véritable femme,
elle tâchait par des arguments spécieux de se
convaincre que tout pourrait encore demeurer comme
par le passé; il lui fallait à tout prix s'étourdir,
oublier cette angoissante question :

« Que deviendra l'enfant? »

« Je t'en supplie, reprit-elle soudain sur un ton
tout différent, d'une voix pénétrée de tendresse et de
sincérité, je t'en supplie, ne me parle plus jamais de
cela. »

Elle lui prit tendrement la main.

« Mais, Anna...

— Jamais, jamais. Laisse-moi rester juge de la situation. J'en comprends la bassesse et l'horreur, mais il
n'est pas aussi facile que tu le crois d'y rien changer, de prendre une décision. Laisse-moi libre d'agir

à mon heure et ne me parle plus jamais de cela, tu me le promets?

— Je promets tout ce que tu voudras. Comment veux-tu cependant que je sois tranquille, surtout après ce que tu viens de me dire? Puis-je rester calme quand tu l'es si peu?

— Moi? Il est vrai que je me tourmente parfois, mais cela passera si tu ne me parles plus de rien. C'est seulement quand tu m'en parles que tout cela m'inquiète.

— Je ne comprends pas..., voulut-il dire.

— Je sais, l'interrompit-elle, combien ta nature loyale répugne au mensonge. Bien souvent je te prends en pitié, je me dis que tu as sacrifié ta vie pour moi.

— Et moi je me demandais tout à l'heure comment tu avais pu t'immoler pour moi! Je ne me pardonne pas d'avoir fait ton malheur.

— Mon malheur, dit-elle en se rapprochant de lui et en le regardant avec un sourire d'adoration. Mais je suis semblable à un pauvre affamé auquel on aurait permis d'apaiser sa fringale. Il a peut-être froid et honte de ses guenilles, mais il n'est pas malheureux. Moi, malheureuse! Non, voilà mon bonheur... »

La voix de l'enfant qui rentrait se fit entendre. Elle se leva vivement et jeta autour d'elle un de ces regards enflammés que connaissait si bien Vronski; puis d'un geste impétueux elle le prit par la tête, le regarda longuement, approcha son visage du sien, posa sur les lèvres et les yeux du jeune homme un rapide baiser. Elle voulut alors le repousser et le quitter, mais il l'arrêta.

« Quand? murmura-t-il en la regardant avec transport.

— Ce soir, vers une heure », répondit-elle dans un soupir. Et s'échappant elle courut de son pas léger au-devant de son fils. La pluie avait surpris Serge et sa bonne dans le grand parc, et ils s'étaient réfugiés dans un pavillon.

« Eh bien, au revoir, dit-elle à Vronski. Il est bientôt temps de partir pour les courses. Betsy a promis de venir me chercher. »

Vronski consulta sa montre et partit en toute hâte.

XXIV

Dans son émoi Vronski n'avait guère vu que le cadran
de sa montre sans se rendre compte de l'heure marquée par les aiguilles. Il sortit du parc et, marchant
avec précaution le long du chemin boueux, regagna sa
calèche. L'esprit tout occupé d'Anna, il avait perdu la
notion du temps et ne se demandait pas s'il pouvait encore passer chez Brianski. Cas assez fréquent, sa mémoire lui rappelait ce qu'il avait résolu de faire, sans
que la réflexion intervînt. Quand il eut rejoint sa voiture, il s'amusa un instant aux ébats des moucherons
qui voltigeaient en colonnes chatoyantes au-dessus des
chevaux en sueur, réveilla le cocher sommeillant sur
son siège dans l'ombre, déjà oblique, d'un gros tilleul,
et se fit conduire chez Brianski. La présence d'esprit
ne lui revint qu'au bout de six à sept verstes; il regarda de nouveau sa montre et comprit cette fois
qu'elle marquait cinq heures et demie et qu'il était en
retard.

Il devait y avoir plusieurs courses ce jour-là : la
première était réservée aux officiers de l'escorte de
Sa Majesté; venait ensuite une course de deux mille
mètres pour officiers, une autre de quatre mille, et
enfin celle où il devait courir. Il pouvait encore y
prendre part; mais, s'il ne sacrifiait pas Brianski, il risquait de n'arriver qu'après la cour : ce n'était guère
convenable. Néanmoins, comme Brianski avait sa parole, il continua sa route en recommandant au cocher
de ne pas ménager les chevaux. Il ne resta que cinq
minutes chez Brianski et repartit au galop. Cette rapide allure le calma. Il oublia peu à peu, pour s'abandonner à un joyeux émoi sportif, le côté douloureux
de ses relations avec Anna, le résultat imprécis de la
démarche qu'il venait de tenter auprès d'elle. De temps
en temps son imagination lui dépeignait sous de vives
couleurs les délices du rendez-vous nocturne; mais
plus il avançait, dépassant de nombreuses voitures qui
arrivaient de Pétersbourg ou des environs, plus il se
laissait gagner par l'atmosphère des courses.

Il ne trouva plus chez lui que son ordonnance, qui le guettait à la porte : tout en l'aidant à changer de costume, le brave garçon l'avertit que la seconde course était commencée; plusieurs personnes s'étaient informées de lui, le lad était venu par deux fois aux nouvelles.

Vronski s'habilla tranquillement sans se départir de son calme habituel et se fit conduire aux écuries. On voyait de là l'océan de voitures, de piétons, de soldats, qui déferlait autour de l'hippodrome, et toutes les tribunes chargées de spectateurs. La seconde course devait en effet se courir, car en approchant de l'écurie il entendit un coup de cloche. Il rencontra à la porte Gladiator, l'alezan à balzanes blanches de Makhotine, qu'on menait couvert d'une housse orange dont le camail, bordé de bleu, paraissait énorme.

« Où est Cord? demanda-t-il à un palefrenier.

— A l'écurie; il selle. »

Froufrou était déjà sellée dans sa stalle ouverte; on allait la faire sortir.

« Je ne suis pas en retard?

— *All right, all right,* dit l'Anglais; ne vous énervez pas. »

Vronski caressa du regard les belles formes de sa chère jument, qui tremblait de tous ses membres, et s'arracha avec peine à ce charmant spectacle. Le moment était propice pour s'approcher des tribunes sans être remarqué; la course de deux mille mètres s'achevait, et tous les yeux étaient fixés sur un chevalier-garde talonné par un hussard : tous deux cravachaient désespérément leurs chevaux à l'approche du but. On affluait de toutes parts vers le poteau; un groupe de chevaliers-gardes saluaient avec des cris de joie le triomphe escompté de leur camarade. Vronski se mêla à la foule presque au moment où la cloche annonçait la fin de la course, tandis que le vainqueur, un grand gaillard souillé de boue, s'affaissait sur sa selle et lâchait la main à son étalon à bout de souffle et dont la sueur brunissait la robe grise. La bête arrêta avec difficulté son rapide galop.

L'officier, comme au sortir d'un mauvais rêve, promena autour de lui des regards hébétés et esquissa un vague sourire. Une foule d'amis et de curieux l'entourait.

C'est à dessein que Vronski évitait le public de choix qui circulait devant les tribunes en devisant gravement. Il avait reconnu de loin sa belle-sœur, Anna, Betsy et, craignant de se laisser distraire, il préférait se tenir à l'écart. Mais à chaque pas des figures de connaissance l'arrêtaient au passage pour lui raconter les détails des premières courses ou lui demander la cause de son retard.

Pendant qu'on distribuait les prix dans la tribune d'honneur et que chacun se dirigeait de ce côté, Vronski vit approcher son frère aîné Alexandre, un colonel à aiguillettes, petit et trapu comme lui, mais plus beau, en dépit de son nez rouge et de son teint coloré de buveur.

« As-tu reçu mon mot? demanda le colonel. On ne te trouve jamais chez toi. »

Ivrogne et débauché, Alexandre Vronski n'en était pas moins le type parfait de l'homme de cour. Aussi, tout en s'entretenant avec son frère d'un sujet plutôt épineux, il gardait, à cause des yeux qu'il sentait braqués sur eux, une physionomie souriante et dégagée. De loin, on pouvait croire qu'ils plaisantaient.

« Je l'ai reçu, dit Alexis, mais je ne sais vraiment de quoi tu t'inquiètes.

— De ceci : on vient de me faire remarquer ton absence et l'on t'a vu lundi à Péterhof.

— Il y a des choses qui ne peuvent être jugées que par ceux qu'elles intéressent directement, et l'affaire dont tu te préoccupes est justement de celles-là.

— Oui, mais alors on ne reste pas au service, on ne...

— Ne te mêle pas de ça, c'est tout ce que je te demande. »

Le visage renfrogné d'Alexis Vronski pâlit soudain, et son menton se mit à trembler. C'était chez lui, comme chez toutes les natures foncièrement bonnes, le signe d'une colère d'autant plus redoutable que les accès en étaient fort rares. Alexandre Vronski, qui ne l'ignorait point, crut prudent de sourire.

« J'ai seulement voulu te remettre la lettre de notre

mère. Réponds-lui et ne te fais pas de mauvais sang avant la course. *Bonne chance.* »

Il s'éloigna toujours souriant, mais aussitôt quelqu'un s'écria derrière lui :

« Tu ne reconnais donc plus tes amis? Bonjour, *mon cher.* »

C'était Stépane Arcadiévitch, la mine fleurie, les favoris lustrés, aussi à son aise qu'à Moscou parmi le grand monde pétersbourgeois.

« Je suis arrivé d'hier et tu me vois ravi d'assister à ton triomphe. Quand se verra-t-on?

— Demain, au mess, et toutes mes excuses », dit Vronski en lui effleurant, en guise de poignée de main, la manche du pardessus. Et il gagna en hâte le paddock où l'on amenait déjà les chevaux qui devaient participer à la course d'obstacles.

Les palefreniers emmenaient les chevaux épuisés par la dernière course, tandis que ceux de la course suivante, pour la plupart des pur sang anglais que leur camail et leur caparaçon rendaient semblables à de grands oiseaux étranges, apparaissaient les uns après les autres. On amenait sur la droite Froufrou, belle dans sa maigreur, qui avançait comme sur des ressorts sur ses paturons élastiques et plutôt longs. Non loin de là on ôtait le caparaçon de Gladiator; les formes superbes, robustes et parfaitement régulières de l'étalon, sa croupe splendide, ses paturons court-jointés retinrent un instant l'attention de Vronski. Il allait s'approcher de Froufrou, mais dut encore échanger quelques mots avec un ami qui l'arrêta au passage.

« Tiens, voici Karénine, dit soudain celui-ci. Il cherche sa femme, qui trône pourtant au beau milieu de la tribune. Vous l'avez vue?

— Mon Dieu, non », répondit Vronski sans même tourner la tête du côté où on lui indiquait la présence de Mme Karénine.

Il s'apprêtait à vérifier la selle quand on appela les concurrents pour le tirage au sort des numéros. Dix-sept officiers, sérieux, solennels, d'aucuns même fort pâles s'approchèrent de la tribune. Vronski tira le N° 7.

« En selle! » cria-t-on.

Vronski retourna à son cheval; il se sentait, ainsi

que ses camarades, le point de mire de tous les regards et, comme toujours en pareil cas, la solennité du moment rendait ses mouvements plus lents et plus pondérés. En l'honneur des courses, Cord avait mis son costume de cérémonie; une redingote noire soigneusement boutonnée, faux col empesé étayant les joues, chapeau rond et bottes à l'écuyère. Calme et important selon son habitude, il tenait en personne le cheval par la bride. Froufrou tremblait toujours, comme prise d'un accès de fièvre, et clignait vers son maître un œil plein de feu. Vronski glissa le doigt sous la sangle; la jument cligna de plus belle, montra les dents, coucha l'oreille, tandis que par une moue ironique l'Anglais témoignait sa stupeur : on doutait de la façon dont il sellait un cheval!

« Montez, dit-il, vous serez moins agité. »

Vronski embrassa ses concurrents d'un dernier regard; il savait que pendant la course il ne les verrait plus. Deux d'entre eux se dirigeaient déjà vers la ligne de départ. Galtsine, un ami et un des meilleurs coureurs, tournait autour de son étalon bai sans arriver à se mettre en selle. Un petit hussard de la garde en culotte collante faisait un temps de galop, arqué sur sa selle, à l'instar des Anglais, comme un chat qui fait le gros dos. Blanc comme un linge, le prince Kouzovlev montait une jument pur sang qui provenait du haras de Grabovo et qu'un Anglais menait par la bride. Comme tous ses camarades Vronski savait pertinemment qu'à un amour-propre monstrueux Kouzovlev joignait une surprenante « faiblesse » de nerfs : cet homme avait peur de tout, peur même de monter un simple cheval de rang; mais, précisément à cause de cette peur, parce qu'il risquait de se rompre le cou et qu'il y avait auprès de chaque obstacle un major, une infirmière et une voiture d'ambulance, il avait résolu de courir. Cependant, comme leurs regards se rencontrèrent, Vronski l'encouragea d'une œillade amicale. Il chercha en vain son rival le plus redoutable, Makhotine et son Gladiator.

« Ne vous pressez pas, lui disait Cord, et surtout rappelez-vous que devant l'obstacle il ne faut ni retenir ni lancer son cheval, mais simplement le laisser faire.

— C'est bien, c'est bien, répondit Vronski en prenant les rênes.

— Autant que possible menez la course; sinon ne perdez pas courage, quand bien même vous seriez le dernier. »

Sans laisser à sa monture le temps de se reconnaître, Vronski mit le pied à l'étrier dentelé et d'un mouvement souple et ferme posa son robuste corps sur la selle dont la peau cria. Passant son pied droit dans l'étrier, il égalisa d'un geste familier les doubles rênes entre ses doigts, et Cord lâcha le cheval. Froufrou allongea le cou en tirant sur la bride; elle semblait se demander de quel pied partir. Enfin elle s'élança d'un pas élastique, balançant son cavalier sur son dos flexible. Cord suivait à grandes enjambées. La jument énervée cherchait à tromper son cavalier et tirait tantôt à droite, tantôt à gauche; Vronski s'efforçait en vain de la rassurer de la voix et du geste.

On approchait de la rivière, non loin de la ligne de départ. Vronski, précédé des uns, suivi des autres, entendit résonner derrière lui sur la boue du chemin le galop d'un cheval. C'était Gladiator, l'alezan aux balzanes blanches et aux oreilles pendantes. Makhotine, qui le montait, sourit de toutes ses dents en dépassant Vronski, mais celui-ci ne répondit que par un regard irrité. En général il n'aimait pas Makhotine; qui plus est, il voyait maintenant en lui son plus rude adversaire et se courrouça de le voir échauffer sa jument en galopant auprès d'elle. Froufrou partit du pied gauche au galop, fit deux bonds et fâchée de se sentir retenue par les brides, changea d'allure et prit un trot qui secoua fortement son cavalier. Cord, mécontent, trottait l'amble derrière Vronski.

XXV

Dix-sept officiers participaient à l'épreuve. Le champ de courses formait une piste elliptique de quatre mille mètres. On y avait aménagé neuf obstacles : la rivière; une grande barrière, haute d'un mètre cinquante, placée à la tête des tribunes; un fossé sec; un autre rempli d'eau; un talus; une banquette irlandaise, c'est-à-dire un remblai couvert de fascines dissimulant un fossé, obstacle double et fort dangereux, car les chevaux devaient le franchir d'un bond sous peine de se tuer; deux fossés pleins d'eau et un dernier fossé sec. L'arrivée avait lieu devant les tribunes, mais le départ se donnait à quelque deux cents mètres de là, et c'est sur ce premier parcours que se trouvait la rivière, large d'environ deux mètres, qu'on pouvait à volonté sauter ou passer à gué.

Trois fois les concurrents, groupe bariolé vers qui étaient dirigés tous les yeux, toutes les lorgnettes, s'alignèrent pour le signal et trois fois il y eut faux départ, au grand mécontentement du colonel Sestrine, starter expérimenté. Enfin le quatrième starting réussit. Aussitôt mille voix rompirent le silence de l'attente : « Enfin, ça y est, les voilà partis! » Et tous les spectateurs se précipitèrent de-ci de-là pour mieux voir les péripéties de la course. De loin les cavaliers semblaient avancer en peloton compact. En réalité, ils s'étaient déjà détachés et s'approchèrent de la rivière en groupes de deux ou trois ou même isolés. Et les fractions de longueur qui les séparaient avaient pour eux une grave importance.

Froufrou, agitée et trop nerveuse, perdit d'abord du terrain, mais dès avant la rivière, Vronski retenant de toutes ses forces la bête qui gagnait à la main prit facilement le devant sur trois chevaux et ne fut plus dépassé que par l'alezan de Makhotine, Gladiator, jouant de la croupe régulièrement et légèrement juste devant lui, et la belle Diane en tête de tous, portant le malheureux Kouzovlev, plus mort que vif. Pendant ces premières minutes Vronski ne fut pas plus maître de lui-même que de sa monture.

Gladiator et Diane franchirent la rivière presque d'un même bond. Froufrou s'élança derrière eux comme portée par des ailes; au moment où Vronski se sentait dans les airs il aperçut, presque sous les pieds de son cheval, Kouzovlev se débattant avec Diane de l'autre côté de la rivière. Après avoir sauté, le maladroit avait lâché les rênes et culbuté avec son cheval; mais Vronski n'apprit ces détails que plus tard; pour

le moment il ne vit qu'une chose, c'est que Froufrou
allait reprendre pied sur le corps de Diane. Mais,
pareille à une chatte qui tombe, Froufrou fit en sautant un effort du dos et des jambes et retomba à terre
par-dessus le cheval abattu.

« Oh! la brave bête! » se dit Vronski.

Après la rivière, il reprit pleine possession de son
cheval et le retint même un peu, dans le dessein de
sauter la grande barrière derrière Makhotine; alors,
sur les quatre cents mètres libres d'obstacles, il verrait
à le distancer.

Cette barrière — « le diable », comme on l'appelait
— s'élevait juste en face du pavillon impérial. L'empereur, toute la cour, une foule immense les regardait venir, à une longueur l'un de l'autre. Vronski
sentait tous ces yeux braqués sur lui, mais il ne voyait
que les oreilles et le cou de son cheval, la terre qui
fuyait derrière la croupe de Gladiator et ses pieds
blancs battant le sol en cadence toujours à la même
distance de Froufrou. Gladiator s'élança à la barrière,
agita sa queue écourtée et disparut aux yeux de Vronski
sans avoir heurté l'obstacle.

« Bravo! » cria une voix.

Au même moment passèrent comme un éclair sous
les yeux de Vronski les planches de la barrière que
son cheval franchit sans changer d'allure; mais un
craquement retentit derrière lui. Echauffée par la vue
de Gladiator, Froufrou avait sauté trop tôt et frappé
l'obstacle de son sabot de derrière. Cependant son
allure ne varia point, et Vronski, ayant reçu au visage
un paquet de boue, comprit que la distance qui le
séparait de Gladiator n'avait pas augmenté en apercevant la croupe de l'alezan, sa courte queue coupée
et ses rapides pieds blancs.

Vronski jugea le moment venu de dépasser Makhotine; Froufrou sembla se faire la même réflexion, car,
sans y être excitée, elle augmenta sensiblement de
vitesse et se rapprocha de Gladiator du côté le plus
avantageux, celui de la corde. Makhotine la conservait
cependant, mais on pouvait le dépasser de l'extérieur;
à peine Vronski s'en fut-il avisé que Froufrou, changeant de pied, prit elle-même cette direction : son
épaule, brunie par la sueur, joignit bientôt la croupe

de Gladiator. Ils coururent un moment côte à côte; mais Vronski, désireux de se rapprocher de la corde avant l'obstacle, excita sa monture et dépassa sur le talus même Makhotine dont il entrevit le visage souillé de boue et souriant, à ce qu'il lui sembla. Bien que dépassé, Gladiator était toujours là sur les talons de Froufrou, et Vronski entendait toujours le même galop régulier et la respiration précipitée, encore fraîche de l'alezan.

Les deux obstacles suivants, un fossé et une barrière furent aisément franchis, mais le souffle et le galop de Gladiator se rapprochaient. Vronski força le train de Froufrou et sentit avec joie qu'elle augmentait aisément sa vitesse : la distance fut vite rétablie.

C'était lui maintenant qui menait la course suivant son désir et la recommandation de Cord; il était sûr du succès. Son émotion, sa joie, sa tendresse pour Froufrou allaient toujours croissant. Quelque désir qu'il en eût, il n'osait pas se retourner et cherchait à se calmer, à ménager sa monture, à lui garder la même réserve de forces qu'il devinait en Gladiator. Il n'avait plus devant lui qu'un seul obstacle sérieux, la banquette irlandaise; s'il le franchissait avant les autres, son triomphe ne faisait plus de doute. Froufrou et lui aperçurent la banquette de loin, et tous deux, le cheval et le cavalier, éprouvèrent un moment d'hésitation. Vronski remarqua cette indécision aux oreilles de la jument; déjà il levait la cravache, mais il s'aperçut à temps qu'elle avait compris ce qu'elle devait faire. Elle prit sa battue, et comme il le prévoyait, s'abandonna à la vitesse acquise qui la transporta bien au-delà du fossé; aussitôt elle reprit sa course à la même cadence, tout naturellement et sans changement de pied.

« Bravo, Vronski », crièrent des voix, celles de ses camarades de régiment qui s'étaient postés près de la banquette. Si Vronski n'aperçut point Iachvine, force lui fut de reconnaître sa voix.

« Oh! la brave bête! » pensait-il de Froufrou, tout en prêtant l'oreille à ce qui se passait derrière lui. « Il a passé! » se dit-il en percevant le galop tout proche de Gladiator. Il restait encore un fossé rempli d'eau large d'un mètre cinquante, mais Vronski ne s'en préoccupait guère; désireux d'arriver au poteau bien

avant les autres, il se mit à « rouler » Froufrou qu'il
devinait épuisée, car son cou et ses épaules étaient
trempés, la sueur perlait sur son garrot, sa tête et ses
oreilles, sa respiration devenait courte et haletante. Il
savait cependant qu'elle serait de force à fournir — et
au-delà — les quatre cents mètres qui la séparaient du
but. Seules la douceur parfaite de l'allure et la proximité
plus grande du sol révélaient à Vronski l'accélération
de la vitesse. Froufrou franchit, ou plutôt survola le
fossé sans y prendre garde; mais au même moment
Vronski sentit avec horreur qu'au lieu de suivre l'allure du cheval, le poids de son corps avait par suite
d'un mouvement aussi incompréhensible qu'impardon-
nable, porté à faux en retombant en selle. Il comprit
que sa position avait changé et qu'une chose terrible
lui arrivait : quoi au juste? il ne s'en rendait pas
encore bien compte quand il vit passer devant lui
comme un éclair l'alezan de Makhotine.

Vronski touchait la terre d'une jambe, sur laquelle
la jument s'était affaissée; il eut à peine le temps de
se dégager qu'elle tomba tout à fait, soufflant péniblement, et faisant de son cou délicat et couvert de sueur
d'inutiles efforts pour se relever. Elle se débattait
comme un oiseau blessé : le faux mouvement de
Vronski lui avait brisé les reins. Du reste celui-ci ne
comprit sa faute que beaucoup plus tard; pour le
moment il ne voyait qu'une chose : Gladiator s'éloignait rapidement tandis que lui demeurait là, chance-
lant sur la terre détrempée, devant Froufrou haletante
qui tendait vers lui la tête et le regardait de ses beaux
yeux. Toujours sans comprendre il tira sur la bride.
Elle sursauta comme un poisson et parvint à dégager
ses jambes de devant; mais impuissante à relever celles
de derrière, elle retomba tremblante sur le côté. Pâle,
le menton tremblant, le visage défiguré par la colère,
Vronski lui donna un coup de talon dans le ventre et
tira de nouveau sur la bride; cette fois-ci elle ne bougea même pas et se contenta de jeter à son maître un
de ses regards parlants en enfonçant son museau dans
le sol.

« Ah! mon Dieu, qu'ai-je fait? gémit Vronski en se
prenant la tête à deux mains. Voilà la course perdue,
et par ma faute... Une faute humiliante, impardon-

nable... Et ce pauvre cher animal que j'ai tué... Ah! mon Dieu, qu'ai-je fait? »

On accourait vers lui : ses camarades, le major, l'infirmier, tout le monde. A son grand chagrin, il se sentait sain et sauf. La jument s'était rompu l'épine dorsale; on décida de l'abattre. Incapable de répondre aux questions, de proférer une seule parole, Vronski, sans même relever sa casquette, quitta le champ de courses, marchant au hasard sans trop savoir où il allait. Pour la première fois de sa vie, il se sentait malheureux, malheureux sans espoir et malheureux par sa faute. Il fut bientôt rejoint par Iachvine qui lui remit sa casquette et le ramena à son logis; au bout d'une demi-heure, il reprit possession de lui-même; mais cette course resta longtemps un des souvenirs les plus pénibles, les plus douloureux de son existence.

XXVI

RIEN ne paraissait changé extérieurement aux rapports des deux époux, sauf qu'Alexis Alexandrovitch menait une vie de plus en plus laborieuse. Comme d'habitude, il s'en alla dès le printemps à l'étranger pour s'y remettre par une cure d'eaux des fatigues de l'hiver. Comme d'habitude, il revint en juillet et reprit ses fonctions avec une nouvelle énergie. Et toujours comme d'habitude, il laissa sa femme s'installer à la campagne tandis qu'il demeurait à Pétersbourg.

Depuis l'avertissement qui avait suivi la soirée chez la princesse Tverskoï, Alexis Alexandrovitch n'avait plus fait la moindre allusion à sa jalousie. Le ton de persiflage qu'il avait toujours affectionné lui offrait maintenant des commodités particulières. Il se montrait légèrement plus froid envers Anna, bien qu'il ne parût conserver du fameux entretien nocturne qu'une certaine contrariété; encore n'était-ce qu'une nuance, rien de plus. « Tu n'as pas voulu t'expliquer avec moi, semblait-il lui dire en pensée! Soit. Un jour viendra où tu t'adresseras à moi et où je refuserai à mon tour de m'expliquer. Tant pis pour toi! » C'est ainsi qu'un homme furieux de n'avoir pu éteindre un incendie qui consume sa maison pourrait dire : « Eh bien, tant pis, brûle tant qu'il te plaira! »

Comment cet homme, si fin et si sensé quand il s'agissait de son service, ne comprenait-il pas ce que sa conduite avait d'absurde? C'est que la situation lui semblait trop pénible pour qu'il osât la mesurer... Il préférait donc enfouir ses sentiments familiaux au plus profond de lui-même et sous triple serrure. Et depuis la fin de l'hiver, ce père si attentif prit envers son fils une attitude singulièrement froide, ne l'interpellant plus que du nom de « jeune homme » sur ce ton ironique qu'il affectait avec Anna.

Alexis Alexandrovitch prétendait n'avoir jamais été tant accablé d'affaires que cette année-là; mais il n'avouait pas qu'il les créait à plaisir, pour n'avoir point à ouvrir le coffre secret qui contenait des pensées et des sentiments d'autant plus troublants qu'ils demeuraient plus longtemps enfermés. Si quelqu'un s'était arrogé le droit de l'interpeller sur la conduite de sa femme, le doux, le pacifique Alexis Alexandrovitch se fût mis en colère. Aussi sa physionomie prenait-elle un air digne et sévère toutes les fois qu'on s'informait d'Anna auprès de lui. A force de vouloir ne rien penser de la conduite et des sentiments de sa femme, il était enfin parvenu à n'y point penser.

Les Karénine passaient toujours l'été dans leur villa de Péterhof, et d'ordinaire la comtesse Lydie s'établissait non loin d'eux et entretenait de fréquentes relations avec Anna. Cette année la comtesse ne se fixa point à Péterhof et ne fit pas la moindre visite à Mme Karénine; en revanche, causant un jour avec Alexis Alexandrovitch, elle se permit quelques allusions aux inconvénients que présentait l'intimité d'Anna avec Betsy et Vronski. Alexis Alexandrovitch l'arrêta net, déclara d'un ton péremptoire que sa femme était au-dessus de tout soupçon, et depuis lors évita la comtesse Lydie. Résolu à ne rien voir, il ne s'apercevait pas que bien des personnes battaient déjà froid à sa femme; résolu à ne rien approfondir, il ne se demandait pas pourquoi celle-ci avait voulu s'installer à Tsarskoié où demeurait Betsy et non loin du camp de Vronski. Cependant il avait beau, par un effort de

volonté, écarter de lui ces pensées, il n'en était pas
moins convaincu de son infortune : il ne possédait
aucune preuve à l'appui, il n'osait pas se l'avouer, mais
il ne la mettait pas un instant en doute et il en souffrait
profondément.

Que de fois, pendant ses huit années de bonheur
conjugal, s'était-il demandé à la vue de maris trompés
et de femmes infidèles : « Comment en arrive-t-on là?
Comment ne sort-on pas à tout prix de cette odieuse
situation? » Et maintenant que cette situation était la
sienne, loin de songer à en sortir, il se refusait à l'admettre et cela précisément parce qu'elle lui semblait
par trop odieuse, par trop contre nature.

Depuis son retour des eaux, Alexis Alexandrovitch
avait fait deux apparitions à la campagne, une pour y
dîner, une autre pour y recevoir des invités, mais il
n'avait eu garde d'y coucher comme il le faisait les
années précédentes. Il se trouva que les courses eurent
lieu un jour où il avait fort à faire; néanmoins, en
établissant dès le matin le programme de sa journée,
il décida de se rendre à Péterhof après avoir dîné de
bonne heure, et de là aux courses, où il jugeait sa présence nécessaire, toute la cour devant s'y trouver. Par
convenance il voulait qu'on le vît chez sa femme au
moins une fois par semaine; d'ailleurs on approchait
du quinze, et il tenait à lui remettre, comme il était de
règle à cette date, l'argent nécessaire à la dépense de
la maison. Ces décisions avaient été prises avec sa
force de volonté habituelle et sans qu'il permît à sa
pensée d'aller au-delà.

Il eut une matinée fort chargée. La comtesse Lydie
lui avait envoyé la veille une brochure d'un voyageur
célèbre par ses voyages en Chine, en le priant de recevoir ce personnage qui lui paraissait intéressant à plus
d'un titre; comme il n'avait pu terminer le soir la lecture de cette brochure, force lui fut de l'achever le
matin. Puis vinrent les rapports, les réceptions, les nomi-
nations, les révocations, les répartitions de pensions,
appointements, gratifications, la correspondance, bref
tout ce « tintouin quotidien » comme disait Alexis
Alexandrovitch, qui lui prenait du temps. Il s'occupa
ensuite de ses affaires personnelles, reçut son médecin
et son régisseur. Celui-ci ne le retint pas longtemps : il

ne fit que lui remettre de l'argent et un rapport succinct
sur l'état de ses affaires qui, cette année, n'étaient pas
très brillantes : les dépenses excédaient les recettes.
En revanche le médecin, une célébrité pétersbourgeoise qui entretenait avec lui des rapports d'amitié,
lui prit un temps considérable. Alexis Alexandrovitch,
qui ne l'avait point mandé, fut surpris de sa visite et
encore plus de l'attention scrupuleuse avec laquelle il
l'interrogea, l'ausculta, lui palpa le foie. Il ignorait
que, frappée de son état peu normal, la comtesse Lydie
avait prié le médecin de le voir et de le bien examiner.

« Faites-le pour moi, avait dit la comtesse.

— Je le ferai pour la Russie, comtesse, répliqua le
docteur.

— Vous êtes un homme inestimable », avait conclu
la comtesse.

Le médecin resta très mécontent de son examen : le
foie était hypertrophié, la nutrition défectueuse, le
résultat de la cure nul. Il ordonna plus d'exercice,
moins de tension d'esprit, et surtout aucune contrariété, ce qui pour Alexis Alexandrovitch était aussi
facile que de ne point respirer. Il laissa Karénine sous
l'impression désagréable qu'il y avait en lui un principe
de maladie auquel on ne pouvait porter remède.

En quittant son malade, le médecin rencontra sur le
perron le chef de cabinet d'Alexis Alexandrovitch,
nommé Sludine; ils se connaissaient depuis l'université et s'ils se voyaient rarement, ils n'en restaient pas
moins bons amis; aussi le docteur n'aurait-il pas parlé
à d'autres avec la même franchise qu'à Sludine.

« Je suis bien aise que vous l'ayez vu, dit celui-ci.
Il n'est pas bien et je crois même... Mais qu'en dites-
vous?

— Ce que j'en dis? répondit le médecin, en appelant
du geste son cocher par-dessus la tête de Sludine.
Voici ce que j'en dis. Si vous essayez de rompre une
corde qui ne soit pas tendue, vous réussirez difficilement, expliqua-t-il en étirant de ses mains blanches
un doigt de son gant glacé; mais si vous la tendez à
l'extrême, vous la romprez en y appuyant le doigt.
C'est ce qui lui arrive avec sa vie trop sédentaire et son
travail trop consciencieux; et il y a une pression du
dehors, une pression violente même, conclut-il en

levant les sourcils d'un air significatif. Serez-vous aux
courses? ajouta-t-il en descendant les marches du perron et en gagnant sa voiture... Oui, oui, évidemment,
cela prend trop de temps », répondit-il à quelques mots
de Sludine qui n'arrivèrent pas jusqu'à lui.

Le médecin fut suivi du célèbre voyageur. Alexis
Alexandrovitch, aidé de la brochure qu'il venait de
parcourir et de quelques notions antérieures sur la
question, étonna son visiteur par l'étendue de ses
connaissances et la largeur de ses vues.

Il lui fallut ensuite recevoir un maréchal de noblesse
de passage à Pétersbourg, terminer la besogne quoti-
dienne avec le chef de cabinet, faire une visite importante à un grand personnage. Alexis Alexandrovitch
n'eut que le temps de rentrer pour cinq heures, heure
habituelle de son dîner; il le prit en compagnie de son
chef de cabinet, qu'il invita à l'accompagner aux
courses. Sans qu'il s'en rendît compte, il cherchait toujours maintenant à mettre un tiers dans ses entretiens
avec Anna.

XXVII

Anna était dans sa chambre, debout devant son miroir
et attachait avec l'aide d'Annouchka un dernier nœud à
sa robe, lorsqu'un bruit de roues se fit entendre sur le
gravier devant le perron.

« C'est trop tôt pour Betsy », songea-t-elle. Un regard
à la fenêtre lui permit d'apercevoir une voiture et d'y
reconnaître le chapeau noir et les fameuses oreilles
d'Alexis Alexandrovitch. « Quel contretemps! se dit-
elle. Se peut-il qu'il vienne pour la nuit? » Les conséquences possibles de cette visite l'épouvantèrent; sans
se donner une minute de réflexion et sous l'empire de
cet esprit de mensonge et de ruse qui lui devenait familier, elle descendit, le visage rayonnant, pour recevoir
son mari et se mit à parler sans trop savoir ce qu'elle
disait.

« Quelle charmante attention! dit-elle en tendant la
main à son mari, tandis qu'elle souriait à Sludine,

familier de la maison. — J'espère que tu restes ici cette nuit? continua-t-elle sous la dictée de l'esprit de mensonge. Nous irons aux courses ensemble, n'est-ce pas? Quel dommage que je me sois engagée avec Betsy! elle doit venir me prendre. »

A ce nom Alexis Alexandrovitch fit une légère grimace.

« Oh! je ne séparerai pas les inséparables, dit-il de son ton railleur. Mikhaïl Vassiliévitch m'accompagnera. Le médecin m'a prescrit de l'exercice; je ferai une partie de la route à pied et me croirai encore aux eaux.

— Mais rien ne presse, dit Anna. Voulez-vous du thé? »

Elle sonna.

« Servez le thé et prévenez Serge qu'Alexis Alexandrovitch est arrivé... Eh bien, comment vas-tu?... Mikhaïl Vassiliévitch, vous n'êtes pas encore venu me voir; regardez donc comme j'ai bien arrangé ma terrasse. »

Elle s'adressait tantôt à l'un, tantôt à l'autre, sur un ton simple et naturel; mais elle parlait trop et trop vite, ce dont elle se rendit compte en croyant surprendre une nuance de curiosité dans le regard que leva sur elle Mikhaïl Vassiliévitch. Celui-ci gagna aussitôt la terrasse, et elle s'assit auprès de son mari.

« Tu n'as pas très bonne mine, dit-elle.

— En effet. J'ai reçu tantôt la visite du médecin, qui m'a fait perdre une bonne heure. Je suis convaincu qu'il était envoyé par un de mes amis : ma santé est si précieuse!...

— Mais que t'a-t-il dit? »

Elle le questionna sur sa santé et ses travaux, lui conseilla le repos, l'engagea à venir s'installer à la campagne. Ce disant, ses yeux brillaient d'un éclat étrange, son ton était vif et animé. Alexis Alexandrovitch n'attacha aucune importance à ce ton; il n'entendait que les paroles, les prenait dans leur sens littéral, y faisait des réponses simples, bien que légèrement ironiques. L'entretien n'avait rien de particulier, et pourtant Anna ne put jamais par la suite se le rappeler sans une véritable souffrance.

Le petit Serge entra, précédé de son institutrice. Si

Alexis Alexandrovitch s'était permis d'observer, il eût remarqué l'air craintif, décontenancé dont l'enfant regarda son père, puis sa mère; mais il ne voulait rien voir et ne vit rien.

« Ah! ah! voilà le jeune homme... Eh mais, nous avons grandi, nous devenons tout à fait grand garçon... Allons, bonjour, jeune homme. »

Et il tendit la main à l'enfant effarouché. Serge avait toujours été timide avec son père; mais depuis que celui-ci l'appelait « jeune homme » et qu'il se creusait la tête pour savoir si Vronski était un ami ou un ennemi, il le redoutait de plus en plus. Il se tourna vers sa mère comme pour chercher protection; il ne se sentait à l'aise qu'auprès d'elle. Cependant Alexis Alexandrovitch, prenant son fils par l'épaule, engagea conversation avec l'institutrice. Le petit se sentait si gêné qu'Anna vit le moment où il allait fondre en larmes. Elle avait rougi en le voyant entrer, et, remarquant bientôt son embarras, elle se leva, écarta la main d'Alexis Alexandrovitch, embrassa l'enfant et l'emmena sur la terrasse. Puis aussitôt revenue :

« Il se fait tard, dit-elle en consultant sa montre; pourquoi Betsy ne vient-elle pas?

— Oui, dit en se levant Alexis Alexandrovitch. A propos, reprit-il en faisant craquer les jointures de ses doigts, je suis venu aussi t'apporter de l'argent; tu dois en avoir besoin, car on ne nourrit pas de chansons les rossignols.

— Non... c'est-à-dire si, j'en ai besoin, répondit-elle sans le regarder, en rougissant jusqu'à la racine des cheveux. Mais tu reviendras sans doute après les courses?

— Certainement, dit Karénine. Mais voici la gloire de Péterhof, la princesse Tverskoï, ajouta-t-il en apercevant par la fenêtre un équipage à l'anglaise avec une caisse minuscule et très haute. Quel chic, quelle élégance! Eh bien, partons aussi. »

La princesse Tverskoï ne quitta pas sa calèche; son valet de pied en guêtres, raglan et chapeau ciré sauta du siège devant le perron.

« Je m'en vais, adieu, dit Anna en tendant la main à son mari après avoir embrassé son fils. Tu es très aimable d'être venu. »

Alexis Alexandrovitch lui baisa la main.

« Au revoir, tu reviendras prendre le thé, c'est parfait! » dit-elle en s'éloignant, l'air radieux.

Mais à peine fut-elle hors de la vue de son mari qu'elle tressaillit en sentant sur sa main la trace du baiser qu'il y avait posé.

XXVIII

QUAND Alexis Alexandrovitch fit son apparition aux courses, Anna était déjà installée près de Betsy dans la tribune d'honneur, où la haute société se trouvait réunie. Deux hommes, son mari et son amant, constituaient les deux pôles de son existence, et elle devinait leur approche sans le secours de ses sens. Cet instinct lui révéla donc l'arrivée d'Alexis Alexandrovitch et elle le suivit involontairement des yeux parmi les remous de la foule. Elle le vit s'avancer vers la tribune, répondant de haut aux saluts obséquieux, échangeant des politesses distraites avec ses égaux, mais sollicitant les regards des puissants de ce monde en leur tirant son grand chapeau rond, ce fameux chapeau qui lui froissait le bout des oreilles. Elle connaissait ces façons de saluer, qui toutes lui étaient également antipathiques. « L'âme de cet homme n'est qu'arrivisme et ambition, pensait-elle; quant aux belles phrases sur les lumières et la religion, ce ne sont que moyens pour atteindre son but, rien de plus. »

Aux regards qu'il promenait sur la tribune Anna comprit qu'il la cherchait mais n'arrivait pas à la découvrir dans ce flot de mousselines, de rubans, de plumes, de fleurs et d'ombrelles; mais elle n'eut pas l'air de s'en apercevoir.

« Alexis Alexandrovitch, lui cria la princesse Betsy, vous ne voyez donc pas votre femme? la voici. »

Il sourit de son sourire glacial.

« Tout est ici si brillant que les yeux en sont éblouis », répondit-il en pénétrant dans la tribune.

Il sourit à Anna comme doit le faire un mari qui

vient à peine de quitter sa femme, salua la princesse
et ses autres connaissances, en accordant à chacun son
dû, c'est-à-dire des galanteries aux dames et des politesses aux maris. Un général aide de camp réputé pour
son esprit et son savoir se tenait au pied de la tribune; Alexis Alexandrovitch, qui l'estimait beaucoup,
l'aborda et, comme on était entre deux courses, ces
messieurs purent converser à loisir. Le général atta-
quait ce genre de divertissement, Alexis Alexandrovitch
le défendait de sa voix grêle et mesurée. Anna ne perdait pas une seule des paroles de son mari : toutes lui
paraissaient rendre un son faux.

Lorsque la course d'obstacles commença, elle se
pencha en avant, ne quittant pas des yeux Vronski,
qui montait à cheval. Elle redoutait pour lui quelque
accident; mais cette crainte la faisait moins souffrir
que le son de la voix odieuse dont elle connaissait
toutes les intonations et qui semblait ne point vouloir
se taire.

« Je suis une méchante femme, une femme perdue,
pensait-elle, mais je hais le mensonge, tandis que
« lui » en fait sa nourriture. Il sait tout, il voit tout;
et cependant il pérore avec le plus grand calme; qu'a-
t-il donc dans le cœur après cela? J'aurais quelque
respect pour lui s'il me tuait, s'il tuait Vronski. Mais
non, ce qu'il préfère à tout, c'est le mensonge, ce sont
les convenances. » Au fond Anna ne savait guère quel
homme elle aurait voulu trouver en son mari. Elle ne
comprenait pas non plus que l'agaçante volubilité
d'Alexis Alexandrovitch n'était que l'expression de son
agitation intérieure. Il faut à un enfant qui vient de se
cogner un mouvement physique pour étourdir son
mal; il fallait à Karénine un mouvement intellectuel
quelconque pour étouffer les idées qui l'oppressaient
en présence de sa femme et de Vronski dont le nom
était sur toutes les lèvres. De même donc qu'en pareil
cas l'enfant saute instinctivement, de même Alexis
Alexandrovitch se laissait tout naturellement aller à
son besoin de discourir.

« Dans les courses d'officiers, disait-il, le danger
est un élément indispensable. Si l'Angleterre peut
s'enorgueillir des plus beaux faits d'armes de cavalerie,
elle le doit uniquement au développement historique

de la force dans ses hommes et ses chevaux. Le sport a selon moi un sens profond, mais comme toujours nous n'en voyons que le côté superficiel.

— Superficiel, pas tant que ça, objecta la princesse Tverskoï; on dit qu'un des officiers s'est enfoncé deux côtes. »

Alexis Alexandrovitch sourit de son sourire sans expression qui ne révélait que ses gencives.

« J'admets, princesse, que ce cas-là est interne et non superficiel; mais il ne s'agit pas de cela. » Et se retournant vers le général, il renfourcha son dada. « N'oubliez pas que ceux qui courent sont des militaires, que cette carrière est de leur choix, que toute vocation a son revers de médaille : cela rentre dans les devoirs du soldat. Si les sports brutaux, comme la boxe ou les combats de taureaux, sont des signes certains de barbarie, le sport spécialisé me semble au contraire un indice de civilisation.

— Non, décidément, je n'y reviendrai plus, dit la princesse Betsy, cela m'émeut trop; n'est-ce pas, Anna?

— Cela émeut, mais cela fascine, dit une autre dame; si j'avais été Romaine, j'aurais fréquenté assidûment le cirque. »

Sans mot dire Anna tenait toujours ses jumelles braquées du même côté.

En ce moment un général de haute taille traversa la tribune; cessant aussitôt de discourir, Alexis Alexandrovitch se leva avec une promptitude qui n'excluait point la dignité et s'inclina profondément.

« Vous ne courez pas? lui demanda en plaisantant le général.

— Ma course est d'un genre plus difficile », répondit Karénine d'un ton respectueux. Et, bien que cette réponse ne présentât aucun sens, le militaire eut l'air de recueillir le mot profond d'un homme d'esprit et de comprendre *la pointe de la sauce.* Cependant Alexis Alexandrovitch revenait à ses moutons.

« La question est évidemment complexe, on ne saurait assimiler les exécutants aux spectateurs, l'amour de ces spectacles dénote, j'en conviens, un niveau plutôt bas; cependant...

— Princesse, un pari! cria une voix, celle de Stépane Arcadiévitch interpellant Betsy. Pour qui tenez-vous?

— Anna et moi parions pour le prince Kouzovlev, répondit Betsy.

— Et moi pour Vronski. Une paire de gants.

— Entendu.

— Quel beau spectacle, n'est-ce pas?

— Cependant les jeux virils... », voulut reprendre Alexis Alexandrovitch qui avait gardé le silence pendant qu'on parlait autour de lui; mais, comme le départ venait d'être donné, tout le monde se tut et force lui fut de faire de même. Les courses ne l'intéressaient pas; au lieu de suivre les cavaliers, il parcourut donc l'assemblée d'un œil distrait; son regard s'arrêta sur sa femme.

Rien n'existait évidemment pour elle en dehors de ce qu'elle suivait des yeux. Elle avait le visage pâle et grave; sa main serrait convulsivement un éventail; elle ne respirait pas. Karénine se détourna pour examiner d'autres visages de femmes.

« Voilà une autre dame très émue, et encore une autre qui l'est tout autant; c'est fort naturel » se dit-il; et il s'efforça de regarder ailleurs. Malgré lui cependant ses yeux se reportaient toujours vers ce visage où il lisait trop clairement et avec horreur ce qu'il ne voulait point savoir.

La première chute, celle de Kouzovlev, émut tout le monde; mais à l'expression triomphante d'Anna, Alexis Alexandrovitch vit bien que celui qu'elle regardait n'était pas tombé. Lorsqu'un autre officier, qui franchissait la seconde barrière sur les talons de Makhotine et de Vronski, tomba sur la tête et qu'on le crut tué, un murmure d'effroi passa dans l'assistance; mais Karénine remarqua qu'Anna ne s'était aperçue de rien et qu'elle avait peine à comprendre l'émotion générale.

Cependant comme il la dévisageait avec une insistance croissante, Anna, si absorbée qu'elle fût, sentit bientôt le regard froid de son mari peser sur elle; elle se retourna vers lui d'un air interrogateur. « Tout m'est égal », sembla-t-elle lui dire avec un léger froncement de sourcils.

Et elle ne quitta plus sa jumelle.

La course fut malheureuse : sur dix-sept cavaliers plus de la moitié tombèrent. Vers la fin l'empereur ayant témoigné son mécontentement, l'émotion devint intense.

XXIX

Tout le monde alors désapprouva ce genre de divertissement. On se répétait la phrase d'un des spectateurs : « Après cela il ne reste plus que les arènes avec des lions. » L'épouvante était si générale que le cri d'horreur poussé par Anna à la chute de Vronski ne surprit personne. Par malheur son visage défait révéla aussitôt des sentiments que les convenances lui commandaient de celer. Eperdue, bouleversée, elle se débattait comme un oiseau pris au piège.

« Partons, partons », répétait-elle tournée vers Betsy. Mais celle-ci ne l'écoutait point. Penchée vers le général, elle lui parlait avec animation. Alexis Alexandrovitch s'approcha de sa femme et lui offrit poliment le bras.

« Partons, si vous le désirez », lui dit-il en français.

Anna ne l'aperçut même pas : elle était toute à ce que disait le général.

« On prétend, affirmait celui-ci, qu'il s'est aussi cassé la jambe; cela n'a pas le sens commun. »

Sans répondre à son mari, elle reprit sa jumelle et la braqua vers l'endroit où était tombé Vronski; mais c'était si loin et il s'y pressait tant de monde qu'on ne distinguait rien. Elle baissa donc sa jumelle et se disposait à partir, quand un officier au galop vint faire un rapport à l'empereur; elle se pencha en avant pour écouter.

« Stiva, Stiva », cria-t-elle à son frère, mais celui-ci ne l'entendit pas. Elle voulut encore quitter la tribune.

« Je vous offre une fois de plus mon bras, si vous désirez partir, répéta Alexis Alexandrovitch en lui touchant la main.

— Non, non, laissez-moi, je resterai », répondit-elle sans le regarder, en s'écartant de lui avec répulsion.

Elle venait d'apercevoir un officier qui du lieu de

l'accident accourait à toutes brides en coupant le
champ de courses. Betsy lui fit signe de son mouchoir :
il annonça que le cavalier était indemne, mais que le
cheval avait les reins brisés. A cette nouvelle, Anna se
laissa choir sur sa chaise : impuissante à retenir ses
larmes, à réprimer les sanglots qui soulevaient sa poitrine, elle cacha son visage derrière son éventail; pour
lui laisser le temps de se remettre, Alexis Alexandrovitch se plaça devant elle.

« Pour la troisième fois, je vous offre mon bras »,
lui dit-il au bout de quelques instants.

Anna le regardait, ne sachant trop que répondre;
Betsy lui vint en aide.

« Non, dit-elle; j'ai amené Anna et j'ai promis de la
reconduire.

— Excusez, princesse, répliqua Alexis Alexandrovitch avec un sourire poli mais un regard impérieux;
je vois qu'Anna est souffrante et je désire la ramener
moi-même. »

Anna, l'œil égaré, se leva avec soumission et prit le
bras de son mari.

« J'enverrai prendre de ses nouvelles et vous tien-
drai au courant », lui dit Betsy à voix basse.

Au sortir de la tribune, Alexis Alexandrovitch s'entretint comme toujours du ton le plus naturel avec plusieurs personnes; et comme toujours Anna fut obligée
d'écouter et de répondre; mais elle ne s'appartenait
pas et croyait marcher en rêve au bras de son mari.

« Est-ce bien vrai? N'est-il pas blessé? Viendra-t-il?
le verrai-je ce soir? » songeait-elle.

Elle monta sans mot dire en voiture, et bientôt ils
furent hors du champ de courses. Malgré tout ce qu'il
avait vu, Alexis Alexandrovitch ne se rendait pas encore à l'évidence. Néanmoins, comme il n'accordait
guère d'importance qu'aux signes extérieurs, il jugeait
nécessaire de démontrer à sa femme l'inconvenance
de sa conduite; mais il ne savait comment présenter
cette observation sans aller trop loin. Il ouvrit la
bouche pour parler, mais involontairement il dit tout
autre chose que ce qu'il voulait dire.

« Comme nous sommes tous attirés par ces spectacles cruels! Je remarque...

— Vous dites? je ne comprends pas? »

Ce ton méprisant le blessa et aussitôt il engagea le fer.

« Je dois vous dire », commença-t-il en français...

« Voici venir l'explication », songea, non sans terreur, Anna.

« Je dois vous dire que vous avez eu aujourd'hui une tenue fort inconvenante.

— En quoi, s'il vous plaît? » demanda-t-elle à haute voix, en se tournant vivement vers lui et en le regardant bien en face, non plus avec la fausse gaieté de naguère mais avec une assurance sous laquelle elle dissimulait mal son angoisse.

« Faites attention », dit-il en montrant la glace de la voiture baissée derrière le cocher. Et il se pencha pour la relever.

« Qu'avez-vous trouvé d'inconvenant? répéta-t-elle.

— Le désespoir que vous n'avez pas su mieux celer lorsqu'un des cavaliers a fait une chute. »

Il attendait une objection; mais elle se taisait, le regard fixe.

« Je vous ai déjà priée de vous comporter dans le monde de manière à ne point donner prise à la médisance. Il fut un temps où je parlais des sentiments intimes; je ne considère plus maintenant que les rapports extérieurs. Vous avez eu tout à l'heure une tenue inconvenante, et je désire que cela ne se renouvelle plus. »

Ces paroles n'arrivaient qu'à moitié aux oreilles d'Anna : son mari avait beau lui faire peur, elle ne songeait qu'à Vronski. « Est-il vrai, se demandait-elle, qu'il ne soit point blessé? La nouvelle qu'avait apportée l'officier se rapportait-elle bien à lui? » Quand Alexis Alexandrovitch eut fini, elle ne lui répondit que par un sourire d'une feinte ironie. A la vue de ce sourire, Karénine, qui avait, lui aussi, pris peur en sentant toute la portée de ses paroles, se méprit étrangement.

« Elle sourit de mes soupçons. Elle va me dire comme alors qu'ils sont ridicules et dénués de fondement. »

Plutôt que de voir ses craintes confirmées, il était prêt à croire tout ce qu'elle voudrait. Mais l'expression de cette figure sombre et terrifiée ne promettait même plus le mensonge.

« Peut-être me trompé-je, reprit-il; dans ce cas pardonnez-moi.

— Non, vous ne vous êtes point trompé, proféra-t-elle lentement en jetant un regard farouche sur la face glaciale de son mari. Vous ne vous êtes point trompé. J'ai été et je suis encore au désespoir. J'ai beau vous écouter, c'est à lui que je pense. Je l'aime, je suis sa maîtresse; je ne puis vous souffrir, je vous crains, je vous hais... Faites de moi ce que vous voudrez. »

Et se rejetant au fond de la voiture, elle couvrit son visage de ses mains et éclata en sanglots. Alexis Alexandrovitch ne bougea pas, son regard demeura fixe, mais sa physionomie prit et garda durant tout le trajet une rigidité cadavérique. En approchant de la maison, il se tourna vers elle.

« Bien, dit-il d'une voix qui tremblait légèrement. Mais j'exige que vous observiez les convenances jusqu'au moment où j'aurai pris les mesures qu'exige la sauvegarde de mon honneur. Elles vous seront communiquées. »

Il sortit de la voiture et, pour sauver les apparences devant les domestiques, il aida sa femme à descendre et lui serra la main. Puis il reprit sa place et fit route vers Pétersbourg.

A peine était-il parti qu'un domestique de Betsy apporta un billet ainsi conçu : « J'ai fait prendre des nouvelles d'Alexis; il m'écrit qu'il va bien mais qu'il est au désespoir. »

« Alors, il va venir, se dit-elle, j'ai bien fait de tout avouer. »

Elle regarda la pendule; il s'en fallait encore de trois heures; elle songea à leur dernier rendez-vous, et certains souvenirs la troublèrent.

« Mon Dieu, qu'il fait encore clair! C'est effrayant, mais j'aime à voir son visage et j'affectionne cette lumière fantastique... Mon mari? Ah! oui. Eh bien, tant mieux, tout est fini entre nous. »

XXX

PARTOUT où des hommes se réunissent une espèce de cristallisation sociale met une fois pour toutes chacun à sa place. La petite ville d'eaux allemande où séjournaient les Stcherbatski n'échappait point à cette règle : de même qu'une goutte d'eau exposée au froid prend invariablement une certaine forme cristalline, ˜e même chaque nouveau baigneur se trouvait d'emblée catalogué dans une certaine catégorie sociale. Grâce à leur nom, à l'appartement qu'ils occupèrent, aux amis qu'ils retrouvèrent, *Fürst Stcherbatski sammt gemahlin und Tochter* (1) se cristallisèrent aussitôt à la place qui leur revenait de droit.

Ce travail de stratification s'opérait d'autant plus sérieusement cette année-là qu'une véritable *Fürstin* allemande honorait les eaux de sa présence. La princesse se crut obligée de lui présenter sa fille, et cette cérémonie eut lieu dès le lendemain de leur arrivée. Kitty, fort gracieuse dans sa toilette d'été « très simple », c'est-à-dire très élégante et venue de Paris, fit une profonde révérence à la grande dame. « J'espère, lui dit celle-ci, que les roses renaîtront bien vite sur ce joli minois. » Cette visite classa définitivement les Stcherbatski. Ils firent la connaissance d'une lady anglaise et de sa famille, d'une comtesse allemande et de son fils blessé pendant la dernière guerre, d'un savant suédois, d'un M. Canut ainsi que de sa sœur. Cependant ce fut, comme de juste, avec des baigneurs russes qu'ils entretinrent des relations suivies. Il y avait là notamment deux dames de Moscou, Marie Evguénievna Rtistchev et sa fille, ainsi qu'un colonel, également moscovite et vieil ami des Stcherbatski. Kitty n'aimait guère Mlle Rtistchev, qui souffrait comme elle d'un amour contrarié; quant au colonel, qu'elle avait toujours vu en uniforme, il lui semblait maintenant fort ridicule avec ses petits yeux, son cou découvert, ses cravates de couleur, ses assiduités importunes. Ce programme de séjour dûment établi et le vieux prince

(1) « Le Prince Stcherbatski, accompagné de sa femme et de sa fille. »

étant parti pour Carlsbad, Kitty restée seule avec sa
mère commença à trouver le temps long. Négligeant
ses anciennes connaissances qui ne lui promettaient
aucune sensation nouvelle, elle jugea plus attrayant
d'observer des inconnus et de se perdre en suppositions sur leur compte : ce fut bientôt une vraie passion. Sa nature la portant à voir tout le monde en beau,
les remarques qu'elle faisait sur les baigneurs, leurs
caractères, leurs relations mutuelles étaient donc
empreintes d'une bienveillance exagérée.

Nul ne lui inspira plus d'intérêt qu'une jeune fille
venue aux eaux avec une dame russe de la haute société
à qui tout le monde donnait le nom de Mme Stahl.
Cette personne, fort malade, avait perdu l'usage de ses
jambes; elle n'apparaissait que rarement, les jours de
fort beau temps et traînée dans une petite voiture; elle
ne fréquentait pas ses compatriotes, plutôt par orgueil
que par maladie, affirmait la princesse. La jeune fille,
qu'elle appelait Varinka et les autres personnes
Mlle Varinka, la soignait avec dévouement; mais Kitty
remarqua qu'elle ne la traitait ni en parente ni en
garde-malade rétribuée. D'ailleurs cette demoiselle
devenait très rapidement l'amie des malades gravement atteints et leur témoignait tout naturellement le
même dévouement qu'à Mme Stahl. Quel genre de rapports pouvaient bien exister entre les deux dames?
Kitty se le demandait avec une curiosité d'autant plus
vive qu'elle se sentait irrésistiblement attirée vers
Mlle Varinka et croyait d'ailleurs ne pas lui déplaire, à
en juger par certains regards que la jeune fille avait
portés sur elle.

Cette demoiselle Varinka était une de ces personnes
sans âge auxquelles on peut indifféremment donner
aussi bien trente que dix-neuf ans. Malgré sa pâleur
maladive, il était permis en analysant ses traits de la
trouver jolie, et elle eût passé pour bien faite, n'étaient
sa tête trop forte et son buste trop peu développé.
Cependant elle ne devait guère plaire aux hommes :
elle faisait penser à une belle fleur qui, tout en conservant ses pétales, serait déjà flétrie et sans parfum; elle
manquait un peu de cette ardeur contenue qui dévorait Kitty, elle n'avait point comme elle conscience de
son charme.

Elle semblait toujours absorbée par quelque devoir
d'une nécessité inéluctable et dont rien, par conséquent, n'aurait su la distraire. C'était précisément ce
contraste avec sa propre existence qui séduisait Kitty;
l'exemple de Varinka lui révélerait sans doute ce qu'elle
cherchait avec tant d'anxiété : comment mettre quelque
intérêt, quelque dignité dans sa vie; comment échapper
aux abominables relations mondaines qui, lui semblait-
il maintenant, font de la jeune fille une sorte de mar-
chandise exposée aux convoitises des chalands. Et
plus Kitty observait son amie inconnue, plus elle désirait la connaître, plus elle voyait en elle le modèle de
toutes les perfections.

Les jeunes filles se rencontraient plusieurs fois par
jour et à chaque rencontre les yeux de Kitty semblaient
dire : « Qui êtes-vous? Je ne me trompe point, n'est-ce
pas, en vous croyant un être charmant? Mais rassurez-
vous, ajoutait le regard, je n'aurai pas l'indiscrétion de
solliciter votre amitié; je me contente de vous admirer
et de vous aimer. — Moi aussi, je vous aime et je vous
trouve charmante, répondait le regard de l'inconnue,
et je vous aimerais davantage encore, si j'en avais le
temps. » Et réellement elle était toujours occupée, Kitty
le voyait bien : tantôt elle ramenait de l'établissement
les enfants d'une famille russe, tantôt il lui fallait porter une couverture à un malade, des biscuits à un autre,
ou s'évertuer à en distraire un troisième.

Un matin, peu après l'arrivée des Stcherbatski, on
vit apparaître un couple qui devint l'objet d'une attention peu bienveillante. L'homme, de haute taille mais
voûté, avait des mains énormes et des yeux noirs, naïfs
et effrayants à la fois; il portait un vieux pardessus
trop court. Bien que marquée de petite vérole. la
femme avait la physionomie avenante, mais elle était
fort mal mise. Kitty reconnut en eux des Russes et
déjà son imagination ébauchait un roman touchant dont
ils étaient les héros, lorsque la princesse apprit par la
liste des baigneurs que ces nouveaux venus n'étaient
autres que Nicolas Levine et Marie Nicolaïevna. Elle
coupa les ailes aux chimères de sa fille en lui expli-
quant que ce Levine était un fort triste sire. Au reste
plus que les paroles de la princesse, le fait que cet
individu était le frère de Constantin Levine le rendit,

ainsi que sa compagne, particulièrement antipathique
à Kitty. Et bientôt cet homme aux mouvements de tête
bizarres lui inspira une véritable répulsion : elle
croyait lire dans ses grands yeux qui la suivaient avec
obstination des sentiments ironiques et malveillants.
Elle évita autant que possible de le rencontrer.

XXXI

COMME il pleuvait depuis le matin, les baigneurs, munis
de parapluies, avaient envahi la galerie de l'établissement. Kitty et sa mère s'y trouvaient en compagnie du
colonel, lequel paradait dans un complet à l'européenne acheté tout fait à Francfort. Ils se confinaient
dans un coin du promenoir afin d'éviter Nicolas
Levine qui faisait les cent pas à l'autre extrémité.
Varinka, vêtue, comme toujours, d'une robe foncée et
coiffée d'un chapeau noir à bords rabattus, promenait
d'un bout à l'autre de la galerie une dame française
aveugle; chaque fois que Kitty et elle se croisaient,
elles échangeaient un regard amical.

« Maman, puis-je lui parler? demanda Kitty en
voyant son amie inconnue approcher de la source et
jugeant l'endroit propice à un premier entretien.

— Si tu y tiens tant que ça, répondit la princesse,
laisse-moi prendre des informations et je l'aborderai
la première. Mais que trouves-tu de si remarquable en
elle? C'est quelque dame de compagnie. Si tu veux,
j'irai voir Mme Stahl. J'ai connu sa belle-sœur »,
ajouta-t-elle en relevant non sans fierté la tête.

La princesse était froissée de l'attitude de Mme Stahl,
qui ne paraissait guère désireuse de faire sa connaissance. Kitty, qui le savait, n'insista pas.

« Elle est tout bonnement adorable! dit-elle en regardant Varinka tendre un verre à la dame française.
Voyez comme tout ce qu'elle fait est aimable et simple.

— Tu m'amuses avec tes *engouements*, répondit la
princesse; mais pour le moment éloignons-nous »,
ajouta-t-elle en voyant approcher Levine, sa compagne
et un médecin allemand auquel il parlait d'un ton âpre.

Comme elles revenaient sur leurs pas, un éclat de

voix les fit se retourner, Levine, arrêté devant le médecin qui s'emportait à son tour, poussait de véritables
cris; on faisait cercle autour d'eux. La princesse
entraîna vivement Kitty, tandis que le colonel se mêlait
pour connaître l'objet de la discussion.

« Qu'y avait-il? demanda la princesse quand au bout
de quelques minutes le colonel les eut rejointes.

— Une abomination! répondit celui-ci. Je ne redoute
rien tant que de rencontrer des Russes à l'étranger. Ce
grand monsieur s'est pris de querelle avec le médecin,
qui ne le soigne pas à son gré, et il a fini par lever sa
canne. Une abomination, vous dis-je!

— Oui, c'est bien désagréable, dit la princesse. Et
comment tout cela s'est-il terminé?

— Grâce à l'intervention de cette demoiselle en chapeau forme champignon, une Russe, je crois...

— Mlle Varinka? demanda Kitty toute joyeuse.

— Oui, c'est cela. Elle a eu la première la présence
d'esprit de prendre ce monsieur sous le bras et de
l'emmener.

— Vous voyez, maman, dit Kitty à sa mère. Eton-
nez-vous après cela de mon enthousiasme! »

Le lendemain Kitty remarqua que Varinka avait
englobé Levine et sa compagne parmi ses *protégés :* elle
s'entretenait avec eux et servait d'interprète à la femme
qui ne parlait aucune langue étrangère.

De plus en plus engouée de son inconnue, Kitty supplia encore une fois sa mère de lui permettre de faire
sa connaissance. Malgré qu'elle en eût — car elle ne
voulait point avoir l'air de faire des avances à cette
orgueilleuse Mme Stahl — la princesse alla aux renseignements; une fois convaincue de la parfaite hono-
rabilité de cette jeune fille par ailleurs si peu brillante,
elle fit elle-même les premiers pas et, choisissant un
moment où Kitty était à la source, elle aborda Varinka
devant la boulangerie.

« Permettez-moi de me présenter moi-même, lui dit-
elle avec son sourire de grande dame. Ma fille est tout
bonnement éprise de vous. Mais peut-être ne me
connaissez-vous pas... Je...

— C'est plus que réciproque, princesse, s'empressa
de répondre Varinka.

— Vous avez fait hier une bien bonne action par

rapport à notre triste compatriote, reprit la princesse.

— Je ne me rappelle pas, dit en rougissant Varinka;
il me semble que je n'ai rien fait...

— Mais si : vous avez épargné bien des ennuis à ce
Levine qui s'était engagé dans une mauvaise affaire.

— Ah! oui, *sa compagne* m'a appelée, et j'ai tâché de
le calmer; il est très gravement atteint et très mécontent de son médecin. J'ai l'habitude de ce genre de
malades.

— Oui, je sais que vous habitez Menton avec
Mme Stahl, qui est, je crois, votre tante. J'ai connu sa
belle-sœur.

— Non, ce n'est pas ma tante, je l'appelle *maman,*
mais je ne lui suis pas apparentée, j'ai été élevée par
elle. »

Tout cela fut dit si simplement, l'expression de ce
charmant visage était si ouverte, si sincère, que la
princesse comprit pourquoi sa Kitty s'était engouée de
cette Varinka.

« Et que devient ce Levine? demanda-t-elle.

— Il part », répondit Varinka.

Cependant Kitty revenait de la source; à la vue de
sa mère en conversation avec l'amie inconnue elle
rayonna de joie.

« Eh bien, Kitty, ton ardent désir de connaître
Mlle...

— Varinka, dit la jeune fille en souriant; c'est ainsi
que tout le monde m'appelle. »

Kitty rougit de plaisir et serra longtemps la main de
sa nouvelle amie, qui la lui abandonnait sans répondre
à cette pression. En revanche son visage s'illumina
d'un sourire quelque peu mélancolique qui découvrit
des dents grandes mais belles.

« Et moi aussi, dit-elle, je désirais depuis longtemps
vous connaître.

— Mais vous êtes si occupée...

— Moi? au contraire je n'ai rien à faire... », prétendit Varinka, mais au même instant elle dut abandonner ses nouvelles connaissances pour répondre à l'appel de deux petites Russes, filles d'un malade.

« Varinka, criaient-elles, maman vous appelle. »

Et Varinka les suivit.

XXXII

Voici ce que la princesse avait appris sur Varinka, sur
ses relations avec Mme Stahl et sur cette dame elle-
même.

Mme Stahl avait toujours été maladive et exaltée;
d'aucuns prétendaient qu'elle avait fait le malheur de
son mari, d'autres au contraire que celui-ci l'avait indi-
gnement trompée. Toujours est-il qu'elle dut se séparer
de lui; quelque temps après elle mit au monde à Pétersbourg un enfant mort-né. Connaissant sa sensibilité et
craignant que cette nouvelle ne la tuât, sa famille avait
substitué à l'enfant mort la fille d'un cuisinier de la
Cour née la même nuit et dans la même maison : c'était
Varinka. Par la suite Mme Stahl apprit que la petite
n'était pas sa fille; elle continua pourtant à s'en occuper, d'autant plus que les vrais parents de l'enfant
vinrent bientôt à mourir.

Depuis plus de dix ans Mme Stahl vivait à l'étranger,
dans le Midi, sans presque quitter son lit. Les uns
disaient qu'elle s'était fait dans le monde un piédestal
de sa piété, de son amour du prochain, les autres se
portaient garants de sa sincérité. Personne ne savait
au juste si elle était catholique, protestante ou orthodoxe; mais ce qui était certain, c'est qu'elle entretenait des relations amicales avec les sommités de toutes
les églises, de toutes les confessions.

Sa fille adoptive ne l'avait jamais quittée, et tous
ceux qui connaissaient Mme Stahl connaissaient et aimaient « Mlle Varinka »; c'était sous ce nom que tout
le monde la désignait.

Au courant de tous ces détails la princesse vit d'un
assez bon œil la liaison des deux jeunes filles : Varinka
avait d'excellentes manières, elle parlait dans la perfection le français et l'anglais; et puis, ce qui valait
mieux encore, ne lui avait-elle point dès l'abord trans-
mis les excuses de Mme Stahl empêchée par la maladie
de faire sa connaissance.

Kitty s'attachait de plus en plus à son amie, en qui
elle découvrait tous les jours de nouvelles perfections.

La princesse, ayant appris que Varinka chantait, la
pria de venir les voir un soir.

« Kitty joue du piano, et bien que l'instrument ne
vaille pas grand-chose, nous aurons plaisir à vous
entendre », lui dit-elle avec son sourire de commande.

Ce sourire choqua d'autant plus Kitty qu'elle avait
cru s'apercevoir que son amie ne tenait guère à chanter. Varinka vint pourtant dès le même soir et apporta
de la musique. La princesse avait invité Marie Evguénievna, sa fille et le colonel. Varinka parut indifférente
à la présence de ces personnes qu'elle ne connaissait
point et s'approcha du piano sans se faire prier;
comme elle ne savait pas s'accompagner, Kitty, qui
jouait fort bien, lui rendit ce service.

« Vous avez un talent remarquable », lui dit la princesse, après le premier morceau qu'elle chanta avec
beaucoup de brio.

Marie Evguénievna et sa fille joignirent leurs compliments à ceux de la princesse.

« Voyez donc le public que vous avez attiré, dit le
colonel qui regardait par la fenêtre, sous laquelle s'était
effectivement rassemblé un assez grand nombre de personnes.

— Je suis charmée de vous avoir fait plaisir »,
répondit simplement Varinka.

Kitty regardait son amie avec orgueil. Elle admirait
son talent, sa voix, toute sa personne, mais plus encore
sa tenue : il était clair que Varinka ne se faisait
aucun mérite de son chant; indifférente aux compliments, elle avait l'air simplement de demander : « Faut-
il encore chanter, ou non? »

« Si j'étais à sa place, songeait Kitty en observant ce
visage impassible, combien je serais fière de voir cette
foule sous la fenêtre! Et cela lui est absolument égal!
Elle ne paraît sensible qu'au plaisir d'être agréable à
maman. Qu'y a-t-il donc en elle? Où prend-elle donc
cette force d'indifférence, cette magnifique sérénité?
Je voudrais bien qu'elle m'apprît comment on les
acquiert. »

La princesse demanda un second morceau; aussitôt
Varinka, toute droite près du piano et battant la mesure
de sa petite main brune, le chanta avec la même perfection que le premier.

Le morceau suivant dans le cahier était un air italien. Kitty joua le prélude et se tourna vers son amie.

« Passons celui-ci », dit Varinka en rougissant.

Kitty l'interrogea d'un regard ému.

« Alors, un autre! se hâta-t-elle de dire en tournant les pages; elle avait compris que cet air devait rappeler à la chanteuse quelque souvenir pénible.

— Non, répondit Varinka en posant la main sur le cahier. Chantons celui-ci », ajouta-t-elle en souriant.

Et elle le chanta avec le même calme, la même froideur, la même perfection que les précédents.

Quand elle eut fini, tout le monde la remercia encore une fois. Tandis qu'on prenait le thé, les jeunes filles gagnèrent le petit jardin qui attenait à la maison.

« Vous attachez un souvenir à ce morceau, n'est-ce pas? dit Kitty... Non, non, ajouta-t-elle vivement, ne me racontez rien, dites-moi seulement que c'est vrai!

— Pourquoi vous le cacherais-je? dit Varinka de son ton le plus tranquille. Oui, c'est un souvenir, et il a été douloureux. J'ai aimé quelqu'un à qui je chantais cet air. »

Kitty, les yeux grands ouverts, enveloppait son amie d'un regard attendri. Elle n'osait souffler mot.

« Je l'aimais et il m'aimait, reprit Varinka, mais sa mère s'est opposée à notre mariage, et il en a épousé une autre. Il n'habite pas loin de chez nous et je le vois quelquefois. Vous ne pensiez pas que j'avais eu, moi aussi, un roman? » demanda-t-elle tandis que sur son beau visage passait un éclair de ce feu qui avait dû jadis l'illuminer tout entière.

Kitty sentit cela.

« Que dites-vous! s'écria-t-elle. Mais si j'étais homme, je n'aurais pu aimer personne après vous avoir rencontrée. Ce que je ne conçois pas, c'est que pour obéir à sa mère il ait pu vous oublier, vous rendre malheureuse : il ne doit pas avoir de cœur.

— Mais si, c'est un excellent homme, et je ne suis point malheureuse, bien au contraire... Eh bien, ne chanterons-nous plus aujourd'hui? ajouta-t-elle en se dirigeant vers la maison.

— Que vous êtes bonne, que vous êtes bonne! s'écria Kitty en l'arrêtant pour l'embrasser, que ne puis-je vous ressembler, ne fût-ce qu'un peu!

— Pourquoi voulez-vous ressembler à une autre qu'à vous-même? Vous êtes charmante comme cela, dit Varinka en souriant de son sourire doux et las.

— Oh! non, je ne vaux rien du tout... Voyons, dites-moi. Attendez, asseyons-nous un peu, dit Kitty en la faisant rasseoir sur un banc près d'elle. Dites-moi, n'est-il pas humiliant de voir un homme repousser, mépriser votre amour?

— Il n'a rien méprisé du tout; je suis sûre qu'il m'aimait; mais c'était un fils soumis.

— Et s'il avait agi de son plein gré?... demanda Kitty, sentant qu'elle dévoilait son secret et que son visage, brûlant de rougeur, la trahissait.

— Oh! alors, il aurait commis une mauvaise action, et je me soucierais peu de lui, répondit Varinka comprenant qu'il n'était plus question d'elle mais de Kitty.

— Mais l'affront, peut-on l'oublier? Non, c'est impossible, affirma-t-elle en se rappelant le regard dont « il » l'avait foudroyée au bal lorsque la musique s'était arrêtée.

— De quel affront parlez-vous? Vous n'avez rien fait de mal, j'imagine?

— Pis que cela, je me suis humiliée. »

Varinka hocha la tête et posa sa main sur celle de Kitty.

« En quoi vous êtes-vous humiliée? Vous n'avez pu avouer votre amour à un homme qui vous témoignait de l'indifférence?

— Bien sûr que non, je n'ai jamais rien dit, mais il le savait. Il y a des regards, des manières d'être... Non, non, je vivrais cent ans que je n'oublierais pas cet affront.

— Mais voyons, je ne comprends pas; l'aimez-vous encore, oui ou non? demanda Varinka en mettant les points sur les i.

— Je le déteste, je ne puis me pardonner.

— Eh bien?

— Mais la honte, l'affront...

— Ah! mon Dieu, si tout le monde était sensible comme vous! Il n'y a pas de jeune fille qui n'ait passé par là. Et tout cela a si peu d'importance.

— Qu'y a-t-il donc d'important alors? demanda Kitty en la regardant avec une curiosité étonnée.

— Bien des choses, insinua Varinka en souriant.

— Mais encore?

— Il y a beaucoup de choses plus importantes », répondit Varinka, ne sachant trop que dire.

A ce moment la princesse cria par la fenêtre : « Kitty, il fait frais; mets un châle ou rentre.

— Il est temps que je parte, dit Varinka en se levant. J'ai promis à Mme Berthe de passer chez elle. »

Kitty la tenait par la main et l'interrogeait d'un regard suppliant : « Qu'y a-t-il de plus important? Qu'est-ce qui apaise, tranquillise? Vous le savez, dites-le-moi. » Mais Varinka ne saisissait pas le sens de ce regard. Elle ne songeait plus qu'à la visite qu'il lui fallait encore faire avant de prendre le thé avec *maman,* vers minuit. Elle rentra au salon, rassembla sa musique, prit congé de tout le monde et se disposa à partir.

« Si vous le permettez, dit le colonel, je vais vous accompagner.

— En effet, dit la princesse, vous ne pouvez rentrer seule à cette heure-ci; je vais vous donner ma femme de chambre. »

Kitty s'aperçut que Varinka retenait avec peine un sourire.

« Merci, dit la jeune fille en prenant son chapeau, je rentre toujours seule et il ne m'arrive jamais rien. »

Après avoir encore une fois embrassé Kitty sans lui dire ce qui était important, elle s'éloigna d'un pas ferme, sa musique sous le bras, et disparut dans la demi-obscurité de la nuit d'été, emportant avec elle le secret de ce calme, de cette dignité que lui enviait tant son amie.

XXXIII

Kitty fit aussi la connaissance de Mme Stahl, et, tout comme son amitié pour Varinka, les relations qu'elle eut avec cette dame contribuèrent à calmer son chagrin. Un monde nouveau bien différent du sien, un

monde tout de beauté et de noblesse se découvrit à
elle : de cette hauteur elle put juger son passé avec
sang-froid. Elle apprit qu'en dehors de la vie instinctive qui jusqu'alors avait été la sienne il existait une
vie spirituelle dans laquelle on pénétrait par la religion. Cette religion ne ressemblait en rien à celle
qu'elle avait pratiquée depuis l'enfance et qui consistait à assister à la messe et aux vêpres à la Maison des
veuves, où l'on rencontrait des connaissances, et à
apprendre par cœur des textes slavons avec l'aide d'un
homme d'église. C'était une religion noble, mystérieuse,
qui provoquait les pensées les plus élevées et les sentiments les plus purs, et à laquelle on croyait non par
devoir mais par amour.

Kitty apprit tout cela autrement qu'en paroles.
Mme Stahl la traitait en aimable enfant qui vous attire
à l'égal d'un souvenir de jeunesse; une fois seulement
elle lui rappela que la foi et la charité étaient l'unique
apaisement à toutes les douleurs humaines, dont le
Christ en sa compassion ne connaît point d'insignifiantes; puis aussitôt, elle changea de conversation.
Mais dans chaque geste, chaque parole de cette dame,
dans ses regards « célestes » comme elle les qualifiait,
dans l'histoire de sa vie surtout, qu'elle connaissait par
Varinka, Kitty découvrait « ce qui était important »
et ce qu'elle avait ignoré jusqu'alors.

Cependant malgré l'élévation de sa nature et l'onc-
tion de ses propos, Mme Stahl n'en laissait pas moins
échapper certains traits de caractère qui déconcer-
taient fort Kitty. Un jour par exemple qu'elle l'interrogeait sur ses parents, cette dame ne put retenir un sourire de condescendance, ce qui était contraire à la charité chrétienne. Une autre fois, recevant un prêtre
catholique, elle se tint constamment dans l'ombre d'un
abat-jour tout en souriant d'une façon singulière. Si
peu importantes que fussent ces observations, elles
affligèrent pourtant Kitty et la firent douter de
Mme Stahl; en revanche Varinka seule, sans famille,
sans amis, n'espérant ni ne regrettant rien après sa
triste déception, lui semblait de plus en plus le comble
de la perfection. L'exemple de la jeune fille lui montrait que pour devenir heureuse, tranquille et bonne,
comme elle souhaitait de l'être, il suffisait de s'oublier

soi-même et d'aimer son prochain. Une fois qu'elle eut
compris ce qui était « le plus important », elle ne se
contenta plus de l'admirer, mais se donna de tout son
cœur à la vie nouvelle qu'elle découvrait. D'après les
récits que lui fit Varinka sur Mme Stahl et d'autres
personnes qu'elle lui nomma, Kitty se forma un plan
d'existence. Elle décida qu'à l'exemple d'Aline, la
nièce de Mme Stahl dont Varinka l'entretenait souvent,
elle rechercherait les pauvres n'importe où elle se trouverait, qu'elle les aiderait de son mieux, qu'elle distri-
buerait des évangiles et ferait des lectures du livre
saint aux malades, aux mourants, aux criminels. Cette
dernière bonne œuvre la séduisait particulièrement.
Mais elle faisait ces rêves en secret, sans les communiquer ni à sa mère ni à son amie.

Au reste, en attendant de pouvoir exécuter ses plans
sur une vaste échelle, il ne lui fut pas difficile de
mettre, à l'imitation de Varinka, ses nouveaux principes en pratique : aux eaux les malades et les malheureux ne manquent pas.

La princesse remarqua bien vite combien Kitty
cédait à son *engouement* pour Mme Stahl et surtout
pour Varinka, qu'elle imitait dans ses bonnes œuvres,
qu'elle contrefaisait même sans le vouloir dans sa façon
de marcher, de parler, de cligner des yeux. Plus tard
elle dut reconnaître qu'indépendamment du prestige
subi la jeune fille passait par une sérieuse crise intérieure. Contre son habitude Kitty lisait le soir l'Evangile, dont Mme Stahl lui avait offert un exemplaire en
français; elle évitait toute relation mondaine, s'intéressait en revanche aux malades protégés par Varinka,
notamment à la famille d'un pauvre peintre nommé
Petrov, près de qui elle semblait fière de jouer un rôle
d'infirmière. La princesse s'y opposait d'autant moins
que la femme de Petrov était une personne très convenable, et qu'un jour la *Fürstin*, remarquant la bonté de
Kitty, avait fait son éloge, l'appelant un ange consolateur. Tout aurait été pour le mieux si la princesse
n'avait craint de voir sa fille tomber dans l'exagéra-
tion.

« *Il ne faut jamais rien outrer* », lui répétait-elle.

Kitty ne répondait rien; mais dans le fond de son
cœur elle était convaincue qu'on ne saurait dépasser

la mesure en pratiquant une religion qui enseigne à tendre la joue gauche quand on vous frappe sur la joue droite, à donner sa chemise quand on vous dépouille de votre manteau. Du reste, plus encore que de cette outrance, la princesse était froissée des réticences de Kitty : elle devinait que celle-ci ne lui ouvrait point entièrement son cœur. En réalité la jeune fille éprouvait tout simplement une certaine gêne à confier ses nouveaux sentiments à sa mère; ni le respect ni l'affection n'entraient ici en ligne de compte.

« Il y a quelque temps que nous n'avons vu Anna Pavlovna, dit un jour la princesse en parlant de Mme Petrov. Je l'ai pourtant invitée, mais elle m'a paru soucieuse.

— Je n'ai pas remarqué cela, maman, répondit Kitty en rougissant.

— Tu ne leur as pas fait visite ces jours-ci?

— Nous projetons pour demain une excursion dans la montagne.

— Je n'y vois point d'inconvénient », répondit la princesse, surprise du trouble dans lequel elle voyait sa fille et cherchant à en deviner la cause.

Varinka, qui vint pour dîner ce jour-là, avertit Kitty qu'Anna Pavlovna renonçait à la promenade projetée pour le lendemain; la princesse s'aperçut que sa fille rougissait encore.

« Kitty, ne s'est-il rien passé de désagréable entre les Petrov et toi? lui demanda-t-elle quand elles se retrouvèrent seules. Pourquoi Anna Pavlovna a-t-elle cessé d'envoyer ses enfants et de venir elle-même? »

Kitty répondit qu'il ne s'était rien passé et qu'elle ne comprenait pas pourquoi cette dame semblait lui en vouloir. Elle disait vrai; cependant si elle ignorait la cause du refroidissement de Mme Petrov à son égard, elle la devinait; mais cette cause était de telle nature qu'elle n'osait pas l'avouer à elle-même, encore moins à sa mère, tant il eût été humiliant de se tromper.

Elle évoqua une fois de plus tous les souvenirs de ses relations avec cette famille. Elle se rappela la joie naïve qui se peignait, à leurs premières rencontres, sur le bon visage tout rond d'Anna Pavlovna; leurs conciliabules secrets pour arriver à distraire le malade, à l'arracher à des travaux que le médecin interdisait,

à l'emmener au grand air; l'attachement du plus jeune
des enfants qui l'appelait « ma Kitty » et ne voulait
pas se coucher sans qu'elle l'accompagnât. Comme tout
allait bien alors! Puis elle revit la chétive personne de
Petrov, son long cou sortant d'une redingote cannelle,
ses cheveux rares et frisés, ses yeux bleus dont le
regard scrutateur l'avait d'abord effrayée, ses efforts
maladifs pour paraître animé et énergique en présence
de la jeune fille. Qu'il avait été difficile à Kitty de surmonter la répugnance que lui inspirait ce poitrinaire,
quel mal elle s'était donné pour trouver un sujet de
conversation! De quel œil humblement attendri la
considérait-il, cependant qu'elle sentait naître en son
cœur un bizarre sentiment de compassion, de gêne et
de satisfaction intime! Que tout cela était bon! Et pourquoi fallait-il que depuis quelques jours un brusque
changement fût intervenu dans leurs rapports? Anna
Pavlovna ne recevait plus Kitty qu'avec une amabilité
feinte, et ne cessait de la surveiller ainsi que son mari.
Devait-elle attribuer ce refroidissement à la joie naïve
que le malade éprouvait à son approche?

« Oui, songea-t-elle, il y avait quelque chose de peu
naturel et qui ne ressemblait en rien à sa bonté ordinaire dans le ton contrarié qu'elle a pris avant-hier
pour me dire : « Le voilà maintenant qui ne veut plus
prendre son café sans vous; bien que très affaibli il a
tenu à vous attendre. » Peut-être m'a-t-elle vue d'un
mauvais œil arranger la couverture de son mari; c'était
pourtant bien simple, mais Petrov a pris ce petit service d'une si drôle de façon, il m'a tant remerciée que
j'en étais mal à l'aise. Et puis ce portrait de moi qui
lui a si bien réussi. Et surtout ce regard tendre et
confus! Oui, oui, c'est bien cela, dut s'avouer Kitty
avec effort. Mais non, non, ajouta-t-elle aussitôt intérieurement, cela ne peut, cela ne doit pas être! Il est
si digne de pitié! »

Ces craintes empoisonnaient le charme de sa nouvelle vie.

XXXIV

La cure de Kitty n'était pas encore terminée quand le
prince Stcherbatski, qui avait fait un tour aux eaux
de Carlsbad, de Bade et de Kissingen pour y respirer
« un peu d'air russe », vint retrouver sa famille.

Le prince nourrissait pour les pays étrangers des
sentiments diamétralement opposés à ceux de la princesse. Celle-ci trouvait tout parfait et, malgré sa situation bien établie dans la société russe, elle jouait à la
dame européenne, ce qui ne lui était pas toujours facile.
Son mari au contraire trouvait tout détestable, ne
renonçait à aucune de ses habitudes russes et cherchait à paraître moins européen qu'il ne l'était en
réalité.

Le prince revint amaigri, avec des poches sous les
yeux, mais plein d'entrain. Cette heureuse disposition
ne fit qu'augmenter quand il trouva Kitty complètement
rétablie. A vrai dire, les détails que lui donna la princesse sur la transformation morale qui s'opérait en leur
fille grâce à son intimité avec Mme Stahl et Varinka,
ces détails contrarièrent d'abord le prince et réveillèrent en lui le sentiment habituel de jalousie qu'il
éprouvait pour tout ce qui pouvait soustraire Kitty à
son influence en l'entraînant dans des régions inacces-
sibles pour lui. Mais ces fâcheuses nouvelles se
noyèrent dans l'océan de bonhomie joyeuse qui était
le fond de sa nature et qu'avaient encore grossi les
eaux de Carlsbad.

Le lendemain de son retour, le prince, vêtu de son
long pardessus, ses joues ridées et quelque peu bouffies
encadrées dans un faux col empesé, accompagna de la
meilleure humeur du monde sa fille à l'établissement
thermal.

La matinée était splendide ; la vue de ces maisons
gaies et proprettes entourées de petits jardins, de ces
robustes servantes gaillardes nourries de bière, aux
bras rouges et aux joues vermeilles, le soleil resplen-
dissant, tout réjouissait le cœur; mais plus on appro-

chait de la source, plus on rencontrait de malades, dont
l'aspect lamentable contrastait péniblement avec le
bien-être et la bonne organisation de la vie allemande.
Pour Kitty ce beau soleil, cette verdure éclatante, cette
musique joyeuse formaient un cadre naturel à ces
visages bien connus dont elle surveillait les sautes de
santé; pour le prince au contraire la lumineuse matinée de juin, l'orchestre jouant gaiement la valse à la
mode, les robustes servantes surtout s'opposaient avec
une indécence presque monstrueuse à ces moribonds
venus des quatre coins de l'Europe qui traînaient là
leurs pas languissants.

Malgré l'orgueil et le quasi-retour de jeunesse
qu'éprouvait le prince à tenir sa fille chérie sous le
bras, il se sentait avec sa démarche ferme et ses
membres vigoureux, à peu près aussi mal à l'aise en
face de ces misères qu'il l'eût été en négligé au milieu
d'une société élégante.

« Présente-moi à tes nouveaux amis, dit-il à sa fille
en lui serrant le gras du coude. Je me suis mis à aimer
jusqu'à ton affreux Soden pour le bien qu'il t'a fait;
mais vraiment on voit ici des choses bien tristes...
Qui est-ce? »

Kitty lui nommait les personnes qu'ils rencontraient.
A l'entrée même du parc ils croisèrent Mme Berthe et
sa conductrice; le prince prit plaisir à voir l'expression attendrie qui se peignit sur le visage de la vieille
aveugle au son de la voix de Kitty. Avec une exubé-
rance bien française, cette dame se répandit en politesses et félicita le prince d'avoir une fille si charmante, dont elle éleva le mérite aux nues, la déclarant
un trésor, une perle, un ange consolateur.

« Dans ce cas, dit le prince en souriant, c'est l'ange
N° 2, car elle réserve le N° 1 à Mlle Varinka. »

— Certainement, concéda Mme Berthe, Mlle Varinka
est aussi un ange, allez. »

Dans la galerie, Varinka en personne vint à eux
d'un pas rapide, un élégant sac rouge à la main.

« Voilà papa arrivé! » lui dit Kitty.

Varinka esquissa le plus naturellement du monde un
mouvement qui tenait du salut et de la révérence et
entama sans fausse timidité la conversation avec le
prince.

« Il va sans dire que je vous connais, et beaucoup,
lui dit le prince avec un sourire qui, à la grande joie
de Kitty, lui prouva que son amie plaisait à son père.
Où allez-vous si vite?

— *Maman* est ici, répondit Varinka en se tournant
vers Kitty. Elle n'a pas dormi de la nuit et le médecin
lui a conseillé de prendre l'air. Je lui porte son
ouvrage.

— Voilà donc l'ange N° 1 », dit le prince quand la
jeune fille se fut éloignée.

Kitty comprit aussitôt que Varinka avait fait la
conquête de son père : en effet, quelque envie qu'il en
eût, le prince se gardait de l'entreprendre sur le
compte de son amie.

« Nous allons donc voir tous tes amis les uns après
les autres, y compris Mme Stahl, si elle daigne me
reconnaître.

— Tu la connais donc, papa? demanda Kitty non
sans crainte, car elle avait remarqué un éclair d'ironie
dans les yeux de son père.

— J'ai connu son mari et je l'ai un peu connue elle-
même avant qu'elle se fût enrôlée dans les piétistes.

— Qu'est-ce que ces piétistes, papa? s'informa Kitty,
inquiète de voir donner un nom à ce qui lui semblait
d'une si haute valeur en Mme Stahl.

— Je n'en sais trop rien. Ce que je sais, c'est qu'elle
remercie Dieu de tous les malheurs qui lui arrivent, y
compris celui d'avoir perdu son mari, et cela tourne
au comique quand on se rappelle qu'ils vivaient fort
mal ensemble... Mais qui est ce pauvre diable? demand-
t-il en apercevant sur un banc un malade de taille
moyenne, vêtu d'un paletot et d'un pantalon blanc qui
formait d'étranges plis sur ses jambes décharnées. Ce
monsieur avait soulevé son chapeau de paille et découvert un front élevé surmonté de rares cheveux frisottants et que la pression du chapeau avait rougi.

— C'est Petrov, un peintre, répondit Kitty en rougissant. Et voilà sa femme, ajouta-t-elle en désignant
Anna Pavlovna, qui, par un fait exprès, s'était levée
à leur approche pour courir après un de ses enfants.

— Il me fait pitié, dit le prince, d'autant plus qu'il a
des traits charmants. Mais pourquoi ne t'approches-tu
pas de lui? Il semblait vouloir te parler.

— Alors, retournons vers lui, dit Kitty en marchant résolument vers Petrov... Comment allez-vous aujourd'hui? » lui demanda-t-elle.

Petrov se leva en s'appuyant sur sa canne et regarda le prince avec une certaine timidité.

« C'est ma fille, dit celui-ci; très heureux de faire votre connaissance. »

Le peintre salua et sourit, découvrant ainsi des dents d'une blancheur étrange.

« Nous vous avons attendu hier, mademoiselle », dit-il à Kitty.

Il faillit choir en parlant, mais pour qu'on ne soupçonnât point sa faiblesse, il fit à dessein un nouveau faux pas.

« Je comptais venir, mais Varinka m'a prévenue qu'Anna Pavlovna avait envoyé dire que vous renonciez à sortir.

— Comment cela? » dit Petrov qui, soudain cramoisi, se mit à toussoter en cherchant sa femme du regard.

« Annette, Annette! » appela-t-il à haute voix, tandis que de grosses veines noueuses faisaient saillie sur son cou blanc émacié.

Anna Pavlovna s'approcha.

« Comment se fait-il que tu aies envoyé dire que nous ne sortirions pas? lui demanda-t-il d'une voix rauque et colère.

— Bonjour, mademoiselle, dit Anna Pavlovna avec un sourire contraint qui ne ressemblait en rien à son accueil d'autrefois. Enchantée de faire votre connaissance, ajouta-t-elle en se tournant vers le prince; on vous attendait depuis longtemps, mon prince.

— Comment as-tu pu faire dire que nous ne sortirions pas? répéta Petrov, fort irrité que la perte de sa voix ne lui permît point de donner à sa question le ton qu'il aurait voulu.

— Eh, mon Dieu, j'ai cru que nous ne sortirions pas, répondit sa femme avec brusquerie.

— Mais voyons, pourquoi cela?... »

Une quinte de toux l'empêcha d'achever; il eut un geste désolé. Le prince souleva son chapeau et s'éloigna avec sa fille.

« Oh! les pauvres gens! dit-il en poussant un profond soupir.

— C'est vrai, papa, répondit Kitty, et ils ont trois enfants, pas de domestique et presque aucune ressource pécuniaire. Il reçoit bien quelque chose de l'Académie », continua-t-elle avec animation pour dissimuler l'émoi que lui causait le changement d'Anna Pavlovna à son égard. « Mais voici Mme Stahl », dit-elle en montrant une petite voiture dans laquelle était étendue une forme humaine enveloppée de gris et de bleu, soutenue par des oreillers et abritée par une ombrelle. Derrière la malade était son conducteur, un Allemand lourd et lugubre. A côté d'elle marchait un comte suédois à chevelure blonde, que Kitty connaissait de vue. Quelques baigneurs musaient auprès de la voiture, considérant cette dame comme une chose curieuse.

Le prince s'approcha et Kitty remarqua aussitôt dans son regard cette pointe d'ironie qui l'effrayait. Il se découvrit et adressa la parole à Mme Stahl d'un ton fort aimable et dans ce français excellent que si peu de personnes parlent de nos jours.

« Sans doute, madame, m'avez-vous oublié, mais j'ai le devoir de me rappeler à votre souvenir pour vous remercier des bontés que vous avez bien voulu témoigner à ma fille, dit-il en gardant son chapeau à la main.

— Le prince Alexandre Stcherbatski, n'est-ce pas? fit Mme Stahl en levant sur lui ses yeux « célestes », dans lesquels Kitty vit passer une ombre de mécontentement. Ravie de la rencontre. J'aime tant votre fille.

— Votre santé n'est toujours pas bonne?

— Oh! j'y suis faite maintenant, dit Mme Stahl, et elle présenta le comte suédois.

— Vous êtes bien peu changée depuis les dix ou onze ans que je n'ai eu l'honneur de vous voir.

— Oui, Dieu qui donne la croix donne aussi la force de la porter. Je me demande souvent ce que nous faisons si longtemps en ce monde... De l'autre côté, voyons, dit-elle à Varinka qui lui enveloppait les jambes dans une couverture sans parvenir à la satisfaire.

— Mais... le bien, probablement, répondit le prince dont les yeux riaient.

— Il ne nous appartient pas de juger, répliqua Mme Stahl à qui cette nuance d'ironie n'échappa point. Envoyez-moi donc ce livre, mon cher comte, je vous en remercie infiniment d'avance, dit-elle en se tournant vers le jeune Suédois.

— Tiens! » s'écria le prince qui venait d'apercevoir le colonel moscovite arrêté non loin de leur groupe. Et prenant congé de Mme Stahl il alla le rejoindre, toujours accompagné de Kitty.

« Voilà notre aristocratie, mon prince », dit le colonel avec une intention railleuse, car il était piqué contre Mme Stahl : il aurait bien voulu lui être présenté, mais elle n'en avait pas exprimé le désir.

« Toujours la même, répondit le prince.

— L'avez-vous connue avant sa maladie, son infirmité plutôt?

— Oui, je l'ai justement connue au moment où elle en a été atteinte.

— On prétend qu'il y a dix ans qu'elle ne marche plus.

— Elle ne marche pas parce qu'elle a une jambe plus courte que l'autre; elle est très mal faite...

— Mais, papa, c'est impossible! s'écria Kitty.

— Les mauvaises langues l'affirment, ma chérie. Et, crois-moi, ton amie Varinka doit en voir de toutes les couleurs. Oh! ces grandes dames malades!

— Mais non, papa, protesta énergiquement Kitty, je t'assure que Varinka l'adore. Et elle fait tant de bien! Demande à qui tu voudras : tout le monde la connaît ainsi que sa nièce Aline.

— C'est possible, répondit son père en lui serrant doucement le bras; mais quand on fait le bien, il est préférable que personne ne le sache. »

Kitty se tut, non qu'elle demeurât sans réponse, mais parce que ses pensées secrètes ne pouvaient même pas être révélées à son père. Chose étrange cependant : si résolue qu'elle fût à ne pas se soumettre aux jugements de son père, à ne pas le laisser pénétrer dans son sanctuaire intime, elle comprit que l'image de sainteté idéale qu'elle portait depuis un mois dans son âme avait disparu sans retour, comme ces formes que l'imagination aperçoit dans des vêtements jetés au hasard et qui disparaissent d'elles-mêmes dès qu'on se rend compte de la façon dont ils sont étalés. Elle n'eut plus que la vision d'une femme boiteuse qui gardait le lit pour cacher sa difformité et qui tourmentait la pauvre Varinka pour une couverture mal arrangée. Aucun effort d'imagination ne lui permit plus désormais de retrouver l'ancienne Mme Stahl.

XXXV

LE prince communiquait sa bonne humeur à tout son entourage, logeur compris. En rentrant de sa promenade avec Kitty, au cours de laquelle il avait invité à prendre le café le colonel, Varinka et Marie Evguénievna, il fit dresser la table dans le jardin sous un marronnier. Excités par cette gaieté entraînante, logeur et domestiques se distinguèrent d'autant plus que la générosité du prince leur était bien connue. Aussi, une demi-heure plus tard, le locataire du premier, un médecin de Hambourg assez mal en point, pouvait-il contempler de sa fenêtre avec une certaine envie ce groupe folâtre de gens bien portants réunis sous l'ombre dansante du grand arbre. La princesse, un bonnet à rubans lilas posé sur le sommet de sa tête, présidait la table couverte d'une nappe très blanche sur laquelle on avait placé la cafetière, du pain, du beurre, du fromage et du gibier froid; elle distribuait les tasses et les tartines, tandis qu'à l'autre bout de la table le prince mangeait de fort bon appétit et devisait non moins allégrement. Il avait étalé autour de lui toutes ses emplettes de voyage : coffrets sculptés, jonchets, couteaux à papier, et prenait plaisir à les distribuer à chacun sans oublier ni la servante Lieschen ni le logeur, auquel il tenait dans son mauvais allemand les propos les plus comiques, l'assurant que ce n'étaient point les eaux qui avaient guéri Kitty, mais bien son excellente cuisine, notamment ses potages aux pruneaux. La princesse plaisantait son mari sur ses manies russes, mais jamais depuis qu'elle était aux eaux

elle ne s'était montrée si gaie et si animée. Le colonel
souriait, comme toujours, aux plaisanteries du prince,
tout en partageant l'avis de la princesse au sujet de
l'Europe qu'il s'imaginait connaître à fond. La brave
Marie Evguénievna riait à gorge déployée, et il n'était
pas jusqu'à Varinka qui, à la grande surprise de Kitty,
ne se laissât aller à un petit rire modeste mais commu-
nicatif.

Ce spectacle ne faisait point oublier à Kitty ses
préoccupations : en portant un jugement frivole sur
ses amis et la nouvelle vie qui lui semblait si belle, son
père lui avait involontairement donné à résoudre un
problème fort ardu, et que compliquait encore le changement d'attitude de Mme Petrov, changement qui
venait de se manifester avec une évidence fort désagréable. Tout le monde riait, mais cette gaieté lointaine offusquait Kitty : elle se croyait revenue aux
temps de son enfance, alors qu'enfermée dans sa
chambre en punition de quelque méfait elle entendait
les rires de ses sœurs sans pouvoir y prendre part.

« Quel besoin avais-tu d'acheter toutes ces horreurs?
demanda la princesse en offrant avec· un sourire une
tasse de café à son mari.

— Que veux-tu, on va se promener, on s'approche
d'une boutique, on est aussitôt relancé : *Erlaucht,
Excellenz, Durchlaucht!* Et quand on vient à *Durchlaucht,* je ne sais plus résister, mes dix thalers y
passent.

— C'est plutôt pour distraire ton ennui, dit la
princesse.

— Le fait est, ma chère, qu'on s'ennuie ici à périr.

— Comment cela, mon prince! s'exclama Marie
Evguénievna. Il y a maintenant tant de choses à voir
en Allemagne.

— Mais je les ai toutes vues. Je connais le potage
aux pruneaux et le saucisson aux pois. Cela me suffit.

— Vous avez beau dire, mon prince, objecta le colonel, leurs institutions sont intéressantes.

— En quoi, je vous prie? Ils sont contents comme
des sous neufs, ils ont vaincu le monde entier. Qu'est-ce
que vous voulez que ça me fasse? Je n'ai vaincu personne, moi. En revanche il me faut ôter mes bottes
moi-même et, qui pis est, les poser moi-même à ma

porte dans le couloir. Le matin, à peine levé, il faut m'habiller et aller prendre dans la salle à manger un thé exécrable; tandis que chez moi je m'éveille quand bon me semble, je grogne si le cœur m'en dit, je reprends tout doucement mes esprits et mets non moins doucement de l'ordre dans mes petites affaires.

— Mais le temps c'est de l'argent, n'oubliez pas cela, mon prince, répliqua le colonel.

— Cela dépend : il y a des mois entiers qu'on donnerait pour dix sous, et des quarts d'heure qu'on ne céderait pour aucun trésor. N'est-ce pas, Kitty? Mais qu'as-tu? Tu parais soucieuse.

— Je n'ai rien, papa.

— Où allez-vous? dit le prince en voyant Varinka se lever. Restez donc encore un peu.

— Il faut que je rentre », répondit Varinka, prise d'un nouvel accès de gaieté.

Quand elle se fut calmée, elle dit adieu à tout le monde et se dirigea vers la maison pour y prendre son chapeau. Kitty la suivit. Son amie elle-même lui paraissait autre qu'elle ne l'avait imaginée.

« Il y a longtemps que je n'ai pas autant ri, dit Varinka en cherchant son ombrelle et son sac; votre papa est délicieux. »

Kitty ne répondit rien.

« Quand nous reverrons-nous? demanda Varinka.

— Maman voulait passer chez les Petrov. Y serez-vous? demanda Kitty pour scruter la pensée de son amie.

— J'y serai, répondit celle-ci; ils font leurs préparatifs de départ, et j'ai promis de les aider.

— Eh bien, j'irai aussi.

— Mais non, à quoi bon?

— Pourquoi? pourquoi? pourquoi? demanda Kitty en ouvrant de grands yeux et en arrêtant Varinka par son ombrelle. Non, ne vous en allez pas, dites-moi pourquoi.

— D'abord parce que vous avez votre papa et ensuite parce qu'ils se gênent avec vous.

— Non, ce n'est pas ça; dites-moi pourquoi vous ne voulez pas que j'aille souvent chez les Petrov, car je vois bien que vous ne le voulez pas.

— Je n'ai pas dit cela, dit tranquillement Varinka.

— Je vous en prie, répondez-moi?

— Faut-il tout vous dire?

— Tout, tout! s'écria Kitty.

— Au fond, il n'y a rien de grave; seulement Mikhaïl Alexéiévitch, qui naguère encore parlait de partir, s'obstine maintenant à rester, répondit en souriant Varinka.

— Et alors? demanda fébrilement Kitty en posant sur son amie un mauvais regard.

— Alors, Anna Pavlovna a prétendu que s'il refusait de partir c'était à cause de vous. Cette maladresse a provoqué une querelle de ménage, dont vous avez été la cause indirecte, et vous savez combien les malades sont facilement irritables. »

De plus en plus sombre, Kitty gardait le silence et Varinka parlait seule, cherchait à la calmer, à prévenir un éclat de larmes ou de reproches.

« C'est pourquoi mieux vaut n'y pas aller... Je suis sûre que vous me comprenez et que vous ne vous formalisez pas.

— Je n'ai que ce que je mérite! » lança soudain Kitty sans oser regarder Varinka mais en s'emparant de son ombrelle.

En voyant cette colère enfantine, Varinka retint un sourire pour ne pas froisser Kitty.

« Comment, fit-elle, vous n'avez que ce que vous méritez? Je ne comprends pas.

— Parce que tout cela n'était qu'hypocrisie et que rien ne venait du cœur. Qu'avais-je besoin de m'occuper d'un étranger! Et voilà que j'ai été la cause d'une querelle, que je me suis mêlée de ce qui ne me regardait pas!... Tout cela n'était qu'hypocrisie, hypocrisie, hypocrisie!

— De l'hypocrisie? Mais dans quel dessein? dit doucement Varinka.

— Ah! que tout cela est absurde, odieux! Qu'avais-je besoin...? Tout cela c'est de l'hypocrisie, répétait-elle en ouvrant et refermant l'ombrelle d'un geste machinal.

— Mais dans quel dessein, voyons?

— Je voulais paraître meilleure aux autres, à moi-même, à Dieu; je voulais tromper tout le monde. Non,

on ne m'y reprendra plus. Je préfère être mauvaise,
et ne pas mentir, ne pas tromper.

— Mais qui donc trompe ici? dit Varinka d'un ton
de reproche; vous parlez comme si... »

Kitty était dans un de ses accès de colère. Elle ne la
laissa pas achever.

« Ce n'est pas de vous qu'il s'agit. Vous êtes une
perfection. Oui, oui, je sais, vous êtes toutes des perfections; mais je suis mauvaise, moi, je n'y peux rien.
Et tout cela ne serait pas arrivé, si je n'avais pas été
mauvaise. Tant pis, je resterai ce que je suis, je ne
dissimulerai pas. Je me moque bien d'Anna Pavlovna!
Ils n'ont qu'à vivre comme ils l'entendent, et je ferai de
même. Je ne puis me changer... Et puis, non, décidément, ce n'est pas ce que je croyais!...

— Que voulez-vous dire? demanda Varinka, inter-
dite.

— Non, ce n'est pas ce que je croyais. J'obéis toujours aux impulsions de mon cœur, tandis que vous ne
connaissez que vos principes. Je vous ai aimée tout
simplement, et vous n'avez sans doute eu en vue que
mon salut, mon édification.

— Vous êtes injuste, dit Varinka.

— Mais non, je ne parle que de moi, je laisse les
autres en paix...

— Kitty! cria à ce moment la princesse, montre
donc tes coraux à papa. »

Sans se réconcilier avec son amie, Kitty prit d'un
air fort digne sa boîte de coraux sur la table et sortit
dans le jardin.

« Qu'as-tu? Pourquoi es-tu si rouge? s'écrièrent
d'une seule voix son père et sa mère.

— Rien; je vais revenir », dit-elle en rebroussant
chemin.

« Elle est encore là; que vais-je lui dire? Mon Dieu,
qu'ai-je fait, qu'ai-je dit? Pourquoi l'ai-je offensée?
Quelle conduite tenir maintenant? » se dit-elle en s'arrêtant à la porte.

Varinka, son chapeau sur la tête, était assise près de
la table, examinant le ressort de son ombrelle que
Kitty avait cassé. Elle leva la tête.

« Varinka, pardonnez-moi, murmura Kitty en s'ap

prochant d'elle. Je ne sais plus ce que je vous ai
dit. Je...

— Vraiment, je n'avais pas l'intention de vous faire
du chagrin », dit Varinka en souriant.

La paix était faite, mais l'arrivée de son père avait
bouleversé aux yeux de Kitty le monde dans lequel
elle vivait depuis quelque temps. Sans renoncer à tout
ce qu'elle y avait appris, elle s'avoua qu'elle se faisait
illusion en croyant pouvoir devenir telle qu'elle aurait
voulu être. Ce fut comme un réveil : elle comprit qu'elle
ne saurait sans hypocrisie ni fanfaronnade se maintenir à une aussi grande hauteur; elle sentit en outre
plus vivement l'horreur des chagrins, des infirmités,
des agonies qui l'entouraient et trouva fort pénible de
prolonger les efforts qu'elle faisait pour s'intéresser à
ce monde de douleurs. Elle éprouva le besoin de respirer un air plus pur, de retourner en Russie, à Iergouchovo, où Dolly et les enfants l'avaient précédée,
ainsi que le lui apprenait une lettre qu'elle venait de
recevoir.

Mais son affection pour Varinka n'avait pas faibli.
Au moment du départ, elle la supplia de venir les voir
en Russie.

« Je viendrai quand vous serez mariée, dit la jeune
fille.

— Je ne me marierai jamais.

— Alors je n'irai jamais.

— Dans ce cas, je ne me marierai que pour cela;
n'oubliez pas votre promesse! »

Les prévisions du médecin s'étaient réalisées. Kitty
rentra en Russie, sinon aussi insouciante qu'autrefois,
du moins calmée et guérie (1). Les mauvaises heures de
Moscou n'étaient plus qu'un souvenir.

_____

(1) Pour le personnage de Kitty, Tolstoï s'est inspiré de sa
femme, la comtesse Sophie, mais certainement aussi de sa jeune
belle-sœur, Tatiana Bers, plus tard Kouzminski, qui vécut toute
sa vie dans des rapports très intimes avec leur ménage et venait
passer ses étés à Iasnaïa Poliana.

TROISIÈME PARTIE

I

Le printemps venu, Serge Ivanovitch Koznychev se sentit le cerveau fatigué, mais au lieu d'entreprendre comme d'habitude un voyage à l'étranger, il prit tout bonnement vers la fin de mai le chemin de Pokrov-skoïé. Rien ne valait selon lui la vie des champs, et il venait en jouir auprès de son frère. Constantin l'accueillit avec d'autant plus de plaisir qu'une visite de Nicolas lui semblait désormais problématique. Cependant, malgré son respect et son affection pour Serge, la façon dont celui-ci envisageait son séjour aux champs lui causait quelque malaise. Pour Constantin, la campagne était le théâtre même de sa vie, de ses joies, de ses peines, de ses labeurs; pour Serge, ce n'était qu'un agréable lieu de repos, un utile antidote aux corruptions de la ville. Tandis qu'elle conviait l'un à des travaux d'une incontestable utilité, elle conférait à l'autre le droit de ne rien faire. En outre les deux frères portaient sur les gens du peuple des jugements tout aussi opposés. Serge assurait connaître et aimer les paysans, il causait volontiers avec eux, ce qu'il savait d'ailleurs faire sans affectation ni sima-grées, et tirait de ces entretiens des conclusions tout à leur honneur, qu'il apportait comme preuves de sa prétendue connaissance des mœurs populaires. Cette attitude froissait Constantin, pour qui l'homme du peuple représentait surtout l'associé principal d'un travail commun. Il affirmait bien avoir sucé dans le lait de sa nourrice une tendresse fraternelle pour les paysans; il admirait leur vigueur, leur mansuétude,

leur esprit de justice; mais souvent, quand l'intérêt
commun exigeait d'autres qualités, il s'emportait
contre eux et ne voyait plus que leur incurie, leur mal-
propreté, leur ivrognerie, leur amour du mensonge. On
l'eût fort embarrassé en lui demandant s'il aimait ou
non le peuple. En homme de cœur il était plutôt enclin
à aimer son prochain, paysans y compris; mais qu'il
dût nourrir pour eux des sentiments particuliers, cela
lui semblait impossible; il vivait de leur vie, ses intérêts coïncidaient avec les leurs, conséquemment il faisait partie intégrante du peuple. D'autre part il avait
beau, en tant que propriétaire, « arbitre de paix » et
surtout donneur de conseils (on venait lui en demander de dix lieues à la ronde), entretenir depuis de
longues années des relations étroites avec les gens de
la campagne, il ne s'était formé sur leur compte aucune
opinion bien définie. On l'eût donc également fort surpris en lui demandant s'il les connaissait : « Ni plus
ni moins que je ne connais les autres hommes », eût-il
sans doute répondu. Il observait sans cesse bon nombre
d'individus, paysans y compris, qu'il jugeait dignes
d'intérêt; mais au fur et à mesure qu'il remarquait en
eux des traits nouveaux, ses jugements variaient d'autant. Serge au contraire considérait toutes ces choses
dans un esprit d'opposition : il préférait la vie des
champs à tel autre genre d'existence, le peuple à telle
autre classe sociale, et il n'étudiait celui-ci que pour
l'opposer aux hommes en général. Son esprit métho-
dique s'était formé une fois pour toutes une conception de la vie populaire fondée en partie sur l'expérience mais plus encore sur des comparaisons théo-
riques; et jamais, au grand jamais, cette conception
sympathique ne variait d'un iota. C'est pourquoi la victoire lui restait toujours dans les discussions qui s'élevaient entre son frère et lui sur le caractère, les goûts,
les particularités du peuple : à ses appréciations iné-
branlables, Constantin opposait des opinions constamment modifiées; Serge n'avait donc nulle peine à le
prendre en flagrant délit de contradiction avec lui-
même.

Serge Ivanovitch tenait son cadet pour un brave
garçon, qui avait le cœur bien en place, mais dont
l'esprit trop impressionnable quoique assez ouvert était

rempli d'inconséquences. Avec la condescendance d'un frère aîné il daignait parfois lui expliquer le vrai sens des choses, mais il discutait sans plaisir contre un adversaire si facile à battre.

De son côté Constantin admirait la belle intelligence, la vaste culture, la noblesse d'âme de son frère et le don qui lui était imparti de se dévouer au bien général. Mais plus il avançait et apprenait à le mieux connaître, plus il se demandait si cette faculté d'expansion dont lui-même se sentait si dépourvu ne constituait pas plutôt un défaut qu'une qualité. Ne dénotait-elle point, sinon l'absence d'aspirations nobles et généreuses, du moins un certain manque de cette force vitale que l'on nomme le cœur, une certaine impuissance à se frayer une route personnelle parmi toutes celles que la vie ouvre aux hommes? Au reste ce n'est point le cœur mais la tête qui incite la plupart des gens à se dévouer aux intérêts généraux; ils ne s'engagent qu'à bon escient. Levine sut se convaincre de cette vérité en voyant que son frère n'accordait pas plus d'importance au bien public ou à l'immortalité de l'âme qu'à une partie d'échecs ou à l'agencement ingénieux d'une machine.

Constantin éprouvait encore un autre genre de contrainte envers son frère quand celui-ci séjournait auprès de lui. Alors que les journées lui paraissaient trop courtes, surtout pendant l'été, pour tout ce qu'il avait à faire, Serge ne songeait qu'au repos. Cette année-là donc il abandonna son grand ouvrage, mais l'activité de son esprit était trop incessante pour qu'il n'eût pas besoin d'exprimer à quelqu'un, sous une forme concise et élégante, les idées qui lui venaient : et tout naturellement il prenait son frère pour auditeur. C'est pourquoi, malgré l'amicale simplicité de leurs rapports, celui-ci n'osait trop le laisser seul. Serge prenait plaisir à se coucher dans l'herbe et à deviser tranquillement, tout en se chauffant au soleil.

« Tu ne saurais croire, disait-il à son frère, le plaisir que me cause ce « dolce farniente ». Je n'ai pas une idée dans la tête : elle est vide. »

Mais Constantin se lassait d'autant plus vite de son inaction qu'il savait fort bien ce qui se passerait en son absence : on répandrait le fumier à tort et à tra-

vers sur des champs non amendés; on visserait mal les
socs des charrues anglaises pour pouvoir dire ensuite
qu'elles ne vaudraient jamais le bon vieux hoyau d'autrefois.

« N'es-tu donc pas fatigué de courir par cette chaleur? lui demandait Serge.

— Je ne te quitte que pour un instant, le temps de
jeter un coup d'œil au bureau », répondait Constantin; et il se sauvait dans les champs.

II

Dans les premiers jours de juin, Agathe Mikhaïlovna,
la vieille bonne qui remplissait les fonctions de femme
de charge, descendant à la cave avec un bocal de champignons qu'elle venait de mariner, glissa dans l'escalier
et se foula le poignet. On fit venir le médecin du
« zemstvo », jeune homme bavard frais émoulu de
l'université. Il examina la blessée, affirma qu'elle ne
s'était point donné d'entorse et prit un plaisir évident
à converser avec le célèbre Serge Ivanovitch Koznychev auquel, pour faire parade de son libéralisme, il
débita tous les ragots du district, en insistant sur la
situation déplorable dans laquelle se trouvaient, à l'en
croire, les institutions provinciales. Serge Ivanovitch
l'écoutait avec attention, posant de temps à autre
quelque question; puis, animé par la présence d'un
nouvel auditeur, il prit à son tour la parole, présenta
certaines observations justes et fines respectueusement
appréciées par le jeune médecin, et se trouva bientôt
dans cette disposition d'esprit un peu surexcitée que
provoquait d'ordinaire chez lui toute conversation vive
et brillante. Après le départ du praticien, il se mit en
devoir d'aller pêcher, car il avait un faible pour la
pêche à la ligne, passe-temps futile dont il semblait
fier de savoir tirer quelque jouissance. Constantin, qui
voulait examiner l'état des labours et des prairies,
offrit à son frère de le mener en cabriolet jusqu'à la
rivière.

On était à ce tournant de l'été où la récolte se dessine, où la fenaison approche, où déjà l'on se préoc-

cupe des semailles. Les épis déjà formés, mais encore
légers et d'un gris verdâtre, se balancent au souffle du
vent; les avoines mêlées aux herbes folles sortent irrégulièrement de terre dans les champs semés tardive-
ment; les premières pousses du sarrasin couvrent déjà
le sol; les jachères, avec leurs mottes quasi pétrifiées
par le piétinement du bétail et leurs sentiers où ne
mord point l'araire, ne sont encore qu'à demi labou-
rées; les monticules de fumier mêlent à l'aurore leur
odeur au parfum de la reine des prés; cependant que
dans les fonds s'éploie, impatiente de la faux, la houle
verte des herbages, où les tiges déjà dépouillées de
l'oseille sauvage font de-ci de-là de grandes taches
noires. C'est dans le calendrier champêtre une époque
d'accalmie avant la moisson, ce gros effort imposé
chaque année au paysan. Cet été-là, la récolte s'annonçait magnifique; les journées étaient longues et chaudes,
les nuits courtes et tout humides de rosée.

Pour atteindre les prairies, il fallait passer par le
bois dont la végétation luxuriante émerveilla Serge.
Il signalait à l'admiration de son frère tantôt l'éme-
raude des jeunes branches, tantôt un vieux tilleul dia-
pré de stipules jaunes prêtes à s'ouvrir. Mais Constantin qui ne parlait pas volontiers des beautés de la
nature n'aimait guère non plus qu'on les lui signalât :
les mots lui gâtaient le spectacle. Aussi, tout en faisant
laconiquement écho à l'enthousiasme de son frère, se
laissait-il aller à des préoccupations d'un autre genre.
Au sortir du bois, son attention se concentra sur un
tertre en jachère où des plaques d'herbe jaunâtre
alternaient avec des carrés déjà défoncés, d'autres
déjà recouverts de fumier, d'autres même complètement labourés. Une file de chariots y apparut; Levine
les compta et trouva leur nombre suffisant.

A la vue des prairies, la question du fauchage et
de la rentrée des foins, opération qui lui tenait particulièrement au cœur, s'imposa à ses méditations. Il
arrêta son cheval. Comme l'herbe haute et drue était
encore humide dans le pied, Serge, qui craignait de
se mouiller les pieds, pria son frère de le conduire
en cabriolet jusqu'au buisson de saule près duquel
on pêchait les perches. Constantin acquiesça à ce
désir, tout en regrettant de fouler cette herbe moel-

leuse qui s'enroulait autour des pieds du cheval et des
roues de la voiture, déposant ses semences sur les rais
et les moyeux.

Tandis que Serge s'installait sous le buisson et préparait ses lignes, Constantin attacha son cheval quelques pas plus loin et s'enfonça dans l'immense mer
verdâtre que n'agitait pour lors aucun souffle : aux
endroits qu'avait fertilisés le débordement de la
rivière, l'herbe soyeuse et lourde de pollen lui montait presque jusqu'à la ceinture. Comme il arrivait
sur la route, il rencontra un vieux à l'œil tuméfié qui
portait précautionneusement une de ces corbeilles de
tille qui servent à récolter les essaims.

« Aurais-tu recueilli un essaim, Fomitch?

— Eh! Constantin Dmitritch, j'ai déjà assez de mal
à garder les miens. En voilà un qui s'échappe pour
la seconde fois... Heureusement que les gars l'ont rat-
trapé. Ils étaient en train de labourer chez vous. Ils
ont vite dételé et ils ont couru après...

— Et, dis-moi, Fomitch, n'est-ce pas le moment de
faire les foins?

— Ma foi, vous savez, chez nous on attend jusqu'à la Saint-Pierre, mais vous fauchez toujours plus
tôt. Eh bien, bonne chance, l'herbe est belle et le
bétail aura où se remuer.

— Mais le temps, Fomitch, qu'en penses-tu?

— Ah! pour ce qui est du temps, c'est l'affaire du
bon Dieu. Peut-être bien après tout qu'y fera beau! »

Levine revint trouver son frère. Bien que bredouille, celui-ci paraissait d'excellente humeur. Mis
en verve par son entretien avec le médecin il ne
demandait qu'à bavarder. Cela ne faisait pas le compte
de Levine : la question des foins lui trottait par la
tête, et il avait hâte de rentrer pour prendre une décision et faire louer des faucheurs.

« Eh bien, nous rentrons, dit-il à Serge.

— Qui nous presse? répondit celui-ci. Repose-toi
donc, te voilà tout mouillé. J'ai beau ne rien prendre,
je me sens à mon aise. Vois-tu, les distractions de ce
genre ont ceci de bon qu'elles nous mettent en contact
avec la nature... Regarde-moi cette belle coulée d'eau,
on dirait de l'acier. Et ces prairies au bord de la
rivière me font toujours songer à la fameuse devinette.

tu sais, celle où l'herbe dit à l'eau : « Plions, plions! »
— J'ignore complètement cette devinette », grognonna Levine (1).

III

« A PROPOS, reprit Serge, je pensais justement à toi : sais-tu qu'à en croire ce médecin, un garçon qui n'a pas l'air bête, il se passe dans notre district des choses inouïes. Et cela me fait revenir à ce que je t'ai déjà dit : « Tu as tort de ne pas assister aux assemblées et « de te tenir à l'écart du « zemstvo ». Si les honnêtes gens s'abstiennent, ce sera un désordre de tous les diables. Où passe donc notre argent? Les gros bonnets doivent s'octroyer de beaux appointements, puisque nous n'avons ni écoles, ni pharmacies, ni infirmeries, ni sages-femmes, rien.

— Que veux-tu que j'y fasse? répondit à contrecœur Constantin. J'ai bien essayé de m'intéresser à tout cela, mais c'est au-dessus de mes forces.

— C'est précisément ce que je ne saurais admettre. Voyons, quels sont les mobiles de ton abstention? Indifférence? je ne puis le croire. Incapacité? encore moins. Apathie? peut-être.

— Pas du tout, rétorqua Constantin. Je me suis tout bonnement convaincu que je n'arriverais à rien. »

Il ne prêtait à son frère qu'une oreille distraite. Un point noir, qui s'agitait là-bas dans les labours de l'autre côté de l'eau, captivait son attention : n'était-ce pas le régisseur à cheval?

(1) L'homme des champs qu'est Levine devrait pourtant connaître cette devinette populaire, dont il existe de nombreuses variantes. Voici celle à laquelle fait allusion Koznychev :

> *Trois sœurs ce sont;*
> *Première dit :*
> *« Courons, courons! »*
> *Seconde dit :*
> *« Restons, restons! »*
> *Troisième dit :*
> *« Plions, plions! »*

Les trois sœurs sont respectivement : la rivière, la rive et l'herbe des prés. (N. d. T.)

« Mais pourquoi, pourquoi? insistait Serge. Tu te résignes trop facilement. N'as-tu donc aucun amour-propre?

— Que vient faire l'amour-propre en pareille matière! répliqua Constantin, piqué au vif. Si à l'université on m'avait cru incapable de comprendre le calcul intégral comme mes camarades, j'y aurais mis de l'amour-propre. Mais en l'occurrence il faudrait d'abord croire que cette sorte d'activité exige des capacités particulières, il faudrait surtout être convaincu de l'utilité des innovations à l'ordre du jour.

— Les juges-tu donc inutiles! s'exclama Serge, froissé d'entendre son frère traiter à la légère des choses qu'il estimait, lui, de première importance, et vexé plus encore de voir qu'il n'accordait à ses propos qu'une fort médiocre attention.

— Ma foi, oui, que veux-tu, tout cela me laisse indifférent », répondit Constantin, qui venait de se convaincre que le point noir dans le lointain était bien le régisseur, en train probablement de congédier les laboureurs, car ceux-ci retournaient les charrues. « Auraient-ils déjà fini? » songea-t-il.

« Ah! çà, mon cher, dit le frère aîné dont le beau et fin visage s'était rembruni, il y a limite à tout. C'est très beau de détester la pose et le mensonge, et je veux bien que l'originalité soit une vertu; mais ce que tu viens de dire n'a pas le sens commun. Comment peux-tu trouver indifférent que le peuple que tu prétends aimer...? »

« Je n'ai jamais rien prétendu de semblable », se dit *in petto* Constantin.

« ... que ce peuple meure sans secours. Des sages-femmes improvisées font périr les nouveau-nés, nos paysans croupissent dans l'ignorance et sont la proie des gratte-papier. Et quand un moyen se présente de leur venir en aide, tu te détournes en disant : « Tout « cela n'a pas d'importance. »

Et Serge posa à son frère le dilemme suivant :

« De deux choses l'une : ou la notion du devoir t'échappe ou tu ne veux rien sacrifier de ton repos, de ta vanité peut-être... »

Constantin comprit que s'il ne voulait point passer

pour égoïste il n'avait qu'à se soumettre; il se sentit mortifié.

« Ni l'un ni l'autre, déclara-t-il d'un ton péremptoire; mais je ne crois pas possible...

— Comment, tu ne crois pas qu'un meilleur emploi des contributions permettrait, par exemple, d'organiser une assistance médicale sérieuse?

— Non, je ne le crois pas. Tu oublies en effet que notre district s'étend sur quatre mille kilomètres carrés, que bien souvent les chasse-neige ou les fondrières interdisent les communications, que les périodes de travaux intenses chassent tous nos paysans hors de chez eux... Et puis, à parler franc, je ne crois pas à l'efficacité de la médecine.

— Tu exagères, je pourrais te citer mille exemples... Mais voyons, et les écoles?

— Pour quoi faire des écoles?

— Comment, pour quoi faire? Peut-on douter des avantages de l'instruction! Si tu la trouves utile pour toi, tu ne saurais la refuser aux autres. »

Constantin se sentit mis au pied du mur et, dans son irritation, avoua involontairement la véritable cause de son indifférence.

« Tout cela peut être vrai, dit-il; mais pourquoi irais-je me tracasser au sujet de ces postes médicaux dont je ne me servirai jamais, de ces écoles où je n'enverrai jamais mes enfants, où les paysans se refusent à envoyer les leurs et où je ne suis pas sûr du tout qu'il soit bon de les envoyer? »

Cette sortie faillit déconcerter Serge, mais il forma bien vite un nouveau plan d'attaque. Il changea tranquillement de place une de ses lignes et se tournant vers son frère :

« Tu fais erreur, lui dit-il en souriant. Primo, le poste médical te sert à quelque chose, puisque tu as eu recours au médecin du « zemstvo » pour soigner Agathe Mikhaïlovna...

— Dont le bras n'en restera pas moins estropié.

— C'est à savoir... Secundo, un paysan, un ouvrier qui sait lire et écrire est apte à te rendre plus de services...

— Oh! quant à cela, non, répondit carrément Levine. Questionne qui tu voudras, tout le monde te

dira qu'un paysan qui sait lire travaille moins bien
que les autres : impossible de lui faire réparer un
chemin, et si on construit un pont, sois sûr qu'il en
volera les planches.

— Au reste, là n'est pas la question », dit Serge
en fronçant le sourcil; car il détestait la contradiction et surtout cette façon de sauter d'un sujet à
l'autre, et de toujours produire des arguments nouveaux et sans lien entre eux, si bien qu'on ne savait
auquel répondre. « Voyons, conviens-tu que l'instruction soit un bien pour le peuple?

— J'en conviens » laissa échapper Constantin, qui
dut aussitôt s'avouer qu'il pensait précisément le
contraire, et se douta bien que son frère allait sans
plus tarder le convaincre d'inconséquence. Mais
comment s'opérerait cette démonstration? Ce fut
beaucoup plus simple qu'il n'aurait cru.

« Du moment que tu en conviens, déclara Serge,
tu ne saurais, en honnête homme, refuser à cette
œuvre ni ta sympathie ni ta collaboration.

— Mais je ne reconnais pas encore cette œuvre
comme bonne? objecta Constantin en rougissant.

— Comment cela! tu viens de dire...

— Non, je ne la crois ni bonne ni possible.

— Qu'en sais-tu, puisque tu n'as tenté aucun effort
pour t'en convaincre?

— Eh bien, admettons que l'instruction du peuple
soit un bien, concéda Constantin sans la moindre
conviction; ce n'est pas encore une raison pour que
je m'en soucie.

— Vraiment?

— Mais oui, et puisque nous en sommes là, je te
défie de m'établir philosophiquement que j'ai le devoir
de m'y intéresser.

— La philosophie n'a rien à voir ici, que je sache,
rétorqua Serge sur un ton qui vexa fort Constantin;
il crut comprendre que son frère lui déniait tout
droit de parler de philosophie.

— Tu crois? répliqua-t-il en s'échauffant. Il me
semble pourtant que notre intérêt personnel demeure
toujours le mobile de nos actions. Or, en tant que
gentilhomme, je ne vois rien dans les nouvelles in-

stitutions qui contribue à mon bien-être. Les routes ne
sont pas meilleures et ne peuvent pas le devenir;
d'ailleurs mes chevaux me conduisent tout aussi bien
par de mauvais chemins. Je n'ai besoin ni de médecin, ni de poste médical. Je me soucie tout aussi peu
du juge de paix, à qui je n'ai jamais eu et n'aurai
jamais recours. Quant aux écoles, loin de m'être utiles,
elles me portent préjudice, je viens de te l'expliquer.
Le « zemstvo » ne représente donc pour moi qu'un
impôt supplémentaire de dix-huit kopeks par hectare et de fastidieux voyages au chef-lieu où je dois
livrer bataille aux punaises et prêter l'oreille à toutes
sortes d'inepties et d'incongruités. Dans tout cela mon
intérêt personnel ne joue pas.

— Eh! mon Dieu, interrompit en souriant Serge, il
ne jouait pas non plus quand nous avons travaillé à
l'émancipation des paysans.

— Ah! pardon, s'écria Constantin qui s'emportait
de plus en plus, nous avons voulu, nous autres honnêtes gens, secouer un joug qui nous pesait. Mais
qu'ai-je besoin d'être conseiller municipal, et de discuter sur le nombre de vidangeurs et de conduits
nécessaires à une ville que je n'habite point? Quel
intérêt me porte à présider le jury dans une affaire
de vol de jambon, à écouter pendant six heures d'hor-
loge les élucubrations du procureur et de l'avocat, à
demander à l'accusé, quelque vieil innocent de ma
connaissance : « Reconnaissez-vous, monsieur l'ac-
« cusé, avoir dérobé un jambon? »

Et Constantin, entraîné par son sujet, mima la scène
entre le président et l'accusé, la croyant sans doute
utile à son argumentation. Mais Serge leva les épaules.

« Où veux-tu en venir, voyons?

— A ceci : lorsqu'il s'agira de droits qui me toucheront, c'est-à-dire qui toucheront mon intérêt personnel, je saurai les défendre de toutes mes forces;
lorsque, étant étudiant, on perquisitionnait chez nous
et que les gendarmes lisaient nos lettres, j'étais prêt
à défendre mes droits à l'instruction, à la liberté. Je
veux bien discuter le service obligatoire, parce que
la question touche au sort de mes enfants, de mes
frères, au mien par conséquent; mais chicaner sur
l'emploi des quarante mille roubles d'impôt foncier,

ou faire le procès d'un pauvre diable, non franchement, je ne m'en sens pas capable. »

La digue était rompue : Constantin ne s'arrêtait
plus. Serge sourit.

« Et si demain tu as un procès, tu préférerais être
jugé par les tribunaux d'autrefois?

— Je n'aurai pas de procès, je n'ai l'intention de
tuer personne. Tout cela, je te le répète, ne me sert
à rien... Vois-tu, reprit-il en sautant de nouveau sur
une idée complètement étrangère à la discussion, ces
créations du « zemstvo » me font songer à des
branches de bouleau que nous aurions enfoncés en
terre — comme on le fait à la Pentecôte — pour
figurer une forêt qui en Europe a atteint toute sa
croissance. Et moi je me refuse à arroser ces branches
et à croire qu'elles vont prendre racine et donner de
beaux arbres. »

Bien qu'il eût tout de suite compris ce que son frère
voulait dire, Serge n'en exprima pas moins par un
haussement d'épaules sa surprise de voir des bouleaux
intervenir dans leur controverse.

« Ce n'est pas un raisonnement, voyons », commença-t-il.

Mais Constantin, qui se sentait coupable de tiédeur
pour les affaires publiques, tenait à justifier son attitude.

« Je crois, reprit-il, qu'il n'y a pas d'activité
durable si elle n'est pas fondée sur l'intérêt personnel. C'est une vérité générale, philosophique, oui, phi-
lo-so-phi-que », répéta-t-il comme pour prouver qu'il
avait aussi bien qu'un autre le droit de parler philosophie.

Serge sourit encore. « Lui aussi, songea-t-il, se forge
une philosophie pour la mettre au service de ses penchants! »

« Laisse donc la philosophie tranquille, put-il enfin
dire. Son but a précisément été, dans tous les temps,
de saisir ce lien indispensable qui existe entre l'intérêt personnel et l'intérêt général. Mais ceci n'a rien
à voir avec la question qui nous occupe. Je tiens par
contre à apporter un correctif à ta comparaison. Nous
n'avons pas fiché en terre des branches de bouleau,
nous avons planté de jeunes arbres qu'il importe de

traiter avec ménagement. Les seules nations qui aient
de l'avenir, les seules qu'on puisse nommer historiques, sont celles qui comprennent la valeur de leurs
institutions et qui par conséquent y attachent du
prix. »

La question ainsi transportée sur un terrain —
celui de la philosophie de l'histoire — où Constantin
ne pouvait pas le suivre, Serge lui démontra péremp-
toirement la fausseté de son point de vue.

« Quant à ta répugnance pour les affaires, conclut-il,
tu m'excuseras si je la mets sur le compte de notre
indolence russe, de nos antiques façons de gentill-
âtres. Laisse-moi espérer que tu reviendras de cette
erreur passagère. »

Constantin se taisait. Tout en se voyant battu à
plate couture, il sentait que son frère ne l'avait pas
compris. S'était-il mal expliqué, Serge y mettait-il de
la mauvaise volonté? Sans approfondir cette question,
il ne fit aucune objection nouvelle et ne songea plus
qu'à une affaire qui lui tenait particulièrement au
cœur. Cependant Serge pliait sa dernière ligne et
détachait le cheval. Ils prirent le chemin du retour.

IV

Voici quelle avait été, durant tout cet entretien, la
grande préoccupation de Levine. L'année précédente,
tandis qu'on coupait les foins, s'étant emporté contre
son régisseur, il avait eu recours pour se calmer à
son moyen ordinaire, c'est-à-dire qu'il avait pris la
faux d'un journalier et s'était mis à faucher lui-même.
Ce travail lui plut tellement qu'il recommença plusieurs fois et faucha de sa propre main la prairie qui
s'étendait devant la maison. Et, dès le printemps, il
s'était promis de faucher, le moment venu, des journées entières avec les paysans. L'arrivée de Serge
dérangea ce projet : il se faisait scrupule d'abandonner son frère du matin au soir, et redoutait aussi
quelque peu ses sarcasmes. Mais, la traversée de la
prairie ayant ravivé les impressions d'antan, il se sen-

tit prêt à céder à la tentation; et la querelle du bord
de l'eau le confirma dans ce dessein. « J'ai besoin
d'un exercice violent, sinon mon caractère deviendra intraitable », conclut-il, bien décidé à braver les
railleries possibles de son frère et des paysans.

Le soir même, Levine ordonna au régisseur de
convoquer pour le lendemain les faucheurs loués
dans les villages voisins et d'attaquer le Pré aux
viornes, le plus beau et le plus vaste de tous.

« N'oubliez pas non plus, ajouta-t-il en dissimulant
de son mieux son embarras, n'oubliez pas d'envoyer
ma faux à Tite pour qu'il la repasse et qu'il l'apporte
demain avec la sienne; je faucherai peut-être moi-
même.

— Entendu », répondit le régisseur en souriant.

A l'heure du thé, Levine fit également part de son
intention à son frère.

« Décidément, lui dit-il, le temps s'est mis au beau;
je commence à faucher demain.

— Voilà un travail qui me plaît fort, dit Serge.

— A moi de même. Il m'est arrivé de faucher avec
les paysans, et je compte m'y remettre demain toute
la journée. »

Serge scruta son frère du regard.

« Comment l'entends-tu? Travailler toute la journée comme un paysan?

— Oui, c'est une occupation très agréable.

— C'est surtout un excellent exercice physique,
mais je doute que tu puisses supporter pareille
fatigue, répliqua Serge sans la moindre intention ironique.

— Affaire d'entraînement. Au commencement c'est
dur, puis on s'y fait. Je crois que j'irai jusqu'au bout.

— Vraiment? Et de quel œil les paysans voient-ils
cela? Ne tournent-ils pas en ridicule les « lubies »
du maître?

— Je ne pense pas; d'ailleurs la besogne est trop
captivante pour qu'on puisse songer à autre chose.

— Mais comment feras-tu pour dîner? On ne peut
guère t'envoyer là-bas du château-lafite et de la dinde
rôtie.

— Je rentrerai à la maison pendant que les paysans
feront la pause. »

Le lendemain, Levine se leva plus tôt que de coutume; mais, retenu par des ordres à donner, il ne rejoignit les faucheurs qu'au moment où ils entamaient la seconde ligne.

Du haut de la côte, Levine aperçut la partie de la prairie où le soleil ne donnait point; c'était justement celle que les faucheurs avaient attaquée, et les vêtements dont ils s'étaient démunis avant de se mettre à l'ouvrage formaient de petits tas noirs qui tranchaient sur la grisaille des andains. Il distingua bientôt les faucheurs : vêtus, qui de caftans, qui d'une simple blouse, et menant chacun leur faux d'un geste différent, ils avançaient en échelon dans le bas de la prairie, où une ancienne levée rendait le terrain très inégal. Plus Levine approchait, plus nombreux ils se découvraient à lui; il en compta quarante-deux, parmi lesquels il reconnut quelques-uns de ses hommes : le vieil Ermil en longue blouse blanche, qui se baissait pour donner ses coups de faux; le jeune Vaska, un gaillard que Levine avait employé comme cocher, qui donnait les siens à tour de bras; Tite enfin, l'instructeur de Levine, un petit homme sec, qui marchait bien droit et faisait comme en se jouant de larges fauches.

Levine sauta à bas de son cheval, attacha la bête au bord du chemin et s'en fut droit à Tite, qui alla aussitôt prendre une faux cachée derrière un buisson et la tendit en souriant (1).

(1) « Ensemble nous fauchions, vannions, faisions de la gymnastique, rivalisions à la course et parfois jouions à saute-mouton, aux quilles, etc... Bien loin d'être aussi fort que lui, car il soulevait jusqu'à cinq pouds (environ deux cents livres) d'une seule main, je pouvais aisément participer à un concours de vitesse, mais je le distançais rarement, parce que je riais toujours à ce moment-là. Cette disposition d'esprit accompagnait toujours nos exercices. Lorsque nous passions près d'un endroit où l'on fauchait, il s'approchait et demandait sa faux à celui qui semblait le plus fatigué. Bien entendu, je suivais son exemple. A cette occasion il me demandait toujours pourquoi, malgré une musculature bien développée, nous étions incapables de faucher toute une semaine d'affilée, alors que le paysan dormait en outre sur la terre humide et ne se nourrissait que de pain. « Essayez un peu d'en faire autant », me disait-il en guise de conclusion. En quittant le pré, il arrachait d'une meule une poignée de foin et la respirait avec délices. » (*Souvenirs* de S. Bers, beau-frère de Tolstoï.)

« Je vous l'ai bien affilée, not' maître; on dirait quasiment un rasoir; elle fauche d'elle-même », lui dit Tite en le saluant du bonnet.

Levine prit la faux et regarda si elle était bien à sa main. Alertes et dispos, encore que ruisselants de sueur, les faucheurs regagnaient la route pour attaquer une nouvelle ligne et saluaient gaiement le maître, sans toutefois lui adresser la parole. Enfin un grand vieillard, au visage imberbe et ridé, vêtu d'une courte pelisse de mouton, apparut à son tour.

« Prenez garde à ne pas flancher, not' monsieur; quand le vin est tiré, y faut le boire », dit-il à Levine.

Un rire étouffé courut parmi les hommes.

« J'espère bien ne pas rester en arrière », répondit Levine. Et dans l'attente du signal, il se plaça derrière Tite.

« Prenez garde », répéta le vieux.

Tite s'étant mis en marche, Levine lui emboîta le pas et ne fit tout d'abord rien de bon; à vrai dire, il menait la faux vigoureusement, mais il manquait d'habitude, et les regards fixés sur lui le gênaient; d'ailleurs l'herbe courte et rude qui bordait la route ne se coupait pas facilement.

« On lui a mal emmanché sa faux, la poignée est trop haute, regarde comme il se courbe, fit une voix derrière lui.

— Appuie davantage du talon, conseilla une autre voix.

— Mais non, mais non, il s'y fera, dit le vieux... Eh, le voilà qui s'emballe... Pas si fort, not'monsieur, tu vas t'esquinter... Bien sûr, quand c'est pour soi qu'on trime, on ne rechigne pas à la besogne... Tu ne coupes pas assez ras. De mon temps, de l'ouvrage pareil, ça nous valait des coups sur le museau. »

Sans répondre à ces observations, Levine en tenait compte et marchait toujours sur les talons de Tite. Au reste l'herbe devenait plus douce. Tite avançait sans manifester la moindre fatigue, mais, après une centaine de pas, Levine, presque à bout de forces, se sentit prêt à abandonner la partie. Il allait prier Tite de s'interrompre lorsque celui-ci fit halte de lui-même, et, après avoir essuyé sa faux à l'aide d'une poignée d'herbe, se mit en devoir de l'affiler. Levine se redressa, poussa un soupir de soulagement et jeta un coup d'œil autour de lui. Son camarade de file devait aussi en avoir assez, car il s'était arrêté sans le rejoindre et aiguisait déjà sa faux. Quand il eut redonné du tranchant à sa faux et à celle de son maître, Tite reprit sa marche.

A la reprise, tout alla de même : Tite infatigable avançait de son pas mécanique, tandis que Levine sentait ses forces décliner peu à peu; et, juste à l'instant où il allait crier grâce, Tite s'arrêta.

Ils arrivèrent ainsi au bout de la première ligne, qui parut à Levine d'une longueur infinie. Enfin, lorsque Tite mit sa faux sur l'épaule, Levine l'imita et tous deux refirent à pas lents le chemin parcouru en se guidant sur les traces que leurs talons avaient laissées dans l'herbe. Bien que trempé des pieds à la tête, Levine se sentait à l'aise, car il était sûr désormais de ne point « flancher ». Toutefois, en comparant son andain irrégulier et éparpillé à celui de Tite, qui semblait avoir été coupé au cordeau, sa joie fut quelque peu empoisonnée. « Allons, se dit-il, il me faut plutôt travailler du corps que du bras. »

Il s'était aperçu que, désireux sans doute de l'éprouver, Tite avait marché à grandes enjambées. Au reste, comme par un fait exprès, le parcours avait été très long : les lignes suivantes furent plus faciles, et cependant, pour ne point rester en arrière, Levine dut faire appel à toute son énergie. Il n'avait d'autre pensée, d'autre désir que de faucher aussi vite et aussi bien que les paysans. Il n'entendait que le bruit des faux, ne voyait que la taille droite de Tite s'éloignant, la chute lente, onduleuse des herbes et des fleurs sous le tranchant de la faux, et là-bas au loin le bout de la prairie, promesse de repos.

Soudain, il éprouva sur ses épaules en nage une agréable sensation de fraîcheur qu'il ne s'expliqua pas bien tout d'abord; mais pendant la pause, il s'aperçut qu'un gros nuage noir qui courait bas sur le ciel venait de crever : quelques-uns des paysans coururent mettre leurs caftans, tandis que d'autres courbaient le dos sous l'averse avec un contentement égal à celui de Levine.

Courtes ou longues, faciles ou dures, les lignes succédaient aux lignes. Levine avait complètement perdu la notion du temps. Il s'apercevait avec un plaisir

immense qu'un changement était intervenu dans sa
façon de mener la faux; si, par moments, sa volonté
trop tendue n'obtenait que de médiocres résultats, il
connaissait aussi des minutes d'oubli où ses fauchées
étaient aussi régulières que celles de Tite.

Au moment où, parvenu au bout d'une ligne, il se
disposait à rebrousser chemin, il vit non sans surprise
Tite s'approcher du vieux et lui dire doucement quelques mots; tous deux consultèrent le soleil. « Que
signifie cet arrêt? » songea Levine sans se rendre
compte que les hommes travaillaient depuis au moins
quatre heures.

« C'est le moment de casser la croûte, not'maître, dit
le vieux.

— Vraiment? Déjà si tard! »

Il confia sa faux à Tite et regagna la route à travers
la vaste étendue d'herbe fauchée que la pluie venait
d'arroser légèrement; quelques journaliers marchaient
à ses côtés pour prendre le pain en réserve dans leurs
caftans. Alors seulement il s'aperçut qu'il s'était trompé
dans ses prévisions : l'eau allait mouiller son foin.

« Le foin va être gâté, dit-il.

— Y a pas de mal, not'maître, rétorqua le vieux;
comme on dit chez nous : fauche à la pluie, fane au
soleil. »

Levine détacha son cheval et rentra chez lui à
l'heure du café. Serge venait de se lever; mais, avant
qu'il eût paru dans la salle à manger, Constantin n'était
déjà plus là.

V

A LA RELEVÉE, sur l'invitation du vieux farceur, Levine
prit place entre lui et un jeune gars, marié de
l'automne, qui fauchait pour la première fois.

Le vieux avançait à grandes foulées régulières,
menant sa faux d'un geste souple et rythmé qui semblait ne lui coûter aucun effort : à voir ses fauches
larges et précises, on eût dit que la faux tranchait
d'elle-même dans l'herbe grasse et que l'homme la suivait, les bras ballants. Le jeune au contraire trouvait la

tâche rude; son jeune et charmant visage, couronné
d'un bandeau d'herbes entortillées, se contractait sous
l'effort; dès qu'on le regardait il esquissait pourtant
un sourire et eût évidemment préféré la mort à l'aveu
de sa détresse.

Pendant la grosse chaleur le travail parut moins
pénible à Levine : il trouvait un rafraîchissement dans
la sueur qui l'inondait, un stimulant dans les pointes
de feu que le soleil dardait sur son dos, sa tête et ses
bras nus aux coudes. Les minutes d'oubli, les minutes
heureuses où la faux travaillait d'elle-même se faisaient
plus nombreuses; plus heureuses encore, celles où, la
ligne achevée, le vieux essuyait sa faux avec de l'herbe
humide, en lavait le tranchant dans la rivière et puisait
pour l'offrir à Levine un plein coffin d'eau fraîche.

« Pas mauvais, mon kvass, hein? » disait-il avec une
œillade malicieuse.

Levine croyait n'avoir jamais bu meilleure boisson
que cette eau tiède où nageaient des herbes et qui prenait dans le coffin un goût de rouille. Puis venait la
promenade lente et pleine de béatitude où, le doigt sur
la faux, on pouvait s'essuyer le front ruisselant, respirer à pleins poumons, embrasser d'un coup d'œil la
longue file des faucheurs, les champs, les bois, tous les
alentours.

Plus la journée avançait, plus fréquents revenaient
pour Levine les moments d'oubli où la faux semblait
entraîner à sa suite un corps qui n'avait pourtant point
perdu conscience de lui-même, et accomplir comme par
enchantement le labeur le plus régulier. Rien décidément ne valait ces instants. En revanche, lorsque le
heurt de la faux contre une motte ou une touffe d'oseille
sauvage venait interrompre cette activité devenue mécanique, le retour aux mouvements réfléchis était
pénible. Pour le vieux, ce changement de cadence
n'était qu'un jeu. Rencontrait-il par exemple une motte
trop dure, il la tapotait du pied et du talon de sa faux
et la réduisait aussitôt en miettes. Ce faisant, rien
n'échappait à ses regards perçants : c'était ici une tige
d'oseille en graine qu'il savourait ou offrait au maître;
là, une branche qu'il repoussait de la pointe de sa
faux, un nid de cailles d'où s'envolait la femelle; plus
loin, une couleuvre qu'il soulevait comme avec une

fourche et rejetait au loin après l'avoir montrée à
Levine. Celui-ci au contraire et son jeune compagnon
ne voyaient rien de tout cela : entraînés dans un mouvement rythmé, ils éprouvaient beaucoup de peine à le
modifier.

Levine avait encore une fois perdu la notion du
temps et croyait faucher depuis une demi-heure.
Cependant l'heure du dîner approchait. Comme les
hommes commençaient une nouvelle ligne, le vieux
attira l'attention du maître sur un essaim d'enfants à
moitié cachés par les herbages : ils s'en venaient, qui
le long de la route, qui à travers champs, apportant aux
faucheurs — fardeau lourd à leurs petits bras — des
pains et des cruches de kvass bouchées avec des tor-
chons.

« V'là les moucherons qui s'amènent », dit le vieux.
Et s'abritant les yeux de la main, il consulta le soleil.
Au bout de deux lignes, il s'arrêta et, d'un ton décidé :

« Il est l'heure de dîner, not'maître », déclara-t-il.

Alors, pour la seconde fois, les faucheurs remontèrent des bords de la rivière vers l'endroit où reposaient leurs vêtements; c'est là que les attendaient les
enfants; ceux qui venaient de loin se glissèrent sous
leurs chariots, les autres s'installèrent sous un bouquet
d'osiers qu'ils couvrirent, pour avoir plus frais, avec
des paquets d'herbe.

Levine, qui n'avait nulle hâte de rentrer, s'assit
auprès d'eux; depuis longtemps la présence du maître
n'inspirait plus aucune gêne.

Tandis que les uns faisaient toilette au bord de
l'eau et que les jeunes gens se baignaient, les autres
préparaient une place pour la sieste, tiraient le pain
des bissacs, débouchaient les cruches de kvass. Le
vieux émietta du pain dans une écuelle, l'écrasa avec
le manche de sa cuillère, y versa l'eau de son coffin,
tailla encore des tranches de pain, sala le tout. Alors
il se tourna vers l'orient pour faire une prière, puis
s'agenouillant devant son écuelle :

« Eh bien, not'maître, dit-il, goûtez-moi cette
miettée. »

Levine la trouva si bonne qu'il se résolut à rester.
Tout en faisant honneur à ce frugal repas, il laissa le
vieux lui conter ses petites affaires auxquelles il prit

un vif intérêt, et lui confia à son tour ceux de ses projets qu'il crut susceptibles de piquer la curiosité du brave paysan. Il se sentait plus à l'aise avec cet homme fruste qu'avec son frère, et la sympathie qu'il éprouvait pour lui amenait à ses lèvres un sourire involontaire. Son repas achevé, le vieillard se leva, fit une nouvelle prière et s'allongea à l'ombre du buisson après s'être arrangé un oreiller d'herbe. Levine l'imita, et malgré les mouches et les insectes qui chatouillaient son visage et son corps couverts de sueur, il s'endormit sur-le-champ pour ne se réveiller que lorsque le soleil, tournant le buisson, vint briller au-dessus de sa tête. Le vieux, depuis longtemps réveillé, aiguisait les faux des jeunes gars.

Levine promena les yeux autour de lui et eut peine à s'y reconnaître. La prairie fauchée s'étendait immense devant lui avec ses rangées de foin déjà odorant; les rayons obliques du soleil déclinant y projetaient une lumière qui n'était plus celle du midi. Les bouquets de saule qui se détachaient maintenant sur le bord de l'eau, la rivière, naguère invisible qui déroulait à perte de vue son ruban moiré et sinueux, les gens qui allaient et venaient, la muraille à pic de l'herbe encore debout, les éperviers qui survolaient cette vaste étendue dénudée, tout cela offrait à Levine un spectacle imprévu. Quand il s'y fut habitué, il calcula ce qui avait été fait et ce qui restait encore à faire. Les quarante-deux faucheurs avaient abattu un travail considérable; au temps du servage trente hommes arrivaient à peine en deux jours à faucher cette prairie dont il ne restait plus que quelques coins intacts. Mais ce résultat ne satisfaisait pas encore complètement Levine; le soleil descendait trop vite à son gré; il ne sentait aucune fatigue et brûlait de reprendre sa faux.

« Dis-moi, demanda-t-il au vieux, aurons-nous encore le temps de faucher la Ravine à Marie? Qu'en penses-tu?

— Ça dépend du bon Dieu! Le soleil n'est plus bien haut. Peut-être qu'en payant la goutte aux gars... »

Pendant la collation, tandis que les fumeurs allumaient leurs cigarettes, le vieux déclara aux gars que, si la Ravine à Marie était fauchée, on aurait la goutte.

« Pourquoi qu'on la faucherait pas! Vas-y, Tite, vas-y, mon gars! On va enlever ça en un tour de main. On aura le temps de croûter ce soir. En avant! crièrent quelques voix. Et, tout en achevant leur pain, les faucheurs se mirent en marche.

— Allons, les gars, faut en mettre un coup! dit Tite en ouvrant la marche au pas de course.

— Va toujours, reprit le vieux qui eut tôt fait de le rejoindre. Plus vite, plus vite, ou je te fauche! »

Jeunes et vieux fauchèrent à l'envi, mais quelque hâte qu'ils fissent, les andains se couchaient aussi nets, aussi réguliers qu'auparavant. Les coins encore intacts furent abattus en cinq minutes. Les derniers faucheurs terminaient à peine leur ligne que déjà les premiers, caftan sur l'épaule et coffins brimbalants, se dirigeaient vers la Ravine à Marie. Le soleil descendait au-dessus des arbres lorsqu'ils l'atteignirent. L'herbe tendre, molle, grasse, parsemée de queues-de-renard sur les pentes boisées, leur venait dans les fonds jusqu'à la ceinture.

Après un court conciliabule pour savoir si l'on prendrait en long ou en large, Prochor Iermiline, un grand gars à barbe noire, renommé lui aussi pour son coup de faux, prit les devants. Tous alors s'alignèrent tant bien que mal derrière lui, dévalèrent en fauchant une pente du ravin, traversèrent le fond et remontèrent l'autre pente jusqu'à la lisière de la forêt. Sur cette hauteur, le soleil, qui se couchait derrière les arbres, les éclairait encore; mais, dans le fond du ravin, la buée s'élevait déjà, et sur l'autre versant ils marchaient dans une ombre fraîche imprégnée d'humidité.

L'ouvrage avançait rapidement. L'herbe rendait sous la faux un son gras et s'abattait en hauts andains d'où s'exhalait une odeur forte. Les faucheurs, un peu à l'étroit, se talonnaient à qui mieux mieux, les coffins tintinnabulaient, les faux crissaient sous la morsure des pierres à aiguiser, d'autres s'entrechoquaient, de joyeux cris montaient de partout.

Levine marchait toujours entre ses deux compagnons. Le vieux avait mis sa veste de peau de mouton, mais ses mouvements conservaient toute leur aisance et sa belle humeur ne tarissait point. Dans le bois les faux tranchaient à chaque instant de gros bolets

enfouis sous l'herbe; dès qu'il en apercevait un, le
bonhomme se baissait, le ramassait, le cachait dans sa
veste en disant : « Encore un petit cadeau pour ma
vieille! »

L'herbe humide et tendre se fauchait facilement,
mais il n'en était pas moins dur de gravir puis de dé-
valer les pentes escarpées de la Ravine. Le vieux n'en
avait cure : menant sa faux avec une inlassable souplesse, il s'élevait à petits pas énergiques; bien qu'il
tremblât de tout le corps et que sa culotte menaçât de
tomber sur ses hauts brodequins de tille, il n'en négli-
geait pour autant ni un lazzi, ni un bolet, ni une brin-
dille. Levine, derrière lui, se disait à tout instant que
jamais il n'escaladerait, une faux à la main, ces hauteurs difficiles à gravir même les mains libres. Et
cependant il allait toujours et faisait de bon ouvrage.
Une fièvre intérieure semblait le soutenir.

VI

La Ravine à Marie une fois fauchée, les derniers coins
rasés, les paysans endossèrent leurs caftans et prirent
gaiement le chemin du logis. Levine remonta à cheval
et se sépara à regret de ses compagnons. Parvenu au
haut de la côte, il se retourna : les vapeurs du soir les
dissimulaient à ses regards, mais il perçut encore des
chocs de faux, de rudes éclats de voix, de longues
fusées de rires.

Serge avait dîné depuis longtemps; retiré dans sa
chambre, il prenait une limonade glacée en parcourant
les journaux et les revues que le facteur venait d'apporter, quand Levine entra brusquement, la blouse noircie,
trempée, les cheveux en désordre et collés aux tempes.

« Nous avons enlevé toute la prairie, tu ne t'imagines
pas le bien que ça fait! Et toi que deviens-tu? s'écria-
t-il, ne songeant plus du tout au pénible entretien de
la veille.

— Bon Dieu, de quoi as-tu l'air! dit Serge en n'accordant tout d'abord à son frère qu'une attention bou

gonne. Mais ferme donc la porte, tu en auras laissé
entrer une bonne douzaine! »

Serge avait horreur des mouches : il n'ouvrait ses
fenêtres que la nuit et tenait les portes toujours
fermées.

« Si j'en ai laissé entrer une seule, répliqua Levine
en riant, je suis tout prêt à lui donner la chasse... Ah!
la bonne journée!... Comment l'as-tu passée, toi?

— Très bien. Mais, dis-moi, as-tu vraiment fauché
du matin au soir? Tu dois avoir une faim de loup!
Kouzma a tout apprêté pour ton dîner.

— Non, j'ai déjà mangé, je n'ai besoin de rien; je
vais seulement faire un brin de toilette.

— Va, va, je te rejoins, dit Serge avec un hochement
de tête. Dépêche-toi, ajouta-t-il en rangeant ses livres.
Il ne voulait plus quitter son frère, dont la bonne
humeur était communicative. Et où étais-tu pendant la
pluie?

— Quelle pluie? il n'est guère tombé que quelques
gouttes... Je reviens à l'instant... Alors, tu es content
de ta journée? Eh bien, tant mieux! »

Et Levine alla s'habiller.

Cinq minutes plus tard, les deux frères se retrouvèrent dans la salle à manger. Constantin croyait
n'avoir pas faim et ne se mit à table que par égard
pour Kouzma. Mais une fois en train il fit honneur au
dîner. Serge le regardait en souriant.

« A propos, dit-il. J'oubliais qu'il y a en bas une
lettre pour toi; va la chercher, Kouzma, mais ferme
bien la porte. »

La lettre était d'Oblonski et datée de Pétersbourg.
Levine lut la lettre à haute voix : « Dolly m'écrit de
Iergouchovo que tout y va de travers. Toi qui sais tout,
tu serais bien aimable d'aller la voir et de l'aider de
tes conseils. Elle sera ravie de ta visite. Elle est toute
seule. Ma belle-sœur est encore à l'étranger avec tout
son monde. »

« Très bien, dit Levine, j'irai la voir sans faute. Tu
devrais venir avec moi, c'est une si brave femme.

— Est-ce loin d'ici?

— A une trentaine de verstes, quarante au plus. La
route est très bonne, nous ferons cela rapidement.

— Entendu, avec plaisir », dit Serge toujours sou-

riant, car la vue de son frère le disposait à la gaieté.
« Quel appétit! ajouta-t-il en considérant cette tête et
cette nuque hâlée penchées sur l'assiette.

— Eh oui, mon cher, rien ne vaut pareil régime
pour nettoyer le cerveau. J'entends enrichir la médecine d'un nouveau terme : *Arbeitscur.*

— Voilà une cure dont tu n'as guère besoin, il me
semble.

— Non, mais je la crois excellente pour combattre
les maladies nerveuses.

— C'est une expérience à faire. J'ai voulu aller te
voir travailler, mais il faisait si chaud que je me suis
vite réfugié sous les arbres. De là j'ai gagné à travers
bois le village où, rencontrant ta nourrice, j'ai tâché
d'apprendre par elle de quel œil on y envisageait ta
nouvelle marotte. Si je l'ai bien comprise, on ne
t'approuve guère. « Ce n'est pas l'affaire des maîtres »,
m'a-t-elle dit. Je crois que le peuple a des idées très
arrêtées sur ce qu'il convient aux maîtres de faire; et
il n'aime pas les voir sortir de leurs attributions.

— C'est possible, mais je n'ai jamais éprouvé de plus
vif plaisir. Et je ne fais de mal à personne, n'est-ce
pas? Tant pis si ça leur déplaît!

— Je vois que ta journée te satisfait complètement.

— Oui, je suis enchanté; nous avons fauché toute la
prairie, et je me suis lié avec un bonhomme délicieux.

— Allons, tant mieux. Moi aussi j'ai bien employé
mon temps. D'abord, j'ai résolu deux problèmes
d'échecs dont l'un très curieux : on attaque avec un
pion; je te le ferai voir. Ensuite j'ai réfléchi à notre
conversation d'hier.

— Quoi? quelle conversation? dit Constantin bien
incapable de se rappeler la discussion de la veille, car,
les yeux mi-clos et la bouche entrouverte, il se laissait
aller à une douce béatitude.

— Je trouve que tu as en partie raison. La différence
de nos opinions tient à ce que tu prends l'intérêt personnel pour mobile de nos actions, tandis que selon
moi tout homme parvenu à un certain degré de culture
doit avoir pour mobile l'intérêt général. Tu as peut-
être raison de préférer une activité dirigée vers un but
utilitaire. Ta nature est par trop *primesautière,* comme

disent les Français : il te faut une activité passionnée ou rien du tout. »

Levine écoutait sans comprendre et sans même chercher à comprendre. Il craignait seulement que son frère ne lui posât une question à laquelle il ne saurait que répondre, dévoilant ainsi son inattention.

« N'ai-je pas raison, mon cher? dit Serge en lui touchant l'épaule.

— Mais certainement. Et puis, je ne prétends pas être dans le vrai, répondit-il avec un sourire d'enfant coupable. « Quelle discussion avons-nous donc eue? pensait-il. Nous avons évidemment raison tous les deux. Et c'est pour le mieux... Il s'agit maintenant de donner mes ordres pour demain. »

Il se leva et s'étira en souriant; Serge sourit également, et comme il ne voulait point se séparer de son frère, dont la robuste fraîcheur le réconfortait :

« Eh bien, proposa-t-il, allons faire un tour; nous passerons par le bureau, si tu y as besoin.

— Ah! mon Dieu! s'écria tout à coup Constantin.

— Qu'y a-t-il? fit Serge effrayé.

— Et le bras d'Agathe Mikhaïlovna? dit Constantin en se frappant le front. Je l'avais oubliée.

— Elle va beaucoup mieux.

— C'est égal, je vais lui faire une petite visite. Tu n'auras pas mis ton chapeau que je serai de retour. »

Et il descendit l'escalier au galop; ses talons faisaient sur les marches le bruit d'une crécelle.

VII

TANDIS que Stépane Arcadiévitch remplissait à Pétersbourg ce devoir de tout fonctionnaire — devoir sacré, devoir indiscutable, bien qu'incompréhensible au commun des mortels — qui consiste à se rappeler au souvenir du ministre; tandis que, nanti de presque tout l'argent du ménage, il passait agréablement le temps aux courses et dans d'autres lieux de plaisir, Dolly emmenait ses enfants à la campagne pour y vivre à meilleur compte. Elle s'établit à Iergouchovo, domaine qui faisait partie de sa dot et dont son mari venait de vendre la forêt. Le Pokrovskoié de Levine en était distant de cinquante verstes.

La vieille maison seigneuriale de Iergouchovo avait depuis longtemps disparu; le prince s'était contenté d'agrandir et de réparer une des ailes. Vingt ans plus tôt, durant l'enfance de Dolly, cette aile, bien que tournée vers le midi et bâtie de guingois par rapport à la grande avenue, offrait une habitation spacieuse et commode. Maintenant au contraire elle tombait en ruine. Quand, au printemps, Stépane Arcadiévitch était venu vendre sa forêt, Dolly l'avait prié de jeter un coup d'œil à la maison et de la rendre habitable. Soucieux, comme tous les maris coupables, de procurer à sa femme une vie matérielle aussi commode que possible, Stépane Arcadiévitch, après inspection des lieux, fit exécuter certains travaux qui lui parurent de première nécessité : on avait recouvert les meubles de cretonne, posé des rideaux, nettoyé le jardin, planté des fleurs, établi un pont sur l'étang. Mais il négligea certains détails plus urgents et soumit ainsi Dolly à de rudes épreuves.

Stépane Arcadiévitch avait beau se croire un mari prévenant et un père modèle, il oubliait toujours qu'il avait une femme et des enfants, et ses goûts restaient ceux d'un célibataire. Rentré à Moscou, il annonça triomphalement à Dolly que tout était en ordre : il avait fait de la maison des champs une bonbonnière et il lui conseillait fort de s'y transporter. Ce départ lui convenait sous bien des rapports : les enfants se porteraient mieux, les dépenses diminueraient, et surtout il serait plus libre. Dolly jugeait, elle aussi, ce séjour indispensable : la santé des enfants l'exigeait, surtout celle de la plus jeune de ses filles qui se remettait mal de la scarlatine; elle n'aurait point à y redouter de pénibles discussions avec certains fournisseurs, tels que le cordonnier, le marchand de bois et le marchand de poissons, dont les notes impayées l'effrayaient; enfin elle espérait bien y attirer sa sœur Kitty, qui devait rentrer en Russie vers le milieu de l'été et à qui les médecins avaient recommandé des bains froids. En effet Kitty l'avisa que rien ne pouvait lui sourire davan-

tage que de terminer l'été à Iergouchovo, où elles
retrouveraient toutes deux tant de souvenirs d'enfance.
Cependant plus d'un mécompte attendait Dolly. La
campagne, revue par elle au travers de ses impressions
de jeunesse, lui semblait à l'avance un refuge contre
tous les ennuis de la ville; elle s'attendait à y mener
une vie, sinon élégante (peu lui importait) du moins
commode et peu coûteuse; n'avait-on pas tout sous la
main? Et puis les enfants y seraient comme en paradis.
Il lui fallut beaucoup déchanter quand elle revint à
Iergouchovo en maîtresse de maison...

Le lendemain de leur arrivée, une pluie battante
transperça le toit, l'eau tomba dans le corridor et la
chambre des enfants, il fallut transporter les petits lits
au salon. On ne put trouver de cuisinière pour les
gens; au dire de la vachère, les neuf vaches que contenait l'étable étaient ou pleines, ou à leur premier veau,
ou trop vieilles; d'aucunes avaient le pis ratatiné : il
n'y avait donc à espérer ni beurre ni lait pour les
enfants. Poules, poulets, œufs, tout manquait; il fallait
se contenter pour la cuisine de vieux coqs violacés et
filandreux. Impossible d'obtenir des femmes pour laver
les planchers : toutes sarclaient les pommes de terre.
Impossible de se promener en voiture, l'un des chevaux, trop rétif, ne se laissant pas atteler. Impossible
de se baigner, les bestiaux ayant raviné le bord de la
rivière, lequel était d'ailleurs trop à découvert. Impossible même de mettre le nez dehors : les clôtures mal
entretenues du jardin n'empêchaient plus le bétail d'y
pénétrer, et il y avait dans le troupeau un taureau terrible qui mugissait et que pour cette raison on soupçonnait fort de donner des coups de cornes. Pas une
seule penderie dans la maison : le peu d'armoires qui
s'y trouvaient ne fermaient pas ou s'ouvraient d'elles-
mêmes quand on passait devant. Ni pots, ni marmites
à la cuisine; pas de chaudière dans la buanderie, pas
même de planche à repasser dans la lingerie!

Au lieu donc de trouver à la campagne le repos et la
tranquillité, Dolly passa tout d'abord par une crise de
désespoir. Ces petits ennuis prenaient à ses yeux les
proportions d'une catastrophe; impuissante, malgré
tout le mal qu'elle se donnait, à y porter remède, elle
jugeait la situation sans issue et tout le long du jour

retenait avec peine ses larmes. Le domaine était géré
par un ancien maréchal des logis qui avait d'abord
consacré les loisirs de sa retraite aux fonctions plus
modestes de suisse; séduit par sa belle prestance et ses
manières déférentes, Stépane Arcadiévitch le promut
régisseur. Les soucis de Darie Alexandrovna laissaient
le bonhomme indifférent. « Que voulez-vous, madame,
disait-il de son ton le plus respectueux, avec d'aussi
vilain monde y a moyen de rien faire. » Et il ne faisait
rien!

La situation eût vraiment été sans issue si, chez les
Oblonski comme dans la plupart des familles, il ne se
fût trouvé un de ces personnages dont l'effacement ne
laisse point soupçonner l'importance pourtant considérable — dans l'espèce, Matrone Filimonovna. La
brave femme calmait sa maîtresse, lui assurait que tout
« se tasserait » (car cette expression lui appartenait en
propre, et Mathieu la lui avait bel et bien empruntée),
et agissait sans hâte ni bruit. Elle fit dès le premier
jour la connaissance de la femme du régisseur qui
l'invita à prendre le thé sous les acacias en compagnie
de son mari. Un club, auquel se joignirent le staroste
et le teneur de livres, se forma sous les arbres; peu à
peu, grâce à lui, les difficultés de la vie s'aplanirent, si
bien qu'au bout de huit jours tout « se tassa » pour de
bon. Le toit fut réparé; une commère de la femme du
staroste consentit à faire la cuisine; on acheta des
poules; les vaches donnèrent tout à coup du lait; on
répara les clôtures; on mit des crochets aux armoires,
qui cessèrent de s'ouvrir intempestivement; le charpentier fabriqua un rouleau à calandrer; la planche à
repasser, recouverte d'un morceau de drap de soldat,
s'étendit de la commode au dossier d'un fauteuil, et
bientôt l'odeur des fers se répandit dans la pièce.

« Vous voyez, dit Matrone Filimonovna en montrant
la planche à sa maîtresse, il n'y avait pas de quoi vous
désespérer. »

On trouva même moyen d'édifier une cabine de bains
avec des bassons, et Lili put commencer à se baigner.
Les désirs de Darie Alexandrovna devinrent enfin —
en partie, du moins — une réalité : elle mena une vie
agréable, sinon tranquille. Avec six enfants elle ne
pouvait guère connaître que de rares périodes de

repos : l'un tombait malade, l'autre risquait de l'être,
celui-ci réclamait telle ou telle chose, celui-là faisait
déjà preuve de mauvais caractère, etc., etc. Mais les
inquiétudes et les tracas constituaient l'unique chance
de bonheur qu'eût Dolly : privée de soucis, elle aurait
succombé au chagrin que lui causait ce mari qui ne
l'aimait plus. Au reste ces mêmes enfants, dont la santé
ou les mauvais penchants la préoccupaient si fort, la
dédommageaient déjà de ses peines par une foule de
petites joies. Joies imperceptibles sans doute, comme
des paillettes d'or dans du sable; joies réelles cependant, et si aux heures de tristesse Dolly ne voyait que
le sable, à d'autres moments l'or se laissait apercevoir.
La solitude des champs rendit ces joies plus fréquentes;
parfois, tout en s'accusant de partialité maternelle elle
se disait qu'il était rare de rencontrer six enfants aussi
charmants, chacun dans son genre. Elle se sentait alors
heureuse et fière.

VIII

A LA FIN de mai, quand tout était déjà plus ou moins
organisé, Dolly reçut, en réponse à ses plaintes, une
lettre de son mari s'excusant de n'avoir point su tout
prévoir et promettant de venir la rejoindre « à la première occasion ». Cette occasion ne s'étant point pré-
sentée, elle demeura seule à la campagne jusqu'aux
derniers jours de juin.
    Un dimanche, pendant le jeûne qui précède la Saint-
Pierre, elle décida de faire communier tous ses enfants.
Dolly surprenait parfois sa mère, sa sœur, ses amis par
des propos qui frisaient la libre pensée; elle avait une
religion à elle, qui lui tenait fort au cœur et qui relevait
plutôt de la métempsycose que du dogme chrétien.
Néanmoins elle observait et faisait strictement observer
dans sa famille les prescriptions de l'Eglise, et cela
bien moins pour prêcher d'exemple que pour obéir à
un besoin de son âme. Fort inquiète à l'idée que ses
enfants n'avaient pas depuis un an approché de la

sainte table (1), elle se résolut donc, au grand contentement de Matrone Filimonovna, à leur faire remplir
ce devoir pendant leur séjour à la campagne.

La réfection des toilettes demanda plusieurs jours :
il fallut tailler, transformer, nettoyer, allonger des
robes, rajouter des volants, coudre des boutons et des
nœuds de rubans. L'Anglaise se chargea de la robe de
Tania et causa bien du tourment à Darie Alexandrovna : les entournures se trouvèrent trop étroites,
les pinces du corsage, trop hautes; la pauvre enfant
faisait peine à voir, tant cette robe lui rendait les
épaules étroites. Matrone Filimonovna eut l'heureuse
idée d'ajouter de petites pièces au corsage et de les dissimuler sous une pèlerine. Le mal fut réparé; mais on
en était venu aux paroles amères avec l'Anglaise. Le
matin du dimanche tout était prêt, et un peu avant
neuf heures — pour trouver le curé du village aussitôt
après sa messe — les enfants parés et rayonnants de
joie attendaient leur mère devant la calèche arrêtée au
bas du perron. Grâce à la protection de Matrone Filimonovna le cheval noir rétif avait cédé sa place au brun
de l'intendant. Enfin Darie Alexandrovna, qu'avaient
retardée les soins de sa toilette, parut en robe de mous-
seline blanche. Le goût de la parure, auquel elle avait
jadis sacrifié en tant que femme, par coquetterie, par
désir de plaire — pour y renoncer avec l'approche de
l'âge et le déclin de sa beauté — elle y cédait de
nouveau, avec une joie mêlée d'émotion, en tant que
mère de jolis enfants et pour ne point faire ombre au
tableau. Un dernier coup d'œil au miroir l'avait aujour-
d'hui convaincue qu'elle était encore belle, belle du
moins de la beauté qu'elle voulait avoir, sinon de celle
dont elle rayonnait jadis dans les bals.

Personne à l'église sauf quelques gens du village et
les domestiques. Cependant Darie Alexandrovna remarqua — ou crut remarquer — que ses enfants et elle-
même provoquaient leur admiration. Et vraiment la
gravité de ces petits personnages en habits de fête faisait plaisir à voir. Le petit Alexis eut bien quelques
distractions causées par les pans de sa veste, dont il

(1) Dans l'Eglise d'Orient, le sacrement de l'Eucharistie est
administré aux enfants presque en même temps que celui du
baptême. (N. d. T.)

aurait voulu admirer l'effet par-derrière, mais il était si
gentil! Tania se tenait comme une petite femme et surveillait les plus jeunes. Quant à Lili, la dernière, ses
étonnements naïfs étaient tout simplement adorables, et
il fut impossible de ne pas sourire quand, après avoir
reçu la communion, elle dit au prêtre : *Please, some
more*.

Pendant le retour, les enfants, encore impressionnés
par l'acte solennel qu'ils venaient d'accomplir, se
montrèrent fort sages. Il en alla de même à la maison
jusqu'au déjeuner, mais à ce moment Gricha se permit
de siffler et, qui pis est, refusa d'obéir à l'Anglaise;
celle-ci le priva de dessert. Quand elle apprit le méfait
de l'enfant, Darie Alexandrovna, qui, présente, n'eût
point laissé les choses aller si loin, dut soutenir l'institutrice et confirmer la punition. Cet épisode gâta
quelque peu la joie générale.

Gricha se mit à pleurer, disant que Nicolas avait
sifflé aussi mais que lui seul était puni, et que s'il
pleurait, ce n'était point à cause de la tarte, dont il se
moquait fort, mais à cause de l'injustice qu'on lui faisait. L'affaire prenait une tournure trop triste, et Darie
Alexandrovna se résolut à demander à l'Anglaise le
pardon de Gricha. Elle se dirigeait vers la chambre
de celle-ci quand, en traversant la grande salle, elle
aperçut une scène qui la fit pleurer de joie et pardonner d'elle-même au coupable.

Tania, une assiette à la main, se tenait debout devant
son frère assis sur l'appui d'une fenêtre d'angle. Sous
le prétexte d'une dînette pour ses poupées, la petite
fille avait obtenu de l'Anglaise la permission d'empor-
ter son morceau de tarte dans la chambre des enfants,
mais c'était à son frère qu'elle le destinait. Tout en
pleurant sur l'injustice dont il se croyait victime,
Gricha dévorait le gâteau et disait à sa sœur à travers
ses sanglots : « Mange aussi... mangeons ensemble...
ensemble... » Attendrie tout d'abord par la pitié que
lui inspirait son frère puis par le sentiment de sa
bonne action, Tania avait elle aussi les larmes aux
yeux, ce qui ne l'empêchait d'ailleurs point de manger
sa part.

Les enfants prirent peur en apercevant leur mère,
mais rassurés par l'expression de son visage, ils écla-

tèrent de rire; la bouche pleine de gâteau, ils
essuyaient de la main leurs lèvres souriantes et bar-
bouillaient de confitures leurs visages où la joie rayonnait à travers les pleurs.

« Grand Dieu, Tania, ta robe blanche! Gricha,
voyons! » disait la mère, en tâchant de préserver les
habits neufs. Mais elle aussi pleurait et souriait de
bonheur.

Les belles toilettes ôtées, on mit de simples blouses
aux filles et de vieilles vestes aux garçons. Darie
Alexandrovna fit alors atteler la tapissière (au grand
chagrin de l'intendant, le Brun servit de nouveau de
limonier) et annonça qu'après la cueillette des champignons on se livrerait au plaisir de la baignade. Une
clameur de joie accueillit cette nouvelle et se prolongea
jusqu'au départ.

On recueillit une pleine corbeille de champignons.
Lili elle-même en trouva un. Naguère encore il fallait
que Miss Hull les lui cherchât; mais ce jour-là elle découvrit toute seule un gros bolet, et ce fut un enthousiasme général : « Lili a trouvé un champignon. »

Puis on gagna la rivière. Les chevaux furent attachés
aux arbres, et le cocher Térence, les laissant chasser
les mouches de leurs queues, s'étendit à l'ombre des
bouleaux et fuma tranquillement sa pipe en prêtant
l'oreille aux exclamations de joie qui partaient de la
cabine.

C'était certes chose ardue de surveiller les ébats des
petits polissons, de se reconnaître dans cette collection
de bas, souliers, pantalons, de dénouer, dégrafer, dé-
boutonner puis de renouer, ragrafer, reboutonner tous
ces boutons, lacets, agrafes et rubans. Néanmoins
Darie Alexandrovna, qui avait toujours aimé les bains
froids et les jugeait très salutaires à l'enfance, se
complaisait à ces baignades en famille. Plonger dans
l'eau ces chérubins, les voir s'ébrouer, s'éclabousser,
admirer leurs grands yeux rieurs ou effarouchés,
entendre leurs cris d'effroi puis de joie, caresser en les
rhabillant ces petits membres potelés, c'était pour elle
une vraie jouissance.

La toilette des enfants était à moitié faite quand les
paysannes endimanchées, qui revenaient de cueillir de
l'euphorbe et de l'herbe aux goutteux, passèrent devant

la cabine de bains et s'arrêtèrent, non sans quelque
timidité. Matrone Filimonovna héla l'une d'elles pour
lui donner à faire sécher un drap et une chemise
tombés à la rivière, et Darie Alexandrovna leur
adressa la parole. Les paysannes étouffèrent tout
d'abord des rires sans trop bien comprendre les questions qu'elle leur posait; mais peu à peu elles s'enhar-
dirent et gagnèrent le cœur de la mère en témoignant
une sincère admiration pour ses enfants.

« Ah! la jolie mignonne!... Elle est blanche comme
du sucre, dit l'une d'elles en extase devant Tania...
Mais bien maigre, ajouta-t-elle en hochant la tête.

— C'est parce qu'elle a été malade.

— Et celui-ci, on l'a aussi baigné? demanda une
autre en désignant le dernier-né.

— Oh! non, il n'a que trois mois, répondit avec
fierté Darie Alexandrovna.

— Vrai?

— Et toi, as-tu des enfants?

— J'en ai eu quatre : il m'en reste deux, un garçon
et une fille. J'ai sevré la fille.

— Quel âge a-t-elle?

— Elle marche sur deux ans.

— Pourquoi l'as-tu nourrie si longtemps?

— C'est l'habitude chez nous : on laisse passer trois
jeûnes. »

Darie Alexandrovna, prenant goût à l'entretien, posa
encore quelques questions : la jeune femme avait-elle
eu des couches difficiles, quelles maladies avaient faites
ses enfants, où son mari habitait-il, venait-il souvent la
voir?

C'étaient là des propos tout à fait selon son cœur;
elle se sentait avec ces paysannes en une communauté
d'idées si parfaite qu'elle n'avait nulle envie de les
quitter. Mais ce qui la flattait le plus, c'était leur admiration évidente pour le nombre et la beauté de ses
enfants.

Une des plus jeunes observait de tous ses yeux
l'Anglaise, qui se rhabillait la dernière et entassait
jupon sur jupon. Quand elle fut au troisième : « Eh,
ne put se retenir de dire la villageoise, regardez donc
ce qu'elle en met, on n'en verra jamais la fin! » Cette
observation provoqua un rire général auquel ne put

résister Darie Alexandrovna; mais l'Anglaise, qui se
sentait visée sans rien y comprendre, ne cacha point
son mécontentement.

IX

Entourée de tous ses petits baigneurs, Darie Alexandrovna, un fichu sur la tête, approchait de la maison,
quand le cocher s'écria :

« Voilà quelqu'un qui vient au-devant de nous; ça
m'a tout l'air d'être le monsieur de Pokrovskoié. »

Effectivement Dolly reconnut bientôt la silhouette
familière de Levine en paletot gris et chapeau de
même couleur. Elle le voyait toujours avec plaisir,
mais ce jour-là elle éprouva une satisfaction particulière à se montrer à lui dans toute sa gloire, que nul
mieux que lui n'était capable d'apprécier.

En l'apercevant, Levine crut voir réalisé un de ses
rêves de bonheur conjugal.

« Vous ressemblez à une couveuse, Darie Alexandrovna.

— Que je suis contente de vous voir, dit-elle en lui
tendant la main.

— Contente! Et vous ne m'avez rien fait dire? Mon
frère passe l'été chez moi. C'est par Stiva que j'ai su
que vous étiez ici.

— Par Stiva? demanda Dolly toute surprise.

— Oui, il m'a écrit que vous habitiez la campagne et
que je pourrais peut-être vous rendre quelques services... »

Soudain Levine se troubla, s'interrompit et marcha
en silence auprès de la tapissière, arrachant au passage
des pousses de tilleul qu'il mordillait nerveusement.
L'idée lui était venue que sans doute Darie Alexandrovna trouverait pénible de voir un étranger lui offrir
l'aide qu'elle aurait dû trouver en son mari. En effet
Dolly ne goûtait guère la façon cavalière dont Stépane
Arcadiévitch se déchargeait sur des tiers de ses
embarras domestiques. Elle comprit aussitôt que Levine

le sentait. C'était ce tact, cette délicatesse qu'elle prisait surtout en lui.

« J'ai deviné, reprit Levine, que c'était une façon aimable de me prévenir que ma visite vous agréerait. Vous m'en voyez ravi. J'imagine d'ailleurs qu'une maîtresse de maison habituée au confort des grandes villes doit se trouver ici légèrement dépaysée; si je puis vous être bon à quelque chose, disposez de moi, je vous en prie.

— Oh! non, répliqua Dolly. A vrai dire, le début n'a pas été sans ennuis, mais maintenant tout marche à merveille... grâce à ma vieille bonne, ajouta-t-elle en désignant Matrone Filimonovna, qui, comprenant que l'on parlait d'elle, adressa à Levine un sourire de contentement. Elle le connaissait, savait qu'il ferait un bon parti pour « leur demoiselle », et désirait fort que l'affaire prît bonne tournure.

— Prenez donc place à côté de nous, dit-elle; nous nous serrerons un peu.

— Merci, je préfère vous suivre à pied... Enfants, qui veut tenter avec moi de dépasser les chevaux à la course? »

Tout ce petit monde n'avait de Levine qu'une assez vague souvenance; cependant il ne lui témoigna point cette répugnance dont les enfants font bien souvent preuve envers les grandes personnes qui feignent de se mettre à leur portée, sentiment étrange qui leur vaut de si pénibles reproches et châtiments. La feinte la mieux ourdie pourra duper le plus pénétrant des hommes, mais le plus borné des enfants ne s'y laissera jamais prendre. Or, quelque défaut que l'on pût reprocher à Levine, il n'y avait pas en lui l'ombre de duplicité; aussi les bambins éprouvèrent-ils d'emblée à son égard les sentiments qu'ils voyaient empreints sur le visage de leur mère. Répondant à son invitation, les deux aînés sautèrent de voiture et coururent à ses côtés comme ils l'eussent fait avec leur bonne, Miss Hull, ou leur mère. Lili voulut aussi aller à lui; Darie Alexandrovna la lui passa, il l'installa sur son épaule et se mit à courir.

« Ne craignez rien, dit-il en souriant joyeusement à la mère, je ne la laisserai pas tomber. »

En voyant combien il était adroit, prudent, pondéré

dans ses mouvements, Dolly, aussitôt tranquillisée, lui répondit par un sourire confiant.

La familiarité de la campagne, la présence des enfants, la compagnie de cette femme pour qui il ressentait une véritable sympathie et qui d'ailleurs aimait à le voir dans cette disposition d'esprit, dont il était assez coutumier, tout concourait à faire naître en Levine une allégresse quasi enfantine. Tout en courant avec les petits, il trouva moyen de leur enseigner certains principes de gymnastique, de raconter à leur mère ses occupations champêtres, et de faire rire la gouvernante en écorchant quelques mots d'anglais.

Après le dîner, comme ils se trouvaient seuls sur le balcon, Darie Alexandrovna crut le moment opportun de parler de Kitty.

« Vous savez, dit-elle, Kitty va venir passer l'été avec moi.

— Vraiment? » fit Levine en rougissant; et, détournant aussitôt l'entretien : « Ainsi, je vous envoie deux vaches, décida-t-il; et si vous tenez absolument à payer et que cela ne vous fasse pas rougir de honte, vous me donnerez cinq roubles par mois.

— Mais non, merci. Je vous assure que je m'arrange.

— Dans ce cas j'irai voir vos vaches et avec votre permission je donnerai des ordres au sujet de leur nourriture. La nourriture, tout est là. »

Et il se lança dans une théorie sur l'industrie laitière, suivant laquelle les vaches n'étaient que de simples machines destinées à transformer le fourrage en lait, etc. Cela pour ne point entendre parler de Kitty dont il brûlait d'avoir des nouvelles! C'est qu'il avait peur de détruire un repos si chèrement reconquis.

« Vous avez peut-être raison, répondit Darie Alexandrovna, mais tout cela exige de la surveillance et qui s'en chargera? »

Maintenant que, grâce à Matrone Filimonovna, l'ordre s'était rétabli dans son ménage, elle n'avait nul désir d'y rien changer. D'ailleurs Levine n'était pas à ses yeux une autorité en la matière, ses théories sur les vaches-machines lui semblaient suspectes et peut-être nuisibles. Elle préférait de beaucoup le système préconisé par Matrone Filimonovna, à savoir : mieux nourrir la Blanche et la Mouchetée et empêcher le cui-

sinier de porter les eaux grasses de la cuisine à la
vache de la blanchisseuse. Que pesaient, auprès d'un
procédé si clair, des considérations nébuleuses sur
l'alimentation farineuse et l'alimentation fourragère?
Et puis, elle tenait avant tout à parler de Kitty.

X

« KITTY m'écrit qu'elle n'aspire qu'à la solitude et au
repos, reprit Dolly, après un moment de silence.

— Sa santé est-elle meilleure? demanda non sans
émotion Levine.

— Dieu merci, elle est complètement rétablie. Je ne
l'ai d'ailleurs jamais crue atteinte de la poitrine.

— J'en suis bien heureux », dit Levine, et Dolly
crut lire sur son visage la touchante expression d'un
chagrin sans espoir.

« Voyons, Constantin Dmitritch, demanda-t-elle en
lui décochant un de ses sourires coutumiers où la
bonté luttait avec la malice, pourquoi en voulez-vous à
Kitty?

— Moi? Mais je ne lui en veux pas du tout.

— Oh! si. Pourquoi n'êtes-vous venu chez aucun de
nous lors de votre dernier voyage à Moscou?

— Darie Alexandrovna, dit-il en rougissant jusqu'à
la racine des cheveux, comment se fait-il que, bonne
comme vous l'êtes, vous me posiez une question
pareille? N'avez-vous donc pas pitié de moi, sachant...

— Sachant quoi?

— Sachant que ma demande a été repoussée », laissa
tomber Levine, et toute la tendresse qu'un moment
auparavant il avait ressentie pour Kitty s'évanouit au
souvenir de l'injure reçue.

« Pourquoi supposez-vous que je le sache?

— Parce que tout le monde le sait.

— C'est ce qui vous trompe; je m'en doutais, mais je
ne savais rien de positif.

— Eh bien, vous voilà fixée.

— Je savais qu'il s'était passé quelque chose dont le
souvenir la tourmentait, car elle m'avait suppliée de ne

lui poser aucune question à ce propos. Si elle ne m'a rien confié, à moi, soyez sûr qu'elle n'en a parlé à personne. Voyons, qu'y a-t-il eu entre vous?

— Je viens de vous le dire.

— Quand avez-vous fait votre demande?

— Pendant ma dernière visite à vos parents.

— Savez-vous que Kitty me fait une peine extrême. Vous souffrez surtout dans votre amour-propre...

— C'est possible, concéda Levine; cependant... »

Elle l'interrompit.

« Mais la pauvre petite est vraiment à plaindre. Je comprends tout maintenant.

— Excusez-moi si je vous quitte, Darie Alexandrovna, dit Levine en se levant. Au revoir.

— Non, attendez, s'écria-t-elle en le retenant par la manche. Restez encore un moment.

— Je vous en supplie, ne parlons plus de cela, dit Levine tout en se rasseyant, et en sentant se rallumer en son cœur une lueur de cet espoir qu'il pensait à jamais évanoui.

— Si je ne vous aimais pas, dit Dolly les yeux pleins de larmes, si je ne vous connaissais pas comme je vous connais... »

Le sentiment qu'il croyait mort envahit de nouveau l'âme de Levine.

« Oui, je comprends tout maintenant, continuait Darie Alexandrovna. Vous autres hommes, qui êtes libres dans votre choix, vous savez toujours clairement qui vous aimez; une jeune fille au contraire doit attendre avec la réserve imposée à son sexe, elle ne vous voit que de loin et prend tout pour argent comptant; dans ces conditions, croyez-moi, elle peut souvent ne savoir que répondre.

— Oui, si son cœur ne parle pas...

— Même si son cœur a parlé. Songez-y : vous qui avez des vues sur une jeune fille, vous pouvez venir chez ses parents, vous l'observez, vous l'étudiez, et vous ne la demandez en mariage qu'à bon escient.

— Ça n'est pas tout à fait exact.

— Peu importe. Vous n'en faites pas moins votre déclaration que lorsque votre amour est mûr ou lorsque, de deux personnes, l'une l'emporte dans vos préférences. Quant à la jeune fille, on ne lui demande

point son avis. Comment ose-t-on prétendre qu'elle
choisisse alors qu'en réalité elle ne peut répondre que
oui ou non? »

« Ah! oui, le choix entre Vronski et moi », pensa
Levine, et le mort qui ressuscitait dans son âme lui
sembla mourir pour une seconde fois.

« Darie Alexandrovna, dit-il, on choisit ainsi une
robe ou quelque autre emplette de peu d'importance,
mais non pas l'amour... Le choix a été fait, tant
mieux! Ces choses-là ne se recommencent pas.

— Ah! l'amour-propre, toujours l'amour-propre!
s'écria Darie Alexandrovna, aux yeux de qui le sentiment qu'il exprimait parut peser bien peu comparé à
cet autre que connaissent seules les femmes. Quand
vous vous êtes déclaré à Kitty, elle se trouvait précisément dans une de ces situations où l'on ne sait que
répondre. Elle hésitait entre Vronski et vous. Mais
elle le voyait tous les jours, tandis que vous n'aviez
pas paru depuis longtemps. Evidemment si elle avait
été plus âgée... Moi, par exemple, je n'aurais pas
hésité; le personnage m'a toujours été profondément
antipathique.

Levine se rappela la réponse de Kitty : « C'est
impossible... Pardonnez-moi. »

« Darie Alexandrovna, fit-il sèchement, je suis très
touché de votre confiance, mais je crois que vous vous
trompez. Au reste, à tort ou à raison, cet amour-propre
que vous méprisez tant ne me permet plus, vous entendez, ne me permet plus de songer à Catherine Alexandrovna.

— Encore un mot : vous sentez bien que je vous
parle d'une sœur qui m'est chère comme mes propres
enfants. Je ne prétends pas qu'elle vous aime; j'ai simplement voulu vous dire qu'au moment où elle vous l'a
opposé, son refus ne signifiait rien du tout.

— Vous croyez! dit Levine en sautant de sa chaise.
Ah! si vous saviez le mal que vous me faites! C'est
comme si vous aviez perdu un enfant et qu'on vînt
vous dire : « Voici comment il eût été, il aurait pu
vivre, il eût fait votre joie. » Mais il est mort, mort,
mort...

— Que vous êtes bizarre! dit Darie Alexandrovna
en considérant avec un sourire attristé l'agitation de

Levine. Ah! je comprends de plus en plus, continua-
t-elle d'un air pensif... Alors vous ne viendrez pas
quand Kitty sera ici?

— Non. Bien entendu je ne fuirai pas Catherine
Alexandrovna, mais, autant que possible, je lui épar-
gnerai le désagrément de ma présence.

— Décidément vous êtes un original, conclut Dolly
en l'examinant d'un regard affectueux. Eh bien, mettons que nous n'ayons rien dit... Que veux-tu, Tania?
demanda-t-elle en français à sa fille qui venait
d'entrer.

— Où est ma pelle, maman?

— Je te parle français, réponds-moi de même. »

Comme l'enfant ne trouvait pas le mot français, sa
mère le lui souffla et lui dit ensuite, toujours dans
cette langue, où elle devait chercher sa pelle. Cet incident aggrava la mauvaise humeur de Levine. Darie
Alexandrovna et ses enfants avaient perdu à ses yeux
beaucoup de leur charme.

« Pourquoi diantre leur parle-t-elle français? se
disait-il. Cela sonne faux. Les enfants le sentent
bien : on leur enseigne le français et on leur fait oublier la sincérité! »

Il ne songeait point que Darie Alexandrovna s'était
fait vingt fois ce raisonnement et avait néanmoins
passé outre, ne connaissant pas de meilleure méthode
pour apprendre les langues à ses enfants.

« Mais, reprit celle-ci, pourquoi vous dépêcher?
Restez encore un peu. »

Levine resta jusqu'au thé, mais sa bonne humeur
avait disparu; il se sentait mal à l'aise.

Après le thé, il sortit dans l'antichambre pour donner l'ordre d'atteler et quand il rentra au salon il
trouva Darie Alexandrovna, le visage bouleversé et
les yeux pleins de larmes. Pendant la courte absence
de Levine, un fâcheux événement avait réduit à néant
le bonheur que cette journée avait causé à Dolly et
l'orgueil que lui inspiraient ses enfants. Gricha et
Tania s'étaient battus pour une balle. Attirée par
leurs cris, la mère les avait trouvés dans un état
affreux : Tania tirait son frère par les cheveux, et
celui-ci, les traits décomposés par la colère, lui donnait force coups de poing. A cet aspect, Dolly sentit

quelque chose se rompre dans son cœur. Un nuage
noir parut fondre sur elle : loin de différer des
autres, ces enfants dont elle se montrait si fière
étaient mauvais, mal élevés, vicieux, enclins aux plus
grossiers penchants. Cette pensée la troubla à tel
point qu'il lui fut difficile de confier son chagrin à
Levine. Celui-ci, la voyant malheureuse, la calma de
son mieux, lui affirma qu'il n'y avait rien là d'inquié-
tant, car tous les enfants se battaient, mais au fond
du cœur il se dit : « Non, je ne jouerai pas la comédie, je ne parlerai pas français à mes enfants. D'ailleurs, ils ne seront pas comme ceux-ci. Il suffit pour
que les enfants soient charmants de ne point déna-
turer leur caractère. Non, non, les miens différeront
complètement de ceux-ci. »

Il prit congé de Dolly et partit sans qu'elle songeât
à le retenir.

XI

VERS la mi-juillet le staroste du domaine que sa sœur
possédait à plus de vingt verstes de Pokrovskoïé vint
faire à Levine son rapport sur la marche des affaires
et particulièrement sur la fenaison. Cette terre tirait
son principal revenu de prés en fonds de rivière que
les paysans affermaient autrefois moyennant vingt
roubles l'hectare. Quand Levine se chargea de la
gérance, il trouva après examen des prairies, que
c'était là un prix trop modique, et mit l'hectare à
vingt-cinq roubles. Les paysans refusèrent de les
louer à ces conditions et, comme le soupçonna
Levine, firent en sorte de décourager d'autres pre-
neurs. Il fallut se rendre sur place, engager des journaliers et faucher à son compte, au grand mécontent-
tement des paysans qui mirent tout en œuvre pour
faire échouer cette innovation. Malgré cela, dès le
premier été, les prairies rapportèrent près du double.
La résistance des paysans se prolongea pendant deux
années encore, mais cet été ils avaient offert leurs
services contre un tiers de la récolte. Le staroste

venait annoncer que tout était terminé : par crainte
de la pluie, il avait, en présence du commis de bureau, procédé au partage : onze meules constituaient
la part de la propriétaire. Cette hâte parut suspecte
à Levine; il demanda des précisions sur le rendement de la grande prairie, mais n'obtint du bonhomme que des réponses évasives; il comprit qu'il y
avait quelque anguille sous roche et décida de tirer
l'affaire au clair.

Arrivé au village à l'heure du dîner, il laissa son
cheval chez le mari de la nourrice de son frère, avec
lequel il était en bons termes et qu'il alla aussitôt
quérir à son rucher, espérant obtenir de lui certains
éclaircissements sur le partage du foin. Parménitch,
un beau vieillard à la langue bien pendue, l'accueillit avec joie, lui montra son petit domaine en détail,
lui raconta l'histoire de toutes ses ruches et du dernier essaimage, mais ne répondit à ses questions que
vaguement et comme à contrecœur. Cette attitude
embarrassée confirma Levine dans ses soupçons, et
quand il eut gagné la prairie, un simple examen des
meules le convainquit qu'elles ne pouvaient contenir
cinquante charretées, comme l'affirmaient les paysans; pour convaincre ceux-ci de mensonge, il fit
venir les charrettes qui avaient servi de mesure et
donna l'ordre de transporter dans un hangar tout le
foin d'une des meules : elle ne donna que trente-deux
charretées. Le staroste eut beau jurer ses grands
dieux que tout s'était passé en conscience et que le
foin avait dû se tasser, Levine répliqua que le partage s'étant fait sans son ordre il refusait d'accepter
les meules comme valant cinquante charretées. Après
de longues palabres, on décida de procéder à un
nouveau partage, les onze meules litigieuses devant
revenir aux paysans. Cette discussion se prolongea
jusqu'à l'heure de la collation. Le partage fait,
Levine, s'en rapportant pour le reste au commis de
bureau, alla s'asseoir sur une des meules marquées
d'une branche de saule, et prit plaisir au spectacle
que lui offrait la prairie avec son monde de travailleurs.

Devant lui, dans un coude de la rivière, une troupe
bigarrée de femmes aux voix sonores remuait le foin

et l'étendait en traînées ondoyantes dont le gris contrastait avec le vert clair du regain, et que des hommes armés de fourches avaient tôt fait de transformer en meulons. Sur la gauche arrivaient à grand bruit les chariots où, soulevées par les longues fourches, les brassées odorantes s'amoncelaient les unes après les autres et débordaient jusque sur les croupes des chevaux.

« Un vrai temps pour rentrer le foin, regardez-moi comme il sera beau! dit le vieux en s'asseyant auprès de Levine. Il sent si bon qu'on dirait du thé. Les gars n'ont pas plus de peine à le soulever qu'à jeter du grain aux canetons. Depuis le dîner, ils en ont bien emmené la moitié. C'est-y la dernière? cria-t-il à un jeune gars qui, debout sur le devant d'une charrette, passait devant eux en agitant ses brides de chanvre.

— Ma foi oui, not' père, cria le gars en retenant un instant son cheval; puis, après avoir échangé un sourire avec une accorte jeunesse assise dans la charrette, il rendit les rênes à son cheval.

— Qui est-ce? demanda Levine. Un de tes fils?

— Mon dernier, répondit le vieux avec un sourire caressant.

— Ça m'a l'air d'un gaillard.

— Oui, c'est un brave petit gars.

— Et déjà marié?

— Oui, il y a eu deux ans à l'Avent.

— A-t-il des enfants?

— Ah! ben oui. Il a fait l'innocent pendant plus d'un an, faut encore qu'on lui fasse honte... Pour du foin, c'est du foin », reprit le bonhomme pour rompre les chiens.

Levine accorda toute son attention à Ivan Parménov et à sa femme qui chargeaient non loin de là leur charrette. Debout dans la voiture, Ivan recevait, rangeait, tassait d'énormes brassées de foin que sa jeune et belle ménagère lui tendait d'abord à pleins bras puis à l'aide d'une fourche. Comme le foin échauffé ne se laissait pas prendre facilement, elle l'écartait tout d'abord, puis elle y glissait sa fourche, appuyait dessus d'un mouvement brusque et élastique de tout le corps; puis aussitôt, courbant ses reins et cambrant sa forte poitrine sous sa blouse blanche retenue par une ceinture, elle levait la fourche à deux mains et jetait sa charge dans la charrette. Ivan, évidemment désireux de lui épargner ne fût-ce qu'une minute de travail, saisissait, les bras légèrement écartés, le foin qu'elle lui tendait et le répartissait dans la charrette. Après avoir raclé le menu foin à l'aide d'un râteau, la jeune femme secoua les brindilles qui lui étaient entrées dans le cou, rajusta le fichu rouge qui retombait sur son front blanc point encore touché par le hâle et se coula sous la charrette pour y attacher la charge. Ivan lui indiquait la manière de fixer les cordes à la lieuse, et, sur une observation de sa compagne, il partit d'un éclat de rire bruyant. Un amour jeune, fort, nouvellement éveillé, se peignait sur ces deux visages.

XII

La charge bien cordée, Ivan sauta à terre et, prenant par la bride son cheval, une bête solide, gagna la route où il se mêla à la file des voitures. La jeune femme jeta son râteau sur la charrette et s'en fut, le pas ferme et les bras ballants, rejoindre ses compagnes qui, le râteau sur l'épaule, formaient derrière les voitures un groupe éclatant de couleur et vibrant d'allégresse. Une voix rude entonna une chanson que cinquante autres, graves ou aiguës, reprirent bientôt en chœur.

A l'approche des chanteuses, Levine, couché sur sa meule, crut voir fondre sur lui un nuage gros d'une joie tonitruante. Les meules, les charrettes, la prairie, les champs lointains, tout lui parut emporté dans le rythme de cette folle chanson, accompagnée de sifflets et de cris perçants. Cette saine gaieté, cette belle joie de vivre lui firent envie, car il ne pouvait qu'en être l'impuissant spectateur. Quand la troupe bruyante eut disparu à ses yeux et qu'il ne perçut même plus l'écho des chansons, il se sentit affreusement seul, se reprocha sa paresse corporelle et l'animosité qu'il croyait éprouver envers ces braves gens.

Les mêmes hommes qui, dans l'affaire du foin, s'étaient montrés de si âpres chicaneurs, et auxquels, si leur intention n'était pas de le tromper, il avait fait injure, ces mêmes hommes le saluaient maintenant gaiement au passage, sans rancune comme sans remords. Le joyeux travail en commun avait effacé tout mauvais souvenir. Dieu leur avait donné et la lumière du jour et la force de leurs bras; l'une et l'autre avaient été consacrées au labeur, et ce labeur trouvait en lui-même sa récompense. Nul ne songeait à se demander les raisons de ce travail et qui jouirait de ses fruits : c'étaient là des questions secondaires, insignifiantes.

Bien souvent cette vie avait tenté Levine; mais aujourd'hui, et en particulier sous l'impression que lui avait causée la joie d'Ivan Parménov et de sa femme, il eut pour la première fois la vue très nette qu'il était entièrement libre d'échanger l'existence oisive, artificielle, égoïste qui lui pesait tant contre cette belle vie de travail si pure, si noble, si dévouée au bien commun.

Le vieux l'avait quitté depuis longtemps; les villageois avaient regagné leurs demeures, tandis que les ouvriers venus de loin s'installaient pour la nuit dans la prairie et préparaient le souper. Sans être vu, Levine, toujours couché sur sa meule, regardait, écoutait, songeait. Les paysans passèrent presque tout entière sans sommeil cette courte nuit d'été, leur longue journée de travail n'avait laissé d'autre trace que la gaieté. Levine perçut d'abord de joyeux devis entrecoupés d'éclats de rire, puis longtemps encore après le souper des chansons et toujours des rires. Un peu avant l'aurore il se fit un grand silence. On n'entendait plus que le coassement incessant des grenouilles dans le marais et le bruit des chevaux s'ébrouant dans la brume matinale. Levine, qui s'était enfin assoupi, s'aperçut en regardant les étoiles que la nuit était passée. Il quitta sa meule.

« Eh bien, à quoi vais-je me résoudre? se dit-il, cherchant à donner une forme aux rêveries qui l'avaient occupé durant cette courte veillée et qui toutes pouvaient se ramener à trois ordres d'idées.

D'abord le renoncement à sa vie passée, à son inutile culture intellectuelle (1), à cette instruction qui ne lui servait à rien : rien ne lui semblait plus simple, plus facile, plus agréable. Puis l'organisation de sa future existence, toute de pureté, de simplicité; il n'en mettait pas un instant en doute la légitimité, il était sûr qu'elle lui rendrait la dignité, le repos d'esprit, le contentement de soi-même qui lui faisaient si douloureusement défaut. Restait la question principale : comment opérer la transition de sa vie actuelle à l'autre? Rien à ce sujet ne lui paraissait bien clair. « Il me faudra prendre femme et de toute nécessité m'adonner à un travail quelconque. Devrai-je abandonner Pokrovskoié? acheter de la terre? devenir membre d'une commune rurale, épouser une paysanne? A quoi vais-je me résoudre? » se demandait-il une fois de plus sans trouver de réponse. « Au surplus, n'ayant pas dormi, je ne saurais avoir des idées bien nettes. Ce qu'il y a de sûr, c'est que cette nuit a décidé de mon sort. Mes anciens rêves de bonheur conjugal ne sont que niaiseries. Ce que je veux maintenant sera bien plus simple et bien meilleur... Que c'est beau! » pensa-t-il en considérant un bizarre assemblage de nuages floconneux qui formaient au-dessus de sa tête comme une coquille aux tons de nacre. « Que tout, dans cette charmante nuit, est charmant! Mais quand donc cette coquille s'est-elle formée? Il y a quelques instants on ne voyait au ciel que deux bandes blanches! Ainsi se sont modifiées, sans que j'y prisse garde, les idées que j'avais sur la vie. »

Il atteignit la grande route et s'achemina vers le village. Un vent frais s'élevait, tout prenait des teintes grises et tristes, comme il est de règle à cette pâle minute qui précède le triomphe de la lumière sur les ténèbres.

Courbant les épaules sous le froid, Levine marchait à grands pas, les yeux fixés au sol. Un bruit de grelots lui fit dresser la tête. Qui pouvait bien faire route à pareille heure? A quarante pas de lui une lourde

(1) Nous voyons s'esquisser ici l'évolution intellectuelle qui amènera Tolstoï à la fin de sa vie à nier la culture, l'art et à renier ses propres œuvres.

voiture de voyage attelée de quatre chevaux venait à
sa rencontre sur la grande route herbeuse. Par peur
des ornières les limoniers se pressaient contre le
timon, mais l'adroit postillon, perché de guingois sur
son siège, s'entendait fort bien à cartayer.

Tout à ce détail qui le frappa, Levine n'accorda
qu'un regard distrait à la voiture et à ses occupants.
Une vieille dame sommeillait dans un coin tandis
qu'à la portière une jeune fille, qui venait sans doute
de se réveiller, considérait les lueurs de l'aurore en
retenant à deux mains les rubans de sa coiffure de
nuit. Calme et pensive, Levine la devina animée d'une
vie intérieure exquise, intense, bien éloignée de ses
propres préoccupations. Au moment où la vision
allait disparaître, deux yeux limpides s'arrêtèrent
sur lui. Elle le reconnut et une joie étonnée illumina
ce visage serein.

Il ne pouvait s'y tromper : ces yeux étaient uniques
au monde, et une seule créature personnifiait pour
lui la joie de vivre, justifiait l'existence de l'univers.
C'était elle. C'était Kitty. Il comprit qu'elle se rendait
de la station du chemin de fer à Iergouchovo. Aussitôt les résolutions qu'il venait de prendre, les
agitations de sa nuit d'insomnie, tout s'évanouit.
L'idée d'épouser une paysanne lui fit horreur. Là,
dans cette voiture qui s'éloignait rapidement, était
la réponse à la question qui depuis quelque temps se
posait à lui avec tant d'âpreté : à quelle fin avait-il
été créé et mis au monde?

Elle ne se montra plus. Le bruit des ressorts cessa
de se faire entendre; à peine le son des grelots
venait-il jusqu'à lui. Aux aboiements des chiens il
reconnut que la voiture traversait le village. Et il
demeura seul au milieu des champs déserts, étranger
à tout, arpentant à grands pas la route abandonnée.

Il leva les yeux, espérant retrouver la charmante
coquille qui lui avait paru symboliser ses rêves de
la nuit. Il n'en retrouva plus trace. Elle s'était mys-
térieusement transformée en un vaste tapis de nuages
moutonnants qui se déroulait sur une bonne moitié
du firmament. A son regard interrogateur le ciel,
qui se faisait d'un bleu tendre, opposait toujours un
mutisme hautain.

« Non, se dit Levine, si belle que soit cette vie simple et laborieuse, je ne saurais m'y adonner. C'est « elle » que j'aime. »

XIII

PERSONNE, hormis les familiers d'Alexis Alexandro-vitch, ne soupçonnait que cet homme froid et raison-nable montrait parfois une faiblesse qui ne cadrait guère avec les traits dominants de son caractère : il ne pouvait voir pleurer un enfant ou une femme sans perdre son sang-froid et jusqu'à l'usage de ses facul-tés. Son chef de cabinet et son secrétaire le savaient si bien qu'ils prévenaient les solliciteuses d'avoir à retenir leurs larmes. « Autrement, disaient-ils, vous compromettrez votre cause; il se fâchera et ne vous écoutera plus. » Effectivement le trouble que les pleurs causaient à Alexis Alexandrovitch se traduisait par un sursaut de colère. « Je ne peux rien pour vous, veuillez sortir! » criait-il d'ordinaire en pareil cas.

Lorsque, en revenant des courses, Anna lui eut avoué sa liaison avec Vronski et que, se couvrant aussitôt le visage de ses mains, elle eut éclaté en san-glots, Alexis Alexandrovitch, en dépit du courroux provoqué par cette révélation, se sentit prêt à céder au fâcheux émoi qu'il ne connaissait que trop. Redou-tant de manifester ses sentiments sous une forme incompatible avec la situation, il tâcha de s'interdire jusqu'à l'apparence de la vie. Immobile, le regard fixe, son visage prit cette expression de rigidité cada-vérique qui avait tant frappé Anna.

Il lui fallut faire un grand effort sur lui-même pour aider sa femme à descendre de voiture, pour lui dire les quelques mots qui ne l'engageaient à rien, pour la quitter enfin avec les dehors de politesse habituels.

L'aveu brutal d'Anna avait, en confirmant ses pires soupçons, blessé au cœur Alexis Alexandrovitch, et la pitié toute physique provoquée en lui par les larmes de la malheureuse avait encore aggravé ce malaise.

Cependant, quand il se retrouva seul dans la voiture, il se sentit avec une satisfaction mêlée de surprise débarrassé et de ses doutes et de sa jalousie et de sa pitié. Il éprouvait la même sensation qu'un homme auquel on vient d'arracher une dent qui le faisait depuis longtemps souffrir : le choc est terrible, le patient s'imagine qu'on lui enlève de la mâchoire un corps énorme, plus gros que la tête, mais il constate aussitôt sans trop croire encore à son bonheur, la disparition de cette abominable chose qui a si longtemps empoisonné son existence : il peut de nouveau vivre, penser, s'intéresser à autre chose qu'à son mal. Alexis Alexandrovitch en était là : après un coup effrayant, inattendu, il n'éprouvait plus aucune douleur, il se sentait dorénavant capable de vivre, d'avoir d'autres pensées que celle de sa femme.

« C'est une femme perdue, sans cœur, sans honneur, sans religion! Je l'ai toujours senti et c'est par pitié pour elle que je cherchais à me faire illusion », se disait-il, croyant sincèrement avoir été perspicace. Il se remémorait divers détails du passé, qu'il avait crus innocents et qui maintenant lui paraissaient des preuves certaines de la corruption d'Anna. « J'ai commis une erreur en liant ma vie à la sienne, mais mon erreur n'a rien eu de coupable, par conséquent je ne dois pas être malheureux. La coupable c'est elle, mais ce qui la touche ne me concerne point, elle n'existe plus pour moi... »

Peu lui importait dorénavant ce qu'il adviendrait d'elle ainsi que de son fils pour lequel ses sentiments subissaient le même changement. Il ne songeait plus qu'à secouer de la façon la plus correcte, la plus convenable et par conséquent la plus juste, la boue dont la chute de cette femme l'éclaboussait, et cela sans que sa vie, toute d'honneur et de désintéressement, en fût le moins du monde entravée.

« Parce qu'une femme méprisable a commis une faute, est-ce une raison suffisante pour me rendre malheureux? Non, mais il me faut trouver la meilleure issue possible à la pénible situation dans laquelle je me trouve de son fait. Et cette issue, je la trouverai. Je ne suis ni le premier, ni le dernier »,

se disait-il en se renfrognant de plus en plus. Et sans
parler des exemples historiques, dont la *Belle Hélène*
venait de rafraîchir le plus ancien en date dans
toutes les mémoires, Alexis Alexandrovitch se remémora certaines infidélités conjugales dont avaient été
victimes des hommes de son monde : « Darialov,
Poltavski, le prince Karibanov, le comte Paskoudine,
Dram... oui, l'honnête et excellent Dram... Sémionov,
Tchaguine, Sigonine... Mettons qu'on jette sur eux un
ridicule injuste; pour ma part je n'ai jamais vu que
leur malheur et je les ai toujours plaints. »

Rien n'était plus faux : jamais Alexis Alexandrovitch n'avait songé à s'apitoyer sur pareilles infor-
tunes et le nombre des maris trompés l'avait toujours
grandi dans sa propre estime.

« Eh bien, ce qui a frappé tant d'autres me frappe
à mon tour. L'essentiel est de savoir tenir tête à la
situation. »

Et il se rappela les diverses façons dont tous ces
hommes s'étaient comportés.

« Darialov s'est battu en duel... »

La pensée du duel avait souvent dans sa jeunesse
préoccupé Alexis Alexandrovitch. Il se savait d'un
tempérament craintif : l'idée d'un pistolet braqué sur
lui le bouleversait et jamais il ne s'était servi d'aucune arme. Cette horreur instinctive lui avait inspiré
bien des réflexions : que ferait-il le jour où l'obliga-
tion de risquer sa vie s'imposerait à lui? Plus tard,
quand sa position fut solidement assise, il n'avait
plus guère songé à ces choses. Mais ce jour-là son
tempérament craintif reprit le dessus : tout en
sachant fort bien qu'il n'irait point sur le terrain, la
force de l'habitude le contraignit à examiner sous
toutes ses faces l'éventualité d'un duel.

« Que ne sommes-nous en Angleterre! Avec des
mœurs aussi barbares que les nôtres, un duel aurait
sans aucun doute l'approbation de bien des gens. (Et
parmi ces gens figuraient la plupart de ceux dont
l'opinion lui importait.) Mais à quoi cela mènerait-il?
Admettons que je le provoque. (Ici il se représenta
vivement la nuit qu'il passerait après la provocation
et le pistolet dirigé sur lui; au frisson qui le saisit
il comprit que jamais il ne se résoudrait à pareil

acte.) Admettons que je le provoque, que j'apprenne à tirer, que je sois là devant lui, que je presse la détente (il ferma les yeux), que je le tue (il secoua la tête pour chasser ces idées absurdes). Qu'ai-je besoin de tuer un homme pour savoir quelle conduite tenir envers une femme coupable et son fils? Ce serait absurde, voyons! Et si, éventualité beaucoup plus vraisemblable, le blessé ou le tué, c'est moi? moi qui n'ai rien à me reprocher et qui deviendrai la victime? Ne serait-ce pas encore plus stupide? D'ailleurs en le provoquant agirais-je vraiment en galant homme? Ne suis-je pas sûr d'avance que mes amis interviendront, ne laisseront jamais exposer la vie d'un homme utile à la Russie? J'aurais tout bonnement l'air de jouer les matamores, de vouloir acquérir une vaine gloire à bon compte. Non, ce serait tromper les autres et moi-même. Renonçons à ce duel absurde, que personne d'ailleurs n'attend de moi. Mon seul but doit être de garder ma réputation intacte, de ne souffrir aucune entrave à ma carrière. »

Plus que jamais la carrière prenait aux yeux d'Alexis Alexandrovitch une importance considérable. Le duel écarté, restait le divorce, solution qu'adoptaient le plus souvent les gens de son monde en semblable occurrence. Mais il eut beau repasser dans sa mémoire les nombreux cas qui lui étaient connus, aucun d'eux ne lui parut répondre au but qu'il se proposait. Toujours en effet le mari avait cédé ou vendu sa femme; et bien qu'elle n'eût aucun droit à un second mariage, la coupable n'en contractait pas moins avec un pseudo-mari une pseudo-union arbitrairement légalisée. Quant au divorce légal, celui qui aurait eu pour sanction le châtiment de l'infidèle, Alexis Alexandrovitch sentait qu'il ne pouvait y recourir. Les conditions complexes de son existence ne permettaient guère de fournir les preuves brutales exigées par la loi; la tradition de la bonne compagnie lui interdisait d'ailleurs d'en faire usage sous peine de tomber plus bas que la coupable dans l'opinion publique. Un procès scandaleux réjouirait trop ses ennemis; ils en profiteraient pour le calomnier, pour ébranler sa haute situation officielle. Bref, tout comme la première, cette solution l'empêchait d'atteindre son but, qui était de sortir de la crise avec le moins de trouble possible. Du reste une instance en divorce jetterait définitivement sa femme dans les bras de Vronski. Or, malgré la hautaine indifférence qu'Alexis Alexandrovitch croyait éprouver pour Anna, un sentiment très vif lui restait au fond de l'âme : l'horreur de tout ce qui tendrait à la rapprocher de son amant, à rendre sa faute profitable. Cette pensée faillit lui arracher un cri de douleur; il se leva dans sa voiture, changea de place, et le visage de plus en plus sombre, enveloppa longuement de son plaid ses maigres jambes frileuses. Une fois calmé, il reprit le cours de ses méditations.

« Je pourrais peut-être suivre l'exemple de Karibanov, de Paskoudine, de ce bon Dram, et me contenter d'une simple séparation. » Mais il vit aussitôt que cette mesure présentait les mêmes inconvénients qu'un divorce formel et jetait tout aussi bien sa femme dans les bras de Vronski. « Non, c'est impossible », décida-t-il à voix haute, et il se remit à tirailler son plaid. « L'important est que je ne souffre pas et que ni lui ni elle ne soient heureux. »

Tout en le délivrant des affres de la jalousie, l'aveu d'Anna avait fait naître au fond de son cœur un sentiment qu'il n'osait s'avouer, à savoir le désir de la voir expier par la souffrance l'atteinte qu'elle avait portée à son repos et à son honneur.

Une fois encore Alexis Alexandrovitch pesa le pour et le contre des trois solutions qu'il venait d'envisager. Après les avoir rejetées définitivement, il se convainquit que le seul moyen de sortir de cette impasse était, tout en cachant son malheur au monde, de garder sa femme et d'employer tous les moyens imaginables pour que la liaison fût rompue et — ce qu'il ne s'avouait pas — pour que la coupable expiât sa faute. « Je dois lui déclarer qu'après avoir étudié toutes les solutions possibles à la pénible situation dans laquelle nous nous trouvons de son fait, j'estime le *statu quo* apparent préférable pour nous deux et que je consens à la conserver à la condition expresse qu'elle cessera toute relation avec son amant. »

Cette résolution prise, Alexis Alexandrovitch s'avisa

d'un argument qui la sanctionnait dans son esprit.
« De cette façon et seulement de cette façon j'agis
conformément aux préceptes de notre religion : je ne
repousse pas la femme adultère, je lui donne le moyen
de s'amender, et même, si pénible que ce soit pour
moi, je consacre une partie de mon temps, de mes
forces, à sa réhabilitation. »

Alexis Alexandrovitch savait fort bien qu'il ne
pourrait avoir sur sa femme aucune influence, que
toute tentative en ce sens serait purement illusoire;
pas un instant, au cours de ces minutes douloureuses,
il n'avait songé à chercher un point d'appui dans la
religion; mais sitôt qu'il crut celle-ci d'accord avec
la détermination qu'il venait de prendre, cette sanction lui devint un apaisement. Il se sentit soulagé en
songeant que personne ne pourrait lui reprocher
d'avoir, dans une crise aussi grave de sa vie, agi
contrairement à la doctrine de cette religion dont il
avait toujours porté si haut le drapeau au milieu de
l'indifférence générale. En y réfléchissant il finit
même par se dire qu'en définitive ses rapports avec
Anna resteraient, à peu de chose près, ce qu'ils avaient
été dans les derniers mois. Sans doute il ne pouvait
plus estimer cette femme vicieuse, adultère; mais
souffrir à cause d'elle, bouleverser sa vie, allons donc!

« Laissons faire le temps, conclut-il; le temps
arrange tout; un jour viendra peut-être où ces rapports se rétabliront comme par le passé, où ma vie
reprendra son cours normal. Il faut qu'elle soit malheureuse; mais moi qui ne suis pas coupable, je ne
dois pas souffrir. »

XIV

Quand la voiture approcha de Saint-Pétersbourg, la
décision d'Alexis Alexandrovitch était si bien prise
qu'il avait déjà composé mentalement la lettre par
laquelle il la communiquerait à sa femme. Il jeta en
rentrant un coup d'œil sur les papiers du ministère
déposés chez le suisse et les fit porter dans son cabinet.

« Qu'on dételle et qu'on ne reçoive per-son-ne »,
répondit-il à une question du suisse, en appuyant sur
le dernier mot avec une sorte de satisfaction, signe
évident d'une meilleure disposition d'esprit.

Une fois dans son cabinet, il arpenta deux fois la
pièce de long en large pour s'arrêter enfin devant
son grand bureau, sur lequel le valet de chambre
venait d'allumer six bougies. Il fit craquer ses doigts,
s'assit, prit une plume et du papier puis, la tête penchée, un coude sur la table, il se mit à écrire après
une minute de réflexion. Il ne mit aucun en-tête à sa
lettre et l'écrivit en français, employant le pronom
« vous », qui n'a pas dans cette langue un caractère
de froideur aussi marqué que dans la nôtre.

« Je vous ai exprimé en vous quittant l'intention
de vous communiquer ma résolution relativement au
sujet de notre entretien. Après y avoir mûrement
réfléchi, je viens remplir cette promesse. Voici ma
décision : quelle que soit votre conduite je ne me
reconnais pas le droit de rompre des liens qu'une
puissance suprême a consacrés. La famille ne saurait être à la merci d'un caprice, d'un acte arbitraire,
voire du crime d'un des époux. Notre vie doit donc
suivre son cours, cela aussi bien dans votre intérêt
que dans le mien et dans celui de votre fils. Je suis
fermement convaincu que vous vous repentez d'avoir
commis l'acte qui m'oblige à vous écrire, que vous
m'aiderez à détruire dans sa racine la cause de notre
dissentiment et à oublier le passé. Dans le cas
contraire, vous imaginez sans peine ce qui vous
attend, vous et votre fils. J'espère vous exposer tout
cela en détail lors de notre prochaine rencontre.
Comme la saison d'été touche à sa fin, vous m'obli-
geriez en rentrant en ville le plus tôt possible, mardi
au plus tard. Toutes les mesures seront prises pour le
déménagement. Veuillez noter que j'attache une importance particulière à ce que vous fassiez droit à ma
demande.

                                        « A. KARÉNINE.

« P. S. — Je joins à cette lettre l'argent dont vous
pourriez avoir besoin en ce moment. »

Il relut sa lettre et s'en montra satisfait; l'idée d'envoyer de l'argent lui parut particulièrement heureuse; pas un mot dur, pas un reproche, mais aussi pas de faiblesse. L'essentiel était atteint; il lui faisait un pont d'or pour revenir sur ses pas. Il plia la lettre, passa dessus un grand couteau à papier en ivoire massif, la mit sous enveloppe avec l'argent et sonna en s'abandonnant à la sensation de bien-être qu'il éprouvait toujours après avoir fait usage d'une garniture de bureau si parfaitement ordonnée.

« Qu'on remette cette lettre au courrier et qu'il la porte demain à Anna Arcadiévna.

— Aux ordres de Votre Excellence. Faudra-t-il apporter le thé ici?

— Oui. »

Alexis Alexandrovitch, tout en jouant avec son coupe-papier, s'approcha du fauteuil près duquel un guéridon portait la lampe et un ouvrage français sur les Tables engubines, sa lecture du moment. Le portrait d'Anna, œuvre remarquable d'un peintre célèbre, était suspendu dans un cadre ovale au-dessus de ce fauteuil. Alexis Alexandrovitch lui jeta un regard : deux yeux impénétrables le lui rendirent avec cette ironique insolence qui l'avait tant blessé le soir de la fameuse explication. Tout dans ce beau portrait lui parut une odieuse provocation, depuis la dentelle qui encadrait la tête et les cheveux noirs jusqu'à l'admirable main blanche à l'annulaire chargé de bagues. Quand il l'eut considéré quelques instants, il frissonna de tout le corps et ses lèvres laissèrent échapper un « brr » de dégoût. Il se détourna, se laissa tomber dans le fauteuil et ouvrit son livre; il essaya de lire, mais ne put retrouver l'intérêt très vif que lui avaient jusqu'alors inspiré les Tables engubines. Ses yeux regardaient les pages, ses pensées étaient ailleurs. Ce n'était plus sa femme qui l'occupait, mais une grave complication récemment survenue dans une affaire importante qui constituait pour le moment le principal intérêt de sa carrière. Il se sentait plus que jamais maître de la question et venait même d'avoir à ce sujet une idée de génie — pourquoi se le dissimuler? — qui lui permettrait d'en résoudre toutes les difficultés, d'abaisser ses ennemis, de gravir un nouvel échelon de sa carrière, de rendre un service signalé au pays.

Dès que le domestique qui apporta le thé eut quitté la pièce, Alexis Alexandrovitch se leva et s'installa de nouveau à son bureau. Il attira à lui le portefeuille qui contenait les affaires courantes, saisit un crayon et avec un imperceptible sourire de satisfaction s'absorba dans la lecture des documents relatifs à la difficulté qui le préoccupait. Voici comment elle se présentait. Comme tout fonctionnaire de mérite, Alexis Alexandrovitch possédait un trait caractéristique; ce trait, qui avait contribué à son élévation au moins autant que son ambition constante, sa probité, son aplomb et sa maîtrise de soi-même, consistait en un mépris absolu de la paperasserie officielle : il prenait, pour ainsi dire, les affaires corps à corps et les expédiait rapidement, économiquement, en supprimant les écritures inutiles. Or il arriva que le fameux Comité du 2 juin eut à s'occuper d'une affaire qui dépendait des bureaux d'Alexis Alexandrovitch et offrait un exemple frappant des médiocres résultats obtenus par les dépenses et les correspondances officielles. Cette affaire — l'irrigation des terres arables de la province de Zaraïsk — avait eu pour promoteur le prédécesseur du prédécesseur d'Alexis Alexandrovitch. Beaucoup d'argent y avait été investi en pure perte. Karénine s'en rendit compte dès son entrée au ministère et voulut arrêter les frais, mais il s'aperçut qu'il allait froisser beaucoup d'intérêts et craignit d'agir sans discernement, car il n'avait pas encore toutes ses coudées franches; plus tard, au milieu de tant d'affaires, il oublia celle-là, qui continua d'aller son train, par la simple force d'inertie. (Beaucoup de personnes continuaient à en vivre, entre autres une famille fort honorable et bien douée pour la musique; toutes les filles jouaient d'un instrument à cordes; Alexis Alexandrovitch avait même été témoin au mariage de l'une d'elles.) Cependant une administration rivale ayant soulevé ce lièvre, Karénine s'en montra fort indigné : des affaires de ce genre traînaient dans tous les ministères, sans que jamais personne songeât à y aller voir; entre collègues pareil procédé manquait de délicatesse. Puisqu'on lui avait jeté le gant, il l'avait har-

diment relevé en demandant la nomination d'une commission extraordinaire qui reviserait les travaux de la
commission d'irrigation de la province de Zaraïsk. Et
il rendit aussitôt à ces messieurs la monnaie de leur
pièce en appuyant avec la dernière énergie auprès du-
dit Comité une motion tendant à contrôler l'activité de
la commission des allogènes : à l'en croire, ces braves
gens se trouvaient dans une situation lamentable, et
il réclama la nomination immédiate d'une commission non moins extraordinaire. Il s'ensuivit une alter-
cation au sein du Comité. Le représentant du ministère hostile à Alexis Alexandrovitch objecta que la
situation des allogènes était florissante : la mesure
projetée ne pourrait que leur nuire, et si quelque
chose clochait, il fallait s'en prendre à la négligence
avec laquelle le ministère d'Alexis Alexandrovitch faisait observer les lois.

Les choses en étaient restées là. Mais Karénine
comptait maintenant :

1° exiger l'envoi sur place d'une commission
d'études;

2° au cas où la situation des allogènes serait telle
que la dépeignaient les documents officiels dont disposait le Comité, charger une commission savante de
rechercher les causes de ce triste état de choses au
point de vue : *a*) politique; *b*) administratif; *c*) économique; *d*) ethnographique; *e*) matériel; *f*) religieux;

3° sommer le ministère hostile de fournir : *a*) des
renseignements exacts sur les mesures qu'il avait
prises au cours des dix dernières années pour conjurer les maux dont se plaignaient maintenant les allogènes; *b*) des éclaircissements sur le fait d'avoir agi
en contradiction absolue avec l'article 18 et la note
à l'article 36 du tome 123 des lois fondamentales de
l'Empire, ainsi que le prouvaient, parmi les pièces
soumises au Comité, deux documents portant les
n°s 17015 et 18398 et datés respectivement du 5 décembre 1863 et du 7 juin 1864.

Tandis qu'Alexis Alexandrovitch couchait ses idées
par écrit, son visage se colorait d'une vive rougeur.
Quand il eut couvert toute une page de son écriture,
il se leva, sonna et fit porter un mot à son chef de
cabinet pour lui demander quelques renseignements

supplémentaires. En passant devant le portrait, il ne
put se retenir d'y jeter un nouveau coup d'œil, non
sans une moue de mépris. Il se replongea enfin dans
sa lecture et étudia cette fois les Tables eugubines
avec le même intérêt qu'il y avait pris jusqu'alors. A
onze heures précises, il passa dans sa chambre à
coucher et lorsque, avant de s'endormir, il se rappela
la fâcheuse conduite de sa femme, il ne vit plus les
choses sous un aspect aussi lugubre qu'auparavant.

XV

ANNA avait obstinément refusé de se rendre aux raisons de Vronski; cependant, au fond du cœur, elle
sentait tout comme lui la fausseté de sa situation et
ne désirait rien tant que d'en sortir. Aussi, quand
sous l'empire de l'émotion l'aveu fatal lui eut échappé,
elle éprouva malgré tout un certain soulagement. Demeurée seule, elle allait se répétant que, Dieu merci,
toute équivoque prenait fin : plus besoin désormais
de tromper, de mentir. Et elle voyait là une compen-
sation au mal que son aveu avait fait à son mari et à
elle-même. Pourtant, à l'heure du rendez-vous, elle
n'eut garde de prévenir Vronski, comme elle aurait
dû le faire pour que la situation fût vraiment nette.

Le lendemain matin, dès son réveil, les paroles
qu'elle avait dites à son mari lui étant revenues à la
mémoire, la brutalité lui en parut si monstrueuse
qu'elle ne put concevoir comment elle avait eu le
courage de les prononcer. Impossible maintenant de
les reprendre. Qu'allait-il en résulter? Alexis Alexandrovitch était parti sans faire connaître sa décision.

« J'ai revu Vronski et me suis tue. Au moment où
il s'en allait, j'ai voulu tout lui dire, mais j'y ai
renoncé parce qu'il eût sans doute trouvé étrange
que je ne me sois point expliquée dès l'abord. Pourquoi, voulant parler, ai-je néanmoins gardé le
silence? »

En réponse à cette question, une rougeur brûlante
lui couvrit le visage. Elle comprit que ce qui l'avait

retenue, c'était la honte. Et cette situation, que la
veille au soir elle croyait éclaircie, lui parut plus
inextricable que jamais. Elle eut pour la première
fois l'appréhension du déshonneur, et s'affola en réfléchissant aux différents partis que pourrait prendre
son mari : le régisseur allait venir pour la chasser
de la maison; sa faute serait proclamée à l'univers
entier; où trouverait-elle refuge? elle n'en savait trop
rien.

Songeait-elle à Vronski, elle s'imaginait qu'il ne
l'aimait point, qu'il commençait à se lasser; comment
irait-elle s'imposer à lui? Et un sentiment d'amertume
s'élevait dans son âme contre lui. Les aveux qu'elle
avait faits à son mari la poursuivaient; elle croyait
les avoir prononcés devant tout le monde et avoir
été entendue de tous. Oserait-elle maintenant regarder en face ceux avec lesquels elle vivait? Elle ne
pouvait se résoudre à sonner sa femme de chambre,
encore moins à descendre déjeuner avec son fils et
la gouvernante.

La femme de chambre, qui était venue plus d'une
fois écouter à la porte, se décida à entrer. Anna prit
peur, rougit, l'interrogea du regard. La camériste
s'excusa : elle avait cru entendre la sonnette. Elle
apportait une robe et un billet. Ce billet était de Betsy.
« N'oubliez pas, écrivait celle-ci, que Lise Merkalov
et la baronne Stolz se réunissent tantôt chez moi avec
leurs soupirants : Kaloujski et le vieux Strémov pour
faire une partie de croquet. Croyez-moi, venez; l'étude
de mœurs en vaut la peine. »

Anna parcourut le billet et poussa un profond soupir.

« Je n'ai besoin de rien, dit-elle à Annouchka qui
rangeait les flacons de la table de toilette. Tu peux te
retirer. Je vais m'habiller et je descendrai bientôt. Je
n'ai besoin de rien, de rien... »

Annouchka sortit, mais Anna ne s'habilla pas. La
tête baissée et les bras pendants, elle frissonnait,
esquissait un geste, voulait parler mais retombait dans
le même engourdissement. « Mon Dieu, mon Dieu »,
répétait-elle machinalement sans attacher le moindre
sens à cette exclamation. Elle croyait certes fermement à la vérité de la religion dans laquelle on l'avait

élevée, mais ne songeait pas plus à en implorer les
secours qu'à chercher refuge auprès d'Alexis Alexandrovitch. Ne savait-elle pas d'avance que cette religion
lui faisait d'abord un devoir de renoncer à ce qui
constituait son unique raison de vivre? Sa torture
morale s'aggravait d'un sentiment nouveau, qu'elle
voyait avec épouvante s'emparer de sa conscience :
elle sentait double, comme parfois des yeux fatigués
voient double, et ne savait plus par instants ni ce
qu'elle craignait ni ce qu'elle désirait : était-ce le
passé ou l'avenir? et que désirait-elle au juste?

« Ah! çà, mais que fais-je donc? » s'exclama-t-elle
en éprouvant soudain une vive douleur aux tempes;
elle s'aperçut alors qu'elle tenait ses cheveux à deux
mains et les tirait des deux côtés de la tête. Elle
sauta du lit et se mit à marcher.

« Le café est servi et mademoiselle attend avec
Serge, dit Annouchka en rentrant dans la chambre.

— Serge? Que fait Serge? s'enquit Anna, s'animant
à la pensée de son fils dont pour la première fois ce
matin-là elle se rappelait soudain l'existence.

— Des bêtises, je crois, répondit Annouchka en
souriant.

— Des bêtises?

— Oui, il a pris une des pêches qui se trouvaient
dans le petit salon et il l'a mangée en cachette, à ce
qu'il paraît. »

Le souvenir de son enfant fit sortir Anna de l'impasse morale où elle se débattait. Le rôle, mi-sincère,
mi-factice, qu'elle avait assumé depuis quelques
années, celui d'une mère entièrement consacrée à son
fils, lui revint à la mémoire, et elle sentit avec bonheur qu'après tout il lui restait un point d'appui en
dehors de son mari et de Vronski. Quelque situation
qui lui fût imposée, elle n'abandonnerait point le petit
Serge. Son mari pouvait la chasser, la couvrir de
honte, Vronski s'éloigner d'elle et reprendre sa vie
indépendante (ce à quoi elle ne songea point sans un
nouvel accès d'amertume), mais elle ne saurait sacrifier
son enfant. Elle avait donc un but dans la vie. Il fallait agir, agir à tout prix, sauvegarder sa position
par rapport à son fils, l'emmener avant qu'on ne le
lui enlevât... Oui, oui, il fallait partir avec lui, partir

au plus tôt, et pour cela se calmer, se délivrer de
cette angoisse qui la torturait... Et la pensée d'une
action ayant son fils pour but, d'un départ avec lui
n'importe où, l'apaisait déjà.

Elle s'habilla en hâte, descendit et pénétra d'un pas
ferme dans le salon où comme d'habitude l'attendaient
pour déjeuner Serge et sa gouvernante. Debout près
d'un trumeau, Serge, tout de blanc vêtu, le dos
voûté et la tête baissée, triait des fleurs avec une
attention concentrée; dans ces moments-là, assez fréquents chez lui, il ressemblait à son père. Dès qu'il
aperçut Anna, il poussa un de ces cris perçants dont
il était coutumier : « Ah! maman. » Puis il s'arrêta
indécis, ne sachant trop s'il jetterait les fleurs pour
courir à sa mère ou s'il achèverait son bouquet pour
les lui offrir.

La gouvernante avait un air sévère. Après un échange
de politesses, elle entama le récit, long et circonstan-
cié, du méfait de Serge. Anna ne l'écoutait point; elle
se demandait s'il faudrait aussi emmener cette
femme. « Non, je la laisserai, décida-t-elle; je partirai
seule avec mon fils. »

« Oui, c'est très mal », dit-elle enfin, et prenant Serge
par l'épaule elle posa sur lui un regard anxieux, qui
troubla le petit tout en le rassurant. « Laissez-le-moi,
dit-elle à la gouvernante étonnée, et sans quitter le bras
de l'enfant, elle s'assit à la table où le café était servi.

— Maman, je... je... ne... », balbutiait Serge, en cherchant à lire sur le visage de sa mère ce que lui vaudrait l'histoire de la pêche.

« Serge, dit Anna aussitôt que la gouvernante se
fut retirée, c'est mal, mais tu ne le feras plus, n'est-ce
pas?... Tu m'aimes? »

Un attendrissement la gagnait. « Puis-je ne pas
l'aimer? pensait-elle, en scrutant le regard heureux
et ému de l'enfant. Se peut-il qu'il se joigne à son père
pour me punir? Se peut-il qu'il n'ait pas pitié de
moi? » Des larmes coulaient le long de ses joues;
pour les cacher elle se leva brusquement et se réfugia
presque en courant sur la terrasse.

Aux pluies orageuses des derniers jours avait suc-
cédé un temps clair, mais froid en dépit du soleil
dont les rayons filtraient à travers le feuillage délavé.

L'air frais aggrava le malaise d'Anna; elle frissonna.

« Va retrouver Mariette », dit-elle à Serge qui l'avait suivie, et elle se mit à marcher sur les nattes qui recouvraient le sol de la terrasse. « Se peut-il vraiment, songeait-elle, qu'on ne me pardonne pas, qu'on se refuse à comprendre qu'il n'en pouvait être autrement? »

Elle s'arrêta, contempla un moment les cimes des trembles, dont les feuilles encore humides luisaient au soleil, et comprit soudain qu'on ne lui pardonnerait point, que le monde entier serait sans pitié pour elle comme ce ciel et cette verdure. De nouveau elle se sentit en proie aux hésitations, au dédoublement intérieur. « Allons, se dit-elle, il ne faut pas penser... Il faut fuir... Mais où? quand? avec qui?... À Moscou, par le train du soir... J'emmènerai Serge et Annouchka et ne prendrai que le strict nécessaire... Mais il me faut d'abord leur écrire à tous les deux... »

Et rentrant vivement dans son boudoir, elle s'assit à son bureau pour écrire à son mari.

« Après ce qui s'est passé, je ne puis vivre chez vous. Je pars et j'emmène mon fils. Ne connaissant pas la loi, j'ignore avec qui il doit rester, mais je l'emmène parce que je ne puis vivre sans lui. Soyez généreux, laissez-le-moi. »

Jusque-là elle avait écrit d'une plume rapide et d'un ton naturel, mais cet appel à une générosité qu'elle ne reconnaissait pas à Alexis Alexandrovitch et la nécessité de terminer par quelques paroles touchantes l'arrêtèrent.

« Je ne puis parler de ma faute et de mon repentir, parce que... »

Elle s'arrêta encore car elle ne trouvait pas de mots pour exprimer sa pensée. « Non, se dit-elle, il ne faut rien de tout cela. » Et, déchirant sa lettre, elle en écrivit une autre d'où elle exclut tout appel à la générosité de son mari.

La seconde lettre devait être pour Vronski. « J'ai tout avoué à mon mari », commença-t-elle, mais elle demeura longtemps sans pouvoir continuer : c'était si brutal, si peu féminin!

« D'ailleurs, que puis-je lui écrire? » Une fois de plus elle rougit encore de honte, et se rappelant avec

une certaine aigreur la placidité du jeune homme,
elle déchira son billet en mille morceaux. « Mieux
vaut se taire », décida-t-elle en fermant son buvard.
Elle monta annoncer à la gouvernante et aux domestiques qu'elle partait le soir même pour Moscou et
commença sans plus tarder ses préparatifs de voyage.

XVI

Les domestiques, le concierge et jusqu'aux jardiniers
avaient envahi toutes les pièces; les commodes et les
armoires étaient grandes ouvertes; des journaux jon-
chaient le plancher; on avait couru par deux fois
acheter des cordes. Deux malles, des valises, un paquet
de plaids encombraient l'antichambre. La voiture et
deux fiacres attendaient devant le perron. Debout
devant la table de son boudoir, Anna, un peu calmée
par la fièvre des préparatifs, rangeait elle-même son
sac de voyage quand Annouchka attira son attention
sur un bruit de voiture tout proche. Elle regarda par
la fenêtre et aperçut le courrier d'Alexis Alexandrovitch qui sonnait à la porte d'entrée.

« Va voir ce que c'est », dit-elle et, croisant ses bras
sur ses genoux, elle s'assit résignée dans un fauteuil.

Un domestique apporta un grand paquet dont
l'adresse était de la main d'Alexis Alexandrovitch.

« Le courrier a l'ordre d'attendre une réponse, dit-il.

— C'est bien », répondit-elle et, dès que le valet se
fut éloigné, elle déchira d'une main tremblante l'enveloppe, d'où s'échappa une liasse de billets de banque.
Elle trouva enfin la lettre et alla tout droit à la fin.
« Toutes les mesures seront prises pour le déménagement. Veuillez noter que j'attache une importance
particulière à ce que vous fassiez droit à ma demande. » Elle parcourut ensuite la lettre, la lut enfin
tout entière d'un bout à l'autre. Elle se prit alors à
frissonner, se sentit écrasée par un malheur terrible,
imprévu.

Le matin même, elle regrettait son aveu et aurait
voulu reprendre ses paroles; voici qu'une lettre les

considérait comme non avenues, lui donnait ce qu'elle avait désiré, et ces quelques lignes lui paraissaient dépasse ses plus noires prévisions.

« Il a raison! murmura-t-elle. Comment n'aurait-il pas toujours raison, n'est-il pas chrétien et magnanime? Oh! que cet homme est vil et méprisable! Et dire que personne ne le comprend et ne le comprendra que moi, qui suis impuissante à m'exprime . Ils vantent sa piété. sa probité, son intelligence; mais ils ne voient pas ce que j'ai vu; ils ignorent que pendant huit ans il a étouffé tout ce qui palpitait en moi, sans jamais s'apercevoir que j'étais une créature vivante et que j'avais besoin d'amour; ils ignorent qu'il me blessait à chaque pas, et n'en restait que plus satisfait de lui-même. N'ai-je pas cherché de toutes mes forces à donner un but à mon existence? N'ai-je pas fait mon possible pour l'aimer, et quand je n'ai pu y réussir, n'ai-je pas reporté mon amour sur mon fils? Mais un temps est venu où j'ai compris que je ne pouvais plus me faire d'illusion, que j'étais un être de chair et d'os. Est-ce ma faute si Dieu m'a faite ainsi, si j'ai besoin d'aimer et de vivre?... Et mainten nt? s'il me tuait, s'il tuait l'autre, je pourrais comprendre, pardonner; mais non, il... Comment n'ai-je pas deviné ce qu'il ferait? Une nature basse comme la sienne ne pouvait agir autrement. Il devait défendre ses droits, et moi, malheureuse, me perdre plus encore. « Vous imaginez sans peine ce qui vous attend, vous et votre fils. » C'est évidemment une menace de m'enlever mon fils, leurs absurdes lois l'y autorisent sans doute. Mais ne vois-je pas pourquoi il me dit cela? Il ne croit pas à mon amour pour mon fils, il méprise ce sentiment dont il s'est toujours raillé; mais il sait que je ne l'abandonnerai pas, parce que sans mon fils la vie ne me serait pas supportable même avec celui que j'aime, et que si je l'abandonnais, je tomberais au rang des femmes les plus viles; il sait tout cela, il sait que jamais je n'aurai la force d'agir ainsi... « Notre vie doit rester la même », affirme-t-il. Mais cette vie a toujours été un tourment et dans les derniers temps, c'était pis. Que serait-ce donc maintenant? Il le sait bien, il sait que je ne puis me repentir de respirer, d'aimer; il sait que de tout ce qu'il exige il ne peut résulter que fausseté et mensonge, mais il lui faut à tout prix prolonger ma torture. Je le connais, je sais qu'il nage dans le mensonge comme un poisson dans l'eau... Eh bien, non, je ne lui donnerai pas cette joie; je romprai ce tissu d'hypocrisie dans lequel il prétend m'envelopper. Advienne que pourra, tout vaut mieux que tromper et mentir!... Mais comment m'y prendre? Mon Dieu, mon Dieu, y a-t-il jamais eu une femme aussi malheureuse que moi?...

« Eh bien, oui, je vais le rompre », s'écria-t-elle en s'approchant de son bureau pour écrire une autre lettre à so mari; mais, au fond de l'âme, elle sentait bien qu'elle ne romprait rien du tout : si fausse que fût sa situation, elle n'aurait point le courage d'en sortir.

Assise devant son bureau, elle appuya, au lieu d'écrire, sa tête sur ses bras et se prit à pleurer comme pleurent les enfants, avec des sanglots qui lui soulevaient la poitrine. Elle comprenait maintenant combien elle s'était leurrée en croyant la situation prête à s'éclaircir; elle savait que tout resterait comme par le passé, que tout irait même beaucoup plus mal. Elle sentait aussi que cette position dans le monde, dont elle faisait si bon marché il y a quelques heures, lui était chère, qu'elle ne trouverait pas la force de l'échanger contre celle d'une femme qui aurait quitté mari et enfant pour suivre son amant. Non, quelque effort qu'elle fît, elle ne pourrait jamais dominer sa faiblesse. Jamais elle ne connaîtrait l'amour dans sa liberté, elle resterait toujours la femme criminelle, constamment menacée d'être surprise, trompant son mari avec un homme dont elle ne pourrait jamais partager la vie. Cette destinée lui parut si effroyable qu'elle n'osait ni l'envisager, ni lui prévoir un dénouement. Et elle pleurait, pleurait sans retenue comme un enfant puni.

Les pas du domestique la firent tressaillir; détournant son visage, elle fit semblant d'écrire.

« Le courrier demande une réponse, dit le domestique.

— Une réponse? Oui, qu'il attende; je sonnerai. » « Que puis-je écrire? songea-t-elle. Que décider toute seule? Que puis-je vouloir? » Et s'accrochant au pre-

mier prétexte venu pour échapper au dédoublement
qu'à sa grande épouvante elle sentait renaître en elle :
« Il faut que je voie Alexis, décida-t-elle, lui seul peut
me dire ce que je dois faire. J'irai chez Betsy, peut-
être l'y rencontrerai-je. » Elle oubliait complètement
que la veille au soir, ayant dit à Vronski qu'elle n'irait
pas chez la princesse Tverskoï, celui-ci avait déclaré
ne pas vouloir y aller non plus. Elle écrivit aussitôt
à son mari ces mots laconiques.

« J'ai reçu votre lettre. A. »

Elle sonna et remit le billet au valet de chambre.

« Nous ne partons plus, dit-elle à Annouchka qui
entrait.

— Plus du tout?

— Ne déballez pas avant demain et que la voiture
attende; je vais chez la princesse.

— Quelle robe madame mettra-t-elle? »

XVII

La société qui se réunissait chez la princesse Tverskoï
pour la partie de croquet à laquelle Anna était invitée
comprenait deux dames et leurs adorateurs. Ces dames
étaient les personnalités les plus marquantes d'une
nouvelle coterie pétersbourgeoise qui, par imitation
de quelque autre imitation, se faisait appeler *les sept
merveilles du monde*. Toutes deux appartenaient au
grand monde, mais à une fraction hostile à celle que
fréquentait Anna. En outre, le cavalier servant de
Lise Merkalov, le vieux Strémov, un des hommes les
plus influents de Pétersbourg, était l'ennemi déclaré
d'Alexis Alexandrovitch. Pour toutes ces raisons, Anna
avait cru devoir décliner une première invitation de
Betsy, refus auquel celle-ci faisait allusion dans son
billet. Mais l'espoir de rencontrer Vronski l'ayant fait
changer d'avis, elle arriva la première chez la princesse.

Au moment où elle pénétrait dans l'antichambre, un
personnage qu'on eût pris avec ses favoris bien pei-
gnés pour un gentilhomme de la chambre lui céda le

pas en se découvrant. Elle reconnut le domestique de
Vronski et se souvint alors que celui-ci l'avait prévenue qu'il ne viendrait pas; sans doute envoyait-il un
billet pour s'excuser. Tandis qu'elle se débarrassait
de son manteau, elle entendit cet homme proclamer,
en prononçant les *r* comme un gentilhomme de la
chambre : « De la part de M. le comte pour Mme la
princesse », et faillit lui demander où se trouvait
son maître. Elle avait grande envie de rentrer pour
écrire à Vronski de venir la rejoindre, ou d'aller elle-
même le trouver. Mais il était trop tard : une sonnerie
avait déjà annoncé sa visite, et, figé dans une attitude
respectueuse près de la porte qu'il venait d'ouvrir
toute grande, un des valets de la princesse attendait
qu'elle daignât pénétrer dans l'appartement. Quand
elle fut dans la première pièce, un second valet vint
annoncer que la princesse était au jardin.

« On va la prévenir, ajouta-t-il, à moins que madame
ne veuille la rejoindre. »

La situation devenait de plus en plus confus. : sans
avoir vu Vronski, sans avoir pu prendre aucune décision, Anna devait demeurer avec des étrangers dont
les préoccupations différaient fort des siennes. Néanmoins elle se sentit bientôt plus à l'aise : cette atmosphère d'oisiveté solennelle lui était familière, elle
n'ignorait pas que sa robe lui allait à ravir et, n'étant
plus seule, elle ne pouvait se creuser la tête sur le
meilleur parti à prendre. Aussi, quand elle vit venir
Betsy dans une toilette blanche d'une extrême élégance, elle l'accueillit avec son sourire habituel. Betsy
était accompagnée de Touchkévitch et d'une jeune
parente de province qui, à la grande joie de sa famille,
passait l'été chez la célèbre princesse.

Anna avait probablement un air étrange, car Betsy
lui en fit aussitôt l'observation.

« J'ai mal dormi, répondit Anna, dont les regards
suivaient à la dérobée un domestique qui s'approchait
de leur groupe et devait, songeait-elle, apporter le
billet de Vronski.

— Je suis bien contente que vous soyez venue, dit
Betsy. Je n'en puis plus et je voulais justement prendre
une tasse de thé avant leur arrivée... Et vous, dit-
elle en se tournant vers Touchkévitch, vous feriez bien

d'aller avec Macha essayer le *croquet-ground*, vous savez, là où l'on a tondu le gazon... Nous ferons causette en prenant le thé, *we'll have a cosy chat*, n'est-ce pas, reprit-elle en souriant à Anna en lui serrant la main.

— D'autant plus volontiers que je ne puis rester longtemps, il faut absolument que j'aille chez la vieille Wrede. voilà cent ans que je lui promets une visite », dit Anna à qui le mensonge, pourtant contraire à sa nature. devenait quand elle se trouvait dans le monde une chose fort simple, fort naturelle, voire fort amusante. Pourquoi disait-elle une chose à laquelle elle ne songeait même pas une minute plus tôt? C'est que, sans trop s'en rendre compte, elle cherchait à se ménager une porte de sortie pour tenter, au cas où Vronski ne viendrait point, de le rencontrer quelque part. Mais pourquoi le nom de cette vieille demoiselle d'honneur lui vint-il à l'esprit plutôt qu'un autre? elle n'aurait certes pu le dire, et cependant l'événement prouva que de toutes les finesses dont elle pouvait user celle-ci était la meilleure.

« Oh! non, je ne vous laisse pas partir. rétorqua Betsy en dévisageant Anna. En vérité, si je ne vous aimais pas tant, j'aurais lieu de me fâcher. Craignez-vous donc que ma société vous compromette?... Le thé au petit salon, s'il vous plaît », ordonna-t-elle avec un clignement d'yeux qui lui était habituel quand elle adressait la parole à ses domestiques. Et, prenant le billet, elle le parcourut.

« Alexis nous fait faux bond, dit-elle en français. Il s'excuse de ne pouvoir venir », ajouta-t-elle du ton le plus naturel, comme si elle n'eût jamais supposé un seul instant que son amie pût voir en Vronski autre chose qu'un partenaire au jeu de croquet. Betsy savait parfaitement à quoi s'en tenir; Anna n'en doutait point et pourtant chaque fois qu'elle l'entendait lui parler de Vronski, la conviction lui venait que la princesse ignorait tout.

« Ah! fit Anna jouant l'indifférence. Comment votre société pourrait-elle compromettre quelqu'un? » reprit-elle en souriant.

Pour Anna, comme pour toutes les femmes, cette façon de cacher un secret en jouant avec les mots

avait un très grand charme. Elle obéissait moins au
besoin qu'au plaisir de dissimuler.

« Je ne saurais, continua-t-elle, me montrer plus
catholique que le pape. Strémov et Lise Merkalov...
mais c'est le dessus du panier de la société. D'ailleurs
ne sont-ils pas reçus partout? Quant à moi (elle appuya
sur ce mot), je n'ai jamais été ni sévère, ni intolé-
rante. Croyez-moi, je suis tout bonnement très pressée.

— Mais peut-être ne tenez-vous pas à rencontrer
Strémov? Qu'il rompe des lances avec Alexis Alexandrovitch dans leurs commissions, peu nous importe.
Il n'y a pas d'homme plus aimable dans le monde ni
de joueur plus passionné au croquet, vous verrez cela.
Vous verrez aussi avec quel esprit ce vieil amoureux
de Lise se tire d'une situation plutôt comique. Un
charmant homme, je vous assure... Et Sapho Stolz,
vous ne la connaissez pas? Elle est tout à fait dernier
cri. »

Tout en bavardant, Betsy regardait Anna d'un air
qui laissait entendre qu'elle devinait l'embarras de
son amie et cherchait un moyen de l'en faire sortir.

« En attendant, il faut répondre à Alexis », reprit-
elle. Et s'asseyant à son bureau, elle écrivit un mot
qu'elle mit sous enveloppe. « Je lui demande de venir
dîner, il me manque un cavalier pour une de mes
dames. Voyez donc si mon éloquence est assez per-
suasive... Excusez-moi de vous quitter un instant, j'ai
un ordre à donner. Cachetez et envoyez, je vous en
prie », lui dit-elle sur le pas de la porte.

Sans hésiter un instant, Anna prit la place de Betsy
au bureau et, sans lire le billet, y ajouta ces lignes :
« J'ai absolument besoin de vous voir. Trouvez-vous
vers six heures dans le jardin de Mlle Wrede; j'y
serai. » Elle ferma la lettre que Betsy expédia en rentrant.

Les deux amies eurent effectivement un *cosy chat*
en prenant le thé qu'on leur servit sur un guéridon
dans le boudoir, pièce fraîche et intime. La conversation roula sur les personnes qu'elles attendaient, plus
particulièrement sur Lise Merkalov.

« Elle est charmante et m'a toujours été sympathique, dit Anna.

— Vous lui devez bien cela, elle vous adore. Hier

soir après les courses elle a été désolée de ne plus vous trouver auprès de moi. Elle voit en vous une véritable héroïne de roman, et prétend que, si elle était homme, elle ferait mille folies pour vous. Strémov lui a dit qu'elle en faisait déjà suffisamment comme ça.

— Mais expliquez-moi donc une chose que je n'ai jamais comprise, dit Anna après un moment de silence, et sur un ton qui prouvait clairement qu'elle attachait à sa question plus d'importance qu'il n'eût fallu; quels rapports y a-t-il entre elle et le prince Kaloujski, Michka comme on l'appelle. Je les connais très peu. Qu'y a-t-il entre eux? »

Betsy sourit des yeux et regarda attentivement Anna.

« C'est le nouveau genre, répondit-elle. Toutes ces dames ont jeté leur bonnet par-dessus les moulins, mais il y a la manière.

— Oui, mais quels rapports y a-t-il entre elle et le prince Kaloujski? »

Betsy, peu rieuse de sa nature, céda pourtant à un irrésistible accès de fou rire.

« Mais vous marchez sur les traces de la princesse Miagki, dit-elle sans pouvoir retenir ce rire contagieux propre aux personnes qui ne se dérident que rarement. Il faut le leur demander, voyons.

— Riez tant qu'il vous plaira, dit Anna gagnée par cette bonne humeur, mais je n'y ai réellement jamais rien compris. Quel est le rôle du mari?

— Le mari? Mais celui de Louise porte son plaid et se tient à son service. Quant au fond de la question, personne ne tient à le connaître. Il y a, vous le savez, des articles de toilette dont on ne parle jamais dans la bonne société. Il en va de même de ces questions-là.

— Irez-vous à la fête des Rolandaki? s'enquit Anna pour changer de conversation.

— Je ne pense pas », répondit Betsy, et, sans regarder son amie, elle remplit avec précaution d'un thé parfumé deux minuscules tasses de porcelaine transparente et en tendit une à Anna. Puis glissant un *pajitos* dans un fume-cigarette d'argent, elle l'alluma.

« Voyez-vous, dit-elle sa tasse à la main et d'un ton devenu sérieux, je suis dans une situation privilégiée. Mais je vous comprends, « vous », et je comprends Lise. Lise est une de ces natures naïves, enfantines, qui ignorent le bien et le mal. Du moins était-elle ainsi dans sa jeunesse, et depuis qu'elle a compris que cette naïveté lui seyait, elle fait semblant de ne pas comprendre. Cela lui va tout de même. Que voulez-vous, on peut considérer les mêmes choses sous des jours très différents : les uns les prennent au tragique et s'en font un tourment, les autres les envisagent plus simplement ou même avec gaieté. Peut-être avez-vous des façons de voir trop tragiques?

— Que je voudrais connaître les autres autant que je me connais moi-même, dit Anna d'un air pensif. Suis-je meilleure ou pire que les autres? Il me semble que je dois être pire.

— Vous êtes une enfant tout simplement, dit Betsy. Mais les voilà. »

XVIII

Des pas se firent entendre, puis une voix d'homme, ensuite une voix de femme et finalement un éclat de rire; après quoi les visiteurs attendus apparurent. C'étaient Sapho Stolz et un jeune homme qui répondait au nom de Vaska et dont le visage rayonnait d'une santé quelque peu exubérante : les truffes, les viandes saignantes et le vin de Bourgogne lui avaient trop bien réussi. Vaska salua les deux dames en entrant, mais le regard dont il les gratifia ne dura guère qu'une seconde; il traversa le salon derrière Sapho comme s'il eût été mené en laisse, la dévorant de ses yeux avides. Sapho Stolz, une blonde aux yeux noirs, hissée sur des souliers à talons énormes, alla d'un pas menu mais délibéré donner aux dames une poignée de main vigoureuse et toute masculine.

Anna, qui n'avait encore jamais rencontré cette nouvelle étoile, fut frappée de sa beauté, de sa souveraine élégance, de sa désinvolture. Un échafaudage de cheveux vrais et faux d'une délicate nuance dorée donnait à la tête de la baronne à peu près la même hauteur qu'à son buste, lequel était très bombé et très apparent; l'impétuosité de sa démarche accusait à chaque mouvement les formes de ses genoux et de ses jambes, et le balancement de son énorme pouf incitait à se demander où pouvait bien prendre fin ce charmant petit corps si découvert du haut et si dissimulé du bas.

Betsy se hâta de la présenter à Anna.

« Imaginez-vous que nous avons failli écraser deux militaires », commença-t-elle aussitôt, souriante et clignotante, tout en rappelant à l'ordre la queue de sa robe qui s'égarait trop d'un côté. « J'étais avec Vaska... Ah! j'oubliais, vous ne le connaissez pas... »

Et elle présenta sous son vrai nom le jeune homme à Anna en rougissant et en riant très fort de l'avoir appelé Vaska devant une inconnue. Le personnage salua une seconde fois Mme Karénine, mais ne lui dit pas un traître mot. Ce fut à Sapho qu'il adressa la parole.

« Vous avez perdu votre pari, fit-il en souriant; nous sommes arrivés bons premiers; il ne vous reste qu'à payer. »

Sapho rit encore plus fort.

« Pas maintenant en tout cas.

— Peu importe, vous paierez plus tard.

— C'est bon, c'est bon... Ah! mon Dieu! s'écriat-elle tout à coup en se tournant vers la maîtresse de la maison, j'oubliais de vous dire, étourdie que je suis! Je vous amène un hôte... Tenez, le voici. »

Le personnage oublié par Sapho se trouva être d'une telle importance que, malgré sa jeunesse, les dames se levèrent pour le recevoir. C'était le nouveau soupirant de Sapho, qui, à l'exemple de Vaska, suivait tous ses pas.

Bientôt arrivèrent le prince Kaloujski et Lise Merkalov accompagnée de Strémov. Lise était une brune plutôt maigre, avait le type oriental, l'air indolent et de beaux yeux que tout le monde disait énigmatiques. Sa toilette sombre, qu'Anna remarqua et apprécia aussitôt, convenait admirablement à son genre de beauté. A la brusquerie de Sapho, Lise opposait un laisser-aller plein d'abandon.

C'est à cette dernière qu'allèrent les préférences d'Anna. Dès qu'elle la vit, elle trouva que Betsy avait eu tort de critiquer ses airs d'enfant innocent. Pour gâtée que fût Lise, sa naïve inconscience désarmait. Ses manières n'étaient pas meilleures que celles de Sapho : elle aussi menait à sa suite, cousus à sa peau, deux adorateurs qui la dévoraient des yeux, l'un jeune, l'autre vieux; mais il y avait en elle quelque chose de supérieur à son entourage; on eût dit un diamant parmi des verroteries. L'éclat de la pierre précieuse brillait dans ses beaux yeux vraiment énigmatiques, cernés d'un halo bistre et dont le regard, las bien que lourd de passion, frappait par sa sincérité. Quiconque rencontrait ce regard croyait lire dans l'âme de Lise, et la connaître c'était l'aimer. A la vue d'Anna, son visage s'illumina d'un sourire de joie.

« Ah! que je suis contente de vous voir! dit-elle en s'approchant; hier soir aux courses, je voulais arriver jusqu'à vous, mais vous veniez justement de partir. C'était horrible, n'est-ce pas? dit-elle en lui accordant un de ces regards qui semblaient vous ouvrir son cœur.

— Oui, je n'aurais jamais cru que cela pût émouvoir à ce point », répondit Anna en rougissant.

Les joueurs de croquet se levèrent pour aller au jardin.

« Je n'irai pas, dit Lise en s'asseyant plus près d'Anna. Vous non plus, n'est-ce pas? Quel plaisir peut-on trouver à un jeu pareil?

— Mais j'aime assez cela, dit Anna.

— Comment faites-vous pour ne pas vous ennuyer? On se sent heureuse rien qu'en vous regardant. Vous vivez, vous; moi, je m'ennuie!

— Vous vous ennuyez! Mais votre société passe pour la plus gaie de tout Pétersbourg.

— Peut-être ceux à qui nous paraissons si gais s'ennuient-ils encore plus que nous; mais moi du moins je ne m'amuse certainement pas, je m'ennuie affreusement. »

Sapho, après avoir allumé une cigarette, entraîna les jeunes gens au jardin. Betsy et Strémov restèrent près de la table à thé.

« Que dites-vous là! s'exclama Betsy. Sapho prétend qu'on a fort bien passé le temps chez vous hier soir.

— Ne m'en parlez pas, c'était à périr d'ennui. Tout

le monde est venu nous retrouver après les courses. Toujours la même chose, toujours les mêmes visages. Nous avons passé toute la soirée vautrés sur des divans. Que trouvez-vous là de si gai?... Voyons, reprit-elle en revenant à Anna, comment faites-vous pour ne pas connaître l'ennui? Rien qu'à vous voir on devine qu'heureuse ou malheureuse vous ne vous ennuyez jamais. Que faites-vous pour cela?

— Mais rien du tout », répondit Anna en rougissant de cette insistance.

« C'est ce qu'on peut faire de mieux », dit Strémov en se mêlant à la conversation.

C'était un homme d'une cinquantaine d'années, grisonnant mais bien conservé, laid mais d'une laideur originale; il consacrait tous ses loisirs à Lise Merkalov, sa nièce par alliance. Rencontrant Mme Karénine dans un salon, il chercha, en homme du monde et en homme d'esprit, à se montrer particulièrement aimable pour elle, en raison même de ses mauvais rapports avec Alexis Alexandrovitch.

« Le meilleur des moyens est de ne rien faire, continua-t-il avec un sourire narquois. Je vous le répète depuis longtemps : il suffit pour ne pas s'ennuyer de ne pas croire qu'on s'ennuiera. De même que, si l'on souffre d'insomnie, il ne faut pas se dire que jamais on ne s'endormira. C'est exactement ce qu'a voulu vous faire entendre Anna Arcadiévna.

— Je serais ravie d'avoir dit effectivement cela, reprit Anna en souriant, car c'est mieux que spirituel, c'est vrai.

— Mais pourquoi, dites-moi, est-il aussi difficile de s'endormir que de ne pas s'ennuyer?

— Parce que pour l'un comme pour l'autre il faut avoir travaillé.

— Pourquoi prendrais-je, en travaillant une peine, parfaitement inutile? Et quant à jouer la comédie, je ne le sais ni le veux.

— Vous êtes incorrigible », conclut Strémov sans la regarder.

Et il ne s'occupa plus que de Mme Karénine. Comme il la rencontrait rarement, il ne put guère lui dire que des banalités sur son retour à Pétersbourg ou sur l'amitié qu'avait pour elle la comtesse Lydie; mais il sut les tourner de manière à lui faire entendre qu'il était tout à ses ordres, qu'il éprouvait pour elle un respect infini et même quelque chose de plus.

Touchkévitch vint relancer les joueurs. Anna voulut prendre congé, Lise s'efforça de la retenir et Strémov se joignit à elle.

« Vous trouverez, dit-il, un contraste trop grand entre la société d'ici et celle de la vieille Wrede; et puis vous ne lui serez qu'un sujet de médisances tandis que vous éveillez ici des sentiments d'un tout autre genre. »

Anna resta pensive un moment. Les discours flatteurs de cet homme d'esprit, la sympathie enfantine que lui témoignait Lise, ce milieu mondain où elle croyait respirer plus librement lui causèrent une minute d'hésitation : ne pouvait-elle remettre à plus tard le moment terrible de l'explication? Mais elle se rappela ce qui l'attendait chez elle si elle ne prenait point un parti, elle se revit avec terreur prête, dans sa détresse, à s'arracher les cheveux. Alors elle se décida, fit ses adieux et partit.

XIX

Malgré sa vie mondaine et son apparente légèreté, Vronski avait le désordre en horreur. Encore élève du Corps des pages il s'était un jour trouvé à court d'argent et essuya un refus lorsqu'il voulut en emprunter. Depuis lors il s'était juré de ne jamais s'exposer à cette humiliation. Pour cela il dressait avec soin son bilan cinq ou six fois par an : c'est ce qu'il appelait *faire sa lessive*.

Le lendemain des courses, s'étant réveillé tard, Vronski avant son bain et sans se raser endossa sa vareuse et, jetant sur son bureau lettres, argent et comptes divers, se mit en devoir de classer tout cela. Pétritski, connaissant l'humeur de son camarade dans ces cas-là, se leva, s'habilla et s'esquiva sans bruit.

Tout homme dont l'existence est compliquée voit

aisément dans cet imbroglio une fatalité réservée à lui seul. Vronski pensait ainsi et s'enorgueillissait non sans raison d'avoir évité des écueils où d'autres seraient allés donner. Cependant il estimait le moment venu de tirer une bonne fois sa situation au clair.

Et d'abord la question financière. Sur une feuille de papier à lettres il établit de son écriture fine un état de ses dettes. Le total s'élevait à dix-sept mille roubles, sans compter les centaines qu'il biffait pour plus de clarté. Par ailleurs, son avoir tant en poche qu'en banque, n'atteignait que dix-huit cents roubles, sans aucune rentrée à escompter avant le nouvel an. Il fit alors une classification de ses dettes, les divisant en trois catégories. En premier lieu des dettes urgentes, qui montaient à quatre mille roubles, dont quinze cents pour son cheval et deux mille cinq cents pour payer un Grec qui les avait fait perdre au jeune Vénevski, un de ses camarades. S'étant porté caution pour lui sans prendre part au jeu, Vronski, alors en fonds, avait voulu régler sur-le-champ cette dette d'honneur, mais Iachvine et Vénevski prétendirent qu'il appartenait à eux seuls de l'acquitter et qu'ils s'en chargeraient. Quoi qu'il en fût, Vronski tenait à pouvoir, en cas de réclamation, jeter cette somme à la tête du fripon qui l'avait escroquée. Venaient ensuite les dettes de son écurie de courses, environ huit mille roubles, à son fournisseur de foin et d'avoine, à l'entraineur, au bourrelier, etc.; deux mille roubles d'acomptes suffiraient pour le moment. Quant à la troisième catégorie de créanciers, restaurateurs, tailleurs et boutiquiers, ces gens-là pouvaient attendre. En somme il lui fallait six mille roubles immédiatement et il n'en avait que dix-huit cents.

C'étaient là de faibles dettes, à supposer que Vronski jouît vraiment des cent mille roubles de revenu qu'on lui attribuait. En réalité l'énorme fortune paternelle étant restée indivise, Vronski avait cédé presque toute sa part à son frère ainé, lors du mariage de celui-ci avec une jeune fille sans fortune, la princesse Barbe Tchirkov, fille d'un insurgé de décembre 25. Il ne s'était réservé qu'un revenu de vingt-cinq mille roubles, qui à l'entendre lui suffirait jusqu'à ce qu'il se mariât, éventualité fort peu probable. Son frère, très endetté et commandant un régiment qui exigeait de grandes dépenses, ne put refuser ce cadeau. Sur sa fortune personnelle la mère faisait à son cadet une pension de vingt mille roubles; mais depuis quelque temps, mécontente de son brusque départ de Moscou et de sa liaison avec Mme Karénine, elle avait cessé de la lui servir. Du coup, Vronski habitué à mener la vie large avait vu son revenu réduit de moitié, ce qui le tracassait fort. Il ne voulait à aucun prix s'abaisser devant sa mère. La veille encore il avait reçu d'elle une lettre bourrée d'allusions irritantes : la bonne dame entendait lui venir en aide pour l'avancement de sa carrière et non pour lui voir mener une vie qui scandalisait toute la bonne société. Cette espèce de marché sous-entendu l'avait blessé jusqu'au fond du cœur; il se sentait plus que jamais refroidi à l'égard de sa mère. Par ailleurs il ne pouvait songer à reprendre la parole généreuse qu'il avait donnée à son frère — un peu à l'étourdie, il le voyait bien, maintenant que sa liaison avec Anna pouvait lui rendre son revenu aussi nécessaire que s'il était marié. Le souvenir de sa belle-sœur, de cette bonne et charmante Barbe, qui à chaque occasion lui faisait comprendre qu'elle appréciait, comme il convient, l'élégance de son geste, eût suffi à l'empêcher de se dédire : c'était aussi impossible que de battre une femme, de voler ou de mentir. La seule solution pratique, et Vronski s'y arrêta sans hésitation, était d'emprunter dix mille roubles à un usurier, ce qui n'offrait aucune difficulté, de réduire ses dépenses et de vendre son écurie. Cette décision prise, il écrivit aussitôt à Rolandaki, qui lui avait souvent proposé d'acheter ses chevaux, envoya querir l'entraineur et l'usurier et partagea entre divers comptes l'argent qui lui restait. Il fit ensuite sur un ton cassant un mot de réponse à sa mère et relut une dernière fois avant de les brûler les trois dernières lettres d'Anna : au souvenir de leur entretien de la veille il tomba dans une profonde méditation.

XX

Pour son bonheur, la vie de Vronski se réglait sur
un code de lois qui en déterminait strictement tous
les actes. A vrai dire ce code s'appliquait à un cercle
de devoirs peu étendu, mais comme il n'avait guère
eu à en sortir, Vronski ne s'était jamais trouvé pris
au dépourvu. Ce code lui prescrivait par exemple de
payer une dette de jeu à un Grec mais permettait de
laisser en souffrance la note de son tailleur; il défendait le mensonge envers les hommes mais l'autorisait
envers les femmes; il défendait de tromper qui que
ce fût... les maris exceptés; il admettait l'offense, mais
non le pardon des injures, etc. Ces principes, si extra-
vagants qu'ils pussent être, n'en avaient pas moins
un caractère de certitude absolue, et, du moment qu'il
les observait, Vronski s'estimait en droit de porter la
tête haute. Toutefois, depuis quelque temps, en raison
de sa liaison avec Anna, il apercevait des lacunes à
son code et n'y trouvait aucune solution à certains
points épineux qui le tracassaient, à certaines compli-
cations qu'il sentait prêtes à surgir.

Jusqu'ici ses rapports avec Anna, son mari et la
société étaient rentrés dans le cadre des principes
admis et reconnus. Anna s'étant donnée à lui par
amour avait droit à tout son respect autant et plus
que si elle eût été son épouse légitime; l'estime la plus
haute à laquelle une femme pût prétendre, il la pro-
fessait pour elle et se serait fait couper la main plutôt
que d'y attenter par un mot, voire par une simple
allusion. Chacun pouvait soupçonner sa liaison, nul
ne devait se permettre d'en parler : autrement il eût
contraint les indiscrets, à se taire, à respecter l'honneur de la femme qu'il avait déshonorée. Quant à la
conduite à tenir envers le mari, rien n'était plus clair :
du jour où Anna l'avait aimé, lui Vronski, ses droits
sur elle lui semblaient imprescriptibles. Le mari
n'était plus qu'un personnage inutile et gênant, position peu enviable sans doute mais à laquelle nul ne
pouvait mais. Le seul droit qui lui restât était de

réclamer une satisfaction par les armes, que Vronski était tout prêt à lui accorder.

Mais voici qu'un incident nouveau faisait naître en son esprit des doutes qu'à son grand effroi il se sentait incapable de dissiper. La veille, Anna lui avait annoncé qu'elle était enceinte; elle attendait de lui une résolution quelconque; or les principes qui dirigeaient sa vie ne déterminaient pas ce que devait être cette résolution. Au premier moment, son cœur l'avait poussé à exiger qu'elle quittât son mari; à la réflexion et sans qu'il osât trop se l'avouer, cette rupture ne lui semblait plus désirable.

« Lui faire quitter son mari, c'est unir sa vie à la mienne : y suis-je préparé? Non, car je manque d'argent, malheur auquel on peut remédier, et, chose plus grave, je suis lié par mes obligations de service... Au point où nous en sommes, je dois me tenir prêt à toute éventualité, et pour cela trouver de l'argent et donner ma démission. »

L'idée de quitter l'armée l'amena à envisager un côté de sa vie morale qui, pour secret qu'il fût, n'en avait pas moins une importance capitale.

Malgré qu'il en eût, l'ambition, unique passion de son enfance et de sa jeunesse, luttait encore en lui avec son amour pour Anna. Ses premiers pas dans la carrière militaire avaient été aussi heureux que ses débuts dans le monde, mais depuis deux ans il subissait les conséquences d'une insigne maladresse. Pour faire sentir à la fois son indépendance et son prix, il avait refusé un poste qu'on lui proposait; mais le geste parut trop hautain et depuis lors on l'oublia. Les premiers temps, il prit la chose en homme d'esprit qui fait bonne mine à mauvais jeu et souhaite seulement qu'on le laisse s'amuser en paix. Mais à l'époque de son voyage à Moscou, sa bonne humeur l'abandonna : il s'était aperçu que sa réputation d'original qui dédaigne de faire sa carrière commençait à pâlir et que bien des gens ne voyaient plus en lui qu'un brave garçon sans le moindre avenir. En le remettant sur le pinacle, sa liaison avec Anna avait un moment calmé le ver rongeur de l'ambition déçue; mais, depuis une huitaine, celui-ci le torturait plus violemment que jamais.

Un de ses camarades de promotion, Serpoukhovskoï, qui, appartenant au même monde que Vronski, avait partagé ses jeux et ses études, ses rêves de gloire et ses folies de jeunesse, revenait d'Asie centrale avec le grade de général (il avait d'un coup sauté deux échelons) et une décoration bien rarement accordée à un homme de cet âge. Tout le monde saluait le lever de ce nouvel astre, tout le monde attendait sa nomination à un poste de premier plan. Auprès de cet ami d'enfance, Vronski, pour libre et brillant qu'il fût et amant d'une femme adorable, n'en faisait pas moins triste figure, lui, pauvre petit capitaine auquel on permettait d'être indépendant tout à son aise.

« Certes, se disait-il je ne porte pas envie à Serpoukhovskoï, mais son avancement prouve qu'il suffit à un homme comme moi d'attendre son heure pour faire une carrière rapide. Il y a de cela trois ans, il en était au même point que moi. Si je quittais le service, je brûlerais mes vaisseaux; en y restant, je ne perds rien. Ne m'a-t-elle pas dit elle-même qu'elle ne désirait aucun changement à sa situation? Et possédant son amour, puis-je vraiment envier Serpoukhovsko.? »

Il se leva et se mit à marcher de long en large en tortillant sa moustache. Ses yeux brillaient d'un vif éclat; il éprouvait le calme d'esprit, le parfait contentement qui succédaient toujours chez lui au règlement de ses affaires. Cette fois encore tout était remis en bon ordre. Il se rasa, prit un bain froid, s'habilla et en sortant se heurta à Pétritski.

XXI

« Je venais te chercher, dit Pétritski. Ta lessive a duré longtemps aujourd'hui. As-tu fini au moins?

— Oui », répondit Vronski en souriant des yeux et en lissant avec d'infinies précautions le bout de sa moustache, comme s'il craignait qu'un mouvement trop brusque ne détruisît la belle ordonnance qu'il venait d'imposer à ses affaires.

« Dans des moments pareils, on dirait toujours que

tu sors du bain... Je viens de chez Gritsko (c'était le surnom du colonel); on t'attend. »

Vronski regardait son camarade sans lui répondre; sa pensée était ailleurs.

« Ah! c'est chez lui qu'on joue, dit-il en prêtant l'oreille à un pot-pourri de polkas et de valses que lançaient jusqu'à eux les cuivres de la musique du régiment; quelle fête y a-t-il donc?

— Serpoukhovskoï est arrivé.

— Tiens, et moi qui n'en savais rien, s'exclama Vronski, de plus en plus souriant. Je suis charmé de le revoir. »

Son contentement était sincère. Comme il avait pris le parti de préférer l'amour à l'ambition — ou tout au moins de faire semblant —, il ne pouvait guère ni porter envie à Serpoukhovskoï, ni lui en vouloir de n'être point venu tout d'abord frapper à sa porte.

Le colonel, qui de son vrai nom s'appelait Démine, occupait une grande maison de maitre. Toute la société était réunie sur la terrasse. Vronski aperçut tout d'abord les chanteurs du régiment vêtus de leurs blouses d'été et réunis dans la cour auprès d'un tonnelet d'eau-de-vie; puis, sur la première marche de l'escalier, la bonne figure réjouie du colonel encadré de quelques officiers. Avec force gestes et d'une voix dont les éclats couvraient ceux de la musique en train d'exécuter une polka d'Offenbach, Démine donnait des ordres à un groupe de sous-officiers et de soldats qui se tenaient un peu à l'écart et s'approchèrent de la terrasse en même temps que Vronski. Le colonel, qui était retourné à table, reparut, une flûte de champagne à la main, et porta le toast suivant :

« A la santé de votre ancien camarade, le général prince Serpoukhovskoï! Hourra! »

A la suite du colonel se montra Serpoukhovskoï, souriant et tenant, lui aussi, une flûte à la main.

« Tu rajeunis toujours, Bondarenko », dit-il au premier sous-officier qui s'offrit à sa vue, un maréchal des logis rengagé, beau gaillard au teint fleuri.

Serpoukhovskoï, que Vronski n'avait pas vu depuis trois ans, portait maintenant des favoris, ce qui lui donnait un air plus viril; c'était un garçon bien bâti aux traits plus fins que beaux; une noblesse innée

émanait de toute sa personne, et sur son visage Vronski
remarqua — seul changement notable — ce paisible
rayonnement propre à ceux qui réussissent et qui
sentent leur succès. Il le connaissait par expérience.

Comme Serpoukhovskoï descendait l'escalier, il aperçut Vronski, et un sourire joyeux illumina son visage;
il lui fit de la tête un salut amical tout en levant sa
flûte pour lui indiquer qu'il devait d'abord trinquer
avec le maréchal des logis raide comme un piquet et
tout prêt à recevoir l'accolade.

« Te voilà donc! cria le colonel. Iachvine prétendait que tu étais dans tes humeurs noires. »

Serpoukhovskoï baisa par trois fois les lèvres moites
du brave margis, s'essuya la bouche de son mouchoir
et s'approcha de Vronski.

« Que je suis content de te revoir! dit-il en lui
serrant la main et en l'emmenant à l'écart.

— Occupez-vous de lui, dit le colonel à Iachvine
en lui désignant Vronski, tandis qu'il descendait vers
le groupe des soldats.

— Pourquoi n'es-tu pas venu hier aux courses? Je
pensais t'y voir, demanda Vronski en examinant Serpoukhovskoï.

— J'y suis venu, mais trop tard... Un instant,
veux-tu? Tenez, dit-il à son aide de camp, distribuez
cela de ma part. »

Et il tira, non sans rougir, trois billets de cent
roubles de son portefeuille.

« Que préfères-tu, Vronski? demanda Iachvine : du
solide ou du liquide? Hé, qu'on serve à déjeuner au
comte! Et en attendant avale-moi ça! »

La fête se prolongea longtemps. On but beaucoup.
On porta en triomphe et Serpoukhovskoï et le colonel.
Ensuite le colonel dansa la russe devant les chanteurs
en compagnie de Pétritski; après quoi, un peu éprouvé,
il s'assit sur un banc dans la cour et se mit en devoir
de démontrer à Iachvine la supériorité de la Russie
sur la Prusse, notamment en ce qui concernait les
charges de cavalerie. Profitant de cette accalmie, Serpoukhovskoï passa, pour se laver les mains, dans le
cabinet de toilette; il y trouva Vronski qui, sa vareuse
ôtée, laissait couler l'eau du robinet sur sa tête conges-
tionnée et sa nuque couverte de cheveux. Quand

celui-ci eut fait ses ablutions, les deux amis prirent
place sur un sofa et purent enfin causer à leur aise.

« Ma femme, commença Serpoukhovskoï, m'a toujours tenu au courant de tes faits et gestes; je suis
content que tu la voies souvent.

— Elle est très liée avec Barbe, et ce sont les seules
femmes de Pétersbourg que j'aie plaisir à fréquenter »,
répondit en souriant Vronski. Il prévoyait la tournure
qu'allait prendre la conversation et ne la trouvait pas
désagréable.

« Les seules? » demanda Serpoukhovskoï en souriant à son tour.

Vronski se renfrogna et, coupant court à toute allusion :

« Moi aussi, reprit-il, j'ai été tenu au courant de
tes faits et gestes, mais pas seulement par ta femme.
Tu me vois très heureux, et nullement surpris de tes
succès. J'attendais plus encore. »

Serpoukhovskoï sourit de nouveau : cette opinion
le flattait, et il ne voyait pas de raison pour le dissimuler.

« Quant à moi, dit-il, je n'espérais pas tant. Je suis
vraiment très satisfait. L'ambition est ma faiblesse,
je l'avoue sans fard.

— Tu ne l'avouerais sans doute pas si tu réussissais
moins bien.

— Je ne pense pas, fit Serpoukhovskoï toujours
souriant; sans l'ambition, vois-tu, la vie vaudrait peut-
être encore la peine d'être vécue, mais elle serait bien
monotone. Je ne crois pas me tromper, il est possible
que je possède les qualités nécessaires au genre d'activité que j'ai choisi, et qu'entre mes mains le pouvoir,
si jamais il m'est donné de jouir d'un pouvoir quelconque, soit mieux placé qu'entre celles de bien des
gens de ma connaissance. Voilà pourquoi plus j'appro-
cherai du but, plus je serai content, ajouta-t-il avec
un air de suffisance béate.

— C'est peut-être vrai pour toi, mais pas pour tout
le monde. Moi aussi j'ai autrefois pensé comme toi,
mais aujourd'hui je ne trouve plus que l'ambition soit
le seul but de l'existence.

— Nous y voilà! dit en souriant Serpoukhovskoï.
Je t'ai prévenu dès l'abord qu'on m'avait tenu au cou-

rant de tes faits et gestes. J'ai donc su l'affaire de ton refus et je t'ai naturellement approuvé. Mais il y a la manière. A parler franc, tout en ayant raison dans le fond, tu n'as pas observé les formes voulues.

— Ce qui est fait est fait; tu sais que je ne renie jamais mes actes. D'ailleurs je me sens très bien comme ça.

— Très bien pour le moment, mais cela ne durera pas toujours. Ton frère, je ne dis pas, c'est un aimable enfant, comme notre hôte. L'entends-tu? demanda-t-il en prêtant l'oreille à une explosion de hourras. Lui aussi s'estime heureux. Mais pareil genre de vie ne saurait te satisfaire.

— Je ne prétends pas cela.

— Et puis, des hommes comme toi sont nécessaires.

— A qui?

— A la société, au pays. La Russie a besoin d'hommes, elle a besoin d'un parti. Autrement tout ira à vau-l'eau.

— Qu'entends-tu par là? Le parti de Berténiev contre les communistes russes?

— Non, dit Serpoukhovskoï, se rebiffant à l'idée qu'on pût le soupçonner d'une semblable sottise. *Tout ça, c'est de la blague.* Il n'y a pas de communistes. Mais les gens d'intrigue ont toujours besoin d'inventer un parti dangereux quelconque. C'est vieux comme le monde. Non, ce qu'il faut au pays, c'est un parti capable de porter au pouvoir des hommes indépendants comme toi et moi.

— Pourquoi cela? Est-ce que un tel et un tel (Vronski nomma quelques dirigeants de la politique) ne sont pas indépendants?

— Non, et cela parce qu'ils n'ont ni naissance ni fortune personnelle, parce qu'ils n'ont pas, comme nous, vu le jour près du soleil. L'argent, la flatterie peuvent les acheter. Pour se maintenir il leur faut défendre une idée quelconque, idée qui peut être mauvaise, à laquelle eux-mêmes ne croient guère, mais qui leur assure un logis gratuit et de beaux émoluments. Quand on regarde dans leur jeu, *ce n'est pas plus malin que ça.* En admettant que je sois pire ou plus bête qu'eux, ce que d'ailleurs je ne pense pas, j'ai, tout comme toi, l'avantage important d'être plus

difficile à acheter. Et des hommes de cette trempe
sont plus que jamais nécessaires. »

Vronski l'écoutait attentivement, captivé moins par
les paroles de Serpoukhovskoï que par l'élévation de
ses vues. Tandis que lui-même s'enlisait dans les petits
intérêts de son escadron, son ami méditait déjà de
lutter contre les maîtres de l'heure et s'était créé des
sympathies dans les hautes sphères; quelle force n'ac-
querrait-il pas grâce à son intelligence, à sa puissance d'assimilation, grâce surtout à sa facilité de
parole, si rare dans son milieu? Quelque honte qu'il
en éprouvât, Vronski se surprit un mouvement d'envie.

« Tout cela est bel et bien, répondit-il, mais il me
manque pour parvenir une qualité essentielle : l'amour
du pouvoir. Je l'ai eue, et je l'ai perdue.

— Tu m'excuseras, mais je n'en crois rien, objecta
en souriant Serpoukhovskoï.

— C'est pourtant vrai, surtout « maintenant », pour
être tout à fait sincère.

— « Maintenant » peut-être, mais ça ne durera pas
toujours.

— Cela se peut.

— Tu dis « cela se peut », et moi je dis « certainement non », continua Serpoukhovskoï comme s'il eût
deviné sa pensée. C'est pourquoi je tenais à causer
avec toi. J'approuve ton attitude, mais tu aurais tort
de t'y obstiner. Je te demande seulement *carte
blanche*. Je ne joue pas au protecteur avec toi... Après
tout, pourquoi ne le ferais-je pas : n'as-tu pas été souvent le mien? Notre amitié est au-dessus de cela, j'espère, affirma-t-il avec une tendresse quasi féminine.
Allons, donne-moi *carte blanche,* quitte le régiment, et
je t'entraînerai sans qu'il y paraisse.

— Comprends donc, insista Vronski, que je ne
demande rien, si ce n'est que le présent subsiste. »

Serpoukhovskoï se leva et se plaçant devant lui :

« Je sais ce que tu veux dire, mais écoute-moi.
Nous sommes du même âge; peut-être as-tu connu plus
de femmes que moi (son sourire et son geste rassurèrent Vronski sur la délicatesse qu'il mettrait à toucher l'endroit sensible); mais je suis marié, et comme
l'a dit je ne sais plus qui, celui qui n'a connu que sa

femme et l'a aimée en sait plus long sur la femme que
celui qui en a connu mille.

— Tout de suite! » cria Vronski à un officier qui
venait les relancer de la part du colonel. Il était
curieux de voir où Serpoukhovskoï voulait en venir.

« Vois-tu, reprit celui-ci, dans la carrière d'un
homme, la femme est toujours la grande pierre
d'achoppement. Il est difficile d'aimer une femme et
de rien faire de bon. Le mariage seul permet de ne
pas être réduit à l'inaction par l'amour. Comment
t'expliquer cela? continua Serpoukhovskoï en cherchant une de ces comparaisons dont il était amateur...
Ah! voilà! Suppose que tu portes un *fardeau :* tant
qu'on ne te l'aura pas lié sur le dos, tes mains demeu-
reront embarrassées. C'est ce que j'ai éprouvé en me
mariant : mes mains sont tout à coup devenues libres.
Mais traîner ce *fardeau* sans le mariage, c'est se vouer
fatalement à l'inactivité. Regarde Mazankov, Kroupov...
Ce sont les femmes qui ont à jamais compromis leur
carrière.

— Oui, mais quelles femmes? objecta Vronski, en
songeant à la comédienne et à la Française de mœurs
légères auxquelles ces deux hommes avaient enchaîné
leur destin.

— Plus la position sociale de la femme est élevée,
plus la difficulté augmente : ce n'est plus alors se
charger d'un fardeau, c'est l'arracher à quelqu'un.

— Tu n'as jamais aimé, murmura Vronski, le regard
fixé devant lui et songeant à Anna.

— Peut-être, mais pense à ce que je t'ai dit et
retiens encore ceci. Les femmes sont toutes plus matérielles que les hommes : en amour, nous planons, mais
elles rasent toujours la terre... » Tout de suite, tout de
suite, dit-il à un domestique qui entrait dans la
chambre, croyant qu'il venait les chercher.

L'homme apportait simplement un billet à Vronski.
« De la part de la princesse Tverskoï », annonça-t-il.
Vronski décacheta la lettre et devint tout rouge.

« J'ai mal à la tête et je rentre chez moi, dit-il à
Serpoukhovskoï.

— Alors, au revoir. Tu me donnes *carte blanche?*

— Nous en reparlerons. Je te retrouverai à Pétersbourg. »

XXII

Il était cinq heures passées. Pour arriver à temps au rendez-vous et surtout pour ne pas s'y rendre avec ses chevaux, que tout le monde connaissait, Vronski sauta dans la voiture de remise de Iachvine et ordonna au cocher de marcher bon train. C'était une vieille guimbarde à quatre places; il s'installa dans un coin, étendit ses jambes sur la banquette et se prit à songer.

Ainsi donc l'ordre régnait dans ses affaires, Serpoukhovskoï le traitait toujours en ami, voyait en lui un homme nécessaire, lui en donnait l'assurance flatteuse; le sentiment, à vrai dire un peu confus, qu'il avait de tout cela et plus encore l'attente délicieuse du rendez-vous lui faisaient voir la vie sous un si beau jour qu'un sourire lui vint aux lèvres. Il croisa les jambes, tâta son mollet encore endolori de la chute de la veille, se rejeta au fond de la voiture et respira à pleins poumons.

« Qu'il fait bon vivre! » se dit-il. Jamais encore il ne s'était épris à ce point de lui-même, jamais il ne s'était tant complu à ce point en sa propre beauté : la légère souffrance qu'il éprouvait à la jambe lui causait autant de plaisir que le libre jeu de ses pectoraux. Cette claire et fraîche journée d'août, qui avait eu sur Anna une action si néfaste, stimulait au contraire Vronski au plus haut degré : le grand air rafraîchissait son visage échauffé par les ablutions, et la brillantine de ses moustaches exhalait un parfum particulièrement agréable. L'air léger et la lumière douce du soir donnaient aux choses qu'il entrevoyait par la portière un aspect joyeux, frais et puissant, qui s'apparentait à son état d'âme. Les toits des édifices dorés par les rayons du couchant, les arêtes vives des murs et des pignons, les silhouettes rapides des voitures et des piétons, la verdure immobile des arbres et des buissons, les champs avec leurs plants réguliers de pommes de terre, tout, jusqu'aux ombres obliques qui tombaient des maisons, des arbres, des bosquets et même des

plants, tout semblait composer un joli paysage fraîchement verni.

« Plus vite, plus vite », dit-il au cocher en se penchant à la portière pour lui passer un billet de trois
roubles. La main de l'homme tâtonna près de la lanterne, le fouet claqua, et la voiture roula plus rapide
sur la chaussée unie.

« Il ne me faut rien, rien que ce bonheur », pensait-il, les yeux fixés sur le bouton de la sonnette,
tandis que son imagination lui représentait Anna telle
qu'il l'avait vue la dernière fois. « Plus je vais, plus je
l'aime!... Mais voilà le jardin de la villa Wrede. Où
peut-elle bien être. Qu'est-ce que cela signifie? Pourquoi m'a-t-elle donné rendez-vous ici, et cela dans la
lettre de Betsy? » C'était la première fois qu'il se
posait cette question, mais il n'avait déjà plus le temps
d'y réfléchir. Il arrêta le cocher avant d'atteindre
l'avenue, ouvrit la portière, descendit tandis que la
voiture marchait encore, et s'engagea dans l'allée qui
menait à la maison. Il n'y vit personne, mais en regardant à droite dans le parc il aperçut Anna; bien qu'un
voile épais dérobât son visage, il la reconnut à sa
démarche, à la chute de ses épaules, à l'attache de sa
tête. Aussitôt il sentit courir en lui comme un courant
électrique; sa démarche se fit plus souple, sa respiration plus large, ses lèvres tressaillirent de joie.

Dès qu'il l'eut rejointe, elle lui serra la main d'un
geste nerveux.

« Tu ne m'en veux pas de t'avoir fait venir? J'ai
absolument besoin de te voir », dit-elle, et le pli sévère
de sa lèvre sous son voile fit subitement tomber la
bonne humeur de Vronski.

« Moi, t'en vouloir! Mais comment te trouves-tu ici?
Où vas-tu?

— Peu importe, dit-elle en le prenant par le bras;
viens, il faut que je te parle. »

Il comprit qu'il était arrivé quelque chose, que leur
entrevue n'aurait rien de gai : et comme sa volonté
abdiquait en présence d'Anna, il se sentit gagné par
l'agitation de sa maîtresse sans qu'il en connût encore
la cause.

« Qu'y a-t-il, voyons, qu'y a-t-il? » demandait-il en
lui serrant le bras et en tâchant de lire sur son visage.

Elle fit quelques pas en silence pour se donner du cœur, et s'arrêtant soudain :

« Je ne t'ai pas dit hier, commença-t-elle en respirant avec effort, qu'en rentrant des courses avec Alexis Alexandrovitch, je lui ai tout avoué..., je lui ai dit que je ne pouvais plus être sa femme... enfin tout. »

Il l'écoutait, penché sur elle de tout le buste comme s'il eût voulu ainsi lui rendre la confidence moins pénible. Mais dès qu'elle eut parlé, il se redressa et son visage prit une expression fière et hautaine.

« Oui, oui, dit-il, cela vaut mieux mille fois. Je comprends ce que tu as dû souffrir. »

Sans trop prendre garde à ses paroles, elle cherchait à lire sur son visage l'impression que lui avait causée cet aveu. Un duel devenait inévitable : telle avait été la première pensée de Vronski. Mais Anna, à qui la possibilité d'une rencontre n'était jamais venue à l'esprit, attribua à une tout autre cause ce brusque changement de physionomie.

Depuis la lettre de son mari, elle sentait au fond de son âme que tout resterait comme par le passé, qu'elle n'aurait pas la force de sacrifier à son amant ni son fils ni sa situation dans le monde. Sa visite à la princesse Tverskoï l'avait confirmée dans cette conviction. Néanmoins elle attachait une importance capitale à son entrevue avec Vronski : elle n'en attendait rien de moins que le salut. Si dès le premier moment il lui avait dit sans hésitation : « Quitte tout et viens avec moi », elle l'aurait suivi abandonnant jusqu'à son fils. Mais il n'eut aucun mouvement de ce genre; la nouvelle parut même le blesser.

« Je n'ai pas du tout souffert, cela s'est fait de soi-même, dit-elle avec une certaine irritation. Et voilà... » Elle retira de son gant la lettre de son mari.

« Je comprends, je comprends, interrompit Vronski en prenant la lettre sans la lire et en s'efforçant de calmer Anna. Je t'ai toujours suppliée d'en finir une bonne fois; j'ai hâte de consacrer ma vie à ton bonheur.

— Pourquoi me dis-tu cela? Puis-je en douter? Si j'en doutais...

— Qui vient là? interrompit Vronski en désignant deux dames qui venaient à leur rencontre. Peut-être nous connaissent-elles! » Et il entraîna Anna dans un sentier.

« Eh, que m'importe! » fit-elle les lèvres tremblantes, et il parut à Vronski qu'elle lui lançait sous son voile un regard de haine... « Encore une fois, je ne doute pas de toi. Mais lis ce qu'il m'écrit. » Et elle s'arrêta de nouveau.

Pendant la lecture de la lettre, Vronski s'abandonna involontairement, comme il l'avait fait en apprenant la rupture, à l'impression bien naturelle qu'éveillait en lui la pensée de ses rapports avec ce mari offensé. Il se représentait la provocation qu'il allait recevoir d'une heure à l'autre, les détails de la rencontre; il se voyait calme et froid comme en ce moment, attendant, après avoir déchargé son arme en l'air que son adversaire tirât sur lui... Soudain les paroles de Serpoukhovskoï, qui tantôt lui avaient paru si juste, lui traversèrent l'esprit : « Mieux vaut ne pas s'enchaîner. » Il n'était guère possible de faire comprendre cela à Anna.

Après avoir lu la lettre, il leva sur sa maîtresse un regard qui manquait de décision. Elle comprit qu'il avait dès longtemps réfléchi à ces choses et qu'il ne lui dirait point le fond de sa pensée. L'entrevue ne prenait pas la tournure escomptée; son dernier espoir s'évanouissait.

« Tu vois quel homme cela fait, dit-elle d'une voix tremblante, il...

— Pardonne-moi, interrompit Vronski, mais je ne suis pas fâché de sa décision... Pour Dieu, laisse-moi achever, ajouta-t-il en la suppliant du regard de lui donner le temps de s'expliquer. Je n'en suis pas fâché parce que, contrairement à ce qu'il croit, les choses ne peuvent en rester là.

— Pourquoi cela? » demanda-t-elle en retenant ses larmes et sans trop se soucier de ce qu'il allait répondre, car elle sentait son sort décidé.

Vronski voulait dire qu'après le duel, qu'il jugeait inévitable, la situation changerait forcément, mais il dit tout autre chose.

« Cela ne peut durer ainsi. J'espère bien que tu vas le quitter et me permettre — ici il rougit et se troubla

-- de songer à l'organisation de notre vie commune. Demain... »

Elle ne le laissa pas achever.

« Et mon fils? s'écria-t-elle. Tu vois ce qu'il écrit? Il faudrait le quitter. Je ne le puis ni ne le veux.

— Préfères-tu continuer cette existence humiliante?

— Pour qui est-elle humiliante?

— Pour tous, mais pour toi surtout.

— Humiliante! ne dis pas cela, ce mot n'a pas de sens pour moi », murmura-t-elle d'une voix tremblante. Elle ne voulait pas qu'il lui mentît; il ne lui restait plus que son amour et elle avait soif d'aimer. « Comprends donc que du jour où je t'ai aimé, tout dans la vie s'est transformé pour moi. Rien n'existe à mes yeux que ton amour. S'il m'appartient toujours, je me sens à une hauteur où rien ne peut m'atteindre. Je suis fière de ma situation parce que... parce que... »

Des larmes de honte et de désespoir étouffaient sa voix. Elle s'arrêta, sanglotante. Lui aussi sentit quelque chose le prendre au gosier, et pour la première fois de son existence il se vit prêt à pleurer, sans savoir au juste ce qui l'attendrissait le plus : sa pitié pour elle, son impuissance à lui venir en aide, ou le sentiment d'avoir, en causant le malheur de cette femme, commis une mauvaise action.

« Un divorce est-il donc impossible? » murmura-t-il. Elle secoua la tête sans répondre.

« Ne pourrais-tu le quitter en emmenant ton fils?

— Si, mais tout dépend de lui. Et maintenant il faut que j'aille le rejoindre », dit-elle sèchement.

Son pressentiment s'était vérifié : tout restait comme par le passé.

« Je serai mardi à Pétersbourg, et nous prendrons une décision.

— Soit, mais ne parlons plus de tout cela. »

La voiture d'Anna, qu'elle avait renvoyée avec l'ordre de venir la reprendre à la grille du jardin Wrede, approchait. Anna dit adieu à Vronski et partit.

XXIII

Le Comité du 2 juin siégeait généralement le lundi.
Alexis Alexandrovitch entra dans la salle des séances,
salua, comme d'ordinaire, le président et ses collègues
et s'assit à sa place, posant la main sur les papiers pré-
parés devant lui. Il y avait là, outre différentes pièces
à l'appui, le brouillon du discours qu'il comptait prononcer. Précaution superflue du reste, car il en possédait tous les points et jugeait même inutile de le repasser dans sa mémoire. Le moment venu, quand il se
trouverait en face de son adversaire — lequel cherche-
rait en vain à se donner une physionomie indifférente
— la parole lui viendrait d'elle-même, chaque mot por-
terait, sa harangue aurait une importance historique.
Sûr de son fait, il écoutait de l'air le plus innocent la
lecture du procès-verbal. En voyant cet homme à la
tête penchée, à l'aspect fatigué, palpant doucement de
ses mains blanches aux veines gonflées, aux doigts effilés, les bords du papier blanc posé devant lui, personne n'aurait cru que ce même homme allait tout à
l'heure soulever une véritable tempête, dresser les uns
contre les autres les membres du Comité, contraindre
le président à les rappeler à l'ordre. La lecture terminée, Alexis Alexandrovitch déclara de sa voix faible et
posée qu'il avait quelques observations à présenter au
sujet du statut des allogènes. L'attention générale se
porta sur lui. Après avoir éclairci sa voix, Alexis
Alexandrovitch, fidèle à son habitude de ne point regarder son adversaire quand il débitait son discours,
s'adressa à la première personne assise en face de lui,
laquelle se trouva être un petit vieillard timoré qui
n'ouvrait jamais la bouche. Il exposa d'abord ses vues
dans le silence, mais quand il en vint aux lois orga-
niques, son adversaire sauta de son siège et prit la
mouche. Strémov, qui faisait aussi partie du Comité et
se sentait également piqué au vif, se défendit à son
tour. Bref, la séance fut des plus orageuses : mais Alexis
Alexandrovitch triompha, et sa proposition fut ac-

ceptée : on nomma trois nouvelles commissions, et le lendemain dans certaines sphères pétersbourgeoises il ne fut question que de cette séance. Le succès d'Alexis Alexandrovitch dépassa même son attente.

Le mardi matin, en s'éveillant, il se rappela avec plaisir son triomphe de la veille et ne put, malgré son désir de paraître indifférent, réprimer un sourire quand, pour se faire bien voir, son chef de cabinet lui communiqua les bruits qui couraient la ville à ce sujet.

Absorbé par le travail, Alexis Alexandrovitch oublia complètement que ce mardi était le jour fixé pour le retour de sa femme : aussi fut-il péniblement surpris quand un domestique vint le prévenir qu'elle était arrivée.

Anna était rentrée à Pétersbourg le matin de bonne heure; son mari aurait pu le savoir, puisqu'elle avait demandé une voiture par dépêche; mais il ne vint pas la recevoir, et elle fut prévenue qu'il était en conférence avec son chef de cabinet. Après l'avoir fait avertir de son retour, Anna passa dans son appartement pour y faire déballer ses effets, et s'attendant à le voir bientôt paraître, mais une heure passa, et il ne se montra point. Sous prétexte d'ordres à donner, elle entra dans la salle à manger, parla au domestique à voix haute, mais sans succès. Elle entendit son mari reconduire jusqu'à l'antichambre son chef de cabinet; elle savait qu'il allait bientôt se rendre à son ministère et tenait à le voir auparavant pour régler leurs rapports futurs. Elle se décida à l'aller trouver et, traversant le salon d'un pas ferme, pénétra dans le cabinet de travail. Accoudé à une petite table, Alexis Alexandrovitch en uniforme et prêt à sortir regardait tristement devant lui. Anna le vit avant qu'il l'aperçût et comprit qu'il pensait à elle. Il voulut se lever, hésita, rougit, ce qui ne lui arrivait jamais, puis se levant brusquement il fit quelques pas à sa rencontre, en fixant les yeux sur son front et sa coiffure pour éviter son regard. Arrivé près d'elle, il lui prit la main et l'invita à s'asseoir.

« Je suis très content de vous savoir rentrée », commença-t-il avec le désir évident de parler, mais il ne put continuer. Plusieurs fois encore il essaya en vain d'ouvrir la bouche. Bien qu'en se préparant à cette entrevue elle se fût exercée à l'accuser et à le mépriser,

Anna ne trouvait rien à dire et le prenait en pitié. Leur silence se prolongea assez longtemps.

« Serge va bien? » prononça-t-il enfin, et sans attendre de réponse, il ajouta : « Je ne dînerai pas à la maison et je dois sortir sans délai.

— Je voulais partir pour Moscou, dit Anna.

— Non, vous avez très, très bien fait de rentrer », répondit-il sans pouvoir aller plus loin.

Le voyant incapable d'aborder la question, Anna prit la parole elle-même.

« Alexis Alexandrovitch, dit-elle en le dévisageant sans baisser les yeux sous ce regard fixé sur sa coiffure, je suis une femme mauvaise et coupable, mais je reste ce que j'étais, ce que je vous ai avoué être, et je suis venue vous dire que je ne pouvais changer.

— Je ne vous demande pas cela », répondit-il d'un ton décidé cette fois et en regardant Anna dans les yeux avec une expression de haine; la colère lui rendait évidemment toutes ses facultés. « Je le supposais, mais, ainsi que je vous l'ai dit et écrit, continua-t-il d une voix aiguë, ainsi que je vous le répète encore, je ne suis pas tenu de le savoir. Je désire l'ignorer. Toutes les femmes n'ont pas comme vous l'attention de communiquer à leurs maris cette « agréable » nouvelle. (Il appuya sur le mot : agréable.) J'ignore tout tant que le monde n'en sera pas averti, ni mon nom déshonoré. C'est pourquoi je vous préviens que nos relations doivent rester ce qu'elles ont toujours été; je ne chercherai à mettre mon honneur à l'abri que dans le cas où vous vous compromettriez.

— Mais nos relations ne peuvent rester ce qu'elles étaient », dit-elle en le regardant avec effroi.

En le retrouvant avec ses gestes calmes, sa voix railleuse, grêle, un peu enfantine, la pitié qu'elle avait d'abord éprouvée céda la place à la répulsion et à la crainte; elle n'en voulut pas moins éclaircir à tout prix la situation.

« Je ne puis être votre femme, quand..., voulut-elle dire, mais il l'arrêta d'un rire froid et mauvais.

— Le genre de vie qu'il vous a plu de choisir se reflète jusque dans votre manière de comprendre. Mais je respecte trop le passé et méprise trop le présent pour que mes paroles prêtent à l'interprétation que vous leur donnez. »

Anna soupira et baissa la tête.

« Au reste, continua-t-il en s'échauffant, j'ai peine à comprendre qu'une femme qui juge bon de prévenir son mari de son infidélité et ne trouve, il me semble, rien de blâmable à sa conduite, que cette femme puisse encore avoir des scrupules sur l'accomplissement de ses devoirs d'épouse.

— Alexis Alexandrovitch, qu'exigez-vous de moi?

— Je désire ne jamais rencontrer ici cet homme. J'exige que vous vous comportiez de telle sorte que ni le monde ni nos gens ne puissent vous accuser. Bref, j'exige que vous ne le voyiez plus. Ce n'est pas beaucoup demander, je crois. En échange, vous jouirez, sans en remplir les devoirs, des droits d'une honnête femme. Je n'ai rien de plus à vous dire. Je dois sortir et ne dînerai pas à la maison. »

Il se leva et se dirigea vers la porte... Elle fit de même. Il la salua sans parler et lui céda le pas.

XXIV

La nuit qu'il avait passée sur la meule fut décisive pour Levine : il se sentit désormais incapable de prendre intérêt à son exploitation. Jamais encore, malgré l'abondance de la récolte, il n'avait éprouvé — ou cru éprouver — autant de déboires, autant d'ennuis avec les paysans; jamais non plus il n'avait si bien saisi la cause primordiale de toutes ces déceptions. Le fauchage en compagnie des gens de la campagne lui avait laissé des souvenirs exquis; au contact de ces simples (1) il s'était pris à envier la vie qu'ils me-

(1) « Dès son enfance, il éprouva de l'amour pour le peuple. J'étais étonnée de la tendresse avec laquelle il prenait soin de ses petits élèves. Il leur portait un grand intérêt. Un jour il me parla d'une vieille femme... du village. Elle était paralysée des jambes depuis dix ans et restait couchée dans son isba étroite et sale... J'allai la voir, lui apportant ce que je pouvais... Mais lorsque je sortais à l'air libre, je m'apercevais que ma robe sentait l'oignon, le gros pain, le fumier et autres parfums... Quand

naient, à vouloir y participer. Ce désir d'abord vague
s'était mué, au cours de la fameuse nuit, en un dessein
si ferme qu'il envisagea diverses manières de le mettre
à exécution. Sous l'empire de ces réflexions ses idées
sur les choses de la terre changèrent du tout au tout, et
bientôt il comprit que le vice radical de son entreprise
consistait en un perpétuel malentendu avec les paysans. Un troupeau de vaches sélectionnées dans le
genre de la Paonne, une terre fertilisée à l'engrais,
labourée à la charrue, divisée en neuf champs de
même étendue séparés par des haies d'osiers, quatre-
vingt-dix hectares fertilisés au fumier, des semeuses
perfectionnées, tout cela eût été parfait s'il avait
exploité son domaine tout seul ou aidé de camarades
complètement d'accord avec lui. Mais il voyait clairement (l'étude qu'il préparait sur l'économie rurale et
dans laquelle il faisait de l'ouvrier le facteur principal
de toute entreprise agricole contribua fort à lui ouvrir
les yeux) que sa manière de faire valoir n'était qu'une
lutte acharnée, incessante entre ses ouvriers, attachés
à l'ordre naturel des choses, et lui-même, partisan
d améliorations qu'il croyait rationnelles. Lutte sourde
à vrai dire, ses adversaires ne lui opposant qu'une
force d'inertie tout à fait innocente, mais dans laquelle
il devait déployer toute son énergie — en pure perte
d ailleurs, car tout allait de travers, les instruments les
plus perfectionnés se gâtaient, le plus beau bétail dépé-
rissait, la meilleure terre ne donnait qu'un médiocre
rendement. Le pire c'est que le jeu n'en valait pas la
chandelle, il n'en doutait plus maintenant. Quel caractère revêtait donc cette lutte? Tandis qu'il défendait
âprement son bien, ne fût-ce que pour pouvoir payer
ses ouvriers, et qu'en conséquence il exigeait de ceux-

je m'en plaignais à Léon Nicolaïevitch, il me répondait en riant :
— Ah! comme c'est bien! Vas-y souvent, je t'en prie! »
(T. Kouzminski, *op. cit.*)
    On accueillait à Iasnaïa Poliana les pèlerins, les vagabonds.
C'était une tradition qui remontait à la grand-mère de Tolstoï. A
la fin de sa vie, Tolstoï occupait une chambre qui donnait sur
une terrasse où l'on accédait librement du jardin, et n'importe
quel passant pouvait lui demander aide ou conseil. Les solliciteurs étaient fort nombreux...
    Il avait également une prédilection pour les ivrognes.
    « J'aime énormément les ivrognes, disait-il. Ils sont pleins
de bonhomie, de sincérité. »

ci un travail suivi, réfléchi, ainsi que le respect des machines — herses, semeuses, batteuses, etc. — à eux confiées, les gaillards ne songeaient qu'à besogner à leur aise, à la va-comme-je-te-pousse, et suivant les vieux us. Combien de fois n'eut-il pas à s'en plaindre cet été-là! Envoyait-il faucher pour la nourriture des bestiaux des lots de trèfle envahis par les mauvaises herbes, on lui fauchait par paresse les meilleurs champs, qui demandaient moins de mal. « Mais, not' maître, répondait-on à ses reproches, on a l'ordre du régisseur; et puis, voyez-vous, ça fera un fourrage superbe. » Employait-on une nouvelle faneuse, on la brisait dès les premières lignes, parce que l'homme qui la conduisait trouvait agaçant de sentir une paire d'ailes battre au-dessus de sa tête. « Ne vous faites pas de mauvais sang, lui disait-on, nos femmes vont vite vous retourner tout ça. » Les charrues perfectionnées étaient mises au rancart, parce que leur conducteur ne songeait pas à abaisser le coutre, et que soulevant l'instrument à la force du poignet il fatiguait les chevaux et abîmait la terre. Puis c'étaient les chevaux qu'on laissait pénétrer dans les blés, parce que personne ne voulant veiller la nuit, les ouvriers organisaient, malgré la défense, un roulement, et que le pauvre Vania à bout de forces s'endormait et ne pouvait qu'avouer sa faiblesse. Trois des meilleures génisses laissées sans eau sur le regain de trèfle moururent gonflées, et jamais on ne voulut croire que le trèfle en était cause; on consola le maître en lui contant que le voisin avait perdu cent douze bêtes en trois jours. Personne d'ailleurs n'avait la moindre intention de nuire à Levine; cela il le savait fort bien. Tous ces gens l'aimaient, le trouvaient « pas fier », ce qui dans leur bouche valait le plus beau des compliments; mais tous aussi voulaient n'agir qu'à leur guise, tous se souciaient fort peu des intérêts du maître, auxquels ils ne comprenaient goutte et qui forcément s'opposaient aux leurs. Depuis longtemps Levine sentait sa barque sombrer sans qu'il s'expliquât comment l'eau y pénétrait. Il avait longtemps cherché à se faire illusion, car cet intérêt ôté de sa vie, comment en eût-il rempli le vide? Maintenant, hélas, il lui fallait se rendre à l'évidence et il se sentait envahi par le découragement.

La présence de Kitty Stcherbatski à trente verstes de chez lui aggravait ce malaise moral. Il aurait voulu la voir, mais ne pouvait se résoudre à retourner chez Darie Alexandrovna, celle-ci lui ayant fait entendre qu'une nouvelle demande de sa part aurait toute chance d'être acceptée. Bien qu'en la revoyant sur la grande route il eût senti qu'il l'aimait toujours, le refus de la jeune fille mettait entre eux une barrière infranchissable. « Je ne saurais vraiment lui demander de me prendre comme un pis aller », se disait-il, et cette pensée la lui rendait presque odieuse. « Il me sera impossible de lui parler sans aigreur, de la regarder sans irritation, portant ainsi à son comble l'aversion qu'elle ressent pour moi. Je ne pourrai pas non plus celer mon entretien avec sa sœur, et j'aurai l'air de jouer l'amant magnanime, de condescendre à l'honorer de mon pardon!... Ah! si Darie Alexandrovna ne m'avait point parlé, j'aurais pu la rencontrer par hasard, et tout se serait peut-être arrangé, mais désormais c'est impossible... impossible! »

Darie Alexandrovna lui écrivit un jour pour lui demander une selle de dame pour Kitty. « On me dit, lui mandait-elle, que vous en avez une. J'espère bien que vous l'apporterez vous-même. »

Ce fut le coup de grâce. Comment une femme aussi fine, aussi intelligente pouvait-elle à ce point abaisser sa sœur! Il déchira successivement dix réponses : il ne pouvait ni venir, ni se retrancher derrière des empêchements invraisemblables, ni, qui pis est, prétexter un départ. Il envoya donc la selle sans un mot de réponse et le lendemain, sentant qu'il avait commis une grossièreté, il se déchargea sur son régisseur du souci d'affaires auxquelles il ne prenait plus goût et partit faire une visite lointaine. Un de ses amis, Sviajski, lui avait récemment rappelé sa promesse de venir chasser la bécassine. Les marais giboyeux du district de Sourov tentaient depuis longtemps Levine, mais son ardeur au travail ne lui avait pas encore permis ce petit voyage. Il ne fut pas fâché de planter là une bonne fois ses occupations, de s'éloigner des Stcherbatski, et d'aller une fois de plus demander à la chasse un remède à sa mauvaise humeur.

XXV

Comme le district de Sourov ne possédait encore ni
chemins de fer, ni routes postales, Levine dut faire
atteler ses chevaux à un tarantass. A mi-chemin il
s'arrêta pour nourrir ses bêtes chez un riche paysan;
celui-ci, un vieillard chauve, dont la large barbe rousse
grisonnait le long des joues, ouvrit la porte cochère et,
se serrant contre un des battants, laissa passer l'atte-
lage. Après avoir indiqué au cocher, dans la grande
cour bien tenue, une place sous un appentis où reposaient quelques araires à moitié brûlés, il pria Levine
d'entrer dans la maison. Une jeune femme proprement
vêtue, des caoutchoucs à ses pieds nus, lavait le plancher dans le vestibule. Elle s'effraya et poussa un cri à
la vue du chien de Levine, mais elle se rassura quand
on lui dit qu'il ne mordait pas. De son bras à la manche
retroussée, elle indiqua à Levine la porte de la belle
chambre et lui déroba de nouveau son joli minois en se
remettant à laver, courbée en deux.

« Vous faut-il le samovar? demanda-t-elle.

— Ce n'est pas de refus. »

La pièce était vaste, munie d'un poêle hollandais et
séparée en deux par une cloison; à la place d'honneur,
sous les images saintes, trônait une table bariolée d'ara-
besques; un banc et deux chaises la flanquaient; près
de la porte une petite armoire contenait la vaisselle. Les
volets soigneusement clos ne laissaient guère pénétrer
de mouches; tout était si propre que Levine fit coucher
Mignonne dans un coin près de la porte, de peur
qu'elle ne salît le plancher après les nombreux bains
qu'elle avait pris dans toutes les mares de la route.
Après un rapide examen de la pièce, Levine s'en alla
visiter la cour et les dépendances. L'accorte jeune
femme aux caoutchoucs le dépassa en courant vers le
puits : elle portait sur l'épaule une planche où se ba-
lançaient deux seaux vides.

« Plus vite que ça! » lui cria par manière de plaisanterie le bonhomme en la voyant courir vers le puits.

Et se tournant vers Levine : « Eh bien, monsieur, lui dit-il en s'accoudant à la balustrade du perron avec le désir manifeste de bavarder, vous voilà parti chez Nicolas Ivanovitch Sviajski, n'est-ce pas? Il s'arrête aussi chez nous. »

Le vieux se lança dans une histoire sur les bons rapports qu'il entretenait avec M. Sviajski; mais au beau milieu de son récit, la porte cria une seconde fois sur ses gonds, livrant passage à des ouvriers qui ramenaient des champs herses et araires. Les chevaux attelés aux instruments de labour étaient vigoureux et bien nourris. Les hommes paraissaient de la famille : deux d'entre eux, encore jeunes, arboraient casquettes et blouses d'indienne; deux autres, un vieux et un blanc-bec, vêtus de blouses de grosse toile, devaient être des ouvriers de louage.

Le bonhomme quitta le perron pour aider à dételer.

« Qu'a-t-on labouré? s'enquit Levine.

— Des champs de pommes de terre. On a aussi son petit lopin. Mets le hongre au râtelier, Fédote; on en attellera un autre.

— Dis-moi, le père, j'avais dit de prendre des socs, les a-t-on apportés? demanda un grand gars solide, probablement le fils du vieux.

— Ils sont dans le traîneau, répondit celui-ci qui enroulait les guides et les jetait par terre. Arrange ça avant le dîner. »

L'accorte jeune femme, pliant les épaules sous le faix de ses deux seaux pleins d'eau, gagna le vestibule. Et soudain arrivèrent, Dieu sait d'où, toute une troupe de femmes, jeunes et vieilles, belles et laides, seules ou suivies de bambins.

Le samovar se mit à chanter; famille et domestiques s'en furent dîner. Levine tira ses provisions de la voiture et invita le maître à prendre le thé.

« C'est que je l'ai déjà pris tantôt; enfin, pour vous faire plaisir », répondit le bonhomme visiblement flatté.

Tout en se restaurant, Levine le fit jaser. Dix ans plus tôt le gaillard avait pris en ferme, d'une dame, cent vingt hectares dont il venait l'an passé de se rendre acquéreur; il affermait encore à un autre propriétaire du voisinage trois cents hectares, dont il sous-louait les moins bons et cultivait une quarantaine à l'aide de sa famille et de deux domestiques. Il crut convenable de se plaindre, mais Levine vit bien que ses affaires prospéraient. Si tout était allé aussi mal qu'il le prétendait, il n'eût point acheté de la terre à cent cinq roubles l'hectare, ni marié trois fils et un neveu, ni rebâti deux fois sa maison après incendie, chaque fois de plus en plus grandement. En dépit de ses lamentations, on le devinait fier, et à juste titre, de son bien-être, de ses fils, de son neveu, de ses brus, de ses chevaux, de ses vaches, de toute la maisonnée. Dans le courant de la conversation, il prouva qu'il ne repoussait pas les innovations. Il cultivait les pommes de terre en grand, et Levine avait pu voir en arrivant qu'elles se nouaient déjà tandis que les siennes fleurissaient à peine. Il labourait les champs à pommes de terre avec une charrue empruntée à un propriétaire. Il cultivait jusqu'à du froment. Un détail frappa surtout Levine : le vieux faisait éclaircir son seigle et se procurait ainsi un excellent fourrage pour ses chevaux, chose que Levine ne pouvait obtenir.

« Ça occupe les femmes, disait le bonhomme qui paraissait ravi de son invention. Elles n'ont qu'à faire des tas au bord de la route, et la charrette emmène tout ça.

— Eh bien, nous autres propriétaires, nous n'arrivons pas à faire entendre raison aux ouvriers, dit Levine en lui tendant un second verre de thé.

— Vous êtes bien aimable, fit le vieux en acceptant le verre, mais en refusant du sucre, son morceau aux trois quarts grignoté devant lui suffire. Avec des ouvriers, monsieur, croyez-moi, on court à sa ruine. Prenez, par exemple, M. Sviajski. Sa terre, n'est-ce pas, c'est du nanan, et regardez-moi un peu ses récoltes! Le manque de surveillance, voyez-vous.

— Mais toi, tu en as des ouvriers et tu te tires d'affaire. Comment diantre t'y prends-tu?

— C'est que nous autres paysans on a l'œil à tout. Quand l'ouvrier ne vaut rien, on l'envoie promener. On a bien assez de bras sans lui.

— Père, Théogène demande du goudron, dit en pénétrant dans la pièce la femme aux caoutchoucs.

— C'est comme ça, monsieur, croyez-moi », conclut

le vieux en se levant. Il se signa mainte et mainte fois,
remercia Levine et se retira.

Quand Levine entra dans la chambre commune pour
appeler son cocher, il y trouva tous les hommes attablés
cependant que les femmes les servaient. Un des fils,
jeune gars costaud, racontait, la bouche pleine, une histoire qui faisait rire tout le monde, et plus particulièrement la femme aux caoutchoucs, occupée à remplir
l'écuelle commune de soupe aux choux.

Cet intérieur de paysans produisit sur Levine une
impression très forte, à laquelle la femme au joli minois
ne fut sans doute pas étrangère, et jusqu'à son arrivée
chez Sviajski il lui fut impossible de songer à autre
chose, comme si ce modeste ménage méritait une
attention toute spéciale.

XXVI

Sviajski assumait dans son district les fonctions de
maréchal de noblesse. De cinq ans plus âgé que Levine,
il était depuis longtemps marié. Sa belle-sœur, une
jeune fille charmante, vivait chez lui, et Levine savait
— comme les jeunes gens à marier savent ces choses-
là, d'instinct et sans jamais en parler à personne —
qu'on désirait dans la maison la lui voir épouser. Bien
qu'il songeât au mariage et ne doutât point que cette
aimable personne ferait une excellente femme, il aurait
trouvé tout aussi vraisemblable de l'épouser — en admettant même qu'il ne fût point amoureux de Kitty —
que de voler dans les airs. La crainte d'être pris pour
un prétendant lui gâtait un peu le plaisir qu'il se proposait de sa visite et l'avait fait réfléchir en recevant
l'invitation pressante de Sviajski. Il l'avait néanmoins
acceptée et cela pour plusieurs raisons : il ne voulait
point prêter à son ami des intentions peut-être gra-
tuites; il tenait à faire une bonne fois l'épreuve des sentiments qu'il pouvait au fond du cœur ressentir pour
cette jeune fille; enfin l'intérieur des Sviajski était des
plus agréables et Sviajski lui-même un des plus curieux
spécimens des nouveaux administrateurs provinciaux.

Il appartenait à une catégorie d'individus que Le-

vine n'arrivait pas à comprendre; tout en professant
des opinions tranchées bien que peu personnelles, ces
gens-là n'en mènent pas moins un genre de vie tout
aussi tranché mais qui contraste singulièrement avec
leur manière de voir. Sviajski se disait ultra-libéral; il
méprisait les nobles, les accusant de demeurer pour la
plupart au fond de leur cœur partisans honteux du
servage; il voyait dans la Russie un pays fini, une
seconde Turquie, et ne s'abaissait point à critiquer les
actes de son détestable gouvernement. Tout cela ne
l'avait pas empêché de briguer les fonctions de maréchal de noblesse et de les remplir fort consciencieuse-
ment : jamais il ne voyageait sans arborer la casquette
officielle, bordée de rouge et ornée d'une cocarde. A
l'en croire, un honnête homme ne pouvait vraiment
vivre qu'à l'étranger; il y faisait en effet d'assez fréquents séjours, mais n'en possédait pas moins en
Russie un vaste domaine, qu'il mettait en valeur d'après
les procédés les plus perfectionnés, et se tenait avec
une ardeur fiévreuse au courant des moindres événements russes. Il voyait dans le paysan russe un inter-
médiaire entre l'homme et le singe, mais à l'époque des
élections au conseil de district c'était aux paysans qu'il
serrait le plus volontiers la main, c'était à leur opinion
qu'il prêtait le plus volontiers l'oreille. Il ne croyait ni
à Dieu ni à diable, mais se préoccupait beaucoup
d'améliorer le sort du clergé et de réduire le nombre
des paroisses, la sienne exceptée bien entendu. Il proclamait bien haut les droits de la femme à la liberté
et au travail, mais, tout en vivant en fort bons termes
avec la sienne, il ne lui laissait aucune initiative, lui
permettant tout juste de délibérer avec lui sur la meilleure façon de passer leur temps.

Si Levine n'avait pas toujours voulu s'expliquer les
gens par leur bon côté, il se fût dit tout bonnement,
sans chercher à approfondir le caractère de Sviajski :
« C'est ou un sot ou un coquin. » Et chacune de ces
épithètes eût constitué un jugement téméraire. Cet
homme intelligent et cultivé ne faisait nulle parade de
son instruction, pourtant fort étendue. Bon et honnête,
incapable de la moindre mauvaise action, il se consacrait de tout cœur à une œuvre que tout le monde autour de lui appréciait hautement. C'était une énigme

vivante. S'autorisant de l'amitié qu'il lui portait, Levine avait maintes fois tenté de percer ce mystère; mais chaque fois, Sviajski, quelque peu troublé, voilait son regard comme s'il appréhendait de se voir compris, et repoussait par quelque cordiale plaisanterie cette tentative d'ingérence dans les replis de son être intime.

Après ses récentes désillusions, Levine attendait beaucoup de sa visite à Sviajski. La vue de ces délicieux tourtereaux et de leur nid douillet chasserait pour un temps ses idées noires, et il comptait bien arracher cette fois à son ami le secret de cette vie si sereine, si bien assise, si sûre de son but. En outre il s'attendait à rencontrer chez lui certains propriétaires du voisinage et à s'entretenir avec eux des choses de la terre, telles que récolte, louage d'ouvriers et autres sujets non moins bas au jugement du monde mais qui prenaient maintenant à ses yeux une importance capitale. « Peut-être, songeait-il, tout cela n'avait-il en effet aucune importance au temps du servage, et cela n'en a-t-il encore aucune en Angleterre, en raison de conditions exactement déterminées. Mais à un moment comme le nôtre où tout chez nous est encore sens dessus dessous, la réorganisation du travail sous des formes nouvelles est la seule question qui vaille vraiment la peine de retenir notre attention. »

La partie de chasse déçut Levine : les marais étaient à sec et les bécassines plutôt rares. Il marcha toute la journée pour n'en rapporter que trois; il rapporta par contre un excellent appétit, une humeur parfaite et l'excitation intellectuelle que provoquait toujours chez lui la pratique d'un violent exercice physique. Et souvent encore au cours de cette partie, alors que Levine laissait sa pensée flotter, le vieux paysan et sa famille s'imposaient à son souvenir, comme s'il devait trouver là la solution d'un problème qui l'intéressait directement.

Le soir à l'heure du thé s'engagea en effet, grâce à la présence de deux propriétaires venus régler une question de tutelle, l'intéressante conversation qu'escomptait Levine. La maîtresse du logis, une blonde de taille moyenne, dont le visage rond n'était que sourires et fossettes, l'avait placé à côté d'elle et en face de sa sœur. Il essaya tout d'abord de déchiffrer à travers la femme l'énigme du mari, mais il dut bientôt y renoncer, car la présence de la jeune fille, dont la robe ouverte en trapèze semblait avoir été revêtue à son intention, lui enlevait l'usage de ses facultés. Cette échancrure découvrait à vrai dire une poitrine fort belle, mais c'était justement ce qui causait son trouble. Soupçonnant, peut-être à tort, que cette gorge blanche avait été décolletée en son honneur, il ne se croyait pas le droit d'y jeter les yeux et détournait la tête en rougissant. Mais par le fait même que cette échancrure existait, il s'estimait coupable, s'imaginait tromper quelqu'un, aurait voulu — chose bien impossible — s'expliquer loyalement. Bref il se sentait sur des charbons ardents. Sa gêne se communiquait à la charmante fille, mais la maîtresse de la maison semblait ne rien voir et entraînait comme à dessein sa sœur dans la conversation.

« Vous prétendez, disait-elle, que les choses russes laissent mon mari indifférent. Au contraire il n'est jamais de si bonne humeur à l'étranger que chez nous. Ici il se sent vraiment dans sa sphère. Il a tant à faire et il a le don de s'intéresser à tout. Vous ne connaissez pas notre école?

— Je l'ai vue... Une maisonnette couverte de lierre, n'est-ce pas?

— Oui, c'est l'œuvre de Nastia, dit-elle en désignant sa sœur.

— Vous y donnez vous-même des leçons? demanda Levine en tâchant — effort inutile — de ne point voir l'échancrure.

— J'en ai donné et j'en donne encore, mais nous avons une maîtresse d'école excellente. Nous enseignons aussi la gymnastique.

— Non, merci, je ne prendrai plus de thé; j'entends là-bas une conversation qui m'attire », dit Levine à bout de forces. Et rougissant de son impolitesse, il alla s'asseoir à l'autre bout de la table, où le maître de la maison causait avec les deux hobereaux. Accoudé à la table près de laquelle il était assis de biais, Sviajski tourmentait d'une main sa tasse tandis que de l'autre il empoignait sans cesse sa barbe pour se la fourrer sous le nez, la laissant retomber et s'en emparant une fois de plus, comme avide de la sentir. Ses yeux noirs et brillants fixaient un bonhomme à moustaches grises qui se répandait en plaintes contre les paysans. Levine vit aussitôt que Sviajski pouvait d'un mot réduire en poudre les arguments du personnage, mais que, sa position officielle l'obligeant à certains ménagements, il préférait se délecter en silence de cette jérémiade.

Le hobereau à moustaches grises était de toute évidence un campagnard encroûté, entiché de culture et partisan convaincu du servage. Levine le devina à la façon dont il portait une vieille redingote à l'ancienne mode qu'il ne devait pas endosser souvent, à ses yeux fins renfrognés par de gros sourcils, à son langage coulant, à son ton autoritaire, fruit évident d'une longue expérience, aux gestes impérieux de ses grandes belles mains hâlées que parait seule une vieille alliance.

XXVII

« Si ça ne me faisait pas mal au cœur de tout abandonner, car je vous assure que je me suis donné du mal, je bazarderais tout et je m'en irais, comme Nicolas Ivanovitch, entendre la « Belle Hélène », dit le vieux propriétaire dont la figure intelligente s'éclaira d'un sourire.

« Si vous restez, c'est que vous y trouvez votre compte, rétorqua Sviajski.

— J'y trouve tout juste le compte de coucher sous mon toit. Et puis, n'est-ce pas, on espère toujours ramener les gens à la raison... Que voulez-vous faire avec des ivrognes, des fêtards pareils? De partage en partage, il ne leur est plus resté ni un cheval ni une vache. Mais proposez-leur donc de les prendre comme ouvriers, ils vous bousilleront leur ouvrage et trouveront encore moyen de vous assigner devant le juge de paix.

— Devant qui vous pouvez, vous aussi, les assigner si bon vous semble.

— Moi, me plaindre au juge? Jamais de la vie! Il m'en cuirait trop. Vous connaissez l'histoire de la fabrique. Après avoir touché des arrhes, les ouvriers ont

tout planté là. Qu'a fait votre juge? Il les a acquittés,
monsieur! Non, voyez-vous, je m'en tiens au bon vieux
tribunal communal; là au moins, on vous rosse votre
homme comme au temps passé. C'est encore une chance
qu'il nous reste ça; autrement ce serait à fuir au bout
du monde! »

Le bonhomme voulait évidemment mettre Sviajski
hors des gonds, mais celui-ci ne faisait qu'en rire.

« Pourtant ni Levine, ni moi, ni monsieur n'en
venons là, dit-il en désignant le second propriétaire.

— Oui, mais demandez à Michel Pétrovitch comment il s'y prend pour faire marcher ses affaires; est-ce
là, je vous le demande, une administration ra-tion-
nel-le? rétorqua le hobereau qui parut tout glorieux de
ce mot savant.

— Dieu merci, fit l'autre, je n'ai pas à me creuser la
tête. Toute la question est d'avoir assez d'argent en
automne à l'époque des impôts. Les paysans viennent
me trouver : « Notre père, qu'ils disent, tirez-nous d'af-
« faire. » Et comme ce sont des voisins, je les prends
en pitié; j'avance le premier tiers de l'impôt, mais j'ai
soin de les prévenir : « Attention, les enfants, à charge
« de retour : pour les semences, le fauchage, la mois-
« son, c'est entendu, je compte sur vous. » Et sans plus
tarder on s'entend à la bonne franquette sur le nombre
de bras à fournir par chaque feu. A parler franc, il se
rencontre aussi parmi eux des gens sans conscience... »

Levine, qui savait à quoi s'en tenir sur ces mœurs
patriarcales, échangea un regard avec Sviajski et, interrompant Michel Pétrovitch, s'adressa à l'homme aux
moustaches grises :

« Voyons, selon vous, que devons-nous faire?

— Imiter Michel Pétrovitch, ou bien affermer la
terre aux paysans ou la cultiver en compte à demi avec
eux. Tout cela est faisable, mais il n'en est pas moins
vrai qu'avec ces moyens-là la richesse du pays s'en va.
Une terre qui au temps du servage rendait neuf fois la
semence ne la rendra plus que trois fois en compte à
demi. L'émancipation a ruiné la Russie! »

Sviajski sourit des yeux à Levine et esquissa même
un geste de moquerie; mais celui-ci trouvait fort sensés
les propos du vieillard et son caractère plus ouvert que
celui de Sviajski. Les raisons que le brave homme

apporta à l'appui de ses dires lui parurent justes, neuves, irréfutables. Chose fort rare, ce hobereau exprimait des idées bien à lui, idées qui n'étaient point un vain jeu d'esprit mais que l'on sentait mûries par de longues réflexions solitaires, par une profonde expérience de la vie champêtre.

« Je m'explique, disait-il, évidemment heureux de montrer qu'il possédait lui aussi quelque instruction. Tout progrès se fait par la force et rien que par la force. Prenez les réformes de Pierre, de Catherine, d'Alexandre, prenez l'histoire de l'Europe. L'agriculture n'échappe pas à la règle, bien au contraire. La pomme de terre elle-même n'a pu être introduite chez nous que par la force. Et croyez-vous qu'on ait toujours labouré avec l'araire? Non; ce modeste instrument date peut-être des temps féodaux, mais soyez sûrs qu'on a usé d'autorité pour le faire adopter. Et si de nos jours les propriétaires ont pu améliorer leurs modes de cultures, introduire des séchoirs, des batteuses, des engrais et tout le fourniment, c'est parce que, grâce au servage, ils le faisaient d'autorité et que les paysans, d'abord réfractaires, obéissaient et finissaient par les imiter. Maintenant qu'on nous a enlevé nos droits, notre agriculture, qui par endroits avait fait des progrès indéniables, doit finalement retomber dans la barbarie primitive. Telle est du moins mon opinion.

— Pourquoi cela? objecta Sviajski. Puisque vous trouvez ra-tion-nel-les vos méthodes de culture, appliquez-les donc à l'aide d'ouvriers salariés.

— Impossible, puisque je manque d'autorité. »

« Eh, eh, nous y voilà! songeait à part soi Levine : l'ouvrier est le principal facteur de toute entreprise agricole. »

« Nos ouvriers, continuait le hobereau, ne veulent ni fournir de la bonne besogne, ni employer de bons instruments. Ils ne savent que se soûler comme des porcs et gâter tout ce qu'ils touchent. Confiez-leur un cheval, ils l'abreuveront à contretemps; une charrette, ils en abimeront les harnais et trouveront moyen de boire au cabaret jusqu'au cercle de fer de ses roues; une machine à battre, ils y introduiront une cheville pour la mettre hors d'usage. Tout ce qui dépasse leur routine leur fait mal au cœur. Aussi notre agriculture

est-elle en baisse sur toute la ligne; la terre est négligée
et reste en friche, à moins qu'on ne la cède aux paysans; un domaine qui rendait disons deux millions
d'hectolitres n'en rend plus que quelques centaines de
milliers. Si l'on voulait à tout prix émanciper, il fallait
au moins agir avec circonspection... »

Et il se mit à développer son plan personnel, qui
avait à l'en croire l'avantage d'écarter tous ces inconvénients. Sans prendre grand intérêt à l'histoire, Levine
le laissa achever et, se tournant vers Sviajski dans
l'espoir de l'amener à s'expliquer, il revint à son point
de départ.

« Il est indéniable, dit-il, que le niveau de notre
agriculture est en baisse, et que nos rapports actuels
avec les ouvriers ne permettent point une exploitation
rationnelle.

— Je ne suis pas de cet avis, rétorqua Sviajski devenu sérieux. La vérité, c'est que nous sommes de
piètres agriculteurs et que même au temps du servage
nous n'obtenions de nos terres qu'un médiocre rendement. Nous n'avons jamais eu ni machines, ni bétail
convenables, ni bonne administration; nous ne savons
même pas compter. Interrogez un propriétaire, il ignore
aussi bien ce qui lui coûte que ce qui lui rapporte.

— Ah! oui, la comptabilité en partie double! ironisa
le hobereau. Vous aurez beau compter et recompter,
du moment qu'on vous a tout abîmé, vous ne trouverez
pas de bénéfice.

— Que parlez-vous toujours d'abîmer? Votre vieux
fouloir à la russe, passe, mais je vous garantis qu'on ne
me brisera pas ma batteuse à vapeur. Vos mauvaises
rosses bien russes, qu'il faut tirer par la queue pour les
faire avancer, possible qu'on les éreintera, mais achetez
des percherons ou même des Orlov, et vous verrez si
ça marchera! Et le reste à l'avenant. Ce qu'il nous faut,
c'est améliorer notre technique.

— Encore faudrait-il en avoir le moyen, Nicolas
Ivanovitch. Vous en parlez à votre aise; mais quand
on a comme moi un fils à l'université et d'autres au
collège, on n'a pas de quoi acheter des percherons.

— Adressez-vous aux banques.

— Pour voir ma terre vendue aux enchères? Non,
merci.

— Je ne pense pas, dit Levine, que notre technique puisse et doive être améliorée. J'ai le moyen de risquer de l'argent en améliorations, mais jusqu'ici toutes celles que j'ai tentées, machines, bétail, etc., ne m'ont causé que des pertes. Quant aux banques, je voudrais bien savoir à qui elles sont utiles.

— Parfaitement exact! confirma le gentillâtre avec un rire satisfait.

— Et je ne suis pas le seul, continua Levine, j'en appelle à tous ceux d'entre nous qui font valoir leurs terres suivant les bonnes méthodes : à de rares exceptions près, ils sont tous en perte. Voyons, vous le premier, vous tirez-vous d'affaire? » demanda-t-il à Sviajski, pour lire aussitôt dans son regard l'embarras que lui causait toute tentative de sonder le fond de sa pensée.

Cette question n'était d'ailleurs pas de bonne guerre. Pendant le thé Mme Sviajski avait avoué à Levine qu'un comptable allemand mandé tout exprès de Moscou s'était chargé pour cinq cents roubles d'établir les comptes de leur exploitation et qu'il avait constaté une perte de trois mille roubles. Cela en chiffres ronds, car si elle ne se rappelait plus la somme exacte, l'Allemand, lui, l'avait calculée à un liard près.

La question de Levine fit sourire le hobereau qui savait évidemment à quoi s'en tenir sur le rendement des terres de son voisin et maréchal.

« Peut-être bien que non, répondit Sviajski. Mais cela prouve tout au plus que je suis un médiocre agronome, ou que je dépense mon capital afin d'augmenter la rente.

— La rente! s'écria Levine avec effroi. Elle existe peut-être en Europe où plus on la cultive, plus la terre s'améliore, mais chez nous c'est tout juste le contraire. Par conséquent il n'y a pas de rente.

— C'est que précisément nous sommes hors la loi : pour nous ce mot de rente n'éclaircit rien, au contraire il embrouille tout. Dites-moi un peu comment la théorie de la rente peut...

— Ne prendriez-vous pas du lait caillé? Macha, envoie-nous donc du lait caillé ou des framboises, dit Sviajski en se tournant vers sa femme. C'est surpre-

nant comme les framboises durent longtemps cette
année. »

Et il se leva de la meilleure humeur du monde,
croyant de bonne foi la discussion terminée alors que
Levine la jugeait à peine ébauchée.

Privé de son interlocuteur, Levine se tourna vers le
gentillâtre et chercha à lui faire entendre que tout le
mal venait de ce qu'on ne tenait aucun compte du tempérament et des habitudes de l'ouvrier; mais comme
tous les gens accoutumés à réfléchir au coin de leur
feu, le bonhomme n'entrait pas volontiers dans la
pensée des autres et tenait passionnément à ses propres
opinions. Il en revenait toujours à cette idée que le
paysan russe étant bel et bien un porc, on ne pourrait
le tirer de sa porcherie qu'à l'aide d'un pouvoir fort et
du séculaire martin-bâton; par malheur on s'était mis
au bout de mille ans à jouer au libéralisme, à remplacer
ces moyens éprouvés par Dieu sait quels avocats, quels
arrêtés reconnaissant à cette canaille malodorante le
droit à tant d'assiettes de bonne soupe, à tant de pieds
cubiques de bon air.

« Mais voyons, dit Levine en tâchant de le ramener
à la question, ne peut-il vraiment s'instituer entre les
ouvriers et nous des rapports qui permettent au travail
d'être réellement productif?

— Non, avec nos Russes il n'y faut pas songer. Il n'y
a plus d'autorité, répondit le gentillâtre.

— D'ailleurs quelles nouvelles conditions de travail
pourrait-on bien découvrir? dit Sviajski, qui, après
avoir avalé une assiette de lait caillé et allumé une cigarette, revenait prendre part à la conversation. Tous
les rapports possibles avec l'ouvrier ont été il y a beau
jeu étudiés et définis une fois pour toutes. Ce legs des
temps barbares, la commune agraire avec la caution
solidaire, tombe peu à peu de lui-même; le servage est
aboli; il ne reste donc que le travail libre, dont toutes
les formes sont depuis longtemps connues.

— Mais l'Europe elle-même est mécontente de ces
formes.

— Oui, elle en cherche d'autres, qu'elle trouvera probablement.

— Alors pourquoi ne chercherions-nous pas de
notre côté?

— Parce que c'est comme si nous prétendions inventer de nouveaux procédés pour construire des chemins de fer. Ces procédés existent déjà.

— Mais s'ils ne vous conviennent pas, s'ils sont absurdes? »

Sviajski reprit son air effrayé.

« Oui, n'est-ce pas, l'Europe cherche ce que nous avons déjà trouvé! Je connais cette vieille chanson. Dites-moi, avez-vous lu tous les travaux qu'on a faits en Europe sur la question ouvrière?

— Non, je connais mal cette question.

— Elle préoccupe pourtant les meilleurs esprits européens. Vous avez d'une part l'école de Schulze-Delitzsch, d'autre part celle de Lassalle, la plus avancée de toutes et qui a produit une littérature considérable... Vous connaissez l'association de Mulhouse, voilà déjà un fait acquis.

— Je n'en ai qu'une idée très vague.

— C'est une manière de dire, vous en savez certainement aussi long que moi. Sans être sociologue, j'ai pris goût à ces questions, et puisqu'elles vous intéressent aussi, vous devriez vous en occuper.

— A quelle conclusion ont-ils tous abouti?

— Un instant, si vous le permettez... »

Les hobereaux s'étaient levés et Sviajski se mit en devoir de les reconduire. Une fois de plus il avait dressé une barrière devant la curiosité intempestive de Levine.

XXVIII

Levine passa en compagnie des dames une soirée fort pénible. Convaincu désormais que la crise de découragement dont il avait souffert les atteintes était une conséquence de l'état général des choses, il ne cessait de ruminer en sa tête la question qui lui tenait au cœur. « Oui, se disait-il, il nous faut coûte que coûte trouver un *modus vivendi* qui permette aux ouvriers de travailler chez nous d'aussi franc cœur que chez le vieux paysan de tantôt. Ce n'est pas une utopie, c'est un

simple problème que nous avons le droit et le devoir
de résoudre. »

En prenant congé des dames, il promit de leur consacrer la journée du lendemain : un curieux éboulement
s'étant produit dans la forêt domaniale voisine, on le
prendrait pour but d'une promenade à cheval. Avant
de se coucher il entra dans le cabinet de travail de son
hôte pour y prendre les ouvrages dont celui-ci lui
avait conseillé la lecture. Ce cabinet était une énorme
pièce; plusieurs corps de bibliothèque en faisaient le
tour; un bureau massif trônait au beau milieu, flanqué
d'un casier dont les cartons s'ornaient de lettres dorées;
et sur le guéridon qui supportait la lampe s'étalaient
en étoile les derniers numéros de nombreux journaux
et revues en toutes langues.

Sviajski mit de côté les volumes puis s'installa dans
un fauteuil à bascule.

« Que regardez-vous là? demanda-t-il à Levine qui
feuilletait une revue. Ah! oui, il y a dans le numéro
que vous tenez un article très bien fait. Il paraît,
ajouta-t-il en s'animant, que l'instigateur du partage
de la Pologne ne fut pas du tout Frédéric II. »

Et il résuma, avec la clarté qui lui était propre, la
teneur des pièces importantes qu'on venait de découvrir. Bien que la pensée de Levine fût ailleurs, il ne
pouvait se défendre de l'écouter, tout en se demandant : « Que peut-il bien y avoir au fond de cet
homme? En quoi le partage de la Pologne l'intéresse-
t-il? »

Quand Sviajski eut fini de parler, Levine demanda
involontairement :

« Et après? »

Il n'y avait rien du tout « après »! La publication
était tout bonnement curieuse, et Sviajski jugea inutile
d'expliquer en quoi elle l'intéressait particulièrement.

« Savez-vous, reprit Levine après un soupir, que j'ai
pris plaisir à entendre votre vieux grondeur. Il n'est
pas bête et il y a beaucoup de vrai dans ses dires.

— Allons donc! C'est un esclavagiste honteux,
comme ils le sont tous d'ailleurs.

— Ce qui ne vous empêche pas d'être à leur tête.

— Oui, mais pour les diriger en sens inverse, dit en
riant Sviajski.

— En tout cas, insista Levine, une de ses affirmations me paraît indéniable : quiconque d'entre nous veut faire valoir son bien suivant des méthodes rationnelles est voué à un échec certain; seuls réussissent ceux qui font l'usure, comme le chafouin de tantôt, ou qui s'en tiennent à un système d'exploitation primitif... Je voudrais bien savoir à qui la faute?

— A nous-mêmes évidemment. Du reste certains font de bonnes affaires, Vassiltchikov par exemple.

— Il a une usine...

— Soit. Mais votre surprise a lieu de m'étonner. Notre peuple est si peu développé, moralement et matériellement, qu'il doit s'opposer à toute innovation. Si les méthodes rationnelles ont cours en Europe, c'est que l'instruction est répandue parmi le peuple. A nous de la répandre aussi parmi nos paysans.

— De quelle façon?

— En fondant des écoles, des écoles et encore des écoles.

— Mais vous convenez vous-même que notre peuple manque de tout bien-être; en quoi des écoles obvieront-elles à ce triste état de choses?

— Votre réponse me rappelle celles que faisait un malade à un donneur de conseils : « Prenez donc une « purgation. — Je l'ai fait, cela va plus mal. — Mettez « des sangsues. — Je l'ai fait, cela va plus mal. — Priez « le bon Dieu. — Je l'ai fait, cela va plus mal. » Vous repoussez du même ton tous les remèdes que je vous propose : économie politique, socialisme, instruction.

— C'est que je ne vois pas du tout le bien que peuvent faire les écoles.

— Elles créeront de nouveaux besoins.

— Tant pis, s'emporta Levine, puisque le peuple ne sera pas à même de les satisfaire. Et en quoi sa situation matérielle s'améliorera-t-elle parce qu'il saura l'addition, la soustraction et le catéchisme. Pas plus tard qu'avant-hier soir je rencontre une paysanne qui portait son enfant à la mamelle. « Où vas-tu comme ça? « — Je viens de chez la sage-femme; l'enfant n'arrête « pas de crier, je le lui ai mené pour le guérir. — Et « comment s'y est-elle pris? — Elle a posé le petit sur « le perchoir aux poules et elle a marmotté des pa- « roles. »

— Vous voyez bien, dit en souriant Sviajski; pour qu'on n'ait plus recours au perchoir, il faut...

— Eh non! interrompit Levine avec humeur, ce sont vos écoles comme remède pour le peuple que je compare à celui de la sage-femme. Que le peuple soit pauvre et arriéré nous le voyons certes aussi clairement que la bonne femme entend les cris du marmot, mais prétendre lutter contre cette misère par la création d'écoles c'est, selon moi, aussi absurde que de prétendre guérir l'enfant à l'aide du perchoir. Il faut d'abord s'attaquer aux racines du mal.

— Vous arrivez aux mêmes conclusions que Spencer, un auteur que vous n'aimez guère pourtant; il prétend que la civilisation peut résulter d'une augmentation de bien-être, d'ablutions plus fréquentes, comme il dit, mais que l'alphabet ni l'arithmétique n'y peuvent rien.

— Tant mieux, ou plutôt tant pis pour moi si je suis d'accord avec Spencer. Ma conviction est d'ailleurs faite depuis longtemps : il n'y a qu'un seul remède efficace, à savoir une situation économique qui permette au peuple de s'enrichir et lui donne par là même plus de loisirs. Alors, mais alors seulement, vous pourrez créer des écoles.

— Cependant l'instruction devient obligatoire dans toute l'Europe.

— Mais comment vous entendez-vous sur ce point avec Spencer? »

Le regard de Sviajski se troubla un instant et il dit en souriant :

« L'histoire de votre paysanne est excellente. Vous l'avez entendue pour de vrai? »

Levine comprit qu'il ne trouverait jamais de liens entre la vie et la pensée de cet homme. Ce qui l'intéressait, c'était la discussion pour elle-même et non point les conclusions auxquelles elle pouvait mener; et comme il n'aimait pas qu'on l'entraînât dans une impasse, il avait soin de faire dévier à temps la conversation.

Levine se sentait profondément troublé sous un afflux d'impressions nouvelles. Le vieux paysan et sa famille, cause première de toutes ses réflexions de la journée; ce charmant Sviajski, qui, comme bien d'autres dont le nom est légion, guidait l'opinion pu-

blique au moyen d'idées empruntées, tout en ayant des
pensées cachées impénétrables; ce hobereau aigri,
dont les raisonnements, fruits d'une rude expérience,
eussent été fort justes s'ils n'avaient méconnu la meilleure classe de la population; ses propres déboires,
auxquels il espérait vaguement pouvoir bientôt remédier; toutes ces impressions se fondaient dans son
âme en une sorte d'agitation, d'attente inquiète.

Couché sur un sommier dont les ressorts faisaient à
chacun de ses mouvements tressauter ses bras ou ses
jambes, Levine fut longtemps poursuivi moins par les
propos, pourtant dignes d'intérêt, de Sviajski que par
les affirmations tranchantes du hobereau. Son imagination lui suggérait maintenant les objections qu'il
n'avait pas su faire.

« Oui, se disait-il, voici ce que j'aurais dû lui répondre. Vous prétendez que notre agriculture marche
mal parce que le paysan déteste les innovations, et qu'il
faut lui faire adopter celles-ci par la force. En réalité,
ceux-là seuls qui respectent les habitudes des ouvriers,
comme mon bonhomme de ce matin, obtiennent de
bons résultats. Nos déceptions à nous tous prouvent
que nous ne savons pas nous y prendre. Nous voulons
imposer nos méthodes européennes sans nous inquiéter
de la nature même de la main-d'œuvre. Essayons une
bonne fois de ne plus considérer cette main-d'œuvre
comme une entité théorique, voyons en elle le paysan
russe et ses instincts, et arrangeons-nous en conséquence. Supposons, par exemple, qu'à l'instar de mon
cultivateur de tantôt, vous ayez trouvé le moyen d'intéresser vos ouvriers à votre entreprise, de leur faire
admettre un strict minimum de perfectionnements; et
que, sans épuiser votre terre, vous lui fassiez rendre
deux ou trois fois plus qu'auparavant. Eh bien, divisez-
la en deux parts, faites cadeau de l'une à vos paysans,
vous et eux y trouverez votre compte. Mais pour obtenir ce résultat, il importe d'abaisser le niveau de notre
culture et d'intéresser les ouvriers à l'entreprise.
Comment y arriver? La question doit être examinée
en détail, mais je ne doute pas qu'elle puisse être résolue. »

Levine passa une bonne moitié de la nuit à examiner
ce problème et se résolut à partir dès le lendemain

matin. Le souvenir de la belle-sœur au corsage décolleté faisait naître en lui un sentiment de honte et de remords. Mais avant tout il tenait à soumettre à ses ouvriers avant les semailles d'automne le plan d'une **réforme complète de son système d'exploitation (1).**

XXIX

L'EXÉCUTION de ce plan présentait de **nombreuses difficultés,** mais Levine se démena tant et si bien que sans obtenir le résultat escompté il put à bon droit se dire qu'il n'avait perdu ni son temps ni sa peine. Un des principaux obstacles auxquels il se heurta fut l'impossibilité de faire table rase : la machine devait être transformée en pleine marche.

En rentrant chez lui le soir, Levine communiqua ses projets à son régisseur, qui en approuva avec une satisfaction non dissimulée la partie destructive : tout ce qu'on avait fait jusque-là était absurde, il s'épuisait depuis longtemps à le dire sans qu'on voulût l'entendre! Mais quand Levine lui proposa de l'associer ainsi que les paysans à son entreprise, il prit un air abattu et, sans faire de réponse directe, représenta la nécessité de rentrer dès le lendemain les dernières gerbes et de commencer un second labour. L'heure n'était décidément pas propice à une réforme aussi radicale; Levine le vit d'autant mieux que les quelques paysans auxquels il s'en ouvrit étaient trop occupés pour pouvoir la comprendre. Le bouvier Ivan par exemple, un garçon naïf qu'il voulut associer avec sa famille aux bénéfices de la basse-cour, parut d'abord entrer complètement dans les intentions du maître; mais, quand celui-ci prétendit lui expliquer les avantages qu'il retirerait de la combinaison, le visage d'Ivan exprima l'inquiétude, le regret de n'être point de loisir; et le gaillard

(1) « Je suis très occupé par *Anna Karénine.* Le premier livre (Tolstoï entendait par là les seize derniers chapitres envoyés au *Messager Russe* au début de l'année 1876) est sec et, je crois, mauvais, mais aujourd'hui je renvoie les épreuves corrigées du deuxième livre et cela, je sais que c'est bon. » (Lettre à Strakhov du 15 février 1876.)

de s'inventer aussitôt une besogne pressante : crèches à vider, seaux à remplir, fumier à remuer.

La méfiance invétérée des paysans constituait un obstacle non moins sérieux : ils ne pouvaient admettre que le maître ne cherchât pas à les exploiter; et de leur côté, tout en parlant beaucoup, ils se gardaient bien d'exprimer le fond de leur pensée. En outre, comme pour justifier les assertions du bilieux gentillâtre, ils posaient pour condition première de tout arrangement qu'ils ne seraient jamais astreints à l'emploi d'instruments perfectionnés ou de nouvelles méthodes de culture. Ils convenaient que la charrue et l'extirpateur avaient du bon, mais trouvaient cent raisons pour ne pas s'en servir. Il fallait donc abaisser le niveau de la culture; si persuadé qu'il fût de cette nécessité, Levine ne renonça pas de gaieté de cœur à certaines innovations dont l'avantage était par trop évident.

Malgré ces contretemps, Levine arriva à ses fins et dès l'automne l'affaire prit ou sembla prendre tournure. Il dut cependant renoncer à étendre l'association à tout son domaine et diviser celui-ci en cinq branches — basse-cour, jardin, potagers, prairies, labours — dont chacune comprenait à son tour plusieurs lots. Le naïf bouvier Ivan, qui avait paru saisir mieux qu'aucun autre de quoi il ressortait, forma une coterie avec quelques parents et amis et se chargea de la basse-cour. Une terre éloignée, depuis huit ans en friche et envahie par les taillis, fut confiée à Fiodor Rézounov, un charpentier pas bête qui s'adjoignit six familles de cultivateurs. Le potager échut à un autre paysan, du nom de Chouraiev. Tout le reste demeura comme par le passé, mais ces trois lots, base de la future réforme générale, donnèrent à Levine pas mal de tintouin.

A vrai dire la vacherie ne prospéra guère : Ivan ne voulut pas entendre parler d'une étable chaude, sous le prétexte que les vaches tenues au froid consommaient moins de fourrage et que la crème déjà épaisse donnait un beurre plus avantageux que la crème liquide. Par ailleurs il prétendit être payé comme de coutume et se soucia peu d'apprendre que les sommes qu'il touchait représentaient non plus des gages mais des acomptes sur sa part dans les bénéfices.

De son côté la coterie de Fiodor Rézounov, arguant que la saison était trop avancée, ne donna qu'un labour à sa pièce de terre au lieu des deux convenus. Elle s'obstinait du reste à croire qu'elle travaillait en compte à demi, et plus d'une fois ses participants, Rézounov y compris, proposèrent à Levine de lui payer un bail. « Comme cela, disaient-ils, vous serez plus tranquille et nous, on sera plus tôt quittes. » Elle fit en outre sous divers prétextes traîner en longueur la construction de la grange et de l'étable qu'elle s'était engagée à bâtir avant l'hiver.

Quant à Chouraiev, il avait évidemment ou mal compris ou feint de mal comprendre les conditions auxquelles on lui avait confié le potager : ne cherchat-il pas à le louer par lots à d'autres paysans!

Levine voulait-il expliquer à ces gens les avantages qu'ils retireraient de l'entreprise, ils ne lui prêtaient qu'une oreille distraite, s'étant juré une fois pour toutes de ne pas se laisser prendre aux belles paroles du maître. Et dans nul regard cette décision méprisante ne se lisait mieux que dans celui du plus malin, du plus déluré d'entre eux, le charpentier Rézounov.

Cela n'empêchait point Levine de croire qu'avec de la persévérance et une tenue serrée des comptes il leur prouverait finalement la justesse de ses dires; tout alors marcherait comme sur des roulettes.

La mise en marche de cette affaire, la gérance à l'ancienne mode des autres parties du domaine, la composition de son livre occupèrent tellement Levine qu'il ne chassa presque point de l'été. Vers la fin d'août il apprit par le messager qui lui rapporta la selle, que les Oblonski étaient retournés à Moscou. Il sentait d'ailleurs qu'en laissant sans réponse le billet de Darie Alexandrovna — grossièreté qu'il ne se rappelait jamais sans rougir — il avait brûlé ses vaisseaux et qu'il ne retournerait jamais dans cette maison. Pas plus du reste que chez les Sviajski, auxquels il n'avait même pas dit adieu lors de son brusque départ. Que lui importait après tout! Il était bien trop absorbé par ses occupations pour s'appesantir sur ses remords. Jamais encore, il n'avait tant travaillé. Il dévora tous les livres que lui avait prêtés Sviajski, d'autres encore qu'il fit venir, mais comme il s'y attendait, n'y

trouva rien d'utile à son propos. Les classiques de l'économie politique, Mill par exemple sur lequel il se jeta
tout d'abord dans l'espoir d'y découvrir la solution des
problèmes qui le préoccupaient, lui fournirent des lois
qui découlaient de la situation économique de l'Europe; mais il ne voyait pas pourquoi ces lois, inapplicables en Russie, devaient avoir un caractère général.
Les ouvrages socialistes étaient ou de belles utopies,
qui l'avaient séduit sur les bancs de l'université, ou des
corrections apportées à l'économie européenne, laquelle
n'avait absolument rien de commun avec l'économie
agraire russe. La doctrine orthodoxe considérait
comme irréfutables et universelles les lois suivant lesquelles s'était constituée et se constituait encore la
richesse de l'Europe. La doctrine socialiste soutenait
que l'application de ces lois menait le monde à sa
perte. Mais ni l'une ni l'autre n'offrait à Levine la
moindre indication sur les efforts à tenter par les propriétaires et les paysans russes pour faire contribuer
dans la plus large mesure possible leurs millions de
bras et d'hectares à la prospérité générale.

A force de lire il en vint à projeter pour l'automne
un voyage à l'étranger afin d'étudier sur place la question qui le passionnait. Il ne voulait plus s'exposer à ce
qu'on le renvoyât sans cesse aux autorités en la matière. « Mais Kaufmann, mais Jones, mais Dubois, mais
Miceli? Vous ne les avez pas lus. Lisez-les donc; ils ont
traité à fond cette question.»

Il voyait bien que les Kaufmann et les Miceli
n'avaient rien à lui dire. Il savait maintenant ce qu'il
voulait savoir. « La Russie, pensait-il, possède d'excellentes terres et d'excellents ouvriers; cependant il arrive
bien rarement que terres et ouvriers rendent vraiment
beaucoup, comme, par exemple, chez mon bonhomme
de l'autre jour; la plupart du temps, lorsque le capital
est employé à l'européenne, le rendement est médiocre
parce que les ouvriers ne veulent travailler et ne travaillent vraiment bien qu'à leur manière. C'est un phénomène constant et qui a ses assises dans l'esprit même
de notre peuple. Ce peuple, dont la vocation fut de
coloniser des espaces immenses, s'en est toujours tenu,
en connaissance de cause, à ses procédés propres, qui
ne sont point du tout si mauvais qu'on le croit d'ordi-

naire. » Voilà ce qu'il avait à cœur de prouver, théo-
riquement dans son livre, et pratiquement dans son
domaine.

XXX

A la fin de septembre, la coterie de Rézounov amena
enfin sur son terrain le bois destiné à la construction
de l'étable; d'autre part on vendit la réserve de beurre
et on partagea le bénéfice. La pratique donnait donc
de bons résultats, du moins Levine les jugea tels. Quant
à la théorie, il ne lui restait plus qu'à requérir de
l'étranger des preuves irréfutables, pour mettre au
point un ouvrage appelé, croyait-il, à établir les bases
d'une science nouvelle sur les ruines de la vieille économie politique. Il n'attendait plus pour partir que la
vente de son blé, quand des pluies torrentielles vinrent
l'enfermer chez lui. Une partie de la moisson et toute
la récolte de pommes de terre ne purent être rentrées,
tous les travaux, même la livraison du blé, furent arrêtés; les grandes eaux emportèrent deux moulins; les
routes devinrent impraticables; et le temps empirait
toujours.

Le 30 septembre au matin, le soleil se montra, et cette
éclaircie engagea Levine à hâter ses préparatifs de
départ : il fit ensacher le blé, envoya son régisseur toucher l'argent de la vente et entreprit une dernière tournée d'inspection. Il ne rentra que très tard, trempé
jusqu'aux os malgré ses vêtements de cuir, car l'eau
s'infiltrait par le collet de sa veste et les tiges de ses
bottes, et néanmoins de très belle humeur. Vers le soir
l'averse avait repris, fouettant si dru le cheval tout
tremblant de la tête et des oreilles que la pauvre bête
ne pouvait marcher droit; mais à l'abri de son capu-
chon Levine se trouvait fort à l'aise et promenait des
regards amusés sur tout ce qui venait frapper sa vue :
ruisseaux boueux dévalant les ornières, gouttes de pluie
suspendues aux branches dénudées, tache blanchâtre
du grésil sur les planches d'un pont. jonchée des
feuilles encore charnues à l'entour d'un orme dépouillé
par la rafale. Malgré la désolation de la nature, il se

sentait plein d'entrain : un entretien avec les paysans
du village éloigné l'avait convaincu qu'ils s'accommo-
daient de leur nouvelle vie; d'autre part un vieux garde,
chez qui il était entré pour se sécher, approuvait évidemment ses plans, car il lui avait demandé de le
prendre comme associé pour l'achat du bétail.

« Il ne s'agit que de persévérer, songeait Levine, et
j'arriverai à mes fins. Il n'y a pas lieu de plaindre ma
peine, car je travaille pour la prospérité générale. L'assise économique du pays sera bouleversée de fond en
comble. A la misère succédera le bien-être; à l'hosti-
lité la concorde, la solidarité des intérêts. Bref il s'opé-
rera, sans la moindre effusion de sang, une révolution
qui, partie de notre district, gagnera notre province,
toute la Russie, le monde entier, car une pensée juste
ne saurait être stérile, un but aussi grandiose mérite
qu'on le poursuive avec acharnement. Et que l'auteur
de cette révolution soit ce nigaud de Constantin Levine
qui va au bal en cravate noire et s'est fait refuser par
Mlle Stcherbatski, cela n'a absolument aucune importance. Je suis sûr que Franklin, quand il s'examinait
sous toutes les coutures, manquait aussi de confiance
en lui-même et ne se jugeait pas mieux que je ne me
juge. Et sans doute avait-il comme moi une Agathe
Mikhaïlovna à qui il confiait ses secrets. »

Ces réflexions poursuivaient encore Levine quand il
rentra chez lui, la nuit déjà venue. Le régisseur avait
rapporté un acompte sur la vente de la récolte; nulle
part les blés n'étaient rentrés et l'on pouvait s'estimer
heureux de n'avoir dehors que cent soixante meules.

Après dîner Levine s'installa, comme de coutume,
dans son fauteuil, un livre à la main; mais tout en
lisant, il poursuivait ses méditations sur le but de son
voyage. Il se sentait l'esprit lucide, et ses idées se traduisaient en phrases qui rendaient fort bien l'essence
de sa pensée. « Il faut noter cela, se dit-il. Voilà toute
trouvée la courte introduction qui jusqu'à présent me
semblait inutile. » Il se leva pour la coucher par écrit,
cependant que Mignonne, qui paressait à ses pieds, se
dressait à son tour et l'interrogeait des yeux sur la
route à prendre. Mais les conducteurs des travaux l'attendaient dans l'antichambre, et il dut tout d'abord
leur passer ses instructions pour le lendemain. Alors

seulement il put prendre place à son bureau, sous
lequel la chienne se coucha, tandis qu'Agathe Mikhaïlovna, un bas à la main, s'installait à sa place habituelle.

Après avoir écrit pendant un certain temps, Levine
se leva et se mit à arpenter la chambre : le souvenir
de Kitty, de son refus, de leur dernière entrevue venait
de lui traverser l'esprit avec une vivacité cruelle.

« Vous avez tort de vous manger les sangs, lui dit
Agathe Mikhaïlovna. Que faites-vous ici? Partez donc
prendre vos eaux chaudes, puisque vous y êtes décidé.

— Aussi ai-je l'intention de partir après-demain. Il
me faut mener à bien mon affaire.

— La belle affaire, parlons-en! Vous croyez n'en
avoir pas assez fait, peut-être? Savez-vous ce que les
paysans pensent : « Notre monsieur va, pour sûr, rece-
« voir une récompense du tsar. » Quel besoin avez-vous
de tant vous préoccuper d'eux?

— Ce n'est pas d'eux que je me préoccupe, mais de
moi-même. »

Agathe Mikhaïlovna connaissait en détail tous les
projets de Levine, car il les lui avait expliqués par le
menu et s'était même souvent disputé avec elle à ce propos. Mais cette fois-ci elle interpréta ses paroles dans
un sens tout différent de celui qu'il leur donnait.

« Bien sûr, dit-elle en soupirant, on doit avant tout
penser à son âme. Parthène Denissitch par exemple
(c'était le nom d'un domestique récemment décédé)
avait beau ne savoir ni *a* ni *b*, Dieu veuille nous faire
à tous la grâce de mourir comme lui! Il a reçu le bon
Dieu, les saintes huiles, enfin tout ce qu'il faut.

— Ce n'est pas ainsi que je l'entends, répliqua
Levine. J'agis dans mon intérêt. Quand les paysans
travaillent mieux, j'y trouve mon avantage.

— Vous aurez beau faire, le paresseux se tournera
toujours les pouces, et celui qui a de la conscience
travaillera. Vous n'y changerez rien.

— Cependant ne dites-vous pas vous-même qu'Ivan
soigne mieux ses vaches qu'auparavant?

— Ce que je dis, répondit Agathe Mikhaïlovna, suivant évidemment une idée qui lui était chère, c'est qu'il
est grand temps de vous marier, na! »

La coïncidence de cette remarque avec les souvenirs

qui l'assaillaient froissa Levine; il fronça le sourcil et
sans répondre revint à sa besogne, qui lui parut une
fois de plus d'une importance capitale. De temps à
autre cependant le tic-tac des aiguilles à tricoter de
la vieille bonne éveillait en lui des pensées importunes,
et il se reprenait à faire la grimace.

Vers neuf heures un tintement de grelots et le bruit
sourd d'une voiture cahotant dans la boue montèrent
de la cour.

« Voilà une visite qui vous arrive, vous n'allez plus
vous ennuyer », dit Agathe Mikhaïlovna en se dirigeant
vers la porte. Mais Levine la prévint : sentant que son
travail ne marchait plus, il était content de voir arriver quelqu'un.

XXXI

Parvenu sur le premier palier, Levine perçut dans le
vestibule le son d'une voix qui ne lui sembla que trop
connue; mais le bruit de ses pas l'empêchant d'entendre distinctement, il espéra un moment s'être
trompé. Bientôt cependant il distingua une longue silhouette émaciée, et bien que le doute ne fût plus guère
possible, il voulait croire encore que ce grand monsieur qui enlevait sa pelisse en toussotant n'était point
son frère Nicolas. En effet, quelque affection qu'il
éprouvât pour lui, la compagnie de ce malheureux
était pour Levine un véritable supplice; et voici que
Nicolas arrivait juste au moment où, bouleversé par
l'afflux des souvenirs et l'insidieuse remarque de la
vieille bonne, Constantin ne parvenait pas à retrouver
son équilibre moral! Au lieu du gai bavardage escompté
avec un visiteur bien portant, étranger à ses préoccupations et capable de l'en distraire, il prévoyait maintenant un pénible tête-à-tête avec un frère qui, le
connaissant à fond, allait le contraindre à confesser
ses rêves les plus intimes, ce qu'il redoutait par-
dessus tout.

Tout en se reprochant ses mauvaises pensées, Levine
dégringolait l'escalier; dès qu'il reconnut son frère, son
désappointement céda la place à une profonde pitié.
Plus livide, plus décharné que jamais, Nicolas faisait

peur à voir : on eût dit un squelette ambulant. Il tendait, pour se débarrasser de son foulard, un long cou dégingandé et souriait d'un sourire humble, résigné, minable, à la vue duquel Constantin sentit sa gorge se serrer.

« Eh bien, me voilà enfin chez toi, dit Nicolas d'une voix sourde, en ne quittant pas son frère des yeux. Il y a longtemps que je voulais venir, mais ma santé ne me le permettait pas... Maintenant cela va beaucoup mieux, ajouta-t-il en essuyant sa barbe de ses grandes mains osseuses.

— Oui, oui », répondit Levine. Et son épouvante s'accrut quand, en embrassant Nicolas, il toucha des lèvres ce visage desséché, il aperçut de près l'éclat étrange de ces grands yeux dilatés.

Quelques semaines auparavant Constantin avait écrit à son frère qu'ayant réalisé la petite portion qui restait de leur fortune mobilière commune, il avait quelque deux mille roubles à lui remettre. Nicolas déclara que, tout en venant toucher cet argent, il avait surtout à cœur de revoir le nid d'autrefois, de poser le pied sur la terre natale pour y puiser des forces, comme les héros de l'ancien temps. Malgré sa taille de plus en plus voûtée et son effroyable maigreur, il avait encore des mouvements vifs et brusques. Levine le mena dans son bureau.

Nicolas changea de vêtements avec beaucoup de soin, ce qui ne lui arrivait pas autrefois, peigna ses cheveux rares et rudes, puis monta, tout souriant, au premier. Il était dans une humeur douce et gaie, que Levine lui avait bien souvent connue du temps de leur enfance; il parla même sans amertume de Serge Ivanovitch. Il plaisanta avec Agathe Mikhaïlovna et s'informa des anciens serviteurs. La mort de Parthène Denissitch parut vivement l'impressionner; son visage prit une expression d'effroi, mais il se remit aussitôt.

« Il était très vieux, n'est-ce pas? » demanda-t-il, et changeant aussitôt de conversation : « Eh bien, fit-il, je vais rester un mois ou deux chez toi, puis je retourne à Moscou, où Miagkow m'a promis une place, et j'entrerai en fonctions. Je compte vivre tout autrement... Tu sais, j'ai éloigné cette personne.

— Marie Nicolaievna? Pourquoi cela?

— C'était une vilaine femme qui m'a causé tous les ennuis imaginables. »

Il se garda de dire qu'il l'avait chassée parce qu'elle lui servait un thé trop faible et surtout parce qu'elle le traitait en malade.

« Je veux, du reste, changer du tout au tout mon genre de vie. J'ai fait des bêtises comme tout le monde; mais la fortune, je m'en moque, ce qui m'importe, c'est la santé; et, Dieu merci, je me sens beaucoup mieux. »

Tout en l'écoutant Levine cherchait en vain une réponse. Nicolas, qui parut s'en douter, se mit à le questionner sur la marche de ses affaires, et Constantin, heureux de pouvoir parler sans dissimulation, lui raconta ses projets et ses essais de réforme. Nicolas lui prêtait une oreille distraite.

Ces deux hommes se tenaient de si près qu'ils se devinaient au moindre geste, à la moindre inflexion de voix. Or une seule et même pensée les occupait en ce moment : la maladie et la mort prochaine de Nicolas. Mais comme ni l'un ni l'autre n'osait y faire allusion, leurs paroles ne pouvaient être que mensonges. Jamais Levine ne vit approcher avec autant de soulagement l'heure de la retraite. Jamais avec aucun étranger, dans aucune visite officielle, il n'avait tant manqué de naturel; il en avait conscience, et le remords qu'il en éprouvait le rendait encore plus emprunté et plus mal à l'aise. Tandis que son cœur se brisait à la vue de son frère mourant, il lui fallait entretenir une conversation sur la vie que ce frère se proposait de mener.

La maison n'ayant encore qu'une chambre chauffée, Levine, pour épargner à son frère toute humidité, lui offrit de partager la sienne. Nicolas se coucha, dormit comme un malade, se retournant sans cesse dans son lit, toussant, bougonnant. Parfois il poussait un profond soupir, murmurait : « Ah! mon Dieu! » Parfois, quand une quinte l'oppressait, il s'écriait : « Au diable! » Longtemps Constantin l'écouta sans pouvoir dormir, assailli qu'il était par diverses pensées qui toutes le ramenaient à l'idée de la mort.

Pour la première fois la mort, terme inévitable de toutes choses, se présentait à lui dans toute sa tragique puissance. Elle était là dans ce frère au sommeil agité qui invoquait indifféremment Dieu ou le diable. Elle

était en lui aussi, prête à surgir aujourd'hui, demain,
dans trente ans, qu'importait! Et qu'était au juste cette
mort inexorable? il ne le savait pas, il n'y avait jamais
songé, il n'avait jamais eu le courage de se le demander.

« Je travaille, je poursuis un but, et j'ai oublié que
tout finissait... qu'il fallait mourir. »

Accroupi sur son lit dans l'obscurité, entourant ses
genoux de ses bras, la tension de son esprit lui faisait
retenir sa respiration. Mais plus il réfléchissait, plus
il voyait clairement que dans sa conception de la vie il
n'avait omis que ce léger détail, la mort, qui viendrait
un jour couper court à tout. A quoi bon alors entreprendre quoi que ce fût! Et il n'y avait à cela aucun
remède. C'était horrible, mais inévitable.

« Mais je vis encore, voyons. Que faut-il donc que je
fasse maintenant? » se demandait-il désespérément. Il
alluma une bougie, se leva sans bruit, s'approcha du
miroir pour y examiner son visage et ses cheveux :
quelques mèches grises se montraient déjà aux tempes.
Il ouvrit la bouche : ses molaires commençaient à se
gâter. Il découvrit ses bras musculeux et les trouva
pleins de force. Mais ce pauvre Nicolas, qui respirait
si péniblement avec le peu de poumon qui lui restait,
avait eu aussi un corps vigoureux. Et tout à coup il se
rappela qu'étant enfants, le soir quand on les avait
couchés, leur bonheur était d'attendre que Fiodor
Bogdanytch eût quitté la chambre pour se battre à
coups d'oreiller et rire, rire de si bon cœur que la
crainte même de Fiodor Bogdanytch ne pouvait arrêter
cette exubérante joie de vivre. « Et maintenant le voilà
couché avec sa pauvre poitrine creuse et voûtée..., et
moi je me demande en vain pourquoi je vis et ce que
je deviendrai! »

« Kha! Kha! Kha! Que diable fais-tu là et pourquoi
ne dors-tu pas?

— Je n'en sais rien... Une insomnie.

— Moi j'ai bien dormi... Je ne transpire plus. Touche
ma chemise : elle n'est pas mouillée, n'est-ce pas? »

Levine obéit, regagna son alcôve, souffla la bougie
mais ne trouva toujours pas le sommeil. Ainsi donc il
n'avait apporté quelque clarté dans le grave problème
de l'organisation de la vie que pour en voir surgir

un autre, insoluble celui-là, le problème de la mort!

« Oui, il se meurt, il mourra au printemps. Que puis-je faire pour l'aider? Que puis-je lui dire? Que sais-je de tout cela? J'avais même oublié qu'il fallait mourir. »

XXXII

TOUT excès d'humilité entraîne chez la plupart des gens une réaction violente : alors leurs exigences, leurs tracasseries ne connaissent plus de bornes. Levine, qui savait cela par expérience, se doutait bien que la douceur de son frère ne serait pas de longue durée. Dès le lendemain en effet Nicolas s'irrita des moindres choses et s'attacha à froisser Constantin dans ses points les plus sensibles.

Levine s'accusait d'hypocrisie, mais, hélas! il n'en pouvait mais. Il voyait bien que si tous deux avaient été sincères, ils se seraient regardés en face et n'auraient pu échanger d'autres propos que celui-ci : « Tu vas mourir, tu vas mourir! — Je le sais, et j'ai peur, horriblement peur! » Mais comme cette sincérité n'était pas possible, Constantin tentait de parler de sujets indifférents. Cette tactique, où il avait vu tant d'autres exceller, ne lui réussissait jamais. Sa gêne n'était donc que trop visible, et son frère, qui le devinait, relevait chacune de ses paroles.

Le surlendemain, Nicolas remit sur le tapis la question des réformes de son frère, réformes que non seulement il critiqua mais fit mine de confondre avec le communisme.

« Tu as pris les idées d'autrui pour les défigurer et les appliquer là où elles sont inapplicables.

— Mais non, te dis-je, je poursuis un tout autre but. Ces gens-là nient la légitimité de la propriété, du capital, de l'héritage, tandis que je prétends uniquement régulariser le travail sans méconnaître le moins du monde la valeur de ces « stimulants ». (Depuis qu'il s'était pris d'une belle passion pour les sciences sociales, Levine faisait à son corps défendant de plus en plus appel pour exprimer sa pensée à d'affreux vocables barbares.)

— Bref, tu prends une idée étrangère, tu lui ôtes ce qui en fait la force et tu prétends la faire passer pour neuve, dit Nicolas en tiraillant sa cravate.

— Mais je t'assure qu'il n'y a aucun rapport...

— Ces doctrines, continua Nicolas avec un sourire ironique et un regard étincelant de colère, ont du moins l'attrait que j'appellerai géométrique, d'être claires et logiques. Ce sont sans doute des utopies. Mais si l'on arrive à faire table rase du passé, s'il n'y a plus ni famille ni propriété, il peut évidemment se produire une forme nouvelle de travail. Mais tu ne donnes à tes projets aucune assise sérieuse...

— Pourquoi veux-tu toujours confondre? Je n'ai jamais été communiste.

— Je l'ai été, moi, et je trouve que, si le communisme est prématuré, il a pour lui la logique et l'avenir comme le christianisme des premiers siècles.

— Je prétends seulement que le travail est une force élémentaire qu'il importe d'étudier scientifiquement, afin d'en reconnaître les propriétés et...

— C'est parfaitement inutile. Cette force agit d'elle-même et trouve toujours les formes qui lui conviennent. Partout il y a eu d'abord des esclaves, puis des *métayers*. Nous aussi nous connaissons et le fermage et le métayage et le faire-valoir direct. Que cherches-tu de plus? »

Levine prit feu à ces derniers mots, d'autant plus qu'il craignait que son frère n'eût raison : peut-être en effet cherchait-il un moyen terme — fort difficile à découvrir — entre le communisme et les formes du travail existantes.

« Je cherche une forme de travail qui profite à tous, à moi comme à mes ouvriers, répondit-il en haussant le ton.

— Pas du tout, tu poses à l'original comme tu l'as fait toute ta vie; au lieu d'exploiter franchement tes ouvriers, tu y mets des principes.

— Soit; puisque tu l'entends ainsi quittons ce sujet, rétorqua Levine qui sentait les muscles de sa joue droite tressaillir involontairement.

— Tu n'as jamais eu de convictions, tu ne cherches qu'à flatter ton amour-propre.

— Bon, mais alors fiche-moi la paix!

— J'aurais dû le faire depuis longtemps. Que le diable t'emporte! Je regrette fort d'être venu. »

Levine eut beau vouloir le calmer, Nicolas fit la sourde oreille et persista à dire qu'il valait mieux se séparer. Constantin devina que la vie était devenue intolérable à son frère, et s'empressa à l'heure du départ de lui faire des excuses à vrai dire un peu contraintes.

« Ah! ah! de la magnanimité maintenant, dit Nicolas en souriant. Si le besoin d'avoir raison te tourmente, mettons que tu sois dans le vrai; mais je pars tout de même. »

Au dernier moment, Nicolas embrassa pourtant son frère et lui dit d'une voix tremblante et avec un regard d'une gravité étrange :

« Allons, Kostia, ne me garde pas rancune. »

Ce furent les seules paroles sincères échangées entre les deux frères. Constantin comprit que ces mots signifiaient : « Tu le vois, tu le sais, je m'en vais, nous ne nous reverrons peut-être plus. » Et les larmes jaillirent de ses yeux. Il embrassa encore Nicolas mais ne trouva rien à lui répondre.

Le surlendemain Levine partit à son tour. Il rencontra à la gare le jeune Stcherbatski, cousin de Kitty, qui s'étonna de le voir si triste.

« Qu'as-tu donc? demanda le jeune homme.

— Rien, sinon que la vie n'est pas gaie.

— Pas gaie? Viens donc à Paris avec moi au lieu de t'enterrer dans un trou comme Mulhouse; tu verras les choses plus en rose.

— Non, tout est fini pour moi, je n'ai plus qu'à mourir.

— Vraiment! dit en riant Stcherbatski. Et moi qui m'apprête seulement à vivre!

— Je pensais de même il y a peu de temps; mais je sais maintenant que je mourrai bientôt. »

Levine parlait en toute franchise : il ne voyait plus devant lui que la mort, sans abandonner pour autant ses projets de réforme; ne fallait-il pas occuper sa vie jusqu'au bout! Dans les ténèbres qui l'environnaient sa grande idée lui servait de fil conducteur et il s'y rattachait de toutes ses forces.

QUATRIÈME PARTIE

I

Les Karénine continuaient à vivre sous le même toit, mais demeuraient complètement étrangers l'un à l'autre. Pour ne point donner prise aux commentaires des domestiques, Alexis Alexandrovitch jugeait nécessaire de se montrer tous les jours en compagnie de sa femme, mais il dînait rarement chez lui. Vronski ne paraissait jamais; Anna le rencontrait au-dehors et son mari le savait.

Tous les trois souffraient d'une situation qui eût été intolérable si chacun d'eux ne l'avait jugée transitoire. Alexis Alexandrovitch s'attendait à voir cette belle passion prendre fin, comme toute chose en ce monde, avant que son honneur fût ostensiblement entaché. Anna, la cause de tout le mal et sur qui les conséquences en pesaient le plus cruellement, n'acceptait sa position que dans la certitude d'un dénouement prochain; elle ignorait d'ailleurs ce qu'il serait au juste. Influencé par elle à son insu, Vronski partageait également cette conviction : quelque événement indépendant de sa volonté allait survenir, qui lèverait tous les obstacles.

Au milieu de l'hiver Vronski eut une semaine ennuyeuse à traverser. On le chargea de montrer Pétersbourg à un prince étranger, et cet honneur, que lui valurent sa belle prestance, son tact parfait et sa science du grand monde, lui parut fastidieux. Le prince voulait être à même de répondre à toutes les questions qui lui seraient posées à son retour, et profiter largement des plaisirs russes. Il fallut donc lui montrer les curiosités pendant le jour, les lieux de débauche pendant la nuit. Or ce prince jouissait d'une santé exceptionnelle, même pour un prince; des soins hygiéniques minutieux joints à une gymnastique appropriée le maintenaient en si bel état qu'en dépit des excès auxquels il se livrait, il gardait la fraîcheur d'un concombre de Hollande, long, vert et luisant. Il avait beaucoup voyagé; les facilités de communication modernes lui offrant l'avantage, qu'il prisait entre tous, de pouvoir goûter sur place les amusements à la mode dans tel et tel pays. En Espagne, il avait donné des sérénades et courtisé une joueuse de mandoline; en Suisse, il avait tué un chamois; en Angleterre, sauté des haies en habit rouge et parié d'abattre deux cents faisans; en Turquie, il avait pénétré dans un harem; aux Indes, il s'était promené sur un éléphant; il tenait maintenant à savourer les plaisirs spécifiquement russes.

En sa qualité de maître des cérémonies, Vronski organisa — non sans peine, vu le grand nombre des invitations — le programme des divertissements : courses de trotteurs, chasses à l'ours, partie de troïkas, chansons de Bohême, bombances avec bris de vaisselle. Le prince s'assimilait l'esprit national russe avec une facilité surprenante; mais quand il avait cassé des piles d'assiettes ou tenu une Bohémienne sur les genoux, on le sentait enclin à s'enquérir si c'était là vraiment le fin du fin de cet esprit. Au fond, ce qui l'amusa le plus, ce furent les actrices françaises, une demoiselle du corps de ballet et le vin de Champagne carte blanche.

Vronski avait l'habitude des princes; mais, soit qu'il eût changé dans les derniers temps, soit qu'il eût vu celui-ci de trop près, la semaine qu'il dut passer en sa compagnie lui sembla cruellement longue. Il éprouva sans cesse l'impression d'un homme préposé à la garde d'un fou dangereux qui redouterait son malade et craindrait pour sa propre raison. Pour ne pas s'exposer à un affront il lui fallut d'un bout à l'autre se retrancher dans une réserve officielle et déférente. Le prince traitait de haut jusqu'aux personnes qui, à la

grande surprise de son guide, se mettaient en quatre
pour lui procurer des « plaisirs nationaux », et les
propos qu'il tint sur les femmes russes qu'il daigna
étudier contraignirent plus d'une fois le jeune homme
à rougir d'indignation. Cependant ce qui irritait le plus
Vronski, c'était de trouver dans ce personnage comme
un reflet de lui-même, et ce miroir n'avait rien de
flatteur. L'image qu'il y voyait était celle d'un homme
bien portant, très soigné, fort sot et fort entiché de sa
personne. Un gentleman évidemment, d'humeur égale
avec ses supérieurs, simple et bon enfant avec ses
pairs, d'une bienveillance hautaine avec ses inférieurs.
Vronski se comportait exactement de même et s'en faisait un mérite; mais, s'adressant à lui, les airs protec-
teurs l'offusquaient. « Quel animal! Est-il possible que
je lui ressemble? » pensait-il. Aussi, au bout de la
semaine, fut-il heureux de quitter ce miroir incommode sur le quai de la gare, où le prince en partant
pour Moscou lui adressa ses remerciements. Ils venaient
d'une chasse à l'ours où la crânerie russe avait pu
durant toute la nuit se donner libre carrière (1).

II

Vronski trouva en rentrant chez lui un billet d'Anna :
   « Je suis malade et malheureuse, écrivait-elle. Je
ne puis sortir et ne puis me passer plus longtemps de
vous voir. Venez ce soir. Alexis Alexandrovitch sera
au conseil de sept heures à dix heures. » Quelque peu
surpris de voir Anna enfreindre la défense formelle de
son mari, il résolut pourtant de déférer à son désir.
   Promu colonel au cours de l'hiver, Vronski avait
quitté le régiment et vivait seul. Après le déjeuner, il
s'étendait sur un divan, et bientôt le souvenir des
hideuses scènes des derniers jours se lia dans son
esprit à celui d'Anna et d'un traqueur qui avait joué

---

   (1) « Votre prince étranger à lui tout seul a fait fureur ici et
ces deux pages contiennent la matière de toute une nouvelle. »
(Lettre de Strakhov, avril 1876.)

un grand rôle dans la chasse à l'ours. Il finit par s'endormir, et ne se réveilla, tremblant d'effroi, qu'à la
nuit tombée. Il se hâta d'allumer une bougie. « Que
m'est-il arrivé? Qu'ai-je vu de si terrible en rêve?...
Ah! oui, le traqueur, un petit bonhomme malpropre a
barbe ébouriffée, faisait je ne sais quoi, courbé en deux,
et tout à coup, il s'est mis à prononcer en français des
mots étranges. Je n'ai rien rêvé d'autre, voyons. Pourquoi cette épouvante? » Mais en se rappelant le bonhomme et ses mots français incompréhensibles, il se
sentit frissonner de la tête aux pieds. « Quelle folie! »
murmura-t-il en jetant un regard à la pendule; elle
marquait déjà huit heures et demie. Il sonna son
domestique, s'habilla rapidement, sortit, et oubliant
son rêve, ne s'inquiéta plus que de son retard. En
approchant de la maison des Karénine, il consulta sa
montre et vit qu'il était neuf heures moins dix. Un
coupé attelé de deux chevaux gris était arrêté devant
la porte; il reconnut la voiture d'Anna. « Elle voulait
venir chez moi, se dit-il, et c'eût été préférable, car je
n'aime guère franchir le seuil de cette maison. Après
tout tant pis, je ne veux pas avoir l'air de me cacher. »
Et avec le sang-froid d'un homme habitué dès l'enfance
à ne jamais rougir, il quitta son traîneau et se dirigea
vers la porte. Au même moment celle-ci s'ouvrit, et le
suisse, une couverture sous le bras, fit avancer la voiture. Si peu observateur que fût Vronski, la surprise
qui se peignit à sa vue sur les traits du suisse ne put
lui échapper; il avança cependant et vint presque se
heurter à Alexis Alexandrovitch, dont un bec de gaz
éclaira en plein le visage livide et affaissé, le chapeau
noir et la cravate blanche tranchant sur le col de cas-
tor. Les yeux mornes de Karénine se fixèrent sur
Vronski; celui-ci salua, et Alexis Alexandrovitch, serrant les lèvres, leva la main à son chapeau et passa
outre. Vronski le vit monter en voiture sans se retourner, prendre par la portière la couverture et les
jumelles que lui tendait le suisse et finalement disparaître. Il pénétra de son côté dans le vestibule, la physionomie renfrognée; une lueur sinistre d'orgueil
offensé courait dans son regard.

« Quelle situation! se disait-il. Si encore il voulait
défendre son honneur, je pourrais agir, traduire mes

sentiments d'une façon quelconque; mais cette faiblesse ou cette lâcheté!... Grâce à lui j'ai l'air d'un
fourbe, et rien ne saurait m'être plus pénible... »

Depuis l'explication qu'il avait eue avec Anna dans
le jardin de Mlle Wrede, les idées de Vronski avaient
beaucoup changé. Comme Anna s'était donnée tout
entière, elle n'attendait rien de l'avenir qui ne lui vînt
de son amant; et celui-ci, dominé par elle, ne croyait
plus à la possibilité d'une rupture. Renonçant de nouveau à ses rêves ambitieux, il cédait à la violence de
la passion qui l'emportait de plus en plus vers cette
femme.

Il perçut dès l'antichambre des pas qui s'éloignaient
et comprit qu'elle rentrait au salon après avoir guetté
son arrivée.

« Non, s'écria-t-elle à la vue de Vronski, tandis
qu'au son de sa propre voix ses yeux se remplissaient
de larmes, il n'y a plus moyen de vivre ainsi. Ou alors
cela arrivera beaucoup, beaucoup plus tôt...

— Qu'y a-t-il, mon amie?

— Il y a que j'attends, que je suis à la torture depuis
deux heures. Mais non, je ne veux pas te chercher
querelle. Si tu n'es pas venu, c'est que tu as eu quelque
empêchement sérieux! Non, je ne te gronderai pas... »

Elle lui posa les deux mains sur les épaules, et l'enveloppa d'un regard extasié bien que scrutateur. Elle
le contemplait pour tout le temps où elle ne l'avait
point vu, impatiente comme toujours de vérifier l'image
qu'elle s'était formée de lui pendant l'absence. Et
comme toujours l'imagination l'emportait sur la réalité.

III

« Tu l'as rencontré? demanda-t-elle quand ils furent
assis près du guéridon qui supportait la lampe. Te voilà
puni d'être venu si tard.

— Oui, mais comment cela s'est-il fait? Je le croyais
au conseil.

— Il en est revenu pour repartir je ne sais où. Mais

peu importe, ne parlons plus de cela. Dis-moi plutôt
où tu étais : toujours avec le prince? »

Elle connaissait les moindres détails de sa vie. Il
voulut répondre que n'ayant pas dormi de la nuit il
s'était laissé surprendre par le sommeil, mais la vue
de ce visage heureux et ému lui rendit cet aveu pénible.
Il prétendit donc avoir été contraint de présenter son
rapport après le départ du prince.

« Mais c'est fini maintenant; le voilà parti?

— Oui, Dieu merci. J'en avais assez, je t'assure.

— Pourquoi donc? N'avez-vous pas mené la vie qui
vous est habituelle à vous autres jeunes gens? dit-elle
soudain renfrognée, en prenant sans regarder Vronski
un ouvrage au crochet qui se trouvait sur la table.

— Il y a longtemps que j'ai renoncé, répondit-il,
cherchant à deviner la cause de ce changement subit
de physionomie. Et je dois avouer, ajouta-t-il tandis
qu'un sourire découvrait ses dents blanches, je dois
avouer qu'il m'a été fort déplaisant de revoir cette
existence comme dans un miroir. »

Sans se mettre au travail, elle couvait Vronski d'un
regard enflammé, bizarre, hostile.

« Lise est venue me voir tantôt... Elles viennent
encore chez moi malgré la comtesse Lydie... et m'a
raconté votre soirée athénienne. Quelle horreur!

— Je voulais précisément te dire... »

Elle l'interrompit...

« Cette Thérèse, était-ce ton ancienne liaison?

— Je voulais dire...

— Que vous êtes odieux, vous autres hommes! Comment pouvez-vous supposer qu'une femme oublie ces
choses-là? dit-elle en s'animant de plus en plus, dévoilant ainsi la cause de son irritation... Et surtout une
femme qui, comme moi, ne peut connaître de ta vie
que ce que tu veux bien lui dire. Et puis je savoir si
c'est la vérité?...

— Anna, tu me blesses. Ne me crois-tu donc plus?
Ne t'ai-je pas donné ma parole que je ne t'avais caché
la moindre de mes pensées?

— Tu as raison, mais si tu savais comme je souffre!
dit-elle en s'efforçant de dompter sa jalousie. Je te crois,
je te crois... Voyons, que me disais-tu? »

Il ne put se le rappeler. Les accès de jalousie d'Anna

se faisaient de plus en plus fréquents; à coup sûr c'étaient des preuves d'amour; ils ne l'en effrayaient pas moins et, bien qu'il n'en laissât rien voir, le refroidissaient à l'égard de sa maîtresse. Combien de fois ne s'était-il pas répété que le bonheur n'existait pour lui que dans cet amour; et maintenant qu'elle l'aimait comme seule peut aimer une femme qui a tout sacrifié à sa passion, il se sentait plus loin du bonheur qu'à l'époque où il avait quitté Moscou pour la suivre. C'est qu'alors une promesse de félicité luisait dans son infortune, tandis que maintenant les jours lumineux appartenaient au passé. Un grand changement, au moral comme au physique, s'était fait dans Anna : elle avait pris de l'embonpoint et parfois, comme tout à l'heure en parlant de la comédienne, une expression de haine altérait ses traits. Elle n'était plus guère aux yeux de Vronski qu'une fleur fanée dans laquelle il ne retrouvait plus ces marques de beauté qui l'avaient incité à la cueillir. Néanmoins, alors qu'auparavant il aurait pu par un effort de volonté arracher son amour de son cœur, il se sentait maintenant, tout en croyant ne plus la chérir, enchaîné pour toujours à cette femme.

« Eh bien, que voulais-tu me dire du prince? reprit Anna. Sois tranquille, j'ai chassé le démon (c'est ainsi qu'ils appelaient ses accès de jalousie)... En quoi t'a-t-il déplu?

— Il est insupportable, répondit Vronski cherchant à retrouver le fil de sa pensée. Il ne gagne pas à être vu de près. Je ne saurais mieux le comparer qu'à un de ces animaux bien engraissés que l'on prime dans les comices, ajouta-t-il sur un ton de dépit qui parut intéresser Anna.

— Que dis-tu là? rétorqua-t-elle. C'est pourtant un homme instruit, qui a beaucoup voyagé.

— L'instruction de ces gens-là n'est pas la nôtre. On dirait qu'il n'a acquis de l'instruction que pour avoir le droit de la mépriser, comme il méprise tout d'ailleurs, sauf les plaisirs bestiaux.

— Mais ne les aimez-vous pas tous, ces plaisirs bestiaux? dit Anna en détournant de lui un regard dont Vronski remarqua pourtant la désolation.

— Pourquoi donc le défends-tu? demanda-t-il en souriant.

— Je ne le défends pas, il m'est trop indifférent pour
cela. Mais si cette existence te déplaisait autant que
tu le dis, tu aurais pu, il me semble, te faire excuser.
Mais non, monsieur prend plaisir à voir cette Thérèse
en costume d'Eve...

— Voilà le diable qui revient! dit Vronski en attirant à lui pour la baiser la main qu'Anna avait posée
sur la table.

— Oui, c'est plus fort que moi! Tu ne t'imagines pas
ce que j'ai souffert en t'attendant! Je ne suis pas jalouse au fond : quand tu es là près de moi, je te crois;
mais quand tu mènes Dieu sait où, Dieu sait quelle
vie... »

Elle se détourna et s'emparant enfin de son crochet
se mit à filer, en s'aidant de l'index, des mailles de
laine blanche qui brillaient sous la lampe. Sa main fine
tournoyait nerveusement sous le poignet brodé.

« Dis-moi où tu as rencontré Alexis Alexandrovitch? demanda-t-elle soudain d'une voix contrainte.

— Nous nous sommes presque heurtés à la porte.

— Et il t'a salué comme ça? »

Elle allongea son visage, ferma à demi les yeux,
croisa les bras, et changea si bien l'expression de sa
physionomie que Vronski reconnut aussitôt Alexis
Alexandrovitch. Il sourit, et Anna se mit à rire, de ce
rire frais et sonore qui faisait un de ses grands
charmes.

« Je n'arrive pas à le percer à jour, dit Vronski.
J'aurais compris qu'après votre explication à la campagne il eût rompu avec toi et m'eût provoqué en duel;
mais comment peut-il supporter la situation actuelle?
On voit qu'il souffre...

— Lui? dit-elle avec un sourire ironique. Mais non,
il est très heureux.

— Pourquoi souffrons-nous tous quand les choses
pourraient si bien s'arranger?

— Sois sûr que lui ne souffre pas... Oh! que je la
connais, cette nature pétrie de mensonge! Qui donc
pourrait, à moins d'être insensible, vivre sous le même
toit qu'une femme coupable, lui parler comme il me
parle, la tutoyer comme il me tutoie... »

Et de nouveau elle l'imita : « Toi, ma chérie; toi
Anna... »

« Non, non, reprit-elle, il ne sent ni ne comprend rien. Ce n'est pas un homme, c'est un automate. Si j'étais à sa place, il y a longtemps que j'aurais mis en pièces une femme comme moi, au lieu de lui dire : « Toi, ma chère Anna!... » Mais encore une fois ce n'est pas un homme, c'est une machine ministérielle. Il ne comprend pas que je t'appartiens, qu'il ne m'est plus rien, qu'il est de trop. Non, non, laissons cela.

— Tu es injuste, mon amie, dit Vronski en cherchant à la calmer. Mais peu importe, ne parlons plus de lui. Parlons de toi, de ta santé : qu'a dit le médecin? »

Elle le regardait avec une gaieté railleuse. Certains travers de son mari lui revenaient évidemment à la mémoire, dont elle se fût volontiers gaussée.

« Sans doute, continua-t-il, le malaise dont tu as souffert était une conséquence de ton état. Quand attends-tu ta délivrance? »

La flamme mauvaise s'éteignit dans les yeux d'Anna et le rictus moqueur céda la place à un sourire d'une douce mélancolie.

« Bientôt, bientôt... Tu dis que notre position est affreuse et qu'il faut en sortir. Si tu savais combien elle m'est odieuse et ce que je donnerais pour pouvoir t'aimer librement! Je ne souffrirais plus et je ne te fatiguerais plus de ma jalousie... Mais bientôt tout changera, et pas comme nous le pensons... »

Elle s'attendrissait sur elle-même; des larmes l'empêchèrent de continuer; elle posa sur le bras de Vronski sa belle main blanche dont les bagues brillaient à la lumière de la lampe.

« Non, reprit-elle, cela n'arrivera pas comme nous le pensons. Je ne voulais pas te le dire, mais tu m'y contrains. Bientôt tout s'arrangera et nous ne souffrirons plus.

— Je ne te comprends pas, dit Vronski, bien qu'il la comprît fort bien.

— Tu veux savoir quand « ce » sera? Bientôt. Et je n'en relèverai pas. Ne m'interromps pas, dit-elle en précipitant ses mots. Je le sais, je le sais avec certitude. Je mourrai et j'en suis très contente. Pour moi, comme pour vous deux, ma mort sera une délivrance. »

Les larmes lui coulaient des yeux; Vronski se pencha sur elle et lui couvrit la main de baisers, dissimulant

sa propre émotion, qu'il n'arrivait pas à surmonter
tout en la sachant dénuée de fondement.

« Oui, c'est cela, aime-moi bien, murmurait-elle en
lui serrant vigoureusement la main. C'est tout, tout ce
qui nous reste...

— Quelle folie! put enfin prononcer Vronski en relevant la tête. Tu ne sais plus ce que tu dis.

— Je dis ce qui est vrai.

— Qu'est-ce qui est vrai?

— Que je mourrai. Je l'ai vu en rêve.

— En rêve?... répéta Vronski, qui se rappela aussitôt le petit homme de son cauchemar.

— Oui, en rêve, il y a déjà longtemps de ça. Je rêvais
que j'entrais en courant dans ma chambre pour y
prendre ou y demander je ne sais quoi... Tu sais comme
cela se passe dans les rêves (1), fit-elle, les yeux dilatés
par l'effroi... Et dans un coin de ma chambre j'apercevais quelque chose.

— Quelle extravagance! Comment peux-tu croire?... »

Mais elle ne se laissa pas interrompre : ce qu'elle
racontait lui semblait trop important.

« Et ce quelque chose se retourne et j'aperçois un
petit homme à la barbe ébouriffée, malpropre, horrible
à voir. Je veux me sauver, mais il se penche vers un
sac dans lequel il remue je ne sais quoi... »

Elle fit le geste de quelqu'un qui fouille dans un sac.

(1) Tolstoï faisait souvent des rêves fort imagés et colorés qui
l'impressionnaient et parfois le poursuivaient pendant une journée
entière. Il en décrit souvent dans sa correspondance avec ses
intimes. Gorki raconte qu'un jour, Tolstoï lui ayant demandé
s'il rêvait, l'auteur de *La Mère* lui avait raconté un songe qui se
résumait à ceci : une steppe blanche couverte de neige, un chemin jaune sur lequel marchent lentement deux bottes de feutre
gris... vides.

« Ça, c'est effrayant, dit Tolstoï. Vous avez réellement rêvé
cela, vous ne l'avez pas inventé. Il y a là quelque chose qui sent
le livre... Vous ne buvez pas... Alors comment faites-vous pour
avoir de tels rêves?

— Je ne sais pas.

— Nous ne savons rien sur nous-mêmes. »

Le soir pendant la promenade, il m'a pris le bras en me disant :

« Elles marchent les bottes, et c'est effrayant, hein? Elles
sont absolument vides... Tap, tap, tap... et la neige qui crisse!
Oui, c'est très bien! N'empêche que vous êtes très livresque, très!
Ne vous fâchez pas, seulement c'est mauvais et cela vous causera
des ennuis. »

La terreur était peinte sur son visage; et Vronski, se rappelant son propre rêve, sentit cette même terreur l'envahir.

« Et tout en fourgonnant il parlait vite, vite, vite, en français et d'une voix grasseyante : « *Il faut battre le* « *fer, le broyer, le pétrir...* » Saisie d'effroi, je cherchais à m'éveiller, mais ne me réveillai qu'en rêve, en me demandant ce que cela signifiait. J'entendis alors Kornéi me dire : « C'est en couches, ma chère dame, « c'est en couches que vous mourrez... » Et sur ce je revins à moi.

— Quel amas d'absurdités! s'obstinait à prétendre Vronski, sans la moindre conviction d'ailleurs.

— N'en parlons plus. Sonne, je vais faire servir le thé. Non, attends, il me semble que... »

Soudain elle s'arrêta; ses traits se détendirent; une sérénité grave, attentive se répandit sur tout son visage. Mais Vronski ne comprit pas qu'elle venait de sentir une vie nouvelle s'agiter dans son sein.

IV

APRÈS sa rencontre avec Vronski, Alexis Alexandrovitch s'était rendu aux Italiens, ainsi qu'il en avait l'intention. Il entendit deux actes d'opéra, vit toutes les personnes qu'il voulait voir et rentra chez lui. Après avoir dûment constaté l'absence de tout manteau d'uniforme dans le vestibule, il alla droit à sa chambre. Contre son habitude, au lieu de se coucher, il marcha de long en large jusqu'à trois heures du matin. Il ne pouvait pardonner à sa femme d'avoir enfreint la seule condition qu'il lui eût imposée, celle de ne pas recevoir son amant chez elle. Puisqu'elle n'avait pas tenu compte de cet ordre, il devait la punir, exécuter sa menace, demander le divorce et lui retirer son fils. Cette menace n'était pas d'une exécution aisée, mais pour rien au monde il n'aurait voulu manquer à la parole qu'il s'était donnée; du reste, la comtesse Lydie tenait le divorce comme la meilleure issue à une situation aussi délicate, et depuis quelque temps on avait

dans la pratique tellement simplifié la procédure qu'il
espérait bien éluder les difficultés de forme. Par ailleurs, un malheur ne venant jamais seul, le statut des
allogènes et la mise en valeur de la province de
Zaraïsk lui avaient attiré tant d'ennuis qu'il se sentait
dans un état d'irritation perpétuelle. Il ne dormit donc
point de la nuit, sa colère grandissant toujours; et ce
fut avec une véritable exaspération que, le matin venu,
i' s'habilla à la hâte et se rendit chez sa femme aussitôt qu'il la sut levée. Il craignait que son énergie ne
tombât avec son courroux, et portait en quelque sorte
à deux mains la coupe de ses griefs, afin qu'elle ne dé-
bordât pas en route.

Anna, qui croyait connaître à fond son mari, fut
saisie en le voyant entrer le front sombre, les yeux
mornes, les lèvres méprisantes. Jamais elle n'avait vu
autant de décision dans son maintien. Il entra sans lui
souhaiter le bonjour et alla droit au secrétaire, dont il
ouvrit le tiroir.

« Que vous faut-il? s'écria-t-elle.

— Les lettres de votre amant.

— Elles ne sont pas là », dit-elle en se précipitant
sur le tiroir. Mais ce geste lui fit comprendre qu'il avait
deviné juste, et repoussant brutalement sa main, il
s'empara du portefeuille dans lequel Anna gardait ses
papiers importants. Elle tenta en vain de le lui reprendre : il le mit sous son bras et le serra si fortement du coude que son épaule en fut soulevée.

« Asseyez-vous, dit-il, j'ai besoin de vous parler. »
Elle lui jeta un regard surpris et craintif.

« Ne vous avais-je pas défendu de recevoir votre
amant chez moi?

— J'avais besoin de le voir pour... »
Elle s'arrêta, ne sachant qu'inventer.

« Peu m'importent les raisons pour lesquelles une
femme a besoin de voir son amant.

— Je voulais seulement... », reprit-elle en rougissant.
Mais la grossièreté de son mari lui rendant son
audace : « Est-il possible, s'écria-t-elle, que vous ne
sentiez pas combien il vous est facile de me blesser?

— On ne blesse qu'un honnête homme ou une honnête femme, mais dire à un voleur qu'il est un voleur,
c'est tout simplement *la constatation d'un fait.*

— Voilà un trait de cruauté dont je ne vous aurais pas cru capable.

— Vous trouvez cruel un mari qui laisse à sa femme liberté entière à la seule condition de respecter les convenances? Selon vous, c'est de la cruauté?

— C'est pis que cela, c'est de la bassesse, si vous tenez à le savoir! » s'exclama-t-elle dans un accès d'indignation, et elle se leva pour se retirer.

« Non! » glapit-il de sa voix criarde qu'il haussa encore d'un ton. Et lui saisissant le bras, il la contraignit à se rasseoir; ses grands doigts osseux la serraient si durement que le bracelet d'Anna s'imprima en rouge sur sa peau. « Que parlez-vous de bassesse? Ce mot ne convient-il pas mieux à qui abandonne mari et fils pour un amant et n'en mange pas moins le pain de ce mari? »

Anna baissa la tête : la justesse de ces paroles l'écrasait. Elle n'osa plus, même à part soi, accuser son mari d'être de trop, comme elle l'avait dit la veille à son amant, et répondit d'un ton résigné :

« Vous ne pouvez juger ma position plus sévèrement que je ne la juge moi-même; mais pourquoi me dites-vous cela?

— Pourquoi je vous le dis? continua-t-il avec colère. Afin que vous sachiez que votre refus d'observer les convenances me contraint à prendre des mesures pour mettre fin à cette situation.

— Elle prendra fin d'elle-même, et bientôt, bientôt, répéta-t-elle, les yeux remplis de larmes à l'idée de cette mort qu'elle sentait prochaine, mais qui maintenant lui paraissait désirable.

— Plus tôt même que votre amant et vous ne l'aviez imaginé! Ah! vous cherchez la satisfaction des passions charnelles...

— Alexis Alexandrovitch, toute générosité mise à part, trouvez-vous convenable de frapper quelqu'un à terre?

— Oh! vous ne pensez jamais qu'à vous; les souffrances de celui qui a été votre mari vous intéressent peu. Peu vous importe qu'il souffre, que sa vie soit bou... boule... versée. »

Dans son émotion, Alexis Alexandrovitch parlait si vite qu'il bredouillait. Ce bredouillement parut comique à Anna, qui se reprocha aussitôt de pouvoir être sensible au ridicule dans un pareil moment. Pour la première fois et l'espace d'un instant, elle devina la souffrance de son mari et le prit en pitié.

Mais que pouvait-elle dire et faire sinon se taire et baisser la tête? Lui aussi se tut, pour reprendre bientôt d'une voix plus calme mais glaciale, en soulignant des mots qui n'avaient aucune importance particulière :

« Je suis venu vous dire... »

Elle leva les yeux sur lui, et se rappelant l'expression qu'elle avait cru lire sur son visage en l'entendant prononcer le mot « bouleversée » : « Non, songea-t-elle, j'ai dû me tromper; cet homme aux yeux mornes, si plein de lui-même, ne peut rien sentir. »

« Je ne saurais rien changer, murmura-t-elle.

— Je suis venu vous dire que je partais pour Moscou et que je ne rentrerai plus dans cette maison. L'avocat qui se chargera des préliminaires du divorce vous fera connaître les résolutions auxquelles je me serai arrêté... Mon fils ira chez ma sœur, ajouta-t-il, faisant effort pour se rappeler ce qu'il voulait dire au sujet de l'enfant.

— Vous prenez Serge pour me faire souffrir, balbutia-t-elle, en osant à peine le regarder. Vous ne l'aimez pas, laissez-le-moi.

— C'est vrai, l'horreur que vous m'inspirez a rejailli sur mon fils; néanmoins je le garderai. Adieu. »

Il voulut sortir, mais cette fois ce fut elle qui le retint.

« Alexis Alexandrovitch, laissez-moi Serge, supplia-t-elle. Je ne vous demande que cela. Laissez-le-moi jusqu'à... Je serai bientôt mère, laissez-le-moi. »

Alexis Alexandrovitch rougit, repoussa le bras qui le retenait et partit sans un mot de réponse.

V

LE salon d'attente du célèbre avocat chez lequel se rendit Alexis Alexandrovitch était déjà bondé lorsque celui-ci y pénétra. Il y avait là une dame âgée, une

jeune dame, une femme de la classe marchande, un
banquier allemand portant au doigt une grosse bague,
un homme de négoce à longue barbe, un fonctionnaire
revêche, revêtu de son uniforme avec une décoration
au cou. Tous semblaient attendre depuis longtemps.
Deux secrétaires travaillaient à des bureaux dont les
garnitures magnifiques retinrent aussitôt l'attention
d'Alexis Alexandrovitch, grand amateur de ces sortes
d'objets. L'un des gratte-papier cligna des yeux vers le
nouvel arrivant et, sans se lever, lui demanda d'un ton
bourru :

« Vous désirez?

— Parler à M. l'avocat.

— Il est occupé », laissa tomber le secrétaire en désignant de son porte-plume les personnes qui faisaient
attente; et il se remit à écrire.

« Ne trouvera-t-il pas un moment pour me recevoir?

— Il n'a jamais un instant de libre; veuillez attendre.

— Vous voudrez bien cependant lui faire passer ma
carte », proféra non sans hauteur Alexis Alexandrovitch, voyant que l'incognito était impossible à garder.

Le secrétaire prit la carte, dont la teneur parut lui
déplaire, et sortit.

Tout en approuvant le principe de la réforme judi-
ciaire, Alexis Alexandrovitch critiquait certains détails
de son application, autant du moins qu'il était capable
de critiquer une institution sanctionnée par le pouvoir
suprême. Sa longue pratique administrative le rendait
indulgent envers l'erreur : il la tenait pour un mal
inévitable auquel on pouvait toujours porter remède.
Néanmoins il avait toujours critiqué les prérogatives
que cette réforme accordait aux avocats, et l'accueil
qu'on lui faisait renforçait encore ses préventions.

« M. l'avocat va venir », dit en rentrant le secrétaire.

Effectivement au bout de deux minutes, la porte se
rouvrit livrant passage à un vieux et long jurisconsulte
qu'escortait M. l'avocat en personne.

C'était un petit homme chauve, avec une barbe noire
tirant sur le roux, un front bombé et de longs sourcils
clairs. Depuis la cravate et la chaîne de montre double
jusqu'aux bottines vernies, sa toilette de jeune premier

décelait la prétention et le mauvais goût. Il avait les
traits intelligents mais vulgaires.

« Donnez-vous la peine d'entrer », dit-il d'une voix
lugubre en se tournant vers Alexis Alexandrovitch. Et,
le faisant passer devant lui, il ferma la porte.

« S'il vous plaît », fit-il en désignant un fauteuil près
de son bureau chargé de papiers. Lui-même s'installa
à la place présidentielle, frotta l'une contre l'autre ses
petites mains dont les doigts courts s'ornaient de poils
blancs, et pencha la tête pour écouter. Mais à peine
figé dans cette pose, il se redressa soudain avec une
vivacité inattendue pour attraper une mite qui volait
au-dessus de la table; puis il reprit bien vite sa première attitude.

« Avant de vous expliquer l'affaire qui m'amène ici,
dit Alexis Alexandrovitch en suivant d'un œil étonné
les gestes de l'avocat, je dois vous demander le secret
le plus absolu. »

Un sourire imperceptible souleva les grosses moustaches roussâtres de l'homme de loi.

« Si je n'étais pas capable de garder les secrets que
l'on me confie, je ne serais point avocat, dit-il. Cependant, si vous désirez une assurance particulière... »

Alexis Alexandrovitch jeta un regard sur lui et crut
remarquer que ses yeux gris et malicieux avaient tout
deviné.

« Mon nom ne vous est sans doute pas inconnu?
reprit-il.

— Comme tous les Russes je sais combien vous avez
rendu de services à notre pays », répondit l'avocat qui
s'inclina après avoir attrapé une seconde mite.

Alexis Alexandrovitch soupira : il hésitait encore à
parler, mais brusquement il se décida, et une fois en
train, il continua sans hésitation, de sa voix claire et
perçante, en insistant sur certains mots.

« J'ai le malheur, dit-il, d'être un mari trompé. Je
voudrais rompre légalement les liens qui m'unissent à
ma femme, en d'autres termes divorcer, mais de manière que mon fils soit séparé de sa mère. »

Les yeux gris de l'avocat faisaient leur possible pour
rester sérieux; mais Alexis Alexandrovitch ne put se
dissimuler qu'ils brillaient d'une joie que n'expliquait
point suffisamment la perspective d'une bonne affaire;

c'était l'éclat de l'enthousiasme, du triomphe, ce feu sinistre qu'il avait déjà remarqué dans les yeux de sa femme.

« Vous désirez mon aide pour obtenir le divorce?

— Précisément, mais je dois vous prévenir qu'il s'agit aujourd'hui d'une simple consultation. Je tiens à rester dans de certaines bornes et renoncerais au divorce s'il ne pouvait se concilier avec les formes que je désire observer.

— Il en va toujours ainsi, et vous resterez parfaitement libre d'agir comme bon vous plaira. »

Craignant d'offenser son client par une gaieté que son visage cachait mal, l'homme de loi fixa son regard sur les pieds d'Alexis Alexandrovitch; et bien que juste a ce moment une mite vînt voler à portée de sa main, il s'abstint de l'attraper par respect pour la situation.

« Je connais dans ses traits généraux la législation en pareille matière, mais j'ignore les diverses formes usitées dans la pratique.

— Bref, vous désirez que je vous expose les diverses manières de réaliser votre désir », dit l'avocat entrant avec un certain plaisir dans le ton de son client; et sur un signe affirmatif de celui-ci, il continua en jetant de temps en temps un regard furtif sur le visage d'Alexis Alexandrovitch que l'émotion tachetait de plaques rouges. « Selon nos lois (il eut une nuance de dédain pour : nos lois) le divorce n'est possible que dans les trois cas suivants... Qu'on attende! » s'écriat-il à la vue de son secrétaire qui ouvrait la porte. Il se leva cependant, alla lui dire quelques mots et reprit sa place. « Je disais donc, dans les trois cas suivants : vices physiques de l'un des époux, disparition de l'un d'eux pendant cinq ans (il pliait, en faisant cette énumération, ses gros doigts velus l'un après l'autre), enfin l'adultère (il prononça ce mot avec une satisfaction évidente). Ces trois cas comprennent des subdivisions (il continuait à plier ses doigts, bien que les subdivisions eussent dû faire partie d'un autre classement que les cas principaux), vices physiques du mari ou de la femme, adultère du mari, adultère de la femme (tous ses doigts étant pliés, il lui fallut les relever)...

« Voilà le côté théorique; mais je pense qu'en me faisant l'honneur de me consulter, c'est le côté pratique

que vous désirez connaître. En conséquence, me guidant sur les antécédents, je dois vous dire que les cas
de divorce se ramènent tous aux suivants... Je crois
comprendre que ni les défauts physiques ni l'absence
d un des conjoints n'entrent ici en ligne de compte? »

Alexis Alexandrovitch inclina affirmativement la
tête.

« Eh bien donc, il ne reste que l'adultère de l'un des
conjoints et le flagrant délit consenti ou involontaire.
Je dois vous dire que ce dernier cas se rencontre rarement dans la pratique. »

L'avocat se tut et regarda son client de l'air d'un
armurier qui, après avoir expliqué à un acheteur
l'usage de deux pistolets de modèles différents, atten-
drait patiemment son choix. Mais comme Alexis
Alexandrovitch gardait le silence, il poursuivit :

« Selon moi, le moyen le plus simple, le plus raison-
nable, et aussi le plus usité est l'adultère par consen-
tement mutuel. Je n'oserais parler ainsi à tout le
monde, mais je suppose que nous nous comprenons. »

Alexis Alexandrovitch était si troublé qu'il ne comprit pas du premier coup l'avantage de cette combinaison. Comme son visage exprimait la surprise,
l'homme de loi vint à son aide.

« Je suppose que deux époux ne puissent plus vivre
ensemble. Si tous deux consentent au divorce, les détails et les formalités deviennent sans importance.
Croyez-moi, c'est le moyen le plus simple et le plus
sûr. »

Cette fois Alexis Alexandrovitch comprit, mais ses
sentiments religieux s'opposaient à pareille mesure.

« Ce moyen est hors de question, déclara-t-il. Il ne
peut s'agir que de faire constater l'adultère au moyen
de lettres qui sont en ma possession. »

A ce mot de : lettres, l'avocat laissa échapper un son
qui tenait de la compassion et du dédain.

« N'oubliez pas, rétorqua-t-il, que les affaires de ce
genre sont du ressort de notre haut clergé. Et ces
dignes personnages sont friands de certains détails,
ajouta-t-il avec un sourire de sympathie pour le goût
des dignitaires ecclésiastiques. Evidemment les lettres
peuvent être de quelque utilité, mais la preuve doit être
faite à l'aide de témoins. Si donc vous me faites l'hon-

neur de m'accorder votre confiance, il faut me laisser le choix des mesures à prendre. Qui veut la fin veut les moyens.

— Puisqu'il en est ainsi », fit Alexis Alexandrovitch, soudain très pâle...

Mais l'avocat se leva et courut vers la porte répondre à une seconde interruption de son secrétaire.

« Dites à cette dame qu'on ne marchande pas ici comme dans une boutique! » cria-t-il avant de revenir à sa place. Chemin faisant, il attrapa d'un geste discret une nouvelle mite. « Jamais mon reps ne tiendra jusqu'à l'été! » songea-t-il en se renfrognant.

« Vous me faisiez l'honneur de me dire? demanda-t-il à Alexis Alexandrovitch.

— Je vous communiquerai ma décision », déclara celui-ci en se levant et en s'appuyant à la table. Après quelques instants de silence, il reprit : « Vos paroles m'autorisent donc à considérer le divorce comme possible. Je vous serais obligé de me faire connaître vos conditions.

— Tout est possible, si vous voulez bien me laisser une entière liberté d'action, dit l'avocat, éludant la dernière question. Quand puis-je compter sur un avis de votre part? demanda-t-il en se dirigeant vers la porte.

— Dans huit jours. Vous aurez alors la bonté de me faire savoir si vous vous chargez de l'affaire et à quelles conditions.

— Entièrement à vos ordres. »

L'avocat s'inclina respectueusement, mais une fois seul il donna libre cours à son hilarité. Son contentement était si grand que, contrairement à ses principes, il accorda un rabais à la dame qui quémandait. Il oublia même les mites et se résolut à remplacer l'hiver suivant son reps par du velours, à l'instar de son confrère Sigonine.

VI

La brillante victoire remportée par Alexis Alexandrovitch au sein du comité du 17 août avait eu pour lui des suites fâcheuses. Grâce à sa fermeté, la nouvelle

commission pour l'étude approfondie des mœurs des
allogènes fut constituée et envoyée sur place avec une
rapidité extraordinaire. Au bout de trois mois elle
présentait déjà son rapport. L'état de ces populations
s'y trouvait envisagé de six points de vue différents :
politique, administratif, économique, ethnographique,
matériel et religieux. Chaque question était suivie
d'une réponse admirablement rédigée et qui ne laissait
subsister aucun doute, car ces réponses n'étaient point
l'œuvre de l'esprit humain, toujours sujet à l'erreur,
mais d'une infaillible bureaucratie. Ces réponses s'ap-
puyaient sur des données officielles fournies par les
gouverneurs et les évêques d'après les relations des
autorités cantonales et des curés doyens, lesquels
avaient à leur tour fait état des enquêtes opérées par
les autorités communales et les curés de village : comment après cela douter de leur exactitude? Des questions comme celles-ci : « Pourquoi y a-t-il de mauvaises
récoltes? Pourquoi les habitants de certaines localités
s'obstinent-ils à pratiquer leur religion? », questions
que sans le concours de la machine officielle de longs
siècles n'arriveraient pas à résoudre, reçurent une solution claire, définitive et de tous points conforme aux
opinions d'Alexis Alexandrovitch. Mais alors Strémov,
qui se sentait piqué au vif, imagina une tactique à laquelle son adversaire ne s'attendait pas : entraînant à
sa suite plusieurs membres du comité, il passa tout à
coup dans le camp de Karénine, et non content d'appuyer avec chaleur les mesures proposées par celui-ci,
il en fit adopter d'autres qui dépassaient de beaucoup
les intentions d'Alexis Alexandrovitch. Poussées à l'extrême, ces mesures se révélèrent si absurdes que les
hommes politiques, l'opinion publique, les dames in-
fluentes, les journaux s'indignèrent à qui mieux mieux
et contre ces décisions et contre leur père putatif,
Karénine. Ravi du succès de sa ruse, Strémov prit un
air innocent, s'étonna des résultats obtenus et se re-
trancha derrière la foi aveugle que lui avait inspirée le
plan de son collègue. En dépit de sa santé chancelante
et de ses malheurs domestiques, Alexis Alexandrovitch
marqua le coup, mais ne se rendit pas. Une scission se
produisit au sein du comité : les uns, avec Strémov,
expliquèrent leur erreur par un excès de confiance

dans les travaux de la commission d'enquête, dont ils
traitaient maintenant les rapports d'absurdes et de non
avenus; les autres, avec Karénine, comprirent les dangers que recelait une attitude aussi révolutionnaire à
l'égard de la paperasserie et soutinrent énergiquement
les conclusions desdits rapports. La question, qui passionnait aussi bien le gouvernement que la société,
s'embrouilla comme à plaisir, et personne n'aurait su
dire au juste si les allogènes connaissaient ou non la
prospérité. Du coup, la situation d'Alexis Alexandrovitch, déjà ébranlée par le mépris que lui attirait son
infortune conjugale, parut fort compromise. Mais une
fois de plus il dérouta ses adversaires en prenant une
résolution hardie : il demanda en haut lieu l'autorisation d'aller en personne étudier le problème sur place
et partit sur-le-champ pour une province éloignée.

Ce départ fit d'autant plus de bruit qu'avant de se
mettre en route il refusa officiellement les frais de
déplacement qui lui avaient été alloués à raison de
douze chevaux de poste.

« Je trouve le geste très élégant, dit à ce propos
Betsy à la princesse Miagki. Pourquoi accorder des
frais de poste quand tout le monde sait que les chemins de fer vont maintenant partout? »

Cette manière de voir ne fut point du goût de la
princesse.

« Eh, riposta-t-elle, cela vous plaît à dire! On voit
bien que vous êtes riche à millions. Quant à moi, je
suis toujours contente de voir mon mari partir en
tournée d'inspection. Ses frais de déplacement paient
ma voiture et mon cocher. »

Alexis Alexandrovitch passa par Moscou et s'y arrêta
trois jours. Le lendemain de son arrivée, comme il
allait faire visite au gouverneur et atteignait le carre-
four de la rue des Gazettes, toujours encombré de
fiacres et de voitures de maître, il s'entendit héler par
une voix si gaie, si claironnante, qu'il lui fut impossible de ne pas se retourner. Au coin du trottoir, Stépane Arcadiévitch, vêtu d'un paletot court à la dernière mode, coiffé de guingois d'un chapeau non moins
court et non moins à la mode, souriant de ses dents
blanches et de ses lèvres rouges, Stépane Arcadiévitch
toujours jeune, toujours gai, toujours éblouissant, lui

intimait d'un ton péremptoire l'ordre de s'arrêter. Tout
en faisant d'une main force gestes à son beau-frère, il
s'appuyait de l'autre à la portière d'une voiture où se
montrait entre deux têtes de bambins une dame en
chapeau de velours, qui prodiguait elle aussi gestes et
sourires : c'était Dolly et ses enfants.

Alexis Alexandrovitch ne comptait pas voir de
monde à Moscou et son beau-frère moins que personne.
Il se contenta donc de soulever son chapeau et voulait
continuer son chemin quand Stépane Arcadiévitch,
faisant signe au cocher d'arrêter accourut à lui dans la
neige.

« Comment, c'est toi, et tu as le front de ne pas
nous prévenir? J'ai vu hier soir chez Dussaux le nom
de Karénine sur le tableau des arrivées et l'idée ne
m'est pas venue que ce fût toi, dit-il en passant sa tête
à la portière et en frappant ses pieds l'un contre
l'autre pour en secouer la neige. Voyons, répéta-t-il,
comment ne nous as-tu pas avertis?

— Le temps m'a manqué, je n'ai pas une minute à
moi, répondit sèchement Alexis Alexandrovitch.

— Viens voir ma femme, elle le désire beaucoup. »
Karénine ôta la couverture qui recouvrait ses jambes
frileuses et, quittant sa voiture, se fraya un chemin
dans la neige jusqu'à celle de Dolly.

« Que se passe-t-il donc, Alexis Alexandrovitch,
pour que vous nous évitiez ainsi? demanda-t-elle en
souriant.

— J'ai été très occupé. Charmé de vous voir, répondit-il d'un ton qui prouvait clairement le contraire.
Comment allez-vous?

— Que devient ma chère Anna? »
Alexis Alexandrovitch émit quelques sons vagues, et
voulut se retirer, mais Stépane Arcadiévitch le retint.

« Sais-tu ce que nous allons faire? Dolly, invite-le à
dîner pour demain avec Koznychev et Pestsov; faisons-
lui connaître nos fortes têtes moscovites.

— C'est cela, venez, je vous en prie, à cinq heures
ou à six, si vous préférez. Mais voyons, dites-moi ce
que fait ma chère Anna. Il y a si longtemps...

— Elle va bien, marmonna Alexis Alexandrovitch en
fronçant le sourcil. Très heureux de vous avoir rencontrée. »

Et il regagna sa voiture.

« Vous viendrez? » lui cria encore Dolly.

Alexis Alexandrovitch répondit quelques mots qui
se perdirent dans le bruit des équipages.

« Je passerai te voir demain », lui cria Stépane Arcadiévitch.

Alexis Alexandrovitch s'enfonça dans sa voiture
comme s'il eût voulu disparaître.

« Quel original! » conclut Stépane Arcadiévitch. Et
après un regard à sa montre, il eut pour sa femme et
ses enfants un geste caressant et s'éloigna d'un pas
alerte.

« Stiva, Stiva! » lui cria Dolly en rougissant.

Il se retourna.

« Et l'argent pour les paletots de Gricha et de Tania?
— Tu diras que je réglerai. »

Il salua d'un signe de tête un de ses amis qui passait
en voiture et se perdit dans la foule.

VII

Le lendemain, qui était un dimanche, Stépane Arcadiévitch passa au Grand Théâtre pour assister à la
répétition d'un ballet et offrir à Marie Tchibissov, une
jolie danseuse qui débutait sous sa protection, le collier
de corail qu'il lui avait promis la veille. Profitant de
la demi-obscurité des coulisses, il put embrasser à
loisir la frimousse radieuse de la jeune personne et
convenir avec elle que, ne pouvant arriver au début du
ballet, il ferait son apparition pour le dernier acte et
l'emmènerait souper. Du théâtre, Stépane Arcadiévitch
se rendit aux Halles pour y choisir lui-même le poisson
et les asperges du dîner; et à midi précis il entrait chez
Dussaux, dans l'intention de faire visite à trois voyageurs qui, heureusement pour lui, s'étaient logés dans
le même hôtel, à savoir : son ami Levine, de retour de
l'étranger; son nouveau directeur, fraîchement dé-
barqué à Moscou pour une inspection; son beau-frère
Karénine, qu'il tenait à compter parmi ses convives.

Stépane Arcadiévitch aimait la bonne chère; il aimait

surtout offrir des dîners aussi brillants par l'ordonnance des mets que par le choix des convives. Le programme qu'il avait combiné pour ce jour-là le comblait d'aise. Le menu comprenait des perches tout frais sorties de l'eau, des asperges et comme *pièce de résistance* un simple mais superbe rosbif, le tout avec accompagnement de vins appropriés. Quant aux convives, il comptait réunir Kitty et Levine et, pour dissimuler cette rencontre, une cousine et le jeune Stcherbatski. Koznychev le philosophe moscovite, et Karénine, l'homme pratique pétersbourgeois, constituerait ici la *pièce de résistance*, pièce que garnirait et relèverait cet original de Pestsov, enfant gâté de cinquante ans, historien, musicien, bavard, enthousiaste et libéral, lequel servirait de boutefeu.

La pensée de ce festin souriait d'autant plus à Stépane Arcadiévitch qu'il venait de toucher le second acompte sur la vente de son bois et que depuis quelque temps Dolly faisait preuve envers lui d'une indulgence exquise. Toutefois, sans altérer précisément sa bonne humeur, deux points noirs ne laissaient pas de le chiffonner. En premier lieu la conduite de son beau-frère, qui, dédaignant de venir les voir, lui avait fait dans la rue un accueil plutôt revêche; en rapprochant la froideur d'Alexis Alexandrovitch de certains bruits qui étaient parvenus jusqu'à lui sur sa sœur et Vronski, il devinait un incident grave entre le mari et la femme. En second lieu, la réputation inquiétante du nouveau directeur, qui passait, comme tous les nouveaux chefs, pour un bourreau de travail et un monstre de sévérité : levé tous les matins à six heures, il abattait une besogne de cheval, et, non content d'exiger de ses subordonnés une ardeur analogue, il les traitait encore de Turc à More; on lui attribuait en outre les idées politiques diamétralement opposées à celles que préconisaient et son prédécesseur et Stépane Arcadiévitch. Or, la veille, comme Oblonski se présentait à lui dans les bureaux et en uniforme, le prétendu grincheux lui avait témoigné une prévenance si marquée qu'il jugeait de son devoir de lui faire maintenant une visite non officielle. Quelle réception l'attendait? Il s'en préoccupait quelque peu, mais sentait d'instinct que tout « se tasserait ». « Bah, se disait-il en pénétrant dans l'hôtel, ne

sommes-nous pas tous pécheurs? pourquoi nous cher-
cherait-il noise? »

« Salut, Vassili, cria-t-il au garçon d'étage, en traversant le corridor, le chapeau en bataille. Tiens, tu
as laissé pousser tes favoris? Dis-moi, M. Levine, c'est
bien au n° 7? Montre-moi le chemin, s'il te plaît. Et
puis fais donc demander au comte Anitchkine (c'était
le nom du nouveau directeur) s'il peut me recevoir.

— A vos ordres, répondit Vassili tout souriant. Il y a
longtemps que nous ne vous avions vu.

— Je suis venu hier, mais par l'autre entrée. C'est
ça, le n° 7? »

Debout au milieu de sa chambre, Levine prenait avec
un paysan de Tver la mesure d'une peau d'ours.

« Ah! ah! vous en avez tué un! s'écria dès la porte
Stépane Arcadiévitch. La belle pièce! Eh mais, c'est
une femelle. Bonjour, Archippe.

— Mets-toi donc à l'aise, dit Levine en lui enlevant
son chapeau.

— Non, je ne suis entré que pour un moment », répondit Oblonski, ce qui ne l'empêcha pas de débouton-
ner son pardessus, puis de l'ôter et finalement de
bavarder une heure entière avec Levine sur la chasse
et d'autres sujets plus intimes.

« Dis-moi ce que tu as fait à l'étranger : où as-tu
été? s'enquit Stépane Arcadiévitch dès que le paysan
se fut retiré.

— Je suis allé en Allemagne, en France, en Angleterre, mais seulement dans les centres manufacturiers
et pas dans les capitales (1). J'ai vu beaucoup de choses
nouvelles et intéressantes. Je suis très content de mon
voyage.

— Ah! oui, toujours la question ouvrière.

— Mais non, il n'y a pas pour nous de question ouvrière. La seule question importante pour la Russie est
celle des rapports du travailleur avec la terre. Elle
existe bien aussi là-bas, mais on n'y peut faire que des
raccommodages, tandis qu'ici... »

Oblonski écoutait avec attention.

« Oui, oui, tu as peut-être raison. Mais l'essentiel,

_____

(1) Tolstoï fit en 1861 un voyage en Europe au cours duquel il
s'enquit des méthodes pédagogiques des autres pays.

c'est que tu sois revenu en meilleure disposition : tu
chasses l'ours, tu travailles, tu t'emballes pour des
idées. Et Stcherbatski qui prétend t'avoir rencontré
sombre et mélancolique, ne parlant que de mort!

— Mais c'est vrai, j'y pense toujours. Tout est vanité, il faut mourir. A parler franc, j'estime fort et ma
pensée et mon travail, mais quand je songe que cet
univers n'est qu'une plaque de moisi à la surface de la
plus petite des planètes! quand je songe que nos idées,
nos œuvres, ce que nous croyons faire de grand, équi-
valent tout au plus à quelques grains de poussière!...

— Tout cela est vieux comme le monde, mon cher!

— Oui, mais quand nous le comprenons clairement,
combien la vie nous paraît misérable! Quand on sait
que la mort viendra, qu'il ne restera rien de nous, quel
abominable crève-cœur! J'attache une grande importance à telle ou telle de mes pensées, et tout à coup j'ai
la certitude que, même mise en pratique, elle en aura
aussi peu que le fait d'avoir traqué cette ourse. C'est
pour fuir l'idée de la mort qu'on chasse, qu'on travaille,
qu'on cherche à se distraire... »

Oblonski l'écoutait en souriant d'un sourire fin et
caressant.

« Evidemment, fit-il. Et les reproches que tu m'adres-
sais naguère portaient à faux. Avais-je tort de chercher
des jouissances dans la vie? Ne sois pas si sévère à
l'avenir, ô moraliste!

— Ce qu'il y a de bon dans la vie... », voulut répliquer Levine. Mais, comme il s'embrouillait : « Au fond,
insista-t-il, je ne sais qu'une chose : c'est que nous
mourrons bientôt.

— Pourquoi bientôt?

— Et, sais-tu, quand on est bien pénétré de cette
vérité, on jouit peut-être moins de la vie, mais on se
sent plus calme.

— Il faut jouir de son reste au contraire. Mais je me
sauve, s'écria Stépane Arcadiévitch en se levant pour
la dixième fois.

— Reste encore un peu, dit Levine en le retenant.
Quand nous reverrons-nous maintenant? Je pars demain.

— Ah! çà, mais où ai-je la tête? J'allais oublier le

sujet qui m'amène! Je tiens absolument à ce que tu
viennes dîner chez nous aujourd'hui. Ton frère sera
des nôtres, ainsi que mon beau-frère Karénine.

— Comment, il est ici? » demanda Levine, mourant
d'envie de s'informer de Kitty. Il savait qu'elle avait
passé le commencement de l'hiver chez son autre sœur,
mariée à un diplomate. Mais, après réflexion : « Tant
pis, se dit-il, qu'elle soit revenue ou non, j'irai! »

« Alors, entendu?

— Entendu.

— A cinq heures et en redingote. »

Stépane Arcadiévitch se leva et descendit chez son
nouveau chef. Son instinct ne l'avait pas trompé : cet
épouvantail se trouva être un homme charmant avec
lequel il déjeuna et s'attarda à bavarder, si bien qu'il
n'entra chez Alexis Alexandrovitch que longtemps
après trois heures.

VIII

APRÈS avoir assisté à la messe, Alexis Alexandrovitch
ne bougea pas de chez lui ce jour-là, car il fallait
régler deux affaires importantes : recevoir une députation d'allogènes en route pour Pétersbourg, puis
passer à son avocat les instructions q 'il lui avait
promises.

Bien que constituée à son instigation, la députation
d'allogènes pouvait présenter certains inconvénients,
voire certains dangers; et Karénine fut très content de
la trouver encore à Moscou. Ces braves gens naïfs ne
concevaient guère le rôle qu'on leur avait assigné : ils
croyaient devoir exposer tout crûment leurs besoins et
se refusaient à comprendre que certaines de leurs do-
léances pouvaient faire le jeu du parti adverse et gâter
toute l'affaire. Alexis Alexandrovitch dut les chapitrer
longuement et leur tracer par écrit un programme, dont
ils ne devaient à aucun prix se départir. Après les
avoir congédiés, il envoya à leur sujet plusieurs mes-
sages à Pétersbourg, notamment à la comtesse Lydie.

qui avait la spécialité des députations et s'entendait
mieux que personne à en tirer le parti voulu.

Alors, et sans le moindre hésitation, il écrivit à son
avocat une lettre qui lui donnait pleins pouvoirs; il eut
soin d'y joindre trois billets de Vronski à Anna trouvés
dans le portefeuille. Depuis qu'il avait quitté son logis,
confié ses intentions à un homme de loi, incorporé
pour ainsi dire cette affaire intime à ses paperasseries,
il tenait de plus en plus sa décision pour bonne et avait
hâte de la voir mise en pratique.

Au moment de cacheter sa lettre, il perçut des éclats
de voix dans l'antichambre : Stépane Arcadiévitch
insistait pour être annoncé.

« Après tout, songea Karénine, il a bien fait de
venir; je vais lui dire ce qui en est, et il comprendra
que je ne puis dîner chez lui. »

« Fais entrer, cria-t-il en rassemblant ses papiers et
en les serrant dans un buvard.

— Tu vois bien que tu mens », cria de son côté Stépane Arcadiévitch au valet de chambre. Et, ôtant son
pardessus tout en marchant, il s'avança vers son beau-
frère. « Ravi de te trouver, commença-t-il gaiement;
j'espère bien...

— Non, je ne pourrai pas venir », répondit sèchement Alexis Alexandrovitch, en le recevant debout et
sans l'engager à s'asseoir. Il croyait bon d'adopter
d'emblée le ton froid qui lui semblait désormais convenable avec le frère d'une femme dont il prétendait divorcer. C'était méconnaître l'irrésistible bonhomie de
Stépane Arcadiévitch.

« Pourquoi cela? Que veux-tu dire? demanda celui-
ci en français, en ouvrant tout grands ses beaux yeux
clairs. C'est promis, voyons, nous comptons sur toi.

— C'est impossible, parce que nos rapports de
famille doivent être rompus.

— Rompus? Qu'est-ce à dire? fit Oblonski avec un
sourire.

— Parce que je songe à divorcer d'avec ma femme,
votre sœur. J'aurais dû... »

Il n'eut point le temps d'achever le speech qu'il avait
médité : contre toute attente Stépane Arcadiévitch
s'était laissé choir dans un fauteuil en poussant un
profond soupir.

« Alexis Alexandrovitch, ce n'est pas possible! s'écria-t-il avec douleur.

— C'est pourtant vrai.

— Excuse-moi, je ne peux pas le croire... »

Karénine s'assit : il sentait que ses paroles n'avaient pas produit l'effet voulu, qu'il allait devoir s'expliquer et qu'une explication, même catégorique, ne changerait rien à ses rapports avec Oblonski.

« Oui, reprit-il, je me vois dans la triste nécessité de demander le divorce.

— Laisse-moi te dire une chose, Alexis Alexandrovitch. Connaissant d'une part ta haute conscience et d'autre part les excellentes qualités d'Anna (excuse-moi de ne pouvoir changer d'opinion sur son compte), je ne puis croire à tout cela : il y a là quelque malentendu.

— Oh! si ce n'était qu'un malentendu!...

— Permets... je comprends, mais, je t'en supplie, ne brusque pas les choses!

— Je ne les ai pas brusquées le moins du monde, dit froidement Alexis Alexandrovitch, mais dans une question semblable on ne peut prendre conseil de personne. Ma décision est irrévocable.

— C'est épouvantable! soupira Stépane Arcadiévitch. Je t'en conjure : si, comme je le comprends, l'affaire n'est pas encore entamée, ne fais rien avant d'avoir causé avec ma femme. Elle aime Anna comme une sœur, elle t'aime, c'est une femme de grand sens. Par amitié pour moi, cause avec elle. »

Alexis Alexandrovitch se prit à réfléchir; Stépane Arcadiévitch le considérait avec compassion.

« Alors, c'est entendu, reprit-il après avoir respecté quelques instants son silence, tu viendras la voir?

— Je ne sais vraiment... Il me semble que nos relations doivent changer.

— Pourquoi cela? Je n'en vois pas la raison. Laisse-moi croire qu'en plus des liens de famille tu me rends une partie de l'amitié et de l'estime sincère que je t'ai toujours témoignées, dit Oblonski en lui serrant la main. Si même tes soupçons devaient se confirmer, je ne me permettrais jamais de juger entre vous deux. Nos relations n'auront point à souffrir de votre différend. C'est pourquoi je te supplie de parler à ma femme.

— Nous différons d'avis sur ce point, répliqua sèchement Alexis Alexandrovitch. Aussi bien, laissons cela.

— Mais non, voyons. Qui t'empêche de venir? Ne
serait-ce qu'aujourd'hui, puisque aussi bien elle t'attend pour dîner. Parle-lui, je t'en conjure. Encore une
fois c'est une femme admirable.

— Si vous y tenez tant que cela, j'irai », dit en soupirant Alexis Alexandrovitch.

Et pour changer de conversation il aborda un sujet
qui les intéressait fort tous les deux, à savoir la nomination inattendue du comte Anitchkine à un poste
aussi élevé. Karénine, qui ne l'avait jamais aimé, ne
pouvait se défendre d'un sentiment d'envie, bien naturel chez un fonctionnaire sous le coup d'un insuccès.

« Eh bien, tu l'as vu? demanda-t-il avec un sourire
fielleux.

— Comment donc, il est passé hier dans les bureaux.
Il m'a l'air actif et fort au courant des affaires.

— Actif, c'est possible, mais à quoi emploie-t-il son
activité? à créer du nouveau ou à modifier les créations des autres. Le fléau de notre pays, c'est cette
bureaucratie paperassière, dont il se montre le digne
représentant.

— J'ignore ses idées, mais il m'a paru très bon
enfant. Je sors de chez lui, nous avons déjeuné
ensemble, et je lui ai appris à faire de l'orangeade au
vin. Figure-toi qu'il ne connaissait pas encore cette
boisson : elle lui a beaucoup plu. Non, je t'assure, c'est
un charmant garçon. »

Stépane Arcadiévitch jeta un coup d'œil à la pendule.

« Sapristi, il est plus de quatre heures, et il faut
encore que je passe chez Dolgouchine!... C'est convenu,
tu viens dîner, n'est-ce pas? Tu nous ferais, à ma
femme et à moi, un vrai chagrin en refusant. »

Alexis Alexandrovitch reconduisit son beau-frère tout
autrement qu'il ne l'avait accueilli.

« Puisque j'ai promis, j'irai, répondit-il sans le
moindre enthousiasme.

— J'apprécie comme il convient ton bon vouloir et
j'espère que tu n'auras pas à t'en repentir », conclut
Oblonski qui avait repris sa belle humeur.

Comme il se retirait en enfilant son pardessus, une
des manches alla donner dans la tête du valet de

chambre. Il partit d'un éclat de rire, et revenant vers la porte :

« A cinq heures, n'est-ce pas, insista-t-il encore une fois. Et sans façon, en redingote. »

IX

CINQ heures avaient déjà sonné et plusieurs invités attendaient déjà au salon lorsque le maître de la maison fit son entrée en compagnie de Koznychev et de Pestsov. Grâce à leur ferme caractère et à leur belle intelligence, ces deux fortes têtes moscovites, comme les appelait Stépane Arcadiévitch, jouissaient de l'estime générale. Ils s'estimaient aussi l'un l'autre, ce qui ne les empêchait point de faire preuve presque en toutes choses d'une irrémédiable divergence de vues. Comme ils appartenaient au même parti, leurs adversaires ne faisaient guère entre eux de différence; cependant chacun d'eux représentait dans ce parti une nuance particulière, et comme rien ne prête plus au désaccord que les demi-abstractions, ils n'arrivaient jamais à s'entendre et avaient dès longtemps accoutumé de flétrir, sans trop y mettre de malice, leurs incorrigibles égarements mutuels.

Ils s'étaient rencontrés à la porte et devisaient de la pluie et du beau temps quand ils furent rejoints par Oblonski. Tous trois pénétrèrent dans le salon où étaient déjà réunis le prince Alexandre Dmitriévitch Stcherbatski, Karénine, Tourovtsine, le jeune Stcherbatski et Kitty. Stépane Arcadiévitch vit tout de suite que la conversation languissait. Préoccupée du retard de son mari et du sort de ses enfants, qui devaient dîner seuls dans leur chambre, Darie Alexandrovna, engoncée dans une robe de soie grise, n'avait pas su mettre son monde à l'aise. Chacun avait l'air de se demander ce qu'il faisait là et ne rompait guère le silence que par monosyllabes. L'excellent Tourovtsine ne dissimulait point sa gêne, et le sourire piteux dont il accueillit Oblonski signifiait clairement : « Ah! çà,

mon cher, dans quel guêpier m'as-tu fourré? En fait de
beau monde, je préfère la dive bouteille et le *Château
des fleurs*. » Sans souffler mot, le vieux prince lançait
à Karénine des coups d'œil furtifs et moqueurs; son
gendre devina qu'il ciselait quelque épigramme à
l'adresse de cet homme d'Etat qui constituait ici,
comme ailleurs, une chartreuse de sterlet, le plat de
résistance. Kitty avait les yeux fixés sur la porte et se
donnait du courage pour ne point rougir lors de l'entrée de Levine. Le jeune Stcherbatski, que l'on avait
omis de présenter à Karénine, affectait des airs indifférents. Karénine lui-même, fidèle aux usages pétersbourgeois, arborait habit et cravate blanche; ses
manières distantes donnaient à entendre qu'il n'était
venu en ce lieu que pour tenir parole et remplir un
pénible devoir; sa présence glaçait tout le monde.

Stépane Arcadiévitch commença par s'excuser de son
retard, dont il rejeta la faute sur le fameux prince qui
lui servait de bouc émissaire en pareil cas. Il ne lui
fallut qu'une minute pour changer l'aspect lugubre du
salon. Il aboucha Karénine avec Koznychev et les lança
dans un entretien sur la russification de la Pologne,
auquel Pestsov s'immisça sans plus tarder. Il tapa sur
l'épaule de Tourovtsine, lui souffla quelque bonne
blague à l'oreille et le confia aux soins de sa femme
et de son beau-père. Il complimenta Kitty sur sa beauté
et trouva moyen de présenter le jeune Stcherbatski à
Karénine. Cependant Levine manquait toujours à l'appel. Oblonski bénit d'ailleurs ce retard car, en inspec-
tant la salle à manger, il constata avec terreur que l'on
avait pris chez Depret les vins de Xérès et de Porto :
il passa aussitôt à l'office et donna ordre d'envoyer
dare-dare le cocher chez Levé (1). En retraversant la
salle à manger il se heurta à Levine.

« Suis-je en retard? demanda celui-ci.

— Peux-tu ne pas l'être! répondit Oblonski en le
prenant par le bras.

— Tu as beaucoup de monde? Qui? » demanda Levine qui rougit involontairement et se prit à secouer
avec son gant les flocons de neige égarés sur sa toque.

(1) Ces deux maisons de vins et spiritueux, les plus importantes
de Moscou, ont subsisté jusqu'à la Révolution. (N. d. T.)

« Rien que la famille. Kitty est ici. Viens que je te présente à Karénine. »

En dépit de ses opinions libérales, Oblonski n'ignorait point que la plupart des gens tenaient à honneur de faire connaissance avec son beau-frère; il réservait donc à ses meilleurs amis un plaisir que Levine était ce soir-là bien incapable de goûter pleinement. Le jeune homme en effet ne songeait qu'à Kitty, qu'il n'avait point revue depuis la soirée fatale, sauf la courte apparition sur la grande route. Tout au fond de son être, il s'attendait bien à la rencontrer chez Oblonski; mais, pour sauvegarder son indépendance d'esprit, il se donnait l'air de ne pas le savoir. Quand il lui fallut se rendre à l'évidence, une terreur mêlée de joie lui ravit le souffle de la parole.

« Comment vais-je la trouver? songeait-il. Sera-ce la jeune fille d'autrefois ou celle qui m'est apparue ce matin d'été dans la voiture? Si Darie Alexandrovna avait dit vrai? Et pourquoi m'aurait-elle menti? »

« C'est cela, put-il enfin balbutier, présente-moi à Karénine. »

Il se précipita dans le salon avec le courage du désespoir. Leurs regards se croisèrent. Et il comprit aussitôt que la jeune fille qui s'offrait à sa vue n'était ni celle d'autrefois ni celle de la voiture : l'effroi, la honte, la timidité lui donnaient un charme nouveau. Tandis que Levine, tout en lui décochant un nouveau regard, allait saluer la maîtresse de la maison, la pauvre enfant crut fondre en larmes. Ce trouble n'échappa ni à Levine ni à Dolly qui observait sa sœur à la dérobée. Rougissant, pâlissant pour rougir encore, elle finit par imposer à sa physionomie un calme factice : seules ses lèvres tremblaient légèrement. Il s'approcha d'elle en silence. Le sourire dont elle l'accueillit eût passé pour calme si ses yeux humides et brillants n'avaient trahi son émotion.

« Il y a bien longtemps que nous ne nous sommes vus, dit-elle en serrant de ses doigts glacés la main qu'il lui tendait.

— Vous ne m'avez pas vu, mais moi je vous ai aperçue en voiture, sur la route de Iergouchovo, répondit Levine, rayonnant de bonheur.

— Quand cela? fit-elle, toute surprise.

— Un matin de cet été, où vous alliez de la station du chemin de fer à Iergouchovo. »

Il sentait la joie l'étouffer. « Comment, se disait-il, ai-je pu croire à un sentiment qui ne fût pas innocent dans cette touchante créature! Et décidément il me semble que Darie Alexandrovna avait vu juste. »

Stépane Arcadiévitch vint le prendre par le bras pour le présenter à Karénine.

« Enchanté de vous retrouver ici, dit froidement celui-ci en serrant la main de Levine.

— Comment, vous vous connaissez? demanda Oblonski, très surpris.

— Nous avons passé trois heures ensemble en wagon et nous nous sommes quittés aussi intrigués qu'au bal masqué, moi du moins.

— Vraiment?... S'il vous plaît, messieurs », dit Stépane Arcadiévitch en se dirigeant vers la salle à manger.

Les hommes le suivirent et s'approchèrent de la crédence où les attendait un en-cas de hors-d'œuvre : six sortes d'eaux-de-vie flanquaient autant d'espèces de fromages, plusieurs variétés de caviar, des harengs, une profusion de conserves, des monticules de tartines... Tandis que ces messieurs, debout près de la crédence, faisaient honneur à cette préface au dîner, la russification de la Pologne marqua un temps d'arrêt. Koznychev, qui s'entendait mieux que personne à donner une conclusion plaisante aux entretiens les plus abstraits, avait offert une nouvelle preuve de son atticisme.

Karénine démontrait que seuls les principes élevés qui guideraient l'administration russe obtiendraient le résultat désiré. Pestsov soutenait qu'une nation ne peut en assimiler une autre que si elle l'emporte en densité de population. Koznychev, qui partageait avec des restrictions les deux points de vue, dit en souriant, comme ils quittaient le salon :

« La meilleure méthode, voyez-vous, serait d'avoir le plus d'enfants possible. C'est là où mon frère et moi sommes en défaut, tandis que vous, messieurs, et surtout Stépane Arcadiévitch, agissez en bons patriotes. Combien en avez-vous? » demanda-t-il à celui-ci en lui tendant un petit verre.

Chacun rit, Oblonski plus que personne.

« C'est en effet la meilleure méthode, approuva-t-il en mâchonnant une languette de fromage et en versant à Koznychev une eau-de-vie d'une saveur toute spéciale. Ce fromage n'est vraiment pas mauvais; goûtez-le donc... Ah! çà, est-ce que tu fais toujours de la gymnastique? » continua-t-il en prenant Levine par le bras. Et comme il sentait les muscles d'acier de son ami se tendre sous le drap de la redingote. « Quels biceps! conclut-il. Tu es un vrai Samson.

— Pour chasser l'ours, il faut, je suppose, être doué d'une force considérable? » s'enquit Alexis Alexandrovitch, qui s'évertuait à étendre un morceau de fromage sur une tartine fragile comme une toile d'araignée.

Il n'avait sur la chasse que des notions fort vagues. Levine ne put se défendre de sourire.

« Nullement, dit-il; un enfant peut tuer un ours (1). »

Et il fit place aux dames qui s'approchaient à leur tour de la crédence.

« On m'a dit que vous veniez de tuer un ours? » dit Kitty, aux prises avec un champignon récalcitrant : sa fourchette glissait, elle s'impatientait, rejetait en arrière les dentelles de sa manche, découvrait un peu de son joli bras. Y a-t-il vraiment des ours chez nous? » ajouta-t-elle en tournant à demi vers lui son visage souriant.

Combien ces paroles, insignifiantes en elles-mêmes, ce son de voix, ces mouvements des yeux et des lèvres avaient de charme pour lui! Il y voyait une demande de pardon, un acte de confiance, une promesse, une espérance, une indéniable preuve d'amour qui l'étouffait de bonheur.

« Oh! non, répondit-il en riant, nous avons été chasser dans la province de Tver, et c'est au retour de cette excursion que j'ai rencontré votre beau-frère,

---

(1) Tolstoï chassait souvent. Un jour, il fut renversé et blessé par une ourse. Une autre fois, à l'époque où il écrivait *La Guerre et la Paix*, il tomba de cheval, se fractura et se démit le bras droit. Mal soigné par les docteurs de Toula, il se rendit à Moscou où on dut lui recasser le bras pour le remettre en place.
« Cela m'ennuyait de perdre l'usage de mon bras un peu pour moi, mais surtout à cause de toi... » (Lettre à sa femme du 29 novembre 1864.)

c'est-à-dire le beau-frère de votre beau-frère. La rencontre a été comique. »

Et il se dépeignit fort plaisamment faisant irruption, harassé et mis comme un paysan, dans le compartiment d'Alexis Alexandrovitch.

« Contrairement au dicton (1), le conducteur me jugeait sur ma mise et voulait m'éconduire; j'ai dû avoir recours à des paroles bien senties. Et vous aussi, dit-il en se tournant vers Karénine et sans l'appeler par ses prénoms qu'il avait d'ailleurs oubliés, vous aussi redoutiez d'abord ma peau de mouton; mais ensuite vous avez pris ma défense, et vous m'en voyez très reconnaissant.

— Les droits des voyageurs au choix des places sont vraiment trop peu déterminés, répondit Karénine en s'essuyant le bout des doigts.

— Oh! j'ai bien remarqué votre hésitation, dit Levine avec un sourire de bonhomie. C'est pourquoi j'ai entamé un sujet de conversation sérieux, pour vous faire oublier ma peau de mouton. »

Koznychev, qui, tout en causant avec la maîtresse de la maison, prêtait l'oreille aux propos de son frère, lui lança un coup d'œil ébahi. « Qu'a-t-il donc aujourd'hui? songea-t-il. D'où lui viennent ces airs conquérants? » Il ne se doutait guère que Levine se sentait pousser des ailes : « elle » l'écoutait, « elle » prenait plaisir à l'entendre parler, tout autre intérêt disparaissait devant celui-là. Il était seul avec elle, non seulement dans cette chambre, mais dans l'univers entier et planait à des hauteurs vertigineuses, tandis qu'en bas rampaient ces excellents Karénine, Oblonski et le reste de l'humanité.

Quand on se mit à table, Stépane Arcadiévitch fit mine de ne pas voir Levine et Kitty; puis se rappelant tout à coup leur existence, il les plaça l'un auprès de l'autre aux deux seules places qui restaient libres.

Le dîner ne le céda point au couvert, objet spécial des préoccupations d'Oblonski. Le potage Marie-Louise, accompagné de petits pâtés qui fondaient dans la bouche, fut un vrai régal. Mathieu, avec deux domes-

(1) « On reçoit les gens d'après leur mise, on les reconduit d'après leur esprit. » (N. d. T.)

tiques en cravate blanche, fit le service adroitement et sans bruit. Le succès spirituel correspondit au succès matériel : tantôt générale, tantôt particulière, la conversation ne tarit point, si bien qu'au lever de table Karénine lui-même était dégelé.

X

PESTSOV, qui aimait traiter une question à fond, avait d'autant moins goûté la conclusion de Koznychev que lui-même commençait à voir le peu de justesse de son point de vue.

« En parlant de la densité de la population, reprit-il dès le potage en s'adressant spécialement à Alexis Alexandrovitch, je voulais dire qu'il fallait tenir compte des forces latentes et non pas seulement des principes.

— Il me semble que cela revient au même, laissa lentement tomber Alexis Alexandrovitch. A mon sens, un peuple ne peut avoir d'influence sur un autre peuple qu'à la condition de lui être supérieur en civilisation, de...

— Voilà précisément la question, interrompit Pestsov, qui avait toujours hâte de parler et semblait mettre toute son âme à défendre ses opinions. Comment doit-on entendre cette civilisation supérieure? Qui donc parmi les diverses nations de l'Europe prime les autres? Est-ce l'Anglais, le Français ou l'Allemand qui nationalisera ses voisins? Nous avons vu franciser les provinces rhénanes; est-ce une preuve d'infériorité du côté des Allemands? Non, il y a là une autre loi, criat-il de sa voix basse.

— Je crois que la balance penchera toujours du côté de la véritable culture, dit Karénine en fronçant quelque peu le sourcil.

— Mais quels sont les indices de la véritable culture?

— Je crois que tout le monde les connaît.

— Les connaît-on vraiment? demanda Koznychev avec un sourire malicieux. On admet généralement qu'elle repose sur l'instruction classique; mais nous

assistons sur ce point à de furieux débats, et le parti
opposé avance des preuves qui ne manquent pas de
valeur.

— Vous êtes pour les classiques, Serge Ivanovitch,
dit Oblonski. Vous offrirai-je du bordeaux?

— Il ne s'agit pas de mes opinions personnelles,
répondit Koznychev avec la condescendance qu'il
aurait éprouvée pour un enfant, ce qui ne l'empêcha
d'ailleurs point d'avancer son verre. Je prétends seulement qu'on allègue de bonnes raisons de part et d'autre,
continua-t-il en se retournant vers Karénine. Tout en
étant classique par mon éducation, j'avoue que les
études classiques n'offrent pas de preuves irrécusables
de leur supériorité sur les autres.

— Les sciences naturelles prêtent tout autant à un
développement   pédagogique   de   l'esprit   humain,
approuva Pestsov. Voyez l'astronomie, la botanique, la
zoologie avec l'unité de ses lois.

— C'est une opinion que je ne saurais pleinement
partager, objecta Alexis Alexandrovitch. L'étude des
langues anciennes contribue beaucoup au développement de l'intelligence. D'autre part les écrivains de
l'Antiquité exercent une influence éminemment morale,
tandis que pour notre malheur on joint à l'étude des
sciences naturelles des doctrines funestes et fausses qui
sont le fléau de notre époque. »

Serge Ivanovitch allait répondre, mais Pestsov l'interrompit de sa grosse voix pour démontrer chaleureu-
sement l'injustice de ce jugement. Koznychev, qui
paraissait avoir trouvé un argument décisif, le laissa
parler sans trop d'impatience. Quand il put enfin placer un mot :

« Avouez, dit-il à Karénine avec son sourire narquois, que le pour et le contre des deux systèmes
seraient difficiles à établir si l'influence morale —
disons le mot, antinihiliste — de l'éducation classique
ne militait pas en sa faveur.

— Sans aucun doute.

— Nous laisserions le champ plus libre aux deux
systèmes si nous ne considérions pas l'éducation classique comme une pilule préservatrice que nous offrons
à nos malades contre le nihilisme. Mais sommes-nous

bien sûrs des vertus curatives de ces pilules? » conclut-il par un de ces tours attiques qu'il affectionnait.

Le mot fit rire tout le monde, et plus particulièrement Tourovtsine, qui attendait depuis longtemps quelque saillie de ce genre.

Stépane Arcadiévitch avait eu raison de compter sur Pestsov pour attiser la conversation; en effet, à peine les débats semblaient-ils clos par la boutade de Kozny-chev, que cet enragé discoureur les fit rebondir.

« On ne saurait même accuser le gouvernement de se proposer une cure. Il obéit sans doute à des considérations d'ordre général et ne se préoccupe guère des conséquences que peuvent entraîner les mesures qu'il prend. Je citerai comme exemple l'instruction supérieure des femmes : alors qu'il devrait la considérer comme funeste, il ouvre cours sur cours à leur intention. »

Alexis Alexandrovitch objecta que l'on confondait d'ordinaire l'instruction avec l'émancipation, d'où les préjugés contre celle-là.

« Je crois au contraire, rétorqua Pestsov, que ces deux questions sont intimement liées l'une à l'autre. La femme est privée de droits parce qu'elle est privée d'instruction, et le manque d'instruction provient de l'absence de droits. N'oublions pas que l'esclavage de la femme est si ancien que bien souvent nous sommes incapables de comprendre l'abîme légal qui la sépare de nous.

— Vous parlez de droits, dit Serge Ivanovitch quand il put ouvrir la bouche; est-ce le droit de remplir les fonctions de juré, de conseiller municipal, de fonctionnaire public, de membre du parlement?...

— Sans doute.

— Mais si les femmes peuvent exceptionnellement remplir ces fonctions, ne serait-il pas plus juste de donner à ces droits le nom de devoirs? Un juré, un conseiller municipal, un employé de télégraphe remplit un devoir, personne n'en doute. Disons donc que les femmes cherchent — et fort légitimement — des devoirs; on ne peut donc que sympathiser à leur désir de prendre part aux travaux des hommes.

— C'est juste, appuya Karénine; le tout est de savoir si elles sont capables de remplir ces devoirs.

— Elles le seront certainement, dès qu'elles recevront une instruction plus développée, dit Stépane Arcadiévitch. Ne voyons-nous pas...

— Et le proverbe? dit le vieux prince qui avait écouté cette conversation en riant de ses petits yeux moqueurs. Je puis le citer devant mes filles : « La « femme a les cheveux longs... »

— C'est ainsi qu'on jugeait les nègres avant leur émancipation, s'écria Pestsov mécontent.

— Ce qui m'étonne, reprit Serge Ivanovitch, c'est de voir les femmes ambitionner des devoirs que bien souvent les hommes cherchent à éluder.

— Ces devoirs, dit Pestsov, sont accompagnés de droits : les honneurs, le pouvoir, l'argent, voilà ce que cherchent les femmes.

— C'est absolument comme si je briguais le droit d'être nourrice et trouvais mauvais qu'on me le refusât, alors que les femmes sont payées pour cela », dit le vieux prince.

Tourovtsine éclata de rire, et Serge Ivanovitch regretta de n'être pas l'auteur de cette plaisanterie; Karénine lui-même se dérida.

« Oui, mais un homme ne peut allaiter, dit Pestsov, tandis qu'une femme...

— Pardon, un Anglais à bord d'un navire est parvenu à allaiter son enfant, dit le vieux prince, qui se permettait devant ses filles quelques libertés de langage.

— Soit, qu'il y ait autant de femmes fonctionnaires que d'Anglais nourrices, dit Serge Ivanovitch, heureux d'avoir lui aussi trouvé son mot.

— Mais les filles sans famille? demanda Stépane Arcadiévitch qui, en soutenant Pestsov, avait toujours eu en vue la Tchibissov, sa petite danseuse.

— Si vous scrutez la vie de ces jeunes filles, dit fort inopinément Darie Alexandrovna — et non sans aigreur, car elle avait deviné à qui son mari faisait allusion — vous trouverez certainement qu'elles ont abandonné une famille dans laquelle des devoirs de femmes étaient à leur portée.

— Peut-être, mais nous défendons un principe, un idéal, riposta Pestsov de sa voix tonnante. La femme

réclame le droit à l'indépendance, et elle souffre de
son impuissance à l'obtenir (1).

— Et moi, je souffre de n'être pas admis comme
nourrice à la maison des enfants trouvés », répéta le
vieux prince, à la grande joie de Tourovtsine, qui en
laissa choir par le gros bout une asperge dans sa sauce.

XI

Seuls Kitty et Levine n'avaient pris aucune part à la
conversation générale. Au commencement du dîner,
quand on parla de l'influence d'une nation sur une
autre, Levine se remémora involontairement les idées
qu'il s'était faites à ce sujet; mais il se sentit incapable
d'y mettre de l'ordre, et trouva bizarre qu'on pût s'em-
barrasser d'un problème qui naguère encore le passionnait et qui maintenant lui paraissait parfaitement
oiseux. De son côté Kitty aurait dû s'intéresser à la discussion sur les droits des femmes, questions dont elle
s'était souvent occupée, tant à cause de son amie
Varinka dont la dépendance était si rude, que pour son
propre compte dans le cas où elle ne se marierait pas :
souvent sa sœur et elle s'étaient disputées à ce sujet.
Combien cela l'intéressait peu maintenant! Entre
Levine et elle s'établissait une sorte d'affinité sérieuse
qui les rapprochait de plus en plus et leur causait un
sentiment de joyeuse terreur, au seuil de cet inconnu
dans lequel ils s'engageaient.

Kitty lui ayant demandé où il l'avait aperçue en été,
Levine lui raconta qu'il revenait des prairies par la
grande route, après le fauchage.

« C'était de très grand matin, par un temps superbe.
Vous veniez sans doute de vous réveiller, votre maman

(1) « Léon Nicolaïevitch était contre l'instruction supérieure des
femmes... Il disait que la véritable femme, telle qu'il la comprenait, était mère et épouse.
... Un jour il dit :
« Guillaume a dit : « Il faut à la femme : *Kirche, Küche,*
Kinder (l'église, la cuisine, les enfants). » Moi j'ajoute : Guillaume a confié à la femme ce qui était le plus important dans
la vie, que reste-t-il donc à l'homme? » (T. Kouzminski, *op. cit.*)

dormait encore dans son coin. Je marchais en me
demandant : « Une voiture à quatre chevaux? Qui cela
« peut-il être? » Et tandis que les chevaux — de belles
bêtes, ma foi — passent en agitant leurs grelots, vous
m'apparaissez tout à coup comme un éclair. Vous étiez
assise, comme cela, près de la portière, tenant à deux
mains les rubans de votre coiffure de voyage et vous
sembliez plongée dans de profondes réflexions. Comme
je voudrais savoir à quoi vous pensiez, ajouta-t-il en
souriant. Etait-ce à quelque chose de bien important? »

« Pourvu que je n'aie pas été décoiffée! » se dit
Kitty. Mais en voyant le sourire enthousiaste que ce
souvenir faisait naître sur les traits de Levine, elle se
rassura sur l'impression qu'elle avait produite.

« Je n'en sais vraiment plus rien, répondit-elle
rieuse et rougissante.

— Comme Tourovtsine rit de bon cœur! dit Levine
admirant la gaieté de ce brave garçon dont les yeux
étaient humides et le corps soulevé par le rire.

— Le connaissez-vous depuis longtemps? demanda
Kitty.

— Qui ne le connaît!

— Vous ne paraissez pas avoir une très bonne opinion de lui?

— Il m'a tout l'air d'un pas-grand-chose.

— Vous vous trompez et vous allez me faire le plaisir de rétracter bien vite votre opinion. Moi aussi, je
l'ai autrefois mal jugé; mais c'est, je vous assure, un
très bon garçon, un cœur d'or.

— Comment avez-vous fait pour apprécier son
cœur?

— Nous sommes de très bons amis, je le connais à
fond. L'hiver dernier, peu de temps après... après votre
visite, dit-elle d'un sourire contraint mais confiant, les
enfants de Dolly ont eu la scarlatine, et un jour qu'il
était venu lui faire visite... Le croiriez-vous, continua-
t-elle en baissant la voix, il l'a prise en si grande pitié
qu'il l'a aidée pendant trois semaines à soigner les
petits malades... Je raconte à Constantin Dmitritch la
conduite de Tourovtsine pendant la scarlatine, dit-elle
en se penchant vers sa sœur.

— Oui, il a été admirable! » répondit Dolly en
regardant avec un bon sourire le brave Tourovtsine,

qui se doutait bien qu'on parlait de lui. Levine le
regarda à son tour et s'étonna de ne pas l'avoir
compris jusque-là...

« Pardon, pardon, jamais je ne jugerai légèrement
personne! » s'écria-t-il d'une voix joyeuse. Cette fois-ci
il exprimait bien sincèrement ce qu'il ressentait.

XII

La discussion sur l'émancipation des femmes offrait un
côté épineux à traiter devant des dames, celui de l'inégalité des droits entre époux. A plusieurs reprises pendant le dîner Pestsov effleura la question, mais chaque
fois Koznychev et Oblonski firent adroitement dévier
l'entretien. Au lever de table, Pestsov, se refusant à
suivre les dames au salon, retint Alexis Alexandrovitch
pour lui démontrer que la raison principale de cette
inégalité tenait, à l'en croire, à la différence qu'établissent la loi et l'opinion publique entre l'infidélité de
la femme et celle de son mari.

Stépane Arcadiévitch offrit précipitamment un cigare
à son beau-frère.

« Non, je ne fume pas », répondit celui-ci du ton le
plus tranquille et, comme pour prouver qu'il ne redoutait pas ce sujet, il dit à Pestsov avec un sourire glacial : « Cette différence découle, il me semble, de la
nature même des choses. »

Il se dirigeait vers le salon quand Tourovtsine,
émoustillé par le champagne et d'ailleurs impatient de
rompre un silence qui lui pesait depuis longtemps,
s'écria, son bon gros sourire habituel flottant sur ses
lèvres rouges et humides :

« Vous a-t-on raconté l'histoire de Priatchnikov? On
m'a dit tantôt qu'il s'était battu à Tver avec Kvytski
et qu'il l'avait tué. »

Il s'adressait plus particulièrement à Karénine,
comme au principal convive. Chacun semblait avoir à
cœur de toucher le point sensible de cet homme et
cependant, rebelle aux efforts d'Oblonski pour l'entraîner

« Pourquoi Priatchnikov s'est-il battu? demanda-t-il soudain intéressé.

— A cause de sa femme. Il s'est bien conduit : il a provoqué son rival et il l'a tué.

— Ah? » fit d'une voix neutre Alexis Alexandrovitch.

Et, le sourcil froncé, il passa dans le petit salon. Dolly, qui l'y attendait, lui dit avec un sourire craintif :

« Comme je suis heureuse que vous soyez venu! J'ai besoin de vous parler. Asseyons-nous ici. »

Alexis Alexandrovitch, conservant l'air d'indifférence que lui donnaient ses sourcils froncés, s'assit auprès d'elle.

« D'autant plus volontiers, dit-il avec un sourire figé, que je vais devoir bientôt me retirer; je pars demain matin. »

Fermement convaincue de l'innocence d'Anna, Dolly se sentait pâlir et trembler de colère devant cet être insensible qui se disposait froidement à perdre sa chère belle-sœur et amie.

« Alexis Alexandrovitch, dit-elle en rassemblant toute sa fermeté pour le regarder bien en face, je vous ai demandé des nouvelles d'Anna et vous ne m'avez pas répondu; que devient-elle?

— Je suppose qu'elle se porte bien, Darie Alexandrovna, répondit-il en évitant son regard.

— Pardonnez-moi si j'insiste sans en avoir le droit, mais j'aime Anna comme une sœur. Dites-moi, je vous en conjure, ce qui se passe entre vous et elle... De quoi l'accusez-vous, voyons? »

Alexis Alexandrovitch se renfrogna, et, les yeux à demi clos, baissa la tête.

« Votre mari vous aura sans doute indiqué les raisons qui m'obligent à rompre avec Anna Arcadiévna, dit-il en jetant un coup d'œil mécontent sur le jeune Stcherbatski qui traversait la pièce.

— Je ne crois pas et ne croirai jamais tout cela!... » murmura Dolly en serrant d'un geste énergique ses mains amaigries. Elle se leva brusquement et, touchant de sa main la manche d'Alexis Alexandrovitch : « Nous ne serons pas tranquilles ici, dit-elle. Venez par là, je vous en prie. »

L'émotion de Dolly se communiquait à Karénine; il

obéit, se leva et la suivit dans la salle d'étude des enfants, où ils s'assirent devant une table que couvrait une toile cirée entaillée de coups de canif.

« Je ne crois à rien de tout cela, répéta Dolly cherchant à saisir ce regard qui fuyait le sien.

— Peut-on nier des « faits », Darie Alexandrovna? dit-il en appuyant sur le dernier mot.

— Mais quelle faute a-t-elle commise, voyons?

— Elle a manqué à ses devoirs et trahi son mari; voilà ce qu'elle a fait.

— Non, non, c'est impossible! Non, dites-moi que vous vous trompez », s'écria Dolly en fermant les yeux et en se prenant aux tempes.

Alexis Alexandrovitch sourit froidemen. du bout des lèvres : il voulait ainsi prouver à Dolly et se prouver à lui-même que sa conviction était inébranlable. Mais cette chaleureuse intervention rouvrit sa blessure, et ce fut avec une certaine animosité qu'il répondit à Dolly :

« L'erreur est difficile quand la femme vient elle-même déclarer au mari que huit années de mariage et un fils ne comptent pour rien et qu'elle veut recommencer sa vie.

— Anna et le vice, comment associer ces deux idées, comment croire?...

— Darie Alexandrovna, dit-il, sentant sa langue se délier et regardant enfin sans détour le visage ému de Dolly, je donnerais beaucoup pour pouvoir encore douter. Le doute était cruel, mais le présent est plus cruel encore. Quand je doutais, j'espérais malgré tout. Maintenant je n'ai plus d'espoir et cependant j'ai d'autres doutes : j'ai pris mon fils en aversion, je me demande parfois s'il est le mien. Je suis très malheureux. »

Ces derniers mots étaient superflus. Dès qu'elle eut rencontré son regard, Dolly comprit qu'il disait vrai; elle eut pitié de lui, et sa foi dans l'innocence de son amie en fut ébranlée.

« Mais c'est affreux, affreux!... Et vous êtes vraiment décidé au divorce?

— J'ai pris ce dernier parti parce que je n'en vois pas d'autre à prendre.

— Pas d'autre, pas d'autre..., murmura-t-elle les larmes aux yeux. Si, si, il doit y en avoir.

— Le plus affreux dans un malheur de ce genre, reprit-il comme s'il devinait sa pensée, c'est qu'on ne peut pas porter sa croix comme dans toute autre infortune, une perte, une mort... Il faut agir, car on ne peut rester dans la position humiliante qui vous est faite, on ne peut vivre à trois.

— Oui, je comprends, je comprends », répondit Dolly en baissant la tête. Elle se tut, ses propres chagrins domestiques lui revinrent à la mémoire; et tout à coup, levant son regard vers Karénine en joignant les mains d'un geste suppliant : « Attendez donc, dit-elle; vous êtes chrétien, songez à ce qu'elle deviendra si vous l'abandonnez!

— J'y ai pensé, beaucoup pensé », Darie Alexandrovna, répondit-il en offrant à sa pitié, qu'elle lui accordait maintenant tout entière, un visage aux yeux troubles et aux joues couvertes de plaques rouges. « Lorsqu'elle m'a annoncé mon déshonneur elle-même, je lui ai donné la possibilité de se réhabiliter, j'ai cherché à la sauver. Qu'a-t-elle fait alors? Elle n'a même pas observé la modeste condition que je posais, le respect des convenances! On peut, ajouta-t-il en s'échauffant, sauver un être qui ne veut pas périr; mais avec une nature corrompue au point de voir le bonheur dans sa perte même, que voulez-vous qu'on fasse?

— Tout sauf le divorce!

— Qu'appelez-vous tout?

— Songez donc qu'elle ne serait plus la femme de personne. Elle serait perdue! C'est affreux!

— Que voulez-vous que j'y fasse? » répliqua-t-il en haussant les épaules et les sourcils. Le souvenir de la dernière faute de sa femme le ramena soudain au même degré de froideur qu'au début de l'entretien. « La sympathie que vous me témoignez me touche beaucoup, ajouta-t-il en se levant, mais il est temps que je me retire.

— Non, attendez. Ne faites pas son malheur... Moi aussi j'ai été trompée; dans ma jalousie, mon indignation, j'ai voulu tout quitter... Mais j'ai réfléchi... et qui m'a sauvée? Anna... Maintenant mes enfants grandissent, mon mari revient à sa famille, comprend ses torts, devient meilleur, et je reprends goût à la vie... J'ai pardonné; pardonnez, vous aussi. »

Alexis Alexandrovitch écoutait, mais les paroles de Dolly restaient sans effet sur lui, car dans son âme grondait la colère qui l'avait décidé au divorce. Il se rebiffa et déclara d'une voix haute et perçante, où tremblaient des larmes de colère :

« Je ne puis ni ne veux pardonner, ce serait injuste. Pour cette femme j'ai fait l'impossible et elle a tout traîné dans la boue qui paraît lui convenir. Je ne suis pas un méchant homme et n'ai jamais haï personne; mais elle, je la hais de toutes les forces de mon âme, et la haine que je lui ai vouée pour tout le mal qu'elle m'a fait m'empêche de lui pardonner.

— Aimez ceux qui vous haïssent... » murmura Dolly.

Karénine eut un sourire de mépris : ces mots, qu'il ne connaissait que trop bien, ne pouvaient s'appliquer à sa situation.

« On peut aimer ceux qui vous haïssent, mais non point ceux que vous haïssez. Pardonnez-moi de vous avoir troublée, à chacun suffit sa peine. »

Et retrouvant son empire sur lui-même, Alexis Alexandrovitch prit congé et se retira.

XIII

QUAND on quitta la table, Levine, craignant de déplaire à Kitty par une assiduité trop marquée, résista à la tentation de la suivre au salon. Il resta avec les hommes et prit part à la conversation générale; mais sans voir la jeune fille, il devinait chacun de ses gestes, de ses regards et jusqu'à la place qu'elle occupait. La promesse qu'il avait faite d'aimer son prochain et de n'en penser que du bien lui parut facile à tenir. La conversation tomba sur la commune rurale, que Pestsov considérait comme un principe typique auquel il donnait le nom bizarre de « principe choral ». Levine partageait aussi peu son avis que celui de son frère qui reconnaissait et niait tout à la fois la valeur de cette institution. Il chercha cependant à rapprocher leurs points de vue sans s'intéresser le moins du monde ni à leurs arguments ni à ses propres paroles : son unique désir était de voir chacun heureux et content. Une

seule personne comptait pour lui dans le monde. Cette
personne, après avoir séjourné au salon, s'était approchée de la porte; il sentit un regard et un sourire fixés
sur lui et fut contraint de se retourner. Elle était là en
compagnie du jeune Stcherbatski et elle le regardait.

« Je pensais que vous alliez vous mettre au piano,
dit-il en allant à elle. Voilà ce qui me manque à la
campagne : la musique (1).

— Non, nous venions tout simplement vous chercher,
et je vous remercie d'avoir compris, répondit-elle en
le récompensant d'un sourire. Quel plaisir y a-t-il à
discuter? On ne convainc jamais personne.

— C'est vrai, il arrive parfois que l'on discute uniquement parce que l'on n'arrive pas à comprendre ce
que prétend démontrer votre interlocuteur. »

Il arrive fréquemment, même à des gens de valeur,
de s'apercevoir que tel ou tel débat qui s'est élevé entre
eux et leur a coûté de grands efforts de logique et une
énorme dépense de paroles n'est au fond qu'une question de préférences, chacun d'eux craignant de dévoiler
la sienne par crainte de la voir mettre en doute. Si
l'un des adversaires parvient par d'heureux tours de
phrases à faire saisir et partager sa prédilection à
l'autre, la discussion tombe d'elle-même. Voilà ce que
voulait dire Levine, qui plus d'une fois avait fait pareille constatation.

Le front plissé, Kitty s'efforçait de comprendre, et
déjà Levine voulait lui venir en aide quand soudain :

« Ah! j'ai saisi, s'écria-t-elle : il faut d'abord comprendre les raisons qui poussent votre adversaire à
discuter, deviner ses goûts; alors... »

Levine sourit de bonheur : elle exprimait en termes

---

(1) Les jours où nous ne chassions pas, nous faisions de la
musique. Léon Nicolaïevitch fut à une époque passionné de musique... Il jouait deux, trois heures par jour Schumann, Chopin,
Mozart, Mendelssohn. » (T. Kouzminski, *op. cit.*)
« Léon Nicolaïevitch se mettait souvent au piano avant de travailler... En outre, il accompagnait toujours ma plus jeune sœur
dont il aimait beaucoup la voix. J'ai remarqué que les émotions
que faisaient naître en lui la musique s'accompagnaient d'une
légère pâleur et d'une grimace à peine perceptible exprimant une
sorte d'effroi. Il ne se passait presque pas de jour sans que ma
sœur chantât et sans qu'il se mît au piano. Parfois nous chan-
tions en chœur et c'était toujours lui qui nous accompagnait. »
(*Souvenirs* de S. Bers, beau-frère de Tolstoï.)

très clairs l'idée qu'il avait assez gauchement exposée.
Quelle différence entre cette manière sobre, laconique
d'échanger les pensées les plus complexes et la pro-
lixité chère à Pestsov et à son frère!

Stcherbatski les ayant quittés, elle s'assit à une table
de jeu et se mit à tracer à la craie des cercles sur le
drap vert. Levine remit sur le tapis la fameuse question
des occupations féminines. Il partageait sur ce point
l'opinion de Dolly et crut l'étayer d'un argument nouveau en soutenant que toute famille, riche ou pauvre,
a toujours eu et aura toujours besoin d'auxiliaires,
bonnes, gouvernantes, etc., prises soit dans son sein,
soit en dehors d'elle.

« Non, affirma Kitty en rougissant, ce qui ne l'empêcha pas de lever sur lui un regard limpide et hardi;
non, il y a des cas où une jeune fille ne peut entrer
dans une famille sans s'exposer à une humiliation, où
elle-même... »

Il comprit l'allusion.

« Oui, oui, s'écria-t-il; vous avez mille fois raison. »

Ces craintes virginales lui firent enfin apprécier la
valeur des arguments de Pestsov; et par amour pour
Kitty il renonça à ses propres théories.

Un silence tomba. Elle maniait toujours son bâton de
craie; ses yeux brillaient d'un doux éclat. Une rafale
de bonheur emportait Levine.

« Ah! mon Dieu, j'ai couvert toute la table de mes
griffonnages, dit-elle en déposant la craie et en faisant
mine de se lever. »

« Comment ferai-je pour rester sans elle? » pensa
Levine avec terreur.

« Attendez, dit-il en s'asseyant à son tour. Il y a
longtemps que je voulais vous demander une certaine
chose. »

Il posa sur elle un regard tendre quelque peu craintif.

« Demandez. »

— Voici, dit-il en traçant à la craie les lettres, *q, v,
m, a, r, c, e, i, e, i, a, o, t*? qui étaient les premières des
mots : « quand vous m'avez répondu : c'est impossible,
était-ce impossible alors ou toujours? » Il était peu
vraisemblable que Kitty pût comprendre cette question
compliquée; néanmoins il la regarda de l'air d'un

homme dont la vie dépendait de l'explication de cette phrase.

Elle appuya le front sur sa main et se mit à déchiffrer avec beaucoup d'attention, interrogeant parfois Levine des yeux.

« J'ai compris, dit-elle enfin en rougissant.

— Que veut dire cette lettre? lui demanda-t-il en indiquant le *t*.

— « Toujours »; mais cela n'est pas vrai. »

Il effaça brusquement ce qu'il avait écri: et lui tendit la craie. Elle écrivit : *a, j, n, p, r, d.*

Quand elle aperçut sa sœur la craie à la main, un sourire timide et heureux aux lèvres, levant les yeux vers Levine qui promenait de la table à la jeune fille un regard enflammé, Dolly se sentit consolée de son entretien avec Karénine. Soudain Levine rayonna de joie; il avait compris la réplique : « Alors je ne pouvais répondre différemment. »

Il l'interrogea d'une œillade craintive :

« Seulement alors?

— Oui, répondit le sourire de la jeune fille.

— Et... maintenant? demanda-t-il.

— Lisez. Je vais vous dire ce que je souhaite de toute mon âme. »

Elle traça les premières lettres des mots : « que vous puissiez oublier et pardonner. »

De ses doigts tremblants il saisit le bâton de craie, le brisa dans son trouble et répondit de la même façon : « Je n'ai rien à oublier ni à pardonner, car je n'ai jamais cessé de vous aimer. »

Kitty le regarda et son sourire se figea.

« J'ai compris », murmura-t-elle.

Il s'assit et écrivit une longue phrase. Elle la comprit sans hésitation et lui répondit par une autre, dont il fut longtemps à saisir le sens, le bonheur lui enlevant l'usage de ses facultés. Mais dans les yeux ivres de joie de Kitty il lut ce qu'il désirait savoir. Il écrivit encore trois lettres, mais la jeune fille, lui arrachant la craie, termina elle-même la phrase et y répondit par un « oui » en toutes lettres (1).

(1) Cette scène est autobiographique. Ce fut de cette façon que Tolstoï demanda sa femme en mariage, dans la propriété du grand-père de celle-ci, non loin de Iasnaïa Poliana.

« Vous jouez au « sécrétaire »? dit le vieux prince en s'approchant. Très bien; mais si tu veux venir au théâtre, il est temps de partir. »

Levine se leva et reconduisit Kitty jusqu'à la porte. Ils avaient eu le temps de tout se dire : elle l'aimait, elle préviendrait ses parents, il viendrait faire sa demande le lendemain.

XIV

Kitty partie, Levine sentit l'inquiétude le gagner; il eut peur, comme de la mort, des quatorze heures qui le séparaient du moment où il la reverrait, où leurs deux vies s'uniraient pour toujours. Pour tromper le temps, il éprouvait le besoin impérieux de ne pas rester seul, de parler à quelqu'un. Par malheur, Stépane Arcadié-vitch dont la compagnie lui eût, plus qu'aucune autre, convenu, le quitta pour aller dans le monde, c'est-à-dire au ballet. Levine ne put que lui dire qu'il était heureux et n'oublierait jamais, jamais ce qu'il lui devait. D'un regard et d'un sourire, Oblonski fit entendre à son ami qu'il appréciait ce sentiment à sa juste valeur.

« Tu ne parles plus de mourir, j'espère? lui demanda-t-il, avec une poignée de main bien sentie.

— Non! » répondit énergiquement Levine.

Et il s'en fut prendre congé de Darie Alexandrovna.

« Que je suis heureuse, lui dit celle-ci, de vous savoir de nouveau en bons termes avec Kitty! Il ne faut pas négliger ses vieux amis. »

Ces paroles, dans lesquelles Levine flaira un compliment, eurent le don de lui déplaire : son bonheur était beaucoup trop sublime pour que le commun des mortels se permît d'y faire allusion!

Finalement, pour ne point rester seul, il s'accrocha à son frère.

« Où vas-tu?

— A une réunion.

— Puis-je t'accompagner?

— Pourquoi pas? dit en souriant Serge. Que t'arrive-t-il aujourd'hui?

— Ce qui m'arrive? le bonheur! répondit Levine
en baissant la glace de la voiture. Tu permets? J'étouffe.
Pourquoi ne t'es-tu jamais marié?

— Allons, tous mes compliments, dit Serge toujours
souriant. C'est, je crois, une charmante per...

— Tais-toi, tais-toi! » s'écria Levine, qui, le prenant
par le collet, lui couvrit le visage de sa fourrure. « Une
charmante personne... » Quelles paroles vulgaires,
indignes de ses beaux sentiments!

Serge Ivanovitch éclata de rire, ce qui ne lui arrivait
pas souvent.

« Puis-je au moins dire que je suis enchanté?

— Demain, mais pas un mot de plus!... Silence!...
ordonna Levine en lui fermant encore une fois la
bouche. Je t'aime beaucoup, ajouta-t-il. Puis-je assister
à votre réunion?

— Mais bien sûr!

— De quoi sera-t-il question aujourd'hui? » demanda Levine entre deux sourires.

Ils étaient arrivés. Levine écouta le secrétaire ânon-
ner un procès-verbal auquel le malheureux semblait
n'entendre goutte; mais à la confusion qu'il laissait
paraître tout en bredouillant, Levine devina en lui un
bon et charmant garçon. Il s'éleva ensuite un débat
relatif à l'assignation de certaines sommes et à l'in-
stallation de certains conduits. Serge Ivanovitch s'en
prit à deux membres du comité qu'il foudroya dans un
discours fort long; sur quoi un autre personnage, après
avoir pris force notes et dompté un accès de timidité,
lui répondit d'une façon aussi charmante que fielleuse;
enfin Sviajski, qui se trouvait là également, mit fin à la
discussion par quelques belles phrases proférées d'un
ton fort noble. Levine écoutait toujours et sentait bien
que ce prétendu désaccord n'était qu'un prétexte pour
réunir d'aimables gens qui au fond s'entendaient à
merveille. Grâce à de légers indices, auxquels il n'aurait jadis prêté aucune attention, Levine pénétrait les
pensées des assistants, lisait dans leurs âmes, appréciait surtout la parfaite bonté de leurs natures; tous
en effet, ceux même qui ne le connaissaient pas, lui
adressaient aujourd'hui des paroles et des regards
d'une parfaite aménité.

« Eh bien, es-tu content? lui demanda son frère.

— Très content; je n'aurais jamais cru que ce fût aussi intéressant. »

Et, comme Sviajski l'invitait à terminer la soirée chez lui, il accepta avec empressement et s'informa aussitôt de sa femme et de sa belle-sœur. Rien ne subsistait de ses préventions d'autrefois, pas même le souvenir : ce monsieur, que naguère il n'arrivait pas à déchiffrer, lui parut le meilleur, le plus fin des hommes; et comme par une étrange filiation la belle-sœur de cet être exquis s'associait toujours dans son esprit à l'idée du mariage, il lui sembla que personne n'écouterait plus volontiers que ces dames le récit de son bonheur.

Sviajski l'interrogea sur l'état de ses affaires, se refusant toujours à admettre que l'on pût innover quoi que ce fût en matière d'économie rurale, l'Europe en ayant depuis longtemps déterminé toutes les formes possibles. Cette fois-ci, Levine, loin de se sentir froissé par cette thèse, la trouva fort plausible et admira la douceur, la délicatesse avec lesquelles Sviajski la soutenait. Les dames se montrèrent particulièrement aimables. Levine crut comprendre qu'elles savaient tout, qu'elles prenaient part à sa joie, mais que par discrétion elles évitaient d'en parler. Il passa en leur compagnie une heure, puis deux, puis trois, abordant divers sujets qui ressortaient tous à ses préoccupations du moment, sans remarquer qu'il ennuyait mortellement ses hôtes et qu'ils tombaient de sommeil. Enfin Sviajski, ne sachant que penser des façons bizarres de son ami, le reconduisit en bâillant jusqu'à l'antichambre. Il était plus d'une heure.

Rentré à l'hôtel, Levine s'épouvanta en songeant aux dix heures qu'il lui restait encore à passer dans la solitude et l'impatience. Le garçon de service voulut se retirer après avoir allumé les bougies, mais Levine l'arrêta : ce personnage, qu'il connaissait à peine de nom, lui apparut soudain comme un fort brave homme pas bête du tout et, ce qui valait mieux, plein de cœur.

« Dis-moi, Iégor, lui demanda-t-il, cela doit être dur de veiller?

— Que voulez-vous, monsieur, c'est notre métier. Bien sûr, on a la vie plus douce dans une maison de maître, mais ici on a plus de profits. »

Il se trouva que Iégor avait quatre enfants, trois gar-

çons et une fille, laquelle était couturière et promise à
un commis bourrelier. A ce propos Levine lui fit remarquer que le mariage devait reposer sur l'amour :
quand on aime, on est toujours heureux, car notre bonheur est en nous-mêmes. Iégor, qui écoutait attentivement, parut convaincu de cette vérité, mais il la
confirma par une réflexion inattendue à savoir que,
lorsqu'il avait servi de bons maîtres, il avait toujours
été content d'eux, et que son maître actuel, pour Français qu'il fût, lui convenait parfaitement.

« Quelle bonne pâte d'homme! » songea Levine.

« Et toi, Iégor, aimais-tu ta femme quand tu l'as
épousée?

— Mais bien sûr, vous ne voudriez tout de même
pas... »

Levine remarqua que son exaltation avait gagné
Iégor et que le brave garçon s'apprêtait à lui dévoiler
ses sentiments les plus intimes.

« Voyez-vous, monsieur, commença-t-il les yeux
brillants, gagné par l'enthousiasme de Levine comme
on l'est par la contagion du bâillement, j'ai eu, comme
qui dirait, des aventures; dès mon plus jeune âge... »

Mais à ce moment la sonnette retentit; Iégor sortit et
Levine se retrouva seul. Bien qu'il eût à peine touché
au dîner et refusé de souper chez Sviajski, il n'avait
nullement faim; après une nuit d'insomnie, il ne songeait pas à dormir; et malgré la température plutôt
fraîche, il étouffait dans sa chambre. Il ouvrit tout
grands les deux vasistas et s'assit sur une table en face
des fenêtres. Au-dessus des toits chargés de neige
s'élevait la croix ajourée d'une église et plus haut le
triangle du Cocher dominé par l'éclat jaunâtre de la
Chèvre. Tout en aspirant l'air glacial il laissait errer
ses regards de la croix à l'étoile et donnait libre cours
aux fantaisies du souvenir et de l'imagination. Un peu
après trois heures, des pas retentirent dans le corridor;
il entrouvrit sa porte et reconnut un certain Miaskine
qui rentrait de son cercle, la mine sombre et le dos
voûté. « Le malheureux! » se dit Levine en l'entendant tousser, et des larmes de pitié lui mouillèrent les
paupières. Il voulut le réconforter, mais se rappela à
temps qu'il était en chemise. Il retourna se plonger
dans l'air glacial et considérer cette croix de forme

étrange, dont le silence était pour lui gros de signification, et la belle étoile brillante qui montait à l'horizon.
Vers six heures, les frotteurs commencèrent à faire du
bruit, les cloches sonnèrent un office matinal, et Levine sentit enfin les atteintes du froid. Il ferma les
vasistas, fit sa toilette et sortit.

XV

Les rues étaient encore désertes quand Levine arriva
devant la maison des Stcherbatski : il trouva le portail
fermé et tout le monde endormi. Il retourna à l'hôtel
et demanda du café. Le garçon qui le lui apporta n'était
plus Iégor; néanmoins Levine engagea avec cet homme
une conversation qu'un coup de sonnette vint brusquement interrompre. Il essaya de prendre son café, mais
sans pouvoir avaler le morceau de brioche qu'il mit
dans sa bouche. Il le cracha d'impatience, endossa de
nouveau son pardessus et se retrouva peu après neuf
heures devant le fameux portail. On venait seulement
de se lever; le chef partait aux provisions. Il fallait se
résoudre à attendre au moins deux bonnes heures.
Depuis la veille, Levine vivait dans un complet état
d'inconscience, et comme en dehors des conditions
matérielles de l'existence. Il n'avait ni mangé ni dormi,
s'était exposé au froid pendant plusieurs heures
presque sans vêtements et néanmoins il se sentait frais,
dispos, affranchi de toute servitude corporelle, capable
des actes les plus extraordinaires comme de s'envoler
dans les airs ou de faire reculer les murailles d'une
maison. Pour calmer les affres de l'attente, il rôda dans
les rues, consultant sa montre à chaque instant et laissant errer ses regards autour de lui. Ce qu'il vit ce
jour-là, il ne devait jamais le revoir. Les enfants qui se
rendaient à l'école, les pigeons au plumage changeant
qui voletaient des toits aux trottoirs, les gâteaux sau-
poudrés de farine que mit en montre une main invisible,
tout cela tenait du prodige. Un écolier courut vers les
pigeons; l'un d'eux secoua des ailes et prit son vol,
brillant au soleil à travers une fine poussière de neige,

et un parfum de pain chaud s'exhala de la vitrine où
apparurent les gâteaux. Tout cela réuni formait une
scène si touchante que Levine se prit à rire et à pleurer à la fois. Après avoir fait un grand tour, il regagna
une seconde fois son hôtel, s'assit, posa sa montre devant lui et attendit qu'elle marquât midi. Ses voisins de
chambre discutaient une affaire de machines en toussotant d'une toux matinale : les malheureux ne se dou-
taient pas que l'aiguille approchait de midi! Quand
enfin elle atteignit le chiffre fatal, Levine se précipita
dans la rue; aussitôt des cochers de fiacre, qui évidemment savaient tout, l'entourèrent avec des visages
joyeux, se disputant l'honneur de le conduire. Il en
choisit un et, pour ne pas froisser les autres, leur promit de les prendre une autre fois. Le gaillard lui parut
délicieux, avec sa blouse blanche qui ressortait du
caftan et faisait tache sur le cou rouge et vigoureux. Il
avait un traîneau commode, plus élevé que les traîneaux ordinaires (jamais Levine ne retrouva son pareil), attelé d'un bon petit cheval qui faisait de son
mieux pour courir, mais qui n'avançait pas. Le cocher
connaissait fort bien la maison des Stcherbatski et,
pour marquer à son client une considération toute particulière, il arrêta son cheval devant le portail suivant
toutes les règles de l'art en criant : ho! et en arron-
dissant les bras. Le concierge devait, lui aussi, être
au courant, cela se voyait à son regard souriant, à la
façon dont il dit :

« Il y a longtemps qu'on ne vous avait vu, Constantin Dmitriévitch. »

Et non seulement il savait tout, mais il débordait
d'allégresse et s'efforçait de cacher sa joie. En rencontrant le bon regard du vieillard, Levine sentit une
nuance nouvelle à son bonheur.

« Est-on levé?

— Certainement. Donnez-vous la peine d'entrer...
Laissez-nous cela ici », ajouta le bonhomme en souriant, lorsque Levine voulut revenir sur ses pas pour
prendre sa toque. Ce mot lui parut gros de sens.

« A qui annoncerai-je monsieur? » demanda le valet de chambre.

Bien qu'il appartînt de toute évidence aux nouvelles
couches et affichât des prétentions à l'élégance, ce va-

let n'en était pas moins un excellent garçon qui devait avoir aussi tout compris.

« Mais à la princesse... au prince... à mademoiselle », répondit Levine.

La première personne qu'il aperçut fut Mlle Linon : elle traversait le grand salon, et ses boucles rayonnaient comme son visage. A peine lui eut-elle adressé quelques paroles qu'un frôlement de robe se fit entendre près de la porte. Mlle Linon disparut à ses regards, cependant qu'un effroi joyeux l'envahissait. La vieille institutrice se hâta de sortir, de petits pieds légers coururent sur le parquet, et son bonheur, sa vie, la meilleure partie de lui-même s'approcha. Elle ne marchait point; une force invisible la portait vers lui.

Il ne vit que deux yeux limpides, brillants de cette même joie qui lui remplissait le cœur. Ces yeux, rayonnant de plus en plus près, l'aveuglaient presque de leur éclat. Elle lui posa ses deux mains sur les épaules. Elle se donnait tout entière, tremblante et heureuse. Il la serra dans ses bras, et leurs lèvres s'unirent.

Elle aussi, après une nuit sans sommeil, l'avait attendu toute la matinée. Ses parents étaient contents et complètement d'accord. Elle avait guetté l'arrivée de son fiancé, voulant être la première à lui annoncer leur bonheur. Honteuse et confuse, elle ne savait trop comment mettre son projet à exécution. Aussi, en entendant les pas et la voix de Levine s'était-elle cachée derrière la porte pour attendre que Mlle Linon sortît. Alors, sans s'interroger davantage, elle était venue à lui.

« Allons maintenant trouver maman », dit-elle en lui prenant la main.

Il fut longtemps sans pouvoir proférer un mot, non qu'il craignit d'amoindrir en parlant l'intensité de son bonheur, mais parce que, chaque fois qu'il voulait ouvrir la bouche, il sentait les larmes l'étouffer. Il lui prit la main et la baisa.

« Est-ce vrai? dit-il enfin d'une voix étranglée. Je ne puis croire que tu m'aimes. »

Elle sourit de ce « tu » et de la crainte avec laquelle il la regarda.

« Oui, répondit-elle en appuyant sur le mot. Je suis si heureuse! »

Sans quitter sa main, elle l'entraîna au petit salon.

En les apercevant, la princesse se prit, toute suffoquée, à pleurer et aussitôt après à rire. Puis courant à Levine avec une énergie dont il ne l'eût pas crue capable, elle le prit par la tête et l'embrassa en l'arrosant de ses larmes.

« Ainsi tout est arrangé! Je suis contente. Aime-la bien. Je suis contente... Kitty!...

— Vous êtes vite tombés d'accord, dit le prince, cherchant à paraître calme, malgré ses yeux embués de larmes. Allons, continua-t-il en attirant Levine vers lui, c'est une chose que je désirais depuis longtemps... depuis toujours. Et même, quand cette écervelée s'est mise en tête...

— Papa! s'écria Kitty en lui fermant la bouche de ses mains.

— C'est bon, c'est bon, je ne dirai rien, fit-il. Je suis très... très... très... heu... Dieu que je suis bête! »

Il prit Kitty dans ses bras, baisant son visage, ses mains, et encore son visage, et finalement la bénit d'un signe de croix.

Levine éprouva un sentiment d'amour nouveau pour le vieux prince quand il vit avec quelle tendresse Kitty baisait longuement sa grosse main musculeuse.

XVI

La princesse trônait dans son fauteuil, silencieuse et souriante; le prince s'assit auprès d'elle; Kitty, debout près de son père, lui tenait toujours la main. Tout le monde se taisait.

La princesse ramena la première leurs sentiments et leurs pensées aux questions de la vie réelle. Chacun d'eux en éprouva, au premier moment, une impression étrange et pénible.

« Eh bien, il s'agit maintenant de fiancer ces enfants en bonne et due forme et d'annoncer le mariage. A quand la noce? Qu'en penses-tu, Alexandre?

— C'est à lui de décider, dit le prince en désignant Levine.

— Si vous me demandez mon avis, répondit celui-ci

en rougissant, le plus tôt sera le mieux : aujourd'hui les
fiançailles et demain la noce.

— Voyons, *mon cher,* ne dis pas de bêtises.

— Eh bien, dans huit jours.

— Il devient fou, ma parole!

— Mais pourquoi pas?

— Et le trousseau? » dit la mère que cette impatience fit sourire.

« Est-il possible qu'un trousseau et tout le reste
soient indispensables? pensa Levine avec effroi. Après
tout, ni le trousseau ni les fiançailles ni le reste ne
pourront gâter mon bonheur. » Un coup d'œil à Kitty
lui prouva que l'idée du trousseau ne la froissait aucu-
nement. « Il faut croire que c'est nécessaire », se dit-il.

« Je n'y entends rien, j'ai simplement exprimé mon
désir, murmura-t-il en s'excusant.

— Nous y réfléchirons. Annonçons toujours le mariage. »

La princesse se leva, embrassa son mari et voulut
s'éloigner, mais il la retint pour l'embrasser en souriant à plusieurs reprises, comme un jeune amoureux.
Les deux vieux époux semblaient troublés et prêts à
croire qu'il s'agissait d'eux et non point de leur fille.
Quand ils furent partis, Levine tendit la main à sa
fiancée. Il avait repris possession de lui-même et re-
couvré l'usage de la parole; et pourtant toutes ces
choses qu'il avait sur le cœur, il se sentit impuissant
à les exprimer.

« Je savais que cela serait ainsi, affirma-t-il. Sans
avoir jamais osé l'espérer, j'en étais convaincu au fond
de l'âme. Mon destin le voulait.

— Et moi, répondit Kitty, alors même... » Elle
s'arrêta un instant, puis continua en le regardant résolument de ses yeux sincères : « alors même que je re-
poussais mon bonheur, je n'ai jamais aimé que vous.
J'ai cédé à un entraînement. Je crois de mon devoir de
vous le dire. Pourrez-vous l'oublier?

— Peut-être vaut-il mieux qu'il en ait été ainsi. Vous
aurez aussi à me pardonner certaines choses, car je
dois vous avouer que... »

Il s'était résolu — c'était ce qu'il avait sur le cœur
— à lui confesser dès les premiers jours, d'abord qu'il
n'était pas aussi pur qu'elle, puis qu'il n'était pas

croyant. Pour douloureux qu'ils fussent, il pensait **de** son devoir de lui faire ces aveux.

« Non, pas maintenant, plus tard... décida-t-il.

— Soit, mais dites-moi tout, je ne crains rien, **je** veux tout savoir. Il est bien entendu...

— Que vous me prenez tel que je suis, n'est-ce pas? Vous ne vous dédirez plus!

— Non, non. »

Leur conversation fut interrompue par Mlle Linon, qui vint avec un sourire doucereux complimenter son élève préférée. Elle n'avait pas encore quitté le salon que les domestiques voulurent à leur tour offrir leurs félicitations. Ce fut ensuite un défilé de parents. Ainsi débuta cette période bienheureuse et absurde dont Levine ne fut quitte que le lendemain de son mariage.

Bien qu'il se sentît de plus en plus mal à l'aise, son bonheur n'en allait pas moins croissant. On exigeait de lui des choses qui ne lui seraient jamais venues à l'esprit, et il prenait plaisir à s'exécuter. Il s'était figuré que, si ses fiançailles ne sortaient pas absolument **des** traditions ordinaires, sa félicité en serait atteinte; mais, bien qu'il fît exactement ce que chacun faisait en pareil cas, cette félicité prenait des proportions extraordinaires.

« Maintenant, insinuait ˙Mlle Linon, nous aurons quantité de bonbons. » Et Levine courait acheter des bonbons.

« Tous mes compliments, lui dit Sviajski. Je vous conseille de prendre vos bouquets chez Fomine. — Ah! vraiment, c'est nécessaire? » Et il courait **chez** Fomine...

Son frère fut d'avis qu'il devait emprunter de l'argent pour les cadeaux et les dépenses du moment. « Comment, il faut des cadeaux? » Et il courait chez Foulda.

Chez le confiseur, chez Fomine, chez Foulda, chacun semblait l'attendre, chacun semblait heureux et triomphant comme lui. C'était là d'ailleurs le sentiment général, et, chose remarquable, son enthousiasme était partagé de ceux mêmes qui autrefois lui avaient paru froids et indifférents : on l'approuvait en tout, on traitait son amour avec une délicatesse infinie, **on le** croyait sur parole, quand il se prétendait l'être ˷e **plus** heureux de la terre parce que sa fiancée était la perfection même.

Kitty éprouvait des impressions analogues. La comtesse Nordston s'étant permis une allusion aux espérances plus brillantes qu'elle avait conçues pour son amie, Kitty se mit en colère et défendit si âprement la supériorité de Levine que la comtesse dut convenir qu'elle avait raison. Et depuis lors elle ne rencontra jamais Levine en présence de son amie sans lui adresser un sourire d'admiration.

Un des incidents les plus pénibles de cette époque de leur vie fut celui des explications promises. Sur l'avis du prince, Levine remit à Kitty un journal écrit jadis à l'intention de celle qu'il épouserait. Des deux points délicats qui le préoccupaient, son incrédulité fut celui qui passa presque inaperçu. Croyante elle-même et incapable de mettre en doute les vérités de sa religion, le prétendu manque de foi de son fiancé laissa Kitty indifférente : ce cœur, que l'amour lui avait fait connaître, renfermait ce qu'elle avait besoin d'y trouver; peu lui importait qu'il qualifiât d'incrédulité l'état de son âme. Mais le second aveu lui fit verser des larmes amères.

Levine ne s'était résolu à cette confession qu'après un grand combat intérieur et parce qu'il ne voulait pas de secrets entre eux; mais il ne s'était pas suffisamment rendu compte de l'impression que cette lecture laisserait à une jeune fille. L'abîme qui séparait de cette pureté de colombe son abominable passé lui apparut lorsque, entrant un soir dans la chambre de Kitty avant d'aller au spectacle, il vit son charmant visage baigné de larmes; il comprit alors le mal irréparable dont il était cause et en fut épouvanté (1).

« Reprenez ces horribles cahiers, dit-elle en repoussant les feuilles posées sur sa table. Pourquoi me les avez-vous donnés?... Après tout, cela vaut mieux, ajouta-t-elle prise de pitié à la vue du désespoir de Levine. Mais c'est affreux, affreux. »

Il baissa la tête, incapable d'un mot de réponse.

(1) Nous trouvons encore des allusions à cet incident et aux remords de Tolstoï-Levine au sujet de son impureté dans les journaux intimes de Tolstoï et de sa femme de l'année 1910 (année de la mort de Tolstoï)

« Vous ne me pardonnerez pas? murmura-t-il.
— Si, j'ai pardonné, mais c'est affreux. »
Cet incident n'eut cependant pas d'autre effet que
d'ajouter une nuance de plus à son immense bonheur.
Il en comprit encore mieux le prix après ce pardon,
dont il se sentait indigne.

XVII

En regagnant son appartement solitaire, Alexis Alexandrovitch se remémora involontairement les conversations de la soirée. Les supplications de Darie Alexandrovna n'avaient réussi qu'à lui donner du dépit :
appliquer, sans connaissance suffisante de cause, les
préceptes de l'Evangile à une situation comme la sienne
lui semblait entreprise hasardeuse; d'ailleurs cette
question, il l'avait jugée, et jugée par la négative. Une
phrase s'était en revanche profondément gravée dans
son souvenir et c'était celle de l'honnête imbécile de
Tourovtsine : « Il s'est bien conduit : il a provoqué
son rival et il l'a tué. » Evidemment tout le monde
avait approuvé cette conduite, et si on ne l'avait pas
proclamé, ouvertement, c'était par pure politesse.
« Après tout, se dit-il, à quoi bon songer à ces choses?
La question n'est-elle pas résolue? »
Comme il rentrait chez lui, il s'enquit de son domestique auprès du portier, qui l'accompagnait respectueusement. Apprenant que le drôle était sorti, il se fit servir du thé et se plongea dans l'étude de l'indicateur :
ses devoirs professionnels l'absorbaient de nouveau
tout entier. Le domestique ne tarda pas à rentrer.
« Votre Excellence voudra bien m'excuser, dit le
valet, j'étais sorti pour un moment. On vient d'apporter deux dépêches. »
Alexis Alexandrovitch en ouvrit une : elle lui annonçait la nomination de Strémov à la place que lui-même
convoitait. Karénine rougit, jeta le télégramme et se prit
à marcher dans la pièce « *Quos vult perdere Jupiter
demental* », se dit-il, entendant par *quos* tous ceux qui
avaient contribué à cette nomination. Il était moins

contrarié d'avoir subi un passe-droit que de voir à
cette place un bavard, un phraseur comme Strémov.
Ne comprenaient-ils pas que pareil choix compromet-
tait leur *prestige?*

« Sans doute quelque nouvelle du même genre! »
pensa-t-il avec amertume en ouvrant la seconde dépêche. Elle était de sa femme : la signature « Anna »
au crayon bleu lui sauta aux yeux. « Je meurs, je vous
supplie d'arriver, je mourrai plus tranquille, si j'ai
votre pardon. » Il lut ces mots avec un sourire de mépris et repoussa le papier. « Quelque nouvelle ruse! »
Telle fut sa première impression. « Il n'est pas de su-
percherie dont elle ne soit capable. Elle doit être sur
le point d'accoucher. Mais quel peut être leur but?
Rendre légale la naissance de l'enfant? Me compromettre? empêcher le divorce?... Mais que signifie ce :
je meurs?... » Il relut la dépêche, et cette fois-ci le sens
réel de son contenu le frappa. « Si c'était vrai pourtant? Si la souffrance, l'approche de la mort l'ame-
naient à un repentir sincère? En ne répondant pas à
son appel, je serais non seulement cruel mais maladroit, et je me ferais sévèrement juger... »

« Pierre, une voiture! Je pars pour Pétersbourg »,
cria-t-il à son domestique.

Alexis Alexandrovitch s'était résolu à revoir sa
femme, quitte à repartir aussitôt si la maladie était
feinte; dans le cas contraire il pardonnerait, et s'il
arrivait trop tard, au moins pourrait-il lui rendre les
derniers devoirs.

Cette décision prise, il n'y pensa plus pendant le
voyage. Et quand au petit jour, fatigué de sa nuit en
chemin de fer, il suivait la Perspective (1) encore dé-
serte, ses yeux tentaient de percer le brouillard matinal sans que son esprit voulût réfléchir à ce qui l'attendait chez lui. Y songeait-il involontairement qu'aussitôt il cédait à l'idée persistante que cette mort cou-
perait court à toutes les difficultés. Des boulangers, des
fiacres attardés, des concierges balayant les trottoirs,
des boutiques fermées passaient comme un éclair devant ses yeux : il remarquait tout et cherchait à étouf-

(1) La perspective Nevski, la plus grande avenue de Pétersbourg.

fer l'espérance qu'il se reprochait de concevoir. Arrivé
devant sa maison, il aperçut un fiacre et une voiture
de maître avec un cocher endormi arrêtés à sa porte.
Dans le vestibule Alexis Alexandrovitch fit encore un
effort sur lui-même et arracha du coin le plus reculé
de son cerveau une décision qui pouvait se formuler
ainsi : « Si elle me trompe, j'observerai un calme méprisant et je repartirai; si elle a dit vrai, je respecterai
les convenances. »

Avant même qu'il eût sonné, le suisse Petrov, alias
Kapitonytch, ouvrit la porte : sans cravate, vêtu d'une
vieille redingote et chaussé de pantoufles, le bonhomme
avait un air étrange.

« Comment va madame?

— Madame est heureusement accouchée d'hier. »

Alexis Alexandrovitch s'arrêta tout pâle : il comprenait combien il avait vivement souhaité cette mort.

« Mais sa santé? »

Kornéï, en tenue du matin, descendait précipitamment l'escalier.

« Madame va très mal, répondit-il; une consultation
a eu lieu hier soir, et le docteur est ici en ce moment.

— Occupe-toi de mes bagages », dit Karénine, un
peu soulagé en apprenant que tout espoir de mort
n'était pas perdu.

Il gagna l'antichambre et remarquant au porte-
manteau un manteau d'uniforme :

« Qui est ici? demanda-t-il.

— Le docteur, la sage-femme et le comte Vronski. »

Il n'y avait personne au salon; le bruit de ses pas fit
sortir du boudoir une personne dont le bonnet s'ornait
de rubans mauves : c'était la sage-femme. Elle vint à
lui et le prenant par la main avec la familiarité que
donne le voisinage de la mort, elle l'entraîna vers la
chambre à coucher.

« Dieu merci, vous voilà! dit cette femme. Elle ne
parle que de vous, toujours de vous.

— De la glace! vite, de la glace! » demandait dans
la chambre à coucher la voix impérative du médecin.

Dans le boudoir, assis près du bureau sur une petite
chaise basse, Vronski pleurait, le visage dans ses
mains; il tressaillit à la voix du médecin, découvrit sa
figure et se trouva devant Karénine; cette vue le trou-

bla tellement qu'il se laissa retomber en renfonçant sa
tête dans ses épaules, comme s'il eût espéré disparaître.
Cependant un grand effort de volonté le remit sur
pied.

« Elle se meurt, dit-il. Les médecins assurent que
tout espoir est perdu. Je suis à vos ordres, mais accor-
dez-moi la permission de rester ici. Je me conformerai
d'ailleurs à votre volonté... »

Devant les larmes de Vronski, Alexis Alexandrovitch
ne put résister au trouble que lui causait toujours la vue
des souffrances d'autrui. Il détourna la tête sans répondre et se dirigea vers la chambre à coucher. La
voix d'Anna s'y faisait entendre, vive, gaie, avec des
intonations très nettes. Karénine entra et s'approcha
du lit. Elle avait le visage tourné vers lui, les joues
animées, les yeux brillants; ses petites mains blanches,
sortant des manches de sa camisole, jouaient avec le
coin de la couverture. Elle semblait non seulement
fraîche et bien portante, mais dans la disposition d'esprit la plus heureuse : elle parlait vite et haut, en ac-
centuant les mots avec beaucoup de précision.

« Car Alexis, je parle d'Alexis Alexandrovitch (n'est-
il pas étrange et cruel que tous deux se nomment
Alexis?), Alexis ne m'aurait pas refusé. J'aurais oublié,
il aurait pardonné... Pourquoi n'arrive-t-il pas? Il est
bon, il ignore lui-même combien il est bon... Ah! mon
Dieu, mon Dieu, quelle angoisse! Donnez-moi vite de
l'eau! Mais ce ne sera pas bon pour ma petite... Alors
donnez-lui une nourrice; j'y consens, cela vaut même
mieux : quand il viendra, elle lui ferait mal à voir.
Eloignez-la.

— Anna Arcadiévna, il est arrivé, le voilà, dit la
sage-femme en essayant d'attirer son attention sur
Alexis Alexandrovitch.

— Quelle folie! continua Anna sans voir son mari.
Donnez-moi la petite, donnez-la! Il n'est pas encore
arrivé. Si vous prétendez qu'il se montrera inflexible,
c'est que vous ne le connaissez pas. Personne ne le
connaissait, sauf moi. Encore, vers la fin, m'était-ce
devenu douloureux... ses yeux, il faut les connaître;
ceux de Serge sont tout pareils, c'est pourquoi je ne
puis plus les voir... A-t-on fait dîner Serge? Je suis
sûre que personne ne songe à ce petit. Lui ne l'aurait

pas oublié. Qu'on transporte Serge dans la chambre du coin et que Mariette couche auprès de lui. »

Soudain elle se ramassa sur elle-même, prit un air effrayé, et porta les bras à la hauteur de son visage, comme pour parer un coup : elle avait reconnu son mari.

« Non, non, reprit-elle, ce n'est pas lui que je crains, c'est la mort. Alexis, approche-toi. Je me dépêche parce que le temps manque, je n'ai plus que quelques minutes à vivre, la fièvre va reprendre et je ne comprendrai plus rien. Maintenant je comprends, je comprends tout et je vois tout. »

Le visage ridé d'Alexis Alexandrovitch exprima une vive souffrance; il lui prit la main et voulut parler, mais sa lèvre inférieure tremblait si fort qu'il ne put articuler un mot, son émotion lui permettait tout au plus de jeter de temps à autre un regard sur la gisante, et chaque fois il voyait ses yeux fixés sur lui avec une douceur, une tendresse exaltée qu'il le leur connaissait point.

« Attends, tu ne sais pas... attendez, attendez... » elle s'arrêta, cherchant à rassembler ses idées. « Oui, oui, oui, voilà ce que je voulais dire. Ne t'étonne pas, je suis toujours la même... Mais il y en a une autre en moi, dont j'ai peur. C'est elle qui l'a aimé, « lui », et je voulais te haïr, mais je ne pouvais oublier celle que j'étais autrefois... Maintenant je suis moi tout entière, vraiment moi, pas l'autre. Je meurs, je sais que je meurs, demande-le-lui. Je m'en rends compte moi-même : les voilà, ces poids terribles aux mains, aux pieds, aux doigts. Mes doigts, ils sont énormes!... Mais tout cela finira vite... Une seule chose m'est indispensable : pardonne-moi tout à fait. Je suis criminelle, mais il y a une sainte martyre..., comment donc s'appelait-elle? la bonne de Serge m'a parlé d'elle... qui était pire que moi. J'irai à Rome, il y a là un désert, je n'y gênerai personne, je ne prendrai que Serge et ma petite... Non, tu ne peux pas me pardonner, je sais que c'est impossible... Va-t'en, va-t'en, tu es trop parfait... »

Elle le tenait d'une de ses mains brûlantes et l'éloignait de l'autre. Le trouble d'Alexis Alexandrovitch devenait si fort qu'il ne se défendit plus, il sentit même cette émotion se transformer en une sorte d'apaisement moral qui lui parut une béatitude insoupçonnée. Il n'avait pas cru que cette religion chrétienne, qu'il avait prise pour règle de sa vie, lui prescrivait le pardon des offenses et l'amour de ses ennemis; et voici qu'un exquis sentiment d'amour et de pardon emplissait son âme. Agenouillé près du lit, le front appuyé à ce bras dont la fièvre le brûlait au travers de la camisole, il sanglotait comme un enfant. Elle se pencha vers lui, entoura de son bras la tête chauve de son mari, et leva les yeux avec un air de défi.

« Le voilà, je le savais bien! Adieu maintenant, adieu à tous... Les voilà revenus, pourquoi ne s'en vont-ils pas? Otez-moi donc toutes ces fourrures. »

Le médecin la recoucha doucement sur ses oreillers en ayant soin de lui couvrir les bras et les épaules. Anna se laissa faire sans résistance, le regard fixé devant elle.

« Rappelle-toi que je n'ai demandé que ton pardon, je ne demande rien de plus... Mais pourquoi donc « lui » ne vient-il pas? dit-elle vivement en regardant du côté de la porte... Viens, viens, donne-lui la main. »

Vronski s'approcha du pied du lit et, en revoyant Anna, il se cacha de nouveau le visage dans ses mains.

« Découvre ton visage, dit-elle. Regarde-le : c'est un saint. Mais découvre donc ton visage, répéta-t-elle d'un ton irrité. Alexis Alexandrovitch, découvrez-lui le visage, je veux le voir. »

Alexis Alexandrovitch prit les mains de Vronski et découvrit son visage défiguré par la souffrance et l'humiliation.

« Donne-lui la main. Pardonne-lui. »

Alexis Alexandrovitch tendit la main sans chercher à retenir ses larmes.

« Dieu merci, me voilà prête. Il ne me reste qu'à étendre un peu les jambes, comme cela; c'est très bien... Que ces fleurs sont donc laides, elles ne ressemblent pas à des violettes, dit-elle en désignant les tentures de sa chambre... Mon Dieu, mon Dieu, quand cela finira-t-il! Donnez-moi de la morphine, docteur, de la morphine. Oh! mon Dieu, mon Dieu!... »

Et elle s'agita sur son lit.

Les médecins conservaient peu d'espoir, la fièvre puerpérale ne pardonnant presque jamais. La journée

se passa dans le délire et l'inconscience. Vers minuit la
malade n'avait presque plus de pouls : on attendait la
fin d'une minute à l'autre.

Vronski rentra chez lui, mais il retourna le lendemain prendre des nouvelles. Alexis Alexandrovitch vint
à sa rencontre dans l'antichambre et lui dit : « Restez,
peut-être vous demandera-t-elle. » Puis il le mena lui-
même dans le boudoir de sa femme. Dans la matinée,
l'agitation, la vivacité des pensées et des paroles repa-
rurent pour se terminer encore par un état d'inconscience. Le troisième jour offrit le même caractère, et
les médecins reprirent espoir. Ce jour-là Karénine
entra dans le boudoir où se tenait Vronski, ferma la
porte et s'assit en face de lui.

« Alexis Alexandrovitch, dit Vronski qui sentait
venir une explication, je suis pour le moment incapable
de parler et de comprendre. Ayez pitié de moi! Quelle
que soit votre souffrance, croyez bien que la mienne
est encore plus terrible. »

Il fit mine de se lever, mais Alexis Alexandrovitch le
retint et lui dit :

« Veuillez m'écouter, c'est indispensable. Je me vois
contraint de vous expliquer la nature des sentiments
qui me guident et me guideront encore, afin de vous
épargner toute erreur par rapport à moi. Vous savez
que j'étais résolu au divorce et que j'avais fait les premières démarches pour l'obtenir, il faut l'avouer, après
de longues hésitations; mais le désir de me venger
d'elle et de vous avait fini par lever mes scrupules. La
fatale dépêche ne changea rien à mes dispositions. Bien
plus, en venant ici, je souhaitais sa mort, mais... » Il
se tut un instant, balançant de lui dévoiler le sentiment
qui le faisait agir. « Mais, reprit-il, je l'ai revue et je
lui ai pardonné. Le bonheur de pouvoir pardonner m'a
clairement montré mon devoir. J'ai pardonné sans res-
triction. Je tends l'autre joue au soufflet, je donne mon
dernier vêtement à celui qui me dépouille. Je ne demande qu'une chose à Dieu, de me conserver la joie du
pardon. »

Les larmes remplissaient ses yeux; son regard lumineux et calme frappa Vronski.

« Voilà mon attitude. Vous pouvez me traîner dans
la boue et me rendre la risée du monde, mais je n'aban-

donnerai pas pour autant Anna, et vous n'entendrez
pas un mot de reproche de moi. Mon devoir est nettement tracé : je dois rester avec elle, je resterai. Si elle
désire vous voir, je vous ferai prévenir, mais je crois
que pour le moment il vaut mieux vous éloigner... »

Des sanglots étouffaient sa voix; il se leva. Vronski
fit de même, courbé en deux et le regardant en dessous.
Incapable de comprendre les mobiles qui dirigeaient
Karénine, il s'avouait cependant que c'étaient là des
sentiments d'un ordre supérieur et qui ne cadraient
guère avec le code de convenances auquel il obéissait
d'ordinaire.

XVIII

QUAND, après cet entretien, Vronski sortit de l'hôtel des
Karénine, il s'arrêta sur le seuil, se demandant où il
était et ce qu'il avait à faire. Humilié et confus, il se
sentait privé de tout moyen de laver sa honte, jeté hors
de la voie où il avait jusque-là marché avec tant
d'aisance et d'orgueil. Toutes les règles qui avaient
servi de base à sa vie et qu'il croyait inattaquables se
révélaient fausses et mensongères. Le mari trompé, ce
triste personnage qu'il avait considéré comme un
obstacle accidentel et parfois comique à son bonheur,
venait d'être élevé par « elle » à une hauteur qui inspirait le respect, et, au lieu de paraître ridicule, s'était
montré simple, grand et généreux. Les rôles étaient
intervertis; Vronski ne pouvait se le dissimuler; il sentait la grandeur, la droiture de Karénine et sa propre
bassesse; ce mari trompé apparaissait magnanime dans
sa douleur, tandis que lui-même se jugeait petit et misérable. Toutefois ce sentiment d'infériorité à l'égard
d'un homme qu'il avait si injustement méprisé n'entrait
que pour une faible part dans son accablement. Ce qui
causait son désespoir, c'était la pensée de perdre Anna
pour toujours. Sa passion, qu'il avait crue un moment
refroidie, s'était réveillée plus violente que jamais. La
maladie de sa maîtresse lui avait appris à la mieux
connaître, et il s'imaginait ne l'avoir encore jamais
aimée. Et maintenant qu'il la connaissait et l'aimait

réellement, il allait la perdre en laissant de lui à cette
femme adorée le souvenir le plus abject, le plus humiliant. Il se rappelait avec horreur le moment ridicule
et odieux où Alexis Alexandrovitch lui avait découvert
le visage, tandis qu'il le cachait de ses mains. Immobile sur le seuil de l'hôtel, il semblait n'avoir plus
conscience de ses actes.

« Appellerai-je un fiacre? demanda le suisse.

— C'est cela, oui, un fiacre... »

Rentré chez lui, Vronski, épuisé par trois nuits d'insomnie, s'étendit sans se déshabiller sur un divan. Sa
tête lourde de fatigue, reposait sur ses bras croisés. Les
réminiscences, les pensées, les impressions les plus
étranges se succédaient dans son esprit avec une rapidité, une lucidité extraordinaires. Tantôt il se voyait
donnant une potion à la malade et faisant déborder la
cuillère; tantôt il apercevait les mains blanches de la
sage-femme ou encore la singulière attitude d'Alexis
Alexandrovitch agenouillé par terre près du lit.

« Dormir! oublier! » se disait-il avec la calme résolution de l'homme bien portant, sûr de pouvoir, en cas
de fatigue, s'endormir à volonté. Et, de fait, ses idées
s'embrouillèrent, il se sentit tomber dans l'abîme de
l'oubli. Il allait sombrer dans l'inconscient quand soudain il tressaillit de tout le corps, comme sous l'action
d'une violente secousse électrique, et se trouva projeté
sur les genoux, les yeux aussi ouverts que s'il n'eût pas
songé à dormir. Toute lassitude avait disparu.

« Vous pouvez me traîner dans la boue. » Ces mots
d'Alexis Alexandrovitch résonnaient à son oreille. Il le
voyait devant lui; il voyait aussi le visage enfiévré
d'Anna et ses regards enflammés se posant avec tendresse non plus sur lui, mais sur son mari; il voyait la
grimace stupide qui avait contracté son visage lorsque
Karénine l'avait découvert. Et devant l'horreur de cette
vision, il ferma les yeux et se rejeta en arrière.

« Dormir! oublier! » se répéta-t-il. Alors, malgré ses
yeux fermés, le visage d'Anna, tel qu'il s'était montré à
lui le soir mémorable des courses, surgit dans les
ténèbres avec une surprenante précision.

« C'est impossible, cela ne sera pas, elle désire m'ef-
facer de son souvenir. Et pourtant je ne puis vivre sans
cela. Comment nous réconcilier, comment nous récon-

cilier? » Il prononça ces mots tout haut et se prit à les
répéter inconsciemment; pendant quelques secondes
cette répétition machinale empêcha le renouvellement
des images qui assiégeaient son cerveau. Mais bientôt
les doux moments du passé et les humiliations récentes
reprirent tout leur empire. « Découvre ton visage »,
disait la voix d'Anna. Il écartait les mains et sentait à
quel point il avait dû paraître humilié et ridicule.

Il demeura longtemps étendu de la sorte, cherchant
le sommeil sans espoir de le trouver, et murmurant
quelque bribe de phrase pour écarter de nouvelles hal-
lucinations. Il écoutait sa propre voix répéter dans un
murmure de démence : « Tu n'as pas su l'apprécier, tu
n'as pas su profiter; tu n'as pas su l'apprécier, tu n'as
pas su profiter. »

« Que m'arrive-t-il? Deviendrais-je fou? » se demanda-t-il. « Peut-être. Pourquoi devient-on fou et pourquoi se donne-t-on la mort? » Et tout en se répondant
à lui-même, il ouvrit les yeux et aperçut avec surprise
à côté de lui un coussin brodé par sa belle-sœur Varia.
Il chercha, en jouant avec le gland du coussin, à fixer
dans sa pensée le souvenir de cette charmante femme,
à se remémorer la dernière visite qu'il lui avait faite;
mais une idée étrangère à celle qui le torturait était
un martyre de plus. « Non, il faut dormir! » Et approchant le coussin de sa tête, il s'y appuya et il fit effort
pour tenir ses yeux fermés. Soudain il se rassit en tressaillant encore. « Tout est fini pour moi. Que me reste-
t-il à faire? » Et son imagination lui représenta vivement la vie sans Anna. « L'ambition? Serpoukhovskoï?
le monde? la cour? » Tout cela pouvait avoir un sens
autrefois, mais n'en avait plus maintenant.

Il se leva, enleva sa tunique, dénoua sa ceinture pour
permettre à sa large poitrine de respirer plus librement et se prit à arpenter la pièce. « C'est ainsi qu'on
devient fou, c'est ainsi qu'on se donne la mort... » se
répétait-il... « Pour s'épargner la honte », ajouta-t-il
lentement.

Il alla vers la porte, qu'il ferma; puis, le regard fixe
et les dents serrées, il s'approcha de son bureau, prit
un revolver, l'examina, l'arma et réfléchit. Il resta deux
minutes immobile, la tête baissée et le revolver à la
main, en proie à une profonde méditation. « Certaine-

ment », proféra-t-il enfin, et cette décision semblait le résultat logique d'une suite d'idées nettes et précises; mais au fond il tournait toujours dans le même cercle d'impressions et de souvenirs — bonheur perdu, avenir impossible, honte écrasante — que depuis une heure il parcourait pour la centième fois. « Certainement », répéta-t-il en voyant revenir une fois de plus l'éternel défilé; alors, appuyant le revolver du côté gauche de sa poitrine, il contracta nerveusement sa main et pressa la détente. Il ne perçut aucune détonation, mais le coup violent qu'il reçut dans la poitrine le fit tomber. Il chercha vainement à se retenir à l'angle du bureau, vacilla, lâcha le revolver et s'affaissa, jetant autour de lui des regards effarés; les pieds contournés du bureau, la corbeille à papiers, la peau de tigre sur le sol, il ne reconnaissait rien. Les pas de son domestique qui traversait le salon l'obligèrent à se maîtriser; il finit par comprendre qu'il était par terre, et en voyant du sang sur sa main et sur la peau de tigre, il eut conscience de ce qu'il avait fait.

« Quelle sottise! Je me suis manqué! » murmura-t-il en cherchant de la main le revolver qu'il ne vit pas tout près de lui. Il s'épuisa en vains efforts, perdit l'équilibre et retomba, baigné dans son sang (1).

Le valet de chambre, un personnage élégant qui portait favoris et se plaignait volontiers à ses amis de la

---

(1) « J'ai eu une conversation avec le poète Kouskov... que je voulais vous rapporter depuis longtemps. Il dit qu'avant *Anna Karénine* il n'y a pas eu de roman russe, qu'ici pour la première fois tous les personnages agissent en Russes. Vronski, par exemple, est prêt à tout sauf au pardon. » (Lettre de Strakhov, novembre 1876.)

« Dans tout, dans presque tout ce que j'ai écrit, j'ai été dirigé par la nécessité de rassembler mes idées enchaînées l'une à l'autre pour m'exprimer moi-même; mais chaque idée exprimée séparément par des mots perd sa signification... L'enchaînement lui-même se fait, il me semble, non par la pensée mais par un autre processus; révéler directement par des mots le principe de cet enchaînement est impossible, nous pouvons seulement, indirectement... par des mots, décrire des formes d'activité, des situations... Une des démonstrations les plus évidentes en a été pour moi le suicide de Vronski... Ce chapitre, je l'avais déjà écrit depuis longtemps. J'ai voulu le mettre au net, et de façon tout à fait imprévue, sans me laisser l'ombre d'un doute, Vronski s'est suicidé. Maintenant, pour le développement ultérieur du récit, il se trouve que c'était organiquement indispensable. » (Lettre à Strakhov, 26 avril 1876.)

délicatesse de ses nerfs, fut si terrifié à la vue de son maître qu'il le laissa gisant et courut chercher du secours. Au bout d'une heure, Varia, la belle-sœur de Vronski, arriva et, avec l'aide de trois médecins qu'elle avait fait querir à trois bouts de la ville et qui arrivèrent tous en même temps, elle réussit à coucher le blessé dont elle se constitua la garde-malade.

XIX

ALEXIS ALEXANDROVITCH n'avait pas prévu que sa femme ferait preuve d'un repentir sincère, qu'elle obtiendrait son pardon et... se rétablirait. Deux mois après son retour de Moscou cette erreur lui apparut dans toute sa gravité. Elle provenait d'ailleurs moins d'un manque de calcul que d'une méconnaissance de son propre cœur. Près du lit de sa femme mourante, il s'était, pour la première fois de sa vie, abandonné à ce sentiment de commisération pour les douleurs d'autrui contre lequel il avait toujours lutté comme on lutte contre une dangereuse faiblesse. Le remords d'avoir souhaité la fin d'Anna, la pitié qu'elle lui inspirait, et par-dessus tout le bonheur même du pardon, avaient transformé ses angoisses morales en une paix profonde et changé une source de souffrance en une source de joie : tout ce que dans sa haine et sa colère il avait jugé inextricable devenait clair et simple, maintenant qu'il aimait et pardonnait.

Il avait pardonné à sa femme et il la plaignait à cause de ses souffrances et de son repentir. Il avait pardonné à Vronski et il le plaignait également depuis qu'il avait eu vent de son acte de désespoir. Il plaignait son fils, et plus qu'auparavant, car il se reprochait de l'avoir négligé. Quant à la nouveau-née, il éprouvait pour elle plus que de la pitié, une véritable tendresse. En voyant cette fillette débile, négligée pendant la maladie de sa mère, il l'avait grâce à ses soins arrachée à la mort et s'était attaché à elle sans y prendre garde. La bonne et la nourrice le voyaient entrer plu-

sieurs fois par jour dans la chambre des enfants et,
intimidées d'abord, s'étaient habituées à sa présence.
Il restait parfois une demi-heure à contempler le visage
ratatiné, duveteux, safrané de l'enfant qui n'était pas
le sien, à suivre les mouvements de son front plissé,
à le voir se frotter le nez et les yeux du revers de ses
petites mains potelées aux doigts recourbés. Dans ces
moments-là, Alexis Alexandrovitch se sentait tranquille, en paix avec lui-même et ne voyait rien d'anormal à sa situation.

Et cependant plus il allait, plus il se rendait compte
que cette situation, pour naturelle qu'elle lui parût, on
ne lui permettait pas de s'en contenter. En dehors de
la sublime force morale qui le guidait intérieurement,
il sentait l'existence d'une autre force brutale, tout
aussi puissante sinon davantage, qui dirigeait sa vie
malgré lui et ne lui accorderait pas la paix tant dési-
rée. Tout le monde semblait interroger son attitude, se
refuser à la comprendre et attendre de lui quelque
chose de différent. Quant à ses rapports avec sa femme,
ils manquaient de naturel et de stabilité. Lorsque l'attendrissement causé par l'approche de la mort eut
cessé, Alexis Alexandrovitch remarqua bientôt qu'Anna
le craignait, qu'elle redoutait sa présence et n'osait ni
le regarder en face ni lui parler à cœur ouvert; pres-
sentant sans doute la courte durée des relations ac-
tuelles, elle paraissait, elle aussi, attendre quelque chose
de son mari.

Vers la fin de février, la petite fille, à qui on avait
donné le nom de sa mère, tomba malade. Alexis Alexandrovitch l'avait vue un matin avant de se rendre au
ministère et avait fait querir le médecin. En rentrant
un peu après trois heures, il aperçut dans l'antichambre un flandrin de laquais dont la livrée s'ornait
d'une peau d'ours et qui tenait sur le bras une rotonde
de chien-loup.

« Qui est là? demanda-t-il.

— La princesse Elisabeth Fiodorovna Tverskoï »,
répondit l'homme, et Alexis Alexandrovitch crut s'apercevoir qu'il souriait.

Durant cette pénible période, Karénine avait noté de
la part de leurs relations mondaines, surtout féminines,
un intérêt très particulier pour sa femme et pour lui.

Il remarquait chez tous cette joie mal dissimulée qu'il avait lue dans les yeux de l'avocat et qu'il retrouvait dans ceux du faquin : s'informait-on de sa santé, ses interlocuteurs lui semblaient tous ravis, comme s'ils allaient marier quelqu'un.

La présence de la princesse ne pouvait être agréable à Alexis Alexandrovitch : il ne l'avait jamais aimée et elle lui rappelait de fâcheux souvenirs. Aussi gagnat-il tout droit l'appartement des enfants. Dans la première pièce, Serge, couché sur la table et les pieds sur une chaise, dessinait en bavardant gaiement. Assise près de lui, la gouvernante anglaise, qui remplaçait la Française retenue près d'Anna, travaillait à un ouvrage au crochet; dès qu'elle vit entrer Karénine, elle se leva, fit une révérence et remit Serge sur ses pieds. Alexis Alexandrovitch caressa la tête de son fils, répondit aux questions de la gouvernante sur la santé de madame, et demanda l'opinion du médecin sur l'état de *baby*.

« Le docteur n'a rien trouvé de fâcheux, monsieur; il a ordonné des bains.

— Elle souffre cependant, dit Alexis Alexandrovitch, écoutant crier l'enfant dans la chambre voisine.

— Je crois, monsieur, que la nourrice n'est pas bonne, répondit l'Anglaise d'un ton convaincu.

— Qu'est-ce qui vous le fait croire?

— J'ai vu cela chez la comtesse Pohl, monsieur. On soignait l'enfant avec des médicaments, tandis qu'il souffrait simplement de la faim : la nourrice manquait de lait. »

Alexis Alexandrovitch réfléchit et, au bout de quelques instants, entra dans la seconde pièce. La fillette criait, couchée sur les bras de sa nourrice, la tête renversée et refusant le sein; ni la bonne ni la nourrice ne parvenaient à la calmer.

« Cela ne va pas mieux? demanda Alexis Alexandrovitch.

— Elle est très agitée, répondit la bonne à mi-voix.

— Miss Edward prétend que la nourrice manque de lait.

— Je le crois aussi, Alexis Alexandrovitch.

— Pourquoi ne l'avoir pas dit?

— A qui le dire? Anna Arcadiévna est toujours

malade », répondit d'un ton bourru la brave femme qui était depuis longtemps dans la maison. Et cette phrase toute simple parut à Karénine une nouvelle allusion à sa position.

L'enfant criait de plus en plus fort, perdant haleine et s'enrouant. La bonne eut un geste d'impatience et reprenant la petite à la nourrice, elle se mit à la bercer en marchant.

« Il faudra dire au médecin qu'il veuille bien examiner la nourrice. »

Craignant de perdre sa place, la nourrice, une femme de robuste apparence et vêtue de beaux atours, se recouvrit la poitrine en marmonnant quelques mots incompréhensibles. L'idée qu'on pût la soupçonner de manquer de lait lui arracha un sourire de dédain, que Karénine prit de nouveau à son compte.

« Pauvre petite! » dit la bonne, qui s'efforçait de calmer la fillette.

Alexis Alexandrovitch s'assit et suivit quelque temps d'un air accablé la promenade de la bonne. Quand enfin celle-ci se fut éloignée après avoir remis l'enfant dans le berceau et arrangé le petit oreiller, il se leva, s'approcha sur la pointe des pieds, considéra quelques instants la petite fille, sans souffler mot et du même air accablé; soudain un sourire déplissa son front et il sortit tout doucement.

Quand il fut dans la salle à manger, il sonna et envoya de nouveau chercher le médecin. Mécontent de voir sa femme s'occuper si peu de cette charmante fillette, il ne voulait pas entrer chez elle d'autant plus qu'il ne tenait guère à rencontrer la princesse. Cependant, comme Anna pouvait s'étonner qu'il dérogeât à l'habitude prise, il fit violence à ses sentiments et se dirigea vers la chambre à coucher. Tandis qu'il approchait, un épais tapis étouffant le bruit de ses pas, la conversation suivante frappa malgré lui son oreille.

« S'il ne partait pas, je comprendrais votre refus et le sien; mais votre mari doit être au-dessus de cela, disait Betsy.

— Il ne s'agit pas de mon mari, mais de moi, ne m'en parlez plus, disait la voix émue d'Anna.

— Est-il possible que vous ne désiriez pas revoir celui qui a failli mourir pour vous?

— C'est précisément pour cela que je ne veux pas le revoir. »

Alexis Alexandrovitch s'arrêta tout effrayé et songea même à opérer sa retraite; mais réfléchissant que cette fuite manquait de dignité, il continua son chemin en toussant. Les voix se turent, et il pénétra dans la chambre.

Anna, vêtue d'un peignoir gris, ses cheveux noirs coupés ras repoussant en brosse, était assise sur une chaise longue. Toute son animation disparut, comme d'ordinaire, à la vue de son mari; elle baissa la tête et jeta un coup d'œil inquiet sur Betsy. Celle-ci, vêtue à la dernière mode, portait un chapeau minuscule juché sur le haut de sa tête comme un abat-jour sur une lampe, et une robe gorge-de-pigeon que des rayures diagonales ornaient, par-devant au corsage et par-derrière à la jupe. Installée auprès d'Anna, elle tenait sa longue taille plate aussi droite que possible. Elle accueillit Alexis Alexandrovitch d'un salut accompagné d'un sourire ironique.

« Ah! fit-elle, l'air étonné. Je suis ravie de vous rencontrer chez vous. Vous ne vous montrez nulle part et je ne vous ai pas vu depuis la maladie d'Anna. Je sais pourtant le soin que vous avez pris d'elle. Vous êtes un mari étonnant! »

Elle gratifia d'un regard la grandeur d'âme de Karénine. Mais celui-ci se contenta de la saluer froidement et, baisant la main de sa femme, il s'enquit de sa santé.

« Il me semble que je vais mieux, répondit-elle en évitant son regard.

— Vous avez pourtant le teint fiévreux, dit-il en insistant sur le dernier mot.

— Nous avons trop causé, dit Betsy. Je sens que c'est de l'égoïsme de ma part et je me sauve. »

Elle se leva, mais Anna, devenue toute rouge, la retint vivement par le bras.

« Non, restez, je vous en prie. Je dois vous dire... non, à vous plutôt », continua-t-elle en se tournant vers son mari, cependant que la rougeur gagnait le front et le cou. « Je ne puis ni ne veux rien vous cacher. »

Alexis Alexandrovitch baissa la tête et fit craquer ses doigts.

« Betsy m'a dit que le comte Vronski désirait venir prendre congé avant son départ pour Tachkent. » Elle parlait vite, sans regarder son mari, pressée d'en finir. « J'ai répondu que je ne pouvais pas le recevoir.

— Pardon, ma chère, corrigea Betsy, vous avez répondu que cela dépendait d'Alexis Alexandrovitch.

— Mais non, je ne puis le recevoir, et cela ne mènerait... »

Elle s'arrêta tout à coup, interrogeant son mari du regard; il avait détourné la tête. « Bref, je ne veux pas... »

Alexis Alexandrovitch se rapprocha et fit le geste de lui prendre la main. Le premier mouvement d'Anna fut de repousser cette main humide, aux grosses veines apparentes, qui cherchait la sienne, mais elle se domina et la serra.

« Je vous remercie de votre confiance, mais... »

Il s'arrêta et jeta un regard de dépit à la princesse. Ce que, livré à sa propre conscience, il pouvait juger facilement, lui devenait impossible à examiner en présence de cette femme en qui s'incarnait la force brutale qui dirigeait sa vie aux yeux du monde et l'empêchait de se donner tout entier à l'amour et au pardon.

« Eh bien, adieu, ma charmante », dit Betsy en se levant.

Elle embrassa Anna et sortit. Karénine la reconduisit.

« Alexis Alexandrovitch, dit-elle en s'arrêtant au milieu du boudoir pour lui serrer la main d'une manière significative, je vous tiens pour un homme sincèrement généreux, je vous estime et vous aime tant que vous me permettrez, toute désintéressée que je sois dans la question, de vous donner un conseil. Recevez-le : Alexis Vronski est l'honneur même et il part pour Tachkent.

— Je vous suis très reconnaissant, princesse, de votre sympathie et de votre conseil. Mais il appartient à ma femme seule de décider si elle peut ou non recevoir quelqu'un. »

Il prononça ces mots en soulevant, comme d'habitude, ses sourcils d'un air de dignité, mais il sentit aussitôt qu'en dépit de ses paroles la dignité cadrait mal avec la situation qui lui était faite. Le sourire contenu, ironique et méchant avec lequel Betsy accueillit sa phrase, le lui prouva surabondamment.

XX

Alexis Alexandrovitch accompagna Betsy jusqu'au grand salon, prit congé d'elle et rentra chez sa femme. Celle-ci était étendue sur sa chaise longue, mais en entendant revenir son mari, elle se redressa précipitamment et le regarda d'un air effrayé. Il s'aperçut qu'elle avait pleuré.

« Je te remercie de ta confiance », dit-il doucement, répétant en russe la réponse qu'il avait faite en français devant Betsy. (Cette manie de la tutoyer quand il parlait russe avait le don d'irriter Anna.) « Oui, poursuivit-il en prenant place auprès d'elle, je te suis reconnaissant de ta décision. Je trouve comme toi que, du moment que le comte Vronski part, il n'y a aucune nécessité de le recevoir ici. Au reste...

— Mais puisque je l'ai dit, à quoi bon revenir là-dessus? » interrompit Anna avec une irritation qu'elle ne sut pas maîtriser. « Aucune nécessité, songea-t-elle, pour un homme qui a voulu se tuer, de dire adieu à la femme qu'il aime et qui de son côté ne peut vivre sans lui! »

Elle serra les lèvres et abaissa son regard sur les grosses mains de son mari que celui-ci frottait lentement l'une contre l'autre.

« Ne parlons plus de cela, ajouta-t-elle d'un ton plus calme.

— Je t'ai laissé trancher cette question en toute liberté, et je suis heureux de voir...

— Que mes désirs sont conformes aux vôtres, acheva Anna, agacée de l'entendre parler si lentement quand elle savait à l'avance tout ce qu'il avait à dire.

— Oui, confirma-t-il; et la princesse Tverskoï se mêle fort mal à propos d'affaires de famille pénibles, elle surtout qui...

— Je ne crois rien de ce que l'on raconte, et je sais qu'elle m'aime sincèrement. »

Alexis Alexandrovitch soupira et se tut. Anna jouait nerveusement avec la cordelière de sa robe de chambre et le regardait de temps à autre avec ce sentiment de répulsion physique qu'elle se reprochait sans pouvoir la vaincre. La présence de cet homme lui était odieuse, et elle souhaitait uniquement d'en être débarrassée au plus tôt.

« Je viens de faire chercher le médecin, dit enfin Alexis Alexandrovitch.

— Pourquoi donc? je me porte bien.

— C'est pour la petite qui crie beaucoup; on croit que la nourrice a peu de lait.

— Pourquoi ne m'as-tu pas permis de nourrir, quand j'ai supplié qu'on me laissât essayer? Malgré tout (Karénine comprit ce qu'elle entendait par « malgré tout »), c'est une enfant, et on la fera mourir. » Elle sonna et se fit apporter la petite. « J'ai voulu mourir, on ne me l'a pas permis et on me le reproche maintenant...

— Je ne te reproche rien...

— Si, vous me le reprochez! Mon Dieu, pourquoi ne suis-je pas morte! » Elle éclata en sanglots. « Pardonne-moi, je suis nerveuse, injuste, reprit-elle, tâchant de se dominer. Mais laisse-moi. »

« Non, cela ne saurait durer ainsi », décida à part soi Alexis Alexandrovitch en se retirant.

Jamais encore l'impossibilité de prolonger aux yeux du monde une pareille situation ne l'avait si vivement frappé. Jamais encore Anna n'avait laissé si clairement transpirer la répulsion qu'il lui inspirait. Jamais non plus la puissance de cette mystérieuse force brutale qui, contrairement aux aspirations de son âme, dirigeait impérieusement sa vie et exigeait un changement d'attitude à l'égard de sa femme ne lui était apparue avec cette évidence. Le monde et sa femme exigeaient de lui une chose qu'il ne comprenait pas bien, mais cette chose émouvait en son cœur une révolte qui détruisait le mérite de sa victoire sur lui-même. Tout en estimant qu'Anna devait rompre avec Vronski, il était prêt, si tout le monde jugeait cette rupture impossible, à tolérer leur liai-

son, pourvu que les enfants demeurassent avec lui
à l'abri des éclaboussures et qu'aucun bouleversement
n'intervînt dans sa propre existence.

Cette solution, pour vilaine qu'elle fût, valait pourtant mieux qu'une rupture, qui, tout en vouant Anna
à une position honteuse et sans issue, l'eût privé, lui,
de tout ce qu'il aimait. Mais il sentait son impuissance dans cette lutte, il savait d'avance qu'on l'empêcherait d'agir sagement pour l'obliger à faire le mal
que tout le monde jugeait nécessaire.

XXI

A LA PORTE du grand salon, Betsy se heurta à Stépane
Arcadiévitch, qui arrivait de chez Elisséiev où l'on
avait reçu des huîtres fraîches.

« Princesse! vous ici! Quelle bonne rencontre! Je
viens de chez vous.

— La rencontre ne sera pas longue; je pars, répondit en souriant Betsy, qui boutonnait un de ses gants.

— Un moment, princesse, permettez-moi de baiser
votre charmante menotte avant que vous ne vous gan-
tiez. En fait de retour aux anciennes modes, rien ne
me plaît autant que le baisemain. »

Il baisa la main de Betsy.

« Quand nous reverrons-nous?

— Vous n'en êtes pas digne, répondit Betsy toujours souriante.

— Oh! que si! car je deviens le plus sérieux des
hommes : non seulement j'arrange mes propres
affaires, mais encore celles des autres, dit-il avec
importance.

— Vraiment? j'en suis enchantée », répondit Betsy
comprenant qu'il s'agissait d'Anna.

Et, rentrant dans le salon, elle entraîna Oblonski
dans un coin.

« Vous verrez qu'il la fera mourir, murmura-t-elle
d'un ton convaincu; impossible d'y tenir.

— Je suis bien aise que vous pensiez ainsi, répondit Stépane Arcadiévitch hochant la tête avec une

commisération sympathique. C'est la raison de mon
voyage à Pétersbourg.

— On ne parle que de cela, dit-elle. Cette situation
est intolérable. La malheureuse dessèche à vue d'œil.
Il ne comprend pas que c'est une de ces femmes qui ne
plaisantent point avec leurs sentiments. De deux choses
l'une : ou bien il doit l'emmener et agir énergiquement, ou bien il doit divorcer. Mais l'état actuel la tue.

— Oui... oui... c'est certain, dit Oblonski en soupirant. Je suis venu pour cela... ou plutôt non, pas
tout à fait. Je viens d'être nommé chambellan, il faut
remercier qui de droit. Mais l'essentiel est d'arranger
cette affaire.

— Que Dieu vous vienne en aide! » dit Betsy.

Stépane Arcadiévitch reconduisit la princesse jusqu'au vestibule, lui baisa la main au-dessus du gant
cette fois, et après lui avoir débité force inconve-
nances dont elle aima mieux rire que se froisser, il
la quitta pour aller voir sa sœur. Anna était en
larmes. Oblonski passa tout naturellement de la gaieté
la plus exubérante au ton d'attendrissement qui
cadrait avec l'état d'esprit de sa sœur. Il lui demanda
comment elle se portait et comment elle avait passé
la journée.

« Très mal, très mal, répondit-elle. Et les jours à
venir ne seront pas meilleurs que les jours écoulés.

— Tu vois les choses en noir. Il faut reprendre courage, regarder la vie en face. C'est difficile, je le sais.

— On prétend, déclara-t-elle soudain, que certaines
femmes aiment jusqu'aux vices des hommes. Eh bien,
moi, je hais en lui sa vertu! Je ne puis plus vivre
avec lui : sa seule vue me met hors de moi. Non, je
ne puis plus, je ne puis plus vivre avec lui! Que faut-il
que je fasse? J'ai été malheureuse et j'ai cru qu'on
ne pouvait l'être davantage, mais ceci dépasse tout ce
que j'avais pu imaginer. Conçois-tu que le sachant
bon, parfait, et sentant toute mon infériorité, je le
haïsse néanmoins? Oui, sa générosité me l'a fait
prendre en haine. Il ne me reste qu'à... »

Elle voulait ajouter : mourir, mais son frère ne la
laissa pas achever.

« Tu es malade et nerveuse et tu exagères fortement les choses. Il n'y a rien là de si terrible. »

Et devant ce désespoir, Stépane Arcadiévitch se permit un geste qui chez tout autre que lui eût passé pour une inconvenance : il sourit. Son sourire était si bon, si tendre que, loin de froisser, il calmait et attendrissait. Et, jointes à ce sourire, ses paroles calmaient comme une lotion d'huile d'amandes. Anna l'éprouva bientôt.

« Non, Stiva, dit-elle, je suis perdue, perdue. Je suis plus que perdue, car je ne puis dire que tout soit fini; je sens, hélas! le contraire. Je me fais l'effet d'une corde trop tendue qui doit rompre nécessairement. Mais la fin n'est pas encore venue... et elle sera terrible!

— Mais non, mais non, la corde peut être détendue tout doucement. Il n'existe pas de situation sans une issue quelconque.

— J'y ai pensé et repensé, je n'en vois qu'une... »
A son regard épouvanté, il comprit que cette issue était la mort et de nouveau il l'interrompit.

« Non, tu ne peux juger de ta position comme moi. Laisse-moi te dire franchement mon avis. » Il esquissa encore un sourire onctueux. « Je prends les choses du commencement : tu as épousé un homme de vingt ans plus âgé que toi, et tu t'es mariée sans amour, ou du moins sans connaître l'amour. Ce fut, j'en conviens, une erreur.

— Une erreur terrible!

— Mais je le répète, c'est un fait accompli. Tu as eu ensuite le malheur d'aimer un autre que ton mari. Second malheur, mais second fait accompli. Ton mari l'a su et t'a pardonné. » Il s'arrêtait après chaque phrase comme pour lui donner le temps de la réplique, mais elle gardait le silence. « Maintenant la question se pose ainsi : peux-tu continuer à vivre avec ton mari? le désires-tu? le désire-t-il?

— Je n'en sais rien...

— Tu viens de dire toi-même que tu ne pouvais plus le supporter.

— Non, je n'ai pas dit cela. Je me rétracte. Je ne sais plus rien, je ne comprends plus rien.

— Mais permets...

— Tu ne saurais comprendre. Je sens que je me suis précipitée la tête la première dans un abîme, et

que je ne « dois » pas me sauver. Et je ne le « puis »
pas non plus.

— Tu verras que nous t'empêcherons de tomber.
Je te devine : tu ne peux prendre sur toi d'exprimer
tes sentiments, tes désirs.

— Je ne désire rien, sinon que tout cela finisse.

— Crois-tu qu'il ne s'en aperçoive pas? Crois-tu
qu'il ne souffre pas aussi? Et que peut-il résulter de
toutes ces tortures? Le divorce au contraire résoudrait tout. »

Son idée principale énoncée, et non sans peine, Stépane Arcadiévitch en observa l'effet sur les traits
de sa sœur.

Elle secoua la tête négativement sans dire mot, mais
un éclair de sa beauté d'autrefois illumina son visage.
Oblonski en conclut que, si elle ne souhaitait pas le
divorce, c'est qu'elle le tenait pour un bonheur impossible.

« Vous me faites une peine extrême! Combien je
serais heureux d'arranger cela! reprit-il en souriant
avec plus de confiance. Non, non, ne dis rien, laisse-
moi agir. Fasse Dieu que je puisse exprimer tout ce
que j'éprouve! Je vais le trouver. »

Pour toute réponse Anna le regarda de ses yeux
brillants et pensifs.

XXII

Stépane Arcadiévitch pénétra dans le cabinet de son
beau-frère avec le visage solennel qu'il se donnait en
présidant les séances de son conseil. Alexis Alexandrovitch, les bras derrière le dos, marchait de long
en large dans la pièce, agitant dans son esprit la
même question que venait de discuter sa femme et son
beau-frère.

« Je ne te gêne pas? » demanda Stépane Arcadiévitch subitement troublé à la vue de Karénine. Et
pour dissimuler cette faiblesse dont il n'était guère
coutumier, il sortit de sa poche un étui à cigarettes

d'un nouveau système dont il venait de faire l'emplette, le flaira et en tira une cigarette.

« Non. As-tu besoin de quelque chose? demanda sans empressement Alexis Alexandrovitch.

— Oui... je désirais... je voulais... oui, je voulais te parler », répondit Stépane Arcadiévitch, surpris de se sentir de plus en plus intimidé.

Ce sentiment lui sembla si étrange qu'il n'y reconnut pas la voix de la conscience lui déconseillant une mauvaise action. Il le domina donc de son mieux et reprit en rougissant :

« J'espère que tu ne doutes ni de mon affection pour ma sœur ni de la profonde estime que je te porte. »

Alexis Alexandrovitch s'arrêta, et son air de victime résignée bouleversa Stépane Arcadiévitch.

« Eh bien, reprit celui-ci sans pouvoir retrouver son calme, j'avais l'intention de te parler de ma sœur et de votre situation à tous deux. »

Alexis Alexandrovitch regarda son beau-frère avec un sourire triste et, sans lui répondre, prit sur son bureau une lettre inachevée qu'il lui tendit.

« Je ne cesse d'y songer, fit-il enfin. Voici ce que j'ai essayé de lui dire, pensant que je m'exprimerais mieux par écrit, car ma présence l'irrite. »

Stépane Arcadiévitch considéra avec étonnement les yeux ternes de son beau-frère fixés sur lui, prit le papier et lut.

« Je vois que ma présence vous est à charge; pour pénible qu'il me soit de le reconnaître, je le constate et je sens qu'il ne saurait en être autrement. Je ne vous fais aucun reproche. Dieu m'est témoin que pendant votre maladie j'ai fermement résolu d'oublier le passé et de commencer une nouvelle vie. Je ne me repens pas, je ne me repentirai jamais de ce que j'ai fait alors. Mais c'était votre salut, le salut de votre âme que je souhaitais; et je vois que je n'ai pas réussi. Dites-moi vous-même ce qui vous rendra le repos et le bonheur. Je me soumets à l'avance au sentiment de justice qui guidera votre choix. »

Stépane Arcadiévitch rendit la lettre à son beau-frère et continua à le considérer avec perplexité, sans

trouver un mot à dire. Ce silence leur était pénible à
tous deux; les lèvres d'Oblonski en tremblaient.

« Voilà ce que je voulais lui faire entendre, prononça enfin Karénine en se détournant.

— Oui, oui..., balbutia Stépane Arcadiévitch qui se
sentait prêt à sangloter. Oui, put-il enfin articuler, je
te comprends.

— Que veut-elle? voilà ce que je souhaiterais
savoir.

— Je crains qu'elle ne s'en rende pas compte. Elle
n'est pas juge dans la question, dit Oblonski, cherchant à se remettre. Elle est écrasée, littéralement
écrasée par ta grandeur d'âme. Si elle lit ta lettre, elle
sera incapable d'y répondre et ne pourra que cour-
ber encore plus la tête.

— Mais alors que faire? Comment s'expliquer?
Comment connaître ses désirs?

— Si tu me permets d'exprimer mon avis, c'est à
toi qu'il appartient d'indiquer nettement les mesures
que tu crois susceptibles de couper court à cette situation.

— Par conséquent tu trouves qu'il faut y couper
court? interrompit Karénine. Mais comment? ajouta-
t-il en passant la main devant ses yeux d'un geste qui
ne lui était pas habituel. Je ne vois pas d'issue possible.

— Toute situation e⁻ a une, dit Oblonski en se levant et en s'animant peu à peu. Tu songeais naguère
au divorce... Si tu t'es convaincu qu'il n'y a plus de
bonheur possible entre vous...

— On peut concevoir le bonheur de façons différentes... Admettons que je consente à tout; comment
sortirons-nous de là?

— Veux-tu mon avis? dit Stépane Arcadiévitch avec
le même sourire onctueux qu'il avait eu pour sa sœur,
— et ce sourire était si persuasif que Karénine, cédant
à la faiblesse qui l'envahissait, fut tout disposé à croire
son beau-frère — jamais elle ne dira ce qu'elle désire.
Mais elle ne peut guère souhaiter qu'une chose, c'est
de rompre des liens qui lui rappellent de cruels souvenirs. Selon moi, il est indispensable de rendre vos
rapports plus clairs, ce qui ne peut se faire qu'en reprenant mutuellement votre liberté.

— Le divorce! interrompit avec dégoût Alexis. Alexandrovitch.

— Oui, je crois que le divorce... oui, c'est cela, le divorce, répéta Stépane Arcadiévitch en rougissant. A tous les points de vue c'est le parti le plus sensé, lorsque deux époux se trouvent dans la situation où vous êtes. Que faire, lorsque la vie commune devient intolérable? Et cela peut souvent arriver. »

Alexis Alexandrovitch poussa un profond soupir et se couvrit les yeux.

« Il n'y a qu'une seule chose à prendre en considération : l'un des deux époux veut-il se remarier? Si ce n'est pas le cas, le divorce ne souffre aucune difficulté », continua Stépane Arcadiévitch de plus en plus libéré de sa contrainte.

Alexis Alexandrovitch, les traits bouleversés par l'émotion, murmura quelques paroles inintelligibles. Ce qui semblait si simple à Oblonski, il l'avait tourné et retourné mille fois dans sa pensée et, au lieu de le trouver simple, il le jugeait inadmissible. Sa dignité personnelle autant que le respect de la religion lui défendaient de se plier à un adultère fictif, et encore plus de vouer à la honte d'un flagrant délit une femme à qui il avait accordé son pardon. Et d'ailleurs que deviendrait leur fils? Le laisser à la mère était impossible : cette mère divorcée aurait une nouvelle famille où la position de l'enfant serait intolérable et son éducation compromise. Le garder? Cet acte de vengeance lui répugnait. Mais, avant tout, il redoutait, en consentant au divorce, de pousser Anna à sa perte. Darie Alexandrovna ne lui avait-elle pas dit à Moscou qu'en voulant divorcer il ne pensait qu'à lui? Maintenant qu'il avait pardonné et qu'il s'était attaché aux enfants, ces paroles, qui lui restaient gravées dans l'âme, prenaient une importance particulière. « Rendre à Anna sa liberté, se disait-il, c'est lui enlever le dernier appui dans la voie du bien, tout en me privant de ma seule raison de vivre : les enfants. Une fois divorcée, elle s'unira à Vronski par un lien coupable et illégal, car selon l'Église le mariage ne se rompt que par la mort. Et qui sait si au bout d'un an ou deux il ne l'abandonnera pas, ou si elle ne se jettera pas dans une nouvelle liaison? Et c'est moi qui serais coupable de sa chute! »

Il n'admettait donc pas un traître mot de ce que disait son beau-frère, il avait cent arguments pour réfuter chacune de ses assertions, et cependant il l'écoutait, sentant en lui le porte-parole de cette force brutale qui dominait sa vie et à laquelle il finirait bien par se soumettre.

« Reste à savoir dans quelles conditions tu consentiras au divorce, car elle n'osera rien te demander et s'en remettra complètement à ta générosité. »

« De quoi me punissez-vous, mon Dieu? » murmura Alexis Alexandrovitch en songeant aux détails d'un adultère fictif; et de honte il se couvrit le visage des deux mains, comme l'avait fait Vronski.

« Tu es ému, je le comprends; mais si tu y réfléchis... »

. « Si quelqu'un te frappe sur la joue droite, présente-lui encore l'autre, et si on te vole ta tunique, abandonne encore ton manteau », songeait Alexis Alexandrovitch.

« Oui, oui, cria-t-il d'une voix perçante, je prends la honte sur moi, je renonce même à mon fils... Mais ne vaudrait-il pas mieux... Au reste, fais ce que tu veux. »

Et se détournant de son beau-frère pour n'être pas vu de lui, il s'assit près de la fenêtre. Il souffrait, il avait honte, tout en s'attendrissant devant la grandeur de son sacrifice.

Stépane Arcadiévitch, touché, garda quelques instants le silence.

« Alexis Alexandrovitch, dit-il enfin, crois bien qu'elle appréciera ta générosité. Telle était sans doute la volonté de Dieu », ajouta-t-il. Puis sentant aussitôt qu'il disait là une sottise, il retint avec peine un sourire.

Alexis Alexandrovitch voulut répondre; des larmes l'en empêchèrent.

Quand Stépane Arcadiévitch quitta le cabinet de son beau-frère, il était sincèrement ému et cependant enchanté d'avoir mené à bien cette affaire. A cette satisfaction se joignait l'idée d'un calembour dont il comptait faire goûter le sel à sa femme et à ses intimes : « Quelle différence y a-t-il entre moi et un général qui va à la revue? — Aucune, car s'il *se pare,* moi je *sépare!*... Ou plutôt non... Je tâcherai de trouver mieux », conclut-il en souriant.

XXIII

Bien qu'elle n'eût pas atteint le cœur, la blessure de
Vronski était dangereuse. Il fut pendant plusieurs jours
entre la vie et la mort. Quand pour la première fois il
se trouva en état de parler, il n'y avait dans sa chambre
que sa belle-sœur Varia.

« Varia, lui enjoignit-il d'un regard et d'un ton
sévères, dis à tout le monde que je me suis blessé accidentellement. Et ne me parle jamais de cette histoire,
c'est trop ridicule. »

Varia se pencha sur lui sans répondre, scrutant son
visage avec un sourire de bonheur : les yeux du blessé
n'étaient plus fiévreux, mais leur expression était
sévère.

« Dieu merci, tu peux parler, dit-elle. Tu ne souffres
pas?

— Un peu de ce côté, ici, répondit-il en indiquant
sa poitrine.

— Permets-moi alors de changer ton pansement. »

Il la regarda faire, contractant ses larges pommettes.
Quand elle eut fini, il insista :

« Ne crois pas que j'aie le délire; fais en sorte, je
t'en supplie, qu'on ne dise pas que j'ai voulu me tuer.

— Personne ne le dit. J'espère cependant que tu
renonceras à tirer sur toi accidentellement? répondit-
elle avec un sourire interrogateur.

— Probablement, mais mieux aurait valu... »

Et il sourit d'un air sombre.

Réponse et sourire ne rassurèrent point Varia. Et
cependant, dès qu'il fut hors de danger, Vronski
éprouva un sentiment de délivrance. Il s'était en
quelque sorte lavé de sa honte et de son humiliation :
désormais il pouvait penser avec calme à Alexis
Alexandrovitch, reconnaître sa grandeur d'âme sans en
être écrasé. Il pouvait en outre regarder les gens en
face, et reprendre son existence habituelle, conformément aux principes qui la dirigeaient. Ce qu'il ne parvenait point, malgré tous ses efforts, à s'arracher du

cœur, c'était le regret, voisin du désespoir, d'avoir perdu Anna pour toujours. Maintenant qu'il avait racheté sa faute envers Karénine, il était certes fermement résolu à ne pas se placer entre l'épouse repentante et son mari; mais pouvait-il échapper au souvenir d'instants de bonheur trop peu appréciés autrefois et dont le charme le poursuivait sans cesse?

Serpoukhovskoï lui offrit une mission à Tachkent, et Vronski l'accepta sans la moindre hésitation. Mais plus le moment du départ approchait, plus lui semblait cruel le sacrifice qu'il faisait à ce qu'il croyait être son devoir.

Sa blessure complètement cicatrisée, il fit ses préparatifs de départ.

« La revoir encore une fois, puis s'enterrer, mourir! » songeait-il; et en faisant sa visite d'adieu à Betsy, il lui exprima ce vœu. Celle-ci partit aussitôt en ambassadrice auprès d'Anna, mais rapporta un refus.

« Tant mieux, se dit Vronski en recevant cette réponse, cette faiblesse m'aurait coûté mes dernières forces! »

Le lendemain matin, Betsy en personne vint lui annoncer qu'Alexis Alexandrovitch, dûment chapitré par Oblonski, consentait au divorce et que, par conséquent, rien n'empêchait plus Vronski de voir Anna.

Sans plus songer à ses résolutions, sans demander à quel moment il pourrait la voir ni où se trouvait le mari, oubliant même de reconduire Betsy, Vronski courut chez les Karénine. Il grimpa l'escalier sans rien voir, traversa l'appartement presque en courant, se précipita dans la chambre d'Anna et, sans se préoccuper de la présence possible d'un tiers, il la prit dans ses bras et couvrit de baisers ses mains, son visage, son cou.

Anna s'était préparée à le revoir et avait pensé à ce qu'elle lui dirait; mais elle n'eut pas le temps de parler, la passion de Vronski l'emporta. Elle aurait voulu le calmer, se calmer elle-même, mais ce n'était pas possible; ses lèvres tremblaient, et longtemps elle ne put rien dire.

« Oui, tu m'as conquise, je suis à toi, parvint-elle enfin à dire en serrant la main de Vronski contre sa poitrine.

— Cela devait être, et tant que nous vivrons, cela sera. Je le sais maintenant.

— C'est vrai, répondit-elle, pâlissant de plus en plus, tout en entourant de ses bras la tête de Vronski. Néanmoins, n'est-ce pas effrayant après tout ce qui s'est passé?

— Tout cela s'oubliera, nous allons être si heureux! Si notre amour avait besoin de grandir, il grandirait parce qu'il a quelque chose de terrible », dit-il en relevant la tête et en montrant ses dents blanches dans un sourire.

Plus qu'aux paroles de son amant, ce fut à ses regards enamourés qu'elle répondit par un sourire. Puis, lui prenant la main, elle en caressa ses joues froides et ses pauvres cheveux coupés.

« Je ne te reconnais plus avec tes cheveux ras, dit-il. Tu as rajeuni : on dirait un jeune garçon. Mais comme tu es pâle!

— Oui, je suis encore très faible, répondit-elle, et ses lèvres se remirent à trembler.

— Nous irons en Italie, tu te rétabliras.

— Est-il possible que nous puissions être comme mari et femme, seuls tous les deux? demanda-t-elle en plongeant ses yeux dans les siens.

— Je ne suis surpris que d'une chose, c'est que cela n'ait pas toujours été.

— Stiva assure qu'« il » consent à tout, mais je n'accepte pas sa générosité, dit-elle, laissant son regard errer par-dessus la tête de Vronski. Je ne veux pas du divorce, je n'y tiens plus. Je me demande seulement ce qu'il décidera par rapport à Serge. »

Eh quoi, dans ce premier moment de leur rapprochement, elle pouvait penser à son fils et au divorce! Vronski n'y comprenait rien.

« Ne parle pas de cela, n'y songe pas », dit-il, tournant et retournant la main d'Anna dans la sienne pour ramener son attention vers lui; elle ne le regardait toujours point.

« Ah! pourquoi ne suis-je pas morte, cela aurait beaucoup mieux valu! » murmura-t-elle.

Des larmes coulaient le long de ses joues. Et cependant elle essaya de sourire pour ne point l'affliger.

Autrefois Vronski aurait cru impossible de se sous-

traire à la flatteuse et périlleuse mission de Tachkent;
maintenant au contraire il la refusa sans la moindre
hésitation; puis s'apercevant que ce refus était mal
interprété en haut lieu, il donna sa démission.

Un mois plus tard, Alexis Alexandrovitch restait seul
avec son fils, tandis qu'Anna partait pour l'étranger en
compagnie de Vronski après avoir résolument renoncé
au divorce.

BRODARD ET TAUPIN — IMPRIMEUR - RELIEUR
Paris-Coulommiers. — France.

05.267-III-3-5687 - Dépôt légal n° 2149, 1ᵉʳ trimestre 1962
LE LIVRE DE POCHE - 4, rue de Galliéra, Paris.

LE LIVRE DE POCHE
CLASSIQUE

VOLUMES PARUS

VOLUMES A PARAITRE DANS LE 1er SEMESTRE 1962

LE LIVRE DE POCHE
ENCYCLOPÉDIQUE

VOLUMES PARUS

Volume double (*)

LE LIVRE DE POCHE
HISTORIQUE

VOLUMES PARUS

(**) : Volume triple.
*Tous les autres ouvrages sont
doubles.*